02 빅데이터 분석

서울 1978	강원 318
인천 685	경기 3736
충남 623	대전 576
	충북 478
전북 537	경북 459
	대구 809
광주 409	울산 331
전남 414	경남 765
	부산 1403
제주 167	

분석 시험지 총 수

13,688 장

분석 기출문제 수

301,137 문제

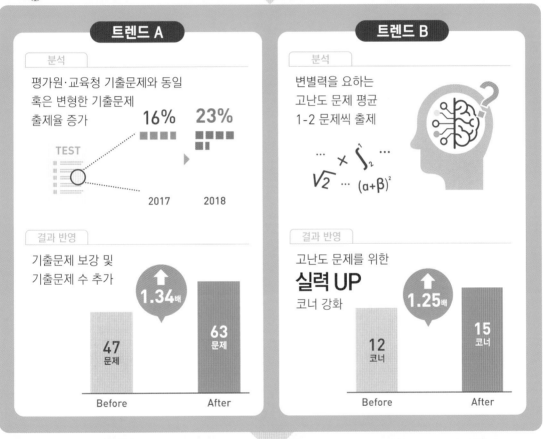

트렌드 A

분석

평가원·교육청 기출문제와 동일
혹은 변형한 기출문제
출제율 증가

16%   **23%**

TEST

2017   2018

결과 반영

기출문제 보강 및
기출문제 수 추가

1.34배

47 문제
63 문제

Before   After

트렌드 B

분석

변별력을 요하는
고난도 문제 평균
1-2 문제씩 출제

$$\cdots \times \int_2 \cdots$$
$$\sqrt{2} \cdots (a+\beta)^2$$

결과 반영

고난도 문제를 위한
실력 UP
코너 강화

1.25배

12 코너
15 코너

Before   After

개념을 알면 원리가 보인다
수학의 시작, 개념원리

®개념원리

발행일	2023년 4월 15일 3판 3쇄
지은이	이홍섭
기획 및 개발	개념원리 수학연구소

사업 총괄	안해선
사업 책임	황은정
마케팅 책임	권가민, 정성훈
제작/유통 책임	정현호, 조경수, 이미혜, 이거호
콘텐츠 개발 총괄	한소영
콘텐츠 개발 책임	오영석, 김경숙, 오지애, 모규리, 김현진, 송우제
디자인	스튜디오 에딩크, 손수영

펴낸이	고사무열
펴낸곳	(주)개념원리
등록번호	제 22-2381호
주소	서울시 강남구 테헤란로 8길 37, 7층(역삼동, 한동빌딩) 06239
고객센터	1644-1248

개념원리

수학(하)

많은 학생들은 왜 개념원리로 공부할까요?

정확한 개념과 원리의 이해,

수학의 비결

개념원리에 있습니다.

개념원리 수학의 특징

01 하나를 알면 10개, 20개를 풀 수 있고 어려운 수학에 흥미를 갖게 하여 쉽게 수학을 정복할 수 있습니다.

02 나선식 교육법을 채택하여 쉬운 것부터 어려운 것까지 단계적으로 혼자서도 충분히 공부할 수 있도록 하였습니다.

03 페이지마다 문제를 푸는 방법과 틀리기 쉬운 부분을 체크하여 개념과 원리를 충실히 익히도록 하였습니다.

04 전국 고등학교의 중간·기말고사 시험 문제와 평가원·수능 기출 문제를 엄선, 수록함으로써 어떤 시험에도 철저히 대비할 수 있도록 하였습니다.

이 책을 펴내면서

학생 여러분!

수학을 어떻게 하면 잘 할 수 있을까요?

이것은 과거부터 현재까지 끊임없이 제기되고 있는 학생들의 질문이며 가장 큰 바람입니다.

그런데 안타깝게도 대부분의 학생들이 공부는 열심히 하지만 성적이 오르지 않아서 흥미를 잃고 중도에 포기하는 경우가 많이 있습니다.

수학 공부를 더 열심히 하지 않아서 그럴까요? 머리가 나빠서 그럴까요?

그렇지 않습니다. 그것은 공부하는 방법이 잘못되었기 때문입니다.

새 교육과정은 수학적 사고를 기르는데 초점을 맞추고 있고 현재 출제 경향은 단순한 암기식 문제 풀이 위주에서 벗어나 근본적인 개념과 원리의 이해를 묻는 문제와 종합적이고 논리적인 사고력, 추리력, 응용력을 요구하는 복잡한 문제들로 바뀌고 있습니다.

따라서 개념원리 수학은 단순한 암기식 문제 풀이가 아니라 개념원리만의 독특한 교수법으로 사고력, 응용력, 추리력을 배양하도록 제작되어 생각하는 방법을 깨칠 수 있게 하였습니다.

이 책의 구성에 따라 인내심을 가지고 꾸준히 공부한다면 학교 내신 성적은 물론 다른 어떤 시험에도 좋은 결실을 거둘 수 있으리라 확신합니다.

구성과 특징

01 개념원리 이해

각 단원마다 중요한 개념과 원리를 정확히 이해하고
쉽게 응용할 수 있도록 정리하였습니다.

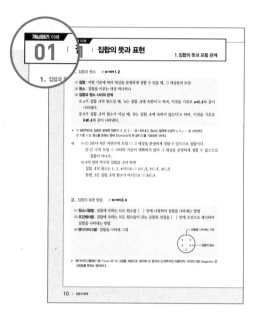

02 개념원리 익히기

개념과 원리를 확인하기 위한 쉬운 문제로 학습한
내용을 정확히 이해할 수 있도록 하였습니다.

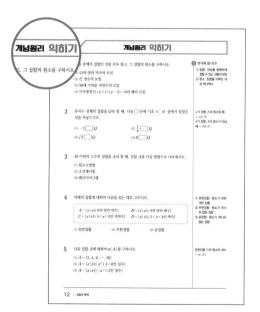

03 필수예제

필수예제에서는 꼭 알아야 할 문제를 수록하여 학교 내신과 수능에 대비하도록 하였습니다.

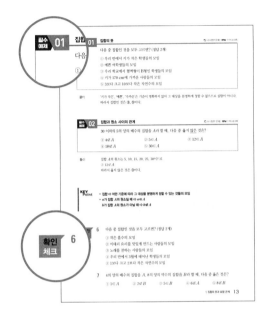

확인체크

수학에서 충분한 연습은 필수! 직접 풀면서 실력을 키울 수 있도록 하였습니다.

04 연습문제·실력 UP

연습문제에서는 그 단원에서 알아야 할 핵심적인 문제들을 풀어봄으로써 단계적으로 실력을 키울 수 있도록 하였습니다.
실력 UP에서는 고난도 문제를 수록하여 문제 해결 능력을 향상시킬 수 있도록 하였습니다.

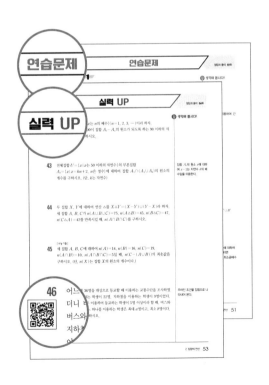

QR코드

어려운 문제에 QR코드를 제공하여 모바일 기기를 통하여 동영상 강의를 언제, 어디서든 쉽게 들을 수 있도록 하였습니다.

차례

I 집합과 명제

Ⅱ 함수

차례

 경우의 수

집합과 명제

01 | 집합의 뜻과 표현

1. 집합의 뜻과 포함 관계

1. 집합과 원소   ▷ 필수예제 **1, 2**

(1) **집합**: 어떤 기준에 따라 대상을 분명하게 정할 수 있을 때, 그 대상들의 모임

(2) **원소**: 집합을 이루는 대상 하나하나

(3) **집합과 원소 사이의 관계**

① a가 집합 A의 원소일 때, 'a는 집합 A에 속한다'고 하며, 이것을 기호로 $a \in A$와 같이 나타낸다.

② b가 집합 A의 원소가 아닐 때, 'b는 집합 A에 속하지 않는다'고 하며, 이것을 기호로 $b \notin A$와 같이 나타낸다.

▶ ① 일반적으로 집합은 알파벳 대문자 A, B, C, …로 나타내고, 원소는 알파벳 소문자 a, b, c, …로 나타낸다.
② 기호 $\in$는 원소를 뜻하는 영어 Element의 첫 글자 E를 기호화한 것이다.

예   (1) ① 3보다 작은 자연수의 모임 ⇨ 그 대상을 분명하게 정할 수 있으므로 집합이다.

② 큰 수의 모임 ⇨ 크다의 기준이 명확하지 않아 그 대상을 분명하게 정할 수 없으므로 집합이 아니다.

(2) 4의 양의 약수의 집합을 A라 하면

집합 A의 원소는 1, 2, 4이므로 ⇨ $1 \in A$, $2 \in A$, $4 \in A$

한편, 3은 집합 A의 원소가 아니므로 ⇨ $3 \notin A$

2. 집합의 표현 방법   ▷ 필수예제 **3, 4**

(1) **원소나열법**: 집합에 속하는 모든 원소를 { } 안에 나열하여 집합을 나타내는 방법

(2) **조건제시법**: 집합에 속하는 모든 원소들이 갖는 공통된 성질을 { } 안에 조건으로 제시하여 집합을 나타내는 방법

(3) **벤다이어그램**: 집합을 나타낸 그림

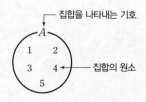

▶ 벤다이어그램에서 벤(Venn)은 이 그림을 처음으로 생각해 낸 영국의 논리학자의 이름이며, 다이어그램(diagram)은 그림표를 뜻하는 영어이다.

설명 (1) 원소나열법

집합을 원소나열법으로 나타낼 때, 다음을 주의한다.

① 원소를 나열하는 순서는 관계없다.

$\Rightarrow$ {1, 2, 3}은 {2, 3, 1}로 나타낼 수 있다.

② 같은 원소는 중복하여 쓰지 않는다.

$\Rightarrow$ {1, 2, 2, 3} (×), {1, 2, 3} (○)

③ 원소의 개수가 많고 일정한 규칙이 있을 때에는 원소의 일부를 생략하고 '…'을 사용하여 나타낸다.

$\Rightarrow$ 100 이하의 자연수의 집합은 {1, 2, 3, …, 100}과 같이 나타낸다.

(2) 조건제시법

집합을 조건제시법으로 다음과 같이 나타낸다.

원소들이 갖는 공통된 성질

{$x \mid x$의 조건}

원소를 대표하는 문자

3. 원소의 개수에 따른 집합의 분류   ▷ **필수예제 5, 6**

(1) **유한집합과 무한집합**

① **유한집합**: 원소가 유한개인 집합

② **무한집합**: 원소가 무수히 많은 집합

(2) **공집합**: 원소가 하나도 없는 집합을 공집합이라 하며, 이것을 기호로 $\varnothing$과 같이 나타낸다.

(3) **유한집합의 원소의 개수**

집합 A가 유한집합일 때, 집합 A의 원소의 개수를 기호로 $n(A)$와 같이 나타낸다. 특히, $n(\varnothing)=0$이다.

▶ ① 공집합은 원소의 개수가 0이므로 유한집합이다.

② $n(A)$에서 n은 개수를 뜻하는 영어 number의 첫 글자이다.

설명 (3) $\varnothing$, {$\varnothing$}, {0}의 원소의 개수를 알아보자.

① 공집합 $\varnothing$의 원소의 개수는 0이므로 $\Rightarrow n(\varnothing)=0$

② 집합 {$\varnothing$}의 원소는 $\varnothing$, 즉 1개이므로 $\Rightarrow n(\{\varnothing\})=1$

③ 집합 {0}의 원소는 0, 즉 1개이므로 $\Rightarrow n(\{0\})=1$

예 (1) ① {1, 3, 5, 7, 9} $\Rightarrow$ 원소가 유한개이다. $\Rightarrow$ 유한집합

② {1, 3, 5, 7, 9, …} $\Rightarrow$ 원소가 무수히 많다. $\Rightarrow$ 무한집합

(2) {$x \mid x$는 1보다 작은 자연수} $\Rightarrow$ 1보다 작은 자연수는 없다. $\Rightarrow$ 공집합

(3) 집합 $A=$ {1, 2, 3, 4, 5}의 원소는 5개이다. $\Rightarrow n(A)=5$

개념원리 익히기

1 다음 중에서 집합인 것을 모두 찾고, 그 집합의 원소를 구하시오.

(1) 15의 양의 약수의 모임

(2) 큰 정수의 모임

(3) 50에 가까운 자연수의 모임

(4) 이차방정식 $(x+1)(x-2)=0$의 해의 모임

🔅 생각해 봅시다!

① 집합: 대상을 분명하게 정할 수 있는 것들의 모임
② 원소: 집합을 이루는 대상 하나하나

2 유리수 전체의 집합을 Q라 할 때, 다음 ☐ 안에 기호 $\in$, $\notin$ 중에서 알맞은 것을 써넣으시오.

(1) -2 ☐ Q

(2) $\dfrac{1}{4}$ ☐ Q

(3) $\sqrt{3}$ ☐ Q

(4) 0 ☐ Q

a가 집합 A의 원소일 때
⇨ $a \in A$
b가 집합 A의 원소가 아닐 때 ⇨ $b \notin A$

3 10 이하의 소수의 집합을 A라 할 때, 집합 A를 다음 방법으로 나타내시오.

(1) 원소나열법

(2) 조건제시법

(3) 벤다이어그램

4 아래의 집합에 대하여 다음을 있는 대로 고르시오.

> $A=\{x \,|\, x$는 6의 양의 약수$\}$ $B=\{x \,|\, x$는 9의 양의 배수$\}$
>
> $C=\{x \,|\, x$는 $1<x<5$인 자연수$\}$ $D=\{x \,|\, x$는 $2<x<4$인 짝수$\}$

(1) 유한집합   (2) 무한집합   (3) 공집합

① 유한집합: 원소가 유한 개인 집합
② 무한집합: 원소가 무수히 많은 집합
③ 공집합: 원소가 하나도 없는 집합

5 다음 집합 A에 대하여 $n(A)$를 구하시오.

(1) $A=\{2,\ 4,\ 6,\ \cdots,\ 20\}$

(2) $A=\{x \,|\, x$는 $x^2+1=0$인 실수$\}$

(3) $A=\{x \,|\, x$는 $|x|<2$인 정수$\}$

유한집합 A의 원소의 개수
⇨ $n(A)$

필수예제 01 집합의 뜻

🔄 더 다양한 문제는 **RPM** 수학(하) 8쪽

다음 중 집합인 것을 모두 고르면? (정답 2개)

① 우리 반에서 키가 작은 학생들의 모임
② 예쁜 여학생들의 모임
③ 우리 학교에서 혈액형이 B형인 학생들의 모임
④ 키가 170 cm에 가까운 사람들의 모임
⑤ 3보다 크고 10보다 작은 자연수의 모임

풀이 '키가 작은', '예쁜', '가까운'은 기준이 명확하지 않아 그 대상을 분명하게 정할 수 없으므로 집합이 아니다.
따라서 집합인 것은 ③, ⑤이다.

필수예제 02 집합과 원소 사이의 관계

🔄 더 다양한 문제는 **RPM** 수학(하) 8쪽

30 이하의 5의 양의 배수의 집합을 A라 할 때, 다음 중 옳지 <u>않은</u> 것은?

① $4 \notin A$ ② $5 \in A$ ③ $12 \in A$
④ $18 \notin A$ ⑤ $30 \in A$

풀이 집합 A의 원소는 5, 10, 15, 20, 25, 30이므로
③ $12 \notin A$
따라서 옳지 않은 것은 ③이다.

KEY Point

• 집합 ⇨ 어떤 기준에 따라 그 대상을 분명하게 정할 수 있는 것들의 모임
• a가 집합 A의 원소일 때 ⇨ $a \in A$
  b가 집합 A의 원소가 아닐 때 ⇨ $b \notin A$

확인체크

6 다음 중 집합인 것을 모두 고르면? (정답 2개)

① 작은 홀수의 모임
② 이태리 요리를 맛있게 만드는 사람들의 모임
③ 노래를 잘하는 사람들의 모임
④ 우리 반에서 3월에 태어난 학생들의 모임
⑤ 1보다 크고 2보다 작은 자연수의 모임

7 4의 양의 배수의 집합을 A, 8의 양의 약수의 집합을 B라 할 때, 다음 중 옳은 것은?

① $1 \in A$ ② $2 \notin B$ ③ $5 \in B$ ④ $6 \notin A$ ⑤ $8 \notin B$

필수 예제 03 — 집합의 표현 방법

다음 집합에서 원소나열법으로 나타낸 것은 조건제시법으로, 조건제시법으로 나타낸 것은 원소나열법으로 나타내시오.

(1) $\{1, 2, 5, 10\}$

(2) $\{3, 6, 9, 12, \cdots\}$

(3) $\{x \mid x$는 1보다 크고 14보다 작은 짝수$\}$

(4) $\{x \mid x$는 3으로 나누었을 때의 나머지가 1인 자연수$\}$

답

(1) $\{x \mid x$는 **10의 양의 약수**$\}$ (2) $\{x \mid x$는 **3의 양의 배수**$\}$

(3) $\{2, 4, 6, 8, 10, 12\}$ (4) $\{1, 4, 7, 10, \cdots\}$

필수 예제 04 — 조건제시법으로 나타내어진 집합

집합 $A = \{0, 1, 2\}$에 대하여 다음 집합을 원소나열법으로 나타내시오.

(1) $B = \{x+y \mid x \in A, y \in A\}$ (2) $C = \{xy \mid x \in A, y \in A\}$

풀이

(1) 집합 B는 집합 A의 두 원소 x, y의 합 $x+y$를 원소로 갖는 집합이므로 [표 1]에서

$B = \{0, 1, 2, 3, 4\}$

(2) 집합 C는 집합 A의 두 원소 x, y의 곱 xy를 원소로 갖는 집합이므로 [표 2]에서

$C = \{0, 1, 2, 4\}$

$x \backslash y$	0	1	2
0	0	1	2
1	1	2	3
2	2	3	4

[표 1]

$x \backslash y$	0	1	2
0	0	0	0
1	0	1	2
2	0	2	4

[표 2]

확인 체크

8 다음 중 집합 $\{3, 5, 7\}$을 조건제시법으로 나타낸 것으로 옳은 것은?

① $\{x \mid x$는 2 이상 9 이하의 홀수$\}$ ② $\{x \mid x$는 2보다 큰 한 자리의 홀수$\}$

③ $\{x \mid x = 2n+1, n=1, 2, 3\}$ ④ $\{x \mid x$는 10보다 작은 소수$\}$

⑤ $\{x \mid x$는 $0 < x < 9$인 홀수$\}$

9 집합 $A = \{x \mid x$는 $0 < x < 10$인 2의 배수$\}$에 대하여 집합 $B = \{y \mid y = 3x-2, x \in A\}$를 원소나열법으로 나타내시오.

10 다음 중 집합 $A = \{x \mid x = 2^p \times 5^q,\ p,\ q$는 자연수$\}$의 원소가 <u>아닌</u> 것은?

① 10 ② 60 ③ 100 ④ 250 ⑤ 400

다음 중 무한집합인 것을 모두 고르면? (정답 2개)

① $\{x \mid x=3n,\ n=1,\ 2,\ 3,\ 4\}$ ② $\{x \mid x$는 9보다 큰 한 자리의 홀수$\}$

③ $\{x \mid x$는 $1<x<2$인 기약분수$\}$ ④ $\{x \mid x$는 세 자리 자연수$\}$

⑤ $\{x \mid x$는 $x^2-3x+2<0$인 유리수$\}$

풀이

① $\{3,\ 6,\ 9,\ 12\}$이므로 유한집합이다.

② 9보다 큰 한 자리의 홀수는 없다. 따라서 공집합이므로 유한집합이다.

③ $\left\{\dfrac{3}{2},\ \dfrac{4}{3},\ \dfrac{5}{4},\ \dfrac{6}{5},\ \cdots\right\}$이므로 무한집합이다.

④ $\{100,\ 101,\ 102,\ \cdots,\ 998,\ 999\}$이므로 유한집합이다.

⑤ $x^2-3x+2<0$에서 $(x-1)(x-2)<0$ $\therefore\ 1<x<2$

   이때 1과 2 사이에 유리수는 무수히 많으므로 무한집합이다.

따라서 무한집합인 것은 ③, ⑤이다.

다음 중 옳은 것은?

① $A=\{0\}$이면 $n(A)=0$ ② $n(\{\varnothing,\ 3\})=1$

③ $n(\{0,\ 1,\ 2\})-n(\{1,\ 2\})=1$ ④ $n(\{3\})<n(\{5\})$

⑤ $n(\{0\})+n(\varnothing)+n(\{\varnothing\})+n(\{0,\ 1\})=3$

풀이

① $A=\{0\}$이면 $n(A)=1$

② $n(\{\varnothing,\ 3\})=2$

③ $n(\{0,\ 1,\ 2\})-n(\{1,\ 2\})=3-2=1$

④ $n(\{3\})=1$, $n(\{5\})=1$이므로 $n(\{3\})=n(\{5\})$

⑤ $n(\{0\})+n(\varnothing)+n(\{\varnothing\})+n(\{0,\ 1\})=1+0+1+2=4$

따라서 옳은 것은 ③이다.

KEY Point

• $n(A)$ ⇨ 유한집합 A의 원소의 개수

확인 체크

11 다음 보기 중에서 유한집합인 것만을 있는 대로 고르시오.

┤보기├

ㄱ. $\{x \mid x$는 10보다 큰 홀수$\}$ ㄴ. $\{\varnothing\}$

ㄷ. $\{x \mid x$는 $1<x<3$인 홀수$\}$ ㄹ. $\{x \mid x=2n,\ n$은 자연수$\}$

12 세 집합 $A=\{x \mid x$는 50보다 작은 7의 양의 배수$\}$, $B=\{x \mid x$는 $x^2=-4$인 실수$\}$,
$C=\{x \mid |x|=4\}$에 대하여 $n(A)+n(B)-n(C)$의 값을 구하시오.

정답과 풀이 **57쪽**

STEP **1**

💡 **생각해 봅시다!**

기준이 명확하지 않은 것은 집합이 아니다.

1 다음 보기 중에서 집합인 것만을 있는 대로 고르시오.

┤보기├

ㄱ. 10보다 큰 짝수의 모임

ㄴ. 게임을 좋아하는 학생들의 모임

ㄷ. 1보다 작은 자연수의 모임

ㄹ. 우리나라 광역시의 모임

ㅁ. 30보다 작은 수 중에서 20에 가까운 수의 모임

2 이차부등식 $x^2-8x+12<0$의 정수인 해의 집합을 A라 할 때, 다음 중 옳지 <u>않은</u> 것은?

① $-2\notin A$　② $0\notin A$　③ $2\in A$　④ $5\in A$　⑤ $7\notin A$

3 다음 중 옳은 것은?

유한집합 A의 원소의 개수
⇨ $n(A)$

① $n(\{a, b, c\})=n(\{e, f, g\})$　② $n(A)=0$이면 $A=\{\varnothing\}$

③ $n(\{3, 5, 7\})-n(\{3, 7\})=5$　④ $n(\{\varnothing, 1\})=1$

⑤ $n(\{0\})<n(\{2\})$

STEP **2**

4 서로 다른 세 자연수를 원소로 갖는 집합 $A=\{a, b, c\}$에 대하여 집합 B를 $B=\{x+y\,|\,x\in A, y\in A, x\neq y\}$라 하자. 집합 $B=\{6, 9, 11\}$일 때, 집합 A의 원소 중 가장 큰 수를 구하시오.

5 세 집합 $A=\{1, 2, 3\}$, $B=\{2a+1\,|\,a\in A\}$, $C=\{b-a\,|\,a\in A, b\in B\}$에 대하여 $n(A)+n(B)+n(C)$의 값을 구하시오.

실력 UP

6 공집합이 아닌 집합 A가 자연수를 원소로 가질 때, 다음 조건을 만족시키는 집합 A의 개수를 구하시오.

$\dfrac{81}{a}$이 자연수가 되도록 a의 값을 찾는다.

$$a\in A$$이면 $$\dfrac{81}{a}\in A$$

02 | 집합 사이의 포함 관계

1. 집합의 뜻과 포함 관계

1. 부분집합 ▷ 필수예제 **7, 8**

(1) **부분집합**

① 두 집합 A, B에 대하여 A의 모든 원소가 B에 속할 때, 즉 $x \in A$이면 $x \in B$일 때 A를 B의 **부분집합**이라 하며, 이것을 기호로 $A \subset B$와 같이 나타낸다.

② 집합 A가 집합 B의 부분집합이 아닐 때, 이것을 기호로 $A \not\subset B$와 같이 나타낸다.

$A \subset B$

(2) **부분집합의 성질**

세 집합 A, B, C에 대하여

① $\varnothing \subset A$ ← 공집합은 모든 집합의 부분집합

  $A \subset A$ ← 모든 집합은 자기 자신의 부분집합

② $A \subset B$이고 $B \subset C$이면 $A \subset C$이다.

▶ ① 기호 $\subset$는 포함하다를 뜻하는 영어 Contain의 첫 글자 C를 기호화한 것이다.
  ② 집합 A가 집합 B의 부분집합일 때, 'A는 B에 포함된다.' 또는 'B는 A를 포함한다.'고 한다.
  ③ $A \not\subset B$는 집합 A의 원소 중에서 집합 B의 원소가 아닌 것이 적어도 하나 있다는 의미이다.

설명 (2) 공집합은 모든 집합의 부분집합이고, 모든 집합은 자기 자신의 부분집합이다.
  즉, 임의의 집합 A에 대하여 $\varnothing \subset A$, $A \subset A$가 성립한다.
  또한, 세 집합 A, B, C에 대하여 $A \subset B$이고 $B \subset C$이면 오른쪽 벤다이어그램에서 $A \subset C$임을 알 수 있다.

예 두 집합 $A = \{1, 2\}$, $B = \{1, 2, 3, 4\}$에 대하여

  (1) 집합 A의 모든 원소 1, 2가 집합 B에 속하므로 ⇨ $A \subset B$ ← A는 B의 부분집합이다.

  (2) 집합 B의 원소 중 3, 4가 집합 A에 속하지 않으므로 ⇨ $B \not\subset A$ ← B는 A의 부분집합이 아니다.

2. 서로 같은 집합 ▷ 필수예제 **9**

(1) 두 집합 A, B에 대하여 $A \subset B$이고 $B \subset A$일 때, 'A와 B는 **서로 같다**'고 하며, 이것을 기호로 $A = B$와 같이 나타낸다.

(2) 두 집합 A와 B가 서로 같지 않을 때, 이것을 기호로 $A \neq B$와 같이 나타낸다.

$A = B$

▶ 두 집합 A, B의 모든 원소가 같을 때, 'A와 B는 서로 같다'고 한다.

예 두 집합 $A = \{1, 2, 3\}$, $B = \{x \mid x$는 3 이하의 자연수$\}$에서 $B = \{1, 2, 3\}$이므로
  $A \subset B$이고 $B \subset A$ ⇨ $A = B$

3. 진부분집합

두 집합 A, B에 대하여 A가 B의 부분집합이지만 서로 같지 않을 때, 즉

$A \subset B$이고 $A \neq B$ ← 부분집합 중 자기 자신을 제외한 모든 부분집합

일 때, A를 B의 **진부분집합**이라 한다.

▶ ① $A \subset B$는 집합 A가 집합 B의 진부분집합이거나 $A = B$임을 뜻한다.
② 집합 A가 집합 B의 진부분집합일 때, $A \subset B$이고 B의 원소 중 A의 원소가 아닌 것이 있다.

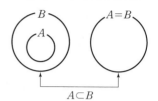

예   두 집합 $A = \{1, 3\}$, $B = \{1, 3, 5\}$에 대하여
$A \subset B$이고 $A \neq B$ ⇨ A는 B의 진부분집합이다.

4. 부분집합의 개수

집합 $A = \{a_1, a_2, a_3, \cdots, a_n\}$의 부분집합과 진부분집합의 개수는 다음과 같다.

(1) 집합 A의 **부분집합의 개수** ⇨ 2^n
(2) 집합 A의 **진부분집합의 개수** ⇨ $2^n - 1$

설명   집합 $A = \{a_1, a_2, a_3\}$의 세 원소 a_1, a_2, a_3이 부분집합에 속하는 경우를 ○, 속하지 않는 경우를 ×로 나타내면 오른쪽 그림과 같이 각각 2가지 경우가 있으므로 원소의 개수가 3인 집합 A의 부분집합의 개수는

$$2 \times 2 \times 2 = 2^3 = 8$$

일반적으로 원소의 개수가 n인 집합의 부분집합의 개수는

$$\underbrace{2 \times 2 \times 2 \times \cdots \times 2}_{n개} = 2^n$$

또한, 진부분집합의 개수는 부분집합 중 자기 자신을 제외한 집합의 개수이므로 원소의 개수가 n인 집합의 진부분집합의 개수는 $2^n - 1$이다.

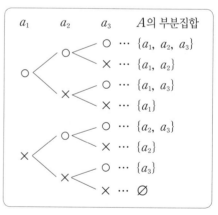

예제   집합 $A = \{a, b, c, d\}$에 대하여 다음을 구하시오.

(1) 집합 A의 부분집합의 개수
(2) 집합 A의 진부분집합의 개수

풀이   (1) $2^4 = 16$
       (2) $2^4 - 1 = 15$

5. 특정한 원소를 갖거나 갖지 않는 부분집합의 개수 ▷ 필수예제 **10, 11**

집합 $A=\{a_1, a_2, a_3, \cdots, a_n\}$에 대하여 특정한 원소를 반드시 원소로 갖거나 갖지 않는 집합 A의 부분집합의 개수는 다음과 같다.

   (1) 집합 A의 원소 중에서 특정한 원소 k개를 반드시 원소로 갖는 집합 A의 부분집합의 개수

      ⇨ 2^{n-k} (단, $k<n$)

   (2) 집합 A의 원소 중에서 특정한 원소 m개를 원소로 갖지 않는 집합 A의 부분집합의 개수

      ⇨ 2^{n-m} (단, $m<n$)

   (3) 집합 A의 원소 중에서 특정한 원소 k개는 반드시 원소로 갖고 특정한 원소 m개는 원소로 갖지 않는 집합 A의 부분집합의 개수

      ⇨ 2^{n-k-m} (단, $k+m<n$)

설명   집합 $A=\{a, b, c, d\}$에 대하여

    (1) 특정한 원소 a, b를 반드시 원소로 갖는 부분집합

      ⇨ 집합 A에서 원소 a, b를 제외한 집합 $\{c, d\}$의 부분집합에 원소 a, b를 넣은 것과 같다.

      ⇨ $\{a, b\}$, $\{a, b, c\}$, $\{a, b, d\}$, $\{a, b, c, d\}$

      ⇨ 부분집합의 개수는 $2^{4-2}=2^2=4$

          └ 집합 A의 원소의 개수
          └ 부분집합에 반드시 속하는 원소의 개수

$$\varnothing \qquad \{c\} \qquad \{d\} \qquad \{c, d\}$$
$$\downarrow \leftarrow a, b \quad \downarrow \leftarrow a, b \quad \downarrow \leftarrow a, b \quad \downarrow \leftarrow a, b$$
$$\{a, b\} \quad \{a, b, c\} \quad \{a, b, d\} \quad \{a, b, c, d\}$$

    (2) 특정한 원소 a, b를 원소로 갖지 않는 부분집합

      ⇨ 집합 A에서 원소 a, b를 제외한 집합 $\{c, d\}$의 부분집합과 같다.

      ⇨ $\varnothing$, $\{c\}$, $\{d\}$, $\{c, d\}$

      ⇨ 부분집합의 개수는 $2^{4-2}=2^2=4$

          └ 집합 A의 원소의 개수
          └ 부분집합에 속하지 않는 원소의 개수

예제   집합 $A=\{2, 4, 6, 8\}$에 대하여 다음을 구하시오.

    (1) 2, 4를 반드시 원소로 갖는 집합 A의 부분집합의 개수

    (2) 8을 원소로 갖지 않는 집합 A의 부분집합의 개수

    (3) 2는 반드시 원소로 갖고 4, 6은 원소로 갖지 않는 집합 A의 부분집합의 개수

풀이   (1) $2^{4-2}=2^2=4$

       (2) $2^{4-1}=2^3=8$

       (3) $2^{4-1-2}=2^1=2$

13 다음 집합의 부분집합을 모두 구하시오.

(1) $\{2, 4\}$

(2) $\{x \mid x$는 9의 양의 약수$\}$

💡 생각해 봅시다!

14 다음 □ 안에 기호 $\subset$, $\not\subset$ 중에서 알맞은 것을 써넣으시오.

(1) $\{1, 3\}$ □ $\{x \mid x$는 $1 \le x \le 3$인 정수$\}$

(2) $\{a, b, c\}$ □ $\{a, c, e\}$

(3) $\varnothing$ □ $\{2, 4, 5\}$

집합 A가 집합 B의 부분
집합일 때
⇨ $A \subset B$
집합 A가 집합 B의 부분
집합이 아닐 때
⇨ $A \not\subset B$

15 다음 □ 안에 기호 $=$, $\neq$ 중에서 알맞은 것을 써넣으시오.

(1) $\{-1, 1\}$ □ $\{x \mid x^2 - 2x + 1 = 0\}$

(2) $\varnothing$ □ $\{x \mid x$는 $2 < x < 4$인 자연수$\}$

(3) $\{2, 4, 8\}$ □ $\{x \mid x = 2^n, n = 1, 2, 3\}$

$A \subset B$이고 $B \subset A$이면
⇨ $A = B$

16 집합 $\{x \mid x$는 5 이하의 소수$\}$의 진부분집합을 모두 구하시오.

집합 A가 집합 B의 진부
분집합일 때
⇨ $A \subset B$이고 $A \neq B$

17 집합 $A = \{x \mid x$는 6의 양의 약수$\}$에 대하여 다음을 구하시오.

(1) 집합 A의 부분집합의 개수

(2) 집합 A의 진부분집합의 개수

(3) 1, 6을 반드시 원소로 갖는 집합 A의 부분집합의 개수

(4) 3을 원소로 갖지 않는 집합 A의 부분집합의 개수

원소의 개수가 n인 집합의
부분집합의 개수
⇨ 2^n

집합 $A=\{\varnothing, 1, 2, \{1, 2\}\}$에 대하여 다음 중 옳지 <u>않은</u> 것은?

① $\varnothing \in A$ ② $\{\varnothing\} \subset A$ ③ $\{1\} \in A$

④ $\{1, 2\} \in A$ ⑤ $\{1, 2\} \subset A$

설명 x가 집합 A의 원소이면 $\Rightarrow x \in A$, $\{x\} \subset A$

            $\{x\}$가 집합 A의 원소이면 $\Rightarrow \{x\} \in A$, $\{\{x\}\} \subset A$

풀이   집합 A의 원소는 $\varnothing, 1, 2, \{1, 2\}$이다.

            ①, ② $\varnothing$은 집합 A의 원소이므로 $\varnothing \in A$, $\{\varnothing\} \subset A$

            ③ 1은 집합 A의 원소이므로 $1 \in A$, $\{1\} \subset A$

            ④ $\{1, 2\}$는 집합 A의 원소이므로 $\{1, 2\} \in A$

            ⑤ 1, 2는 집합 A의 원소이므로 $\{1, 2\} \subset A$

            따라서 옳지 않은 것은 ③이다.

KEY Point

- 원소와 집합 사이의 관계 $\Rightarrow \in$, $\notin$
- 집합과 집합 사이의 관계 $\Rightarrow \subset$, $\not\subset$

확인 체크

18 두 집합 A, B를 벤다이어그램으로 나타내면 오른쪽 그림과 같을 때, 다음 중 옳지 <u>않은</u> 것은?

① $\varnothing \subset A$ ② $1 \in B$ ③ $3 \notin A$

④ $\{2\} \subset A$ ⑤ $\{1, 3, 5\} \not\subset B$

19 집합 $A=\{x \mid x=2n,\ n$은 5 이하의 자연수$\}$에 대하여 다음 보기 중에서 옳은 것만을 있는 대로 고르시오.

   ㄱ. $5 \in A$ ㄴ. $6 \notin A$ ㄷ. $\{4, 10\} \subset A$ ㄹ. $A \subset \{2, 4, 6, 8\}$

20 집합 $S=\{\varnothing, 0, \{0\}, 1\}$에 대하여 다음 중 옳지 <u>않은</u> 것은?

① $\varnothing \in S$ ② $\varnothing \subset S$ ③ $1 \in S$

④ $\{\{0\}\} \not\subset S$ ⑤ $\{0, \{0\}\} \subset S$

두 집합 $A=\{1,\ a+2\}$, $B=\{3,\ a^2+2,\ a+1\}$에 대하여 $A\subset B$일 때, 실수 a의 값을 구하시오.

풀이

$1\in A$에서 $1\in B$이어야 하므로

$a^2+2=1$ 또는 $a+1=1$ $\therefore a^2=-1$ 또는 $a=0$

(i) $a^2=-1$일 때,

이를 만족시키는 실수 a의 값은 존재하지 않는다.

(ii) $a=0$일 때,

$A=\{1,\ 2\}$, $B=\{1,\ 2,\ 3\}$이므로 $A\subset B$

(i), (ii)에서 $A\subset B$를 만족시키는 실수 a의 값은 **0**이다.

두 집합 $A=\{-2,\ a^2+2a\}$, $B=\{3,\ a^2-3a\}$에 대하여 $A=B$일 때, 상수 a의 값을 구하시오.

풀이

$3\in B$에서 $3\in A$이어야 하므로

$a^2+2a=3$, $a^2+2a-3=0$

$(a+3)(a-1)=0$ $\therefore a=-3$ 또는 $a=1$

(i) $a=-3$일 때,

$A=\{-2,\ 3\}$, $B=\{3,\ 18\}$이므로 $A\neq B$

(ii) $a=1$일 때,

$A=\{-2,\ 3\}$, $B=\{-2,\ 3\}$이므로 $A=B$

(i), (ii)에서 $A=B$를 만족시키는 a의 값은 **1**이다.

KEY Point

• $A\subset B \Rightarrow$ 집합 A의 모든 원소는 집합 B의 원소이어야 한다.

• $A=B \Rightarrow$ 두 집합 A, B의 모든 원소가 같아야 한다.

확인 체크

21 두 집합 $A=\{-1,\ a^2-1\}$, $B=\{2,\ a-2,\ 1-a\}$에 대하여 $A\subset B$일 때, 상수 a의 값을 구하시오.

22 두 집합 $A=\{x\,|\,-2\leq x<1\}$, $B=\{x\,|\,a-3<x<b\}$에 대하여 $A\subset B$일 때, 정수 a의 최댓값과 정수 b의 최솟값의 합을 구하시오.

23 두 집합 $A=\{4,\ a+1,\ a-2\}$, $B=\{2,\ 5,\ a^2-3a\}$에 대하여 $A\subset B$이고 $B\subset A$일 때, 상수 a의 값을 구하시오.

필수
예제

집합 $A = \{3, 4, 5, 6, 7\}$에 대하여 다음을 구하시오.

⑴ 집합 A의 부분집합 중 5는 반드시 원소로 갖고 3, 6은 원소로 갖지 않는 부분집합의 개수

⑵ 집합 A의 부분집합 중 적어도 한 개의 홀수를 원소로 갖는 부분집합의 개수

설명 ⑵ '적어도 ~인' 경우는 전체의 경우에서 '모두 ~가 아닌' 경우를 제외한 것과 같다.

풀이 ⑴ 집합 A의 부분집합 중 5는 반드시 원소로 갖고 3, 6은 원소로 갖지 않는 부분집합은 집합 A에서 원소 3, 5, 6을 제외한 집합 $\{4, 7\}$의 부분집합에 원소 5를 넣은 집합과 같으므로 구하는 부분집합의 개수는
$$2^{5-1-2} = 2^2 = \mathbf{4}$$

⑵ 집합 A의 부분집합 중 적어도 한 개의 홀수를 원소로 갖는 부분집합의 개수는 전체 부분집합의 개수에서 홀수 3, 5, 7을 원소로 갖지 않는 부분집합의 개수를 뺀 것과 같다.
집합 A의 부분집합의 개수는
$$2^5 = 32$$
집합 A의 부분집합 중 홀수 3, 5, 7을 원소로 갖지 않는 부분집합의 개수는
$$2^{5-3} = 2^2 = 4$$
따라서 적어도 한 개의 홀수를 원소로 갖는 부분집합의 개수는
$$32 - 4 = \mathbf{28}$$

**KEY
Point**

• 원소의 개수가 n인 집합에 대하여 특정한 원소 k개는 반드시 원소로 갖고 특정한 원소 m개는 원소로 갖지 않는 부분집합의 개수
  ⇨ 2^{n-k-m} (단, $k+m < n$)
• 원소의 개수가 n인 집합에 대하여 특정한 원소 k개 중 적어도 한 개를 원소로 갖는 부분집합의 개수
  ⇨ $2^n - 2^{n-k}$ (단, $k < n$)

**확인
체크**

24 집합 $A = \{1, 3, 5, 7, 9, 11\}$에 대하여 $3 \in X$, $5 \in X$, $9 \notin X$를 모두 만족시키는 집합 A의 부분집합 X의 개수를 구하시오.

25 집합 $A = \{2, 3, 4, 5\}$의 부분집합 중 적어도 한 개의 소수를 원소로 갖는 부분집합의 개수를 구하시오.

$A \subset X \subset B$를 만족시키는 집합 X의 개수 ⟳ 더 다양한 문제는 **RPM** 수학(하) 14쪽

두 집합 $A = \{2, 4\}$, $B = \{x \mid x$는 12의 양의 약수$\}$에 대하여 $A \subset X \subset B$를 만족시키는 집합 X의 개수를 구하시오.

설명

$A \subset X \subset B$를 만족시키는 집합 X의 개수

⇨ 집합 B의 부분집합 중 집합 A의 모든 원소를 반드시 원소로 갖는 부분집합의 개수

풀이

$A = \{2, 4\}$, $B = \{1, 2, 3, 4, 6, 12\}$이므로 집합 X는 집합 B의 부분집합 중 2, 4를 반드시 원소로 갖는 부분집합이다.

따라서 구하는 집합 X의 개수는

$2^{6-2} = 2^4 = \mathbf{16}$

KEY Point

• 두 집합 A, B에 대하여 $A \subset B$이고, $n(A) = p$, $n(B) = q$일 때,

$A \subset X \subset B$를 만족시키는 집합 X의 개수 ⇨ 2^{q-p} (단, $p < q$)

확인 체크

26 다음 중 두 집합 $A = \{0, 1\}$, $B = \{0, 1, 2, 3\}$에 대하여 $A \subset X \subset B$를 만족시키는 집합 X가 될 수 없는 것은?

① $\{0, 1\}$ ② $\{0, 1, 2\}$ ③ $\{0, 1, 3\}$

④ $\{1, 2, 3\}$ ⑤ $\{0, 1, 2, 3\}$

27 두 집합 $A = \{x \mid x^2 - 11x + 18 = 0\}$, $B = \{x \mid x$는 18의 양의 약수$\}$에 대하여 $A \subset X \subset B$를 만족시키는 집합 X의 개수를 구하시오.

28 두 집합 $A = \{x \mid x$는 $-4 < x < 4$인 정수$\}$, $B = \{x \mid |x| = 2\}$에 대하여 $B \subset X \subset A$, $X \neq A$, $X \neq B$를 만족시키는 집합 X의 개수를 구하시오.

STEP 1

7 세 집합 $A=\{-1, 0, 1\}$, $B=\{2x+y \mid x \in A, y \in A\}$,
$C=\{xy \mid x \in A, y \in A\}$ 사이의 포함 관계를 바르게 나타낸 것은?

① $A \subset B \subset C$ ② $A=B \subset C$ ③ $A=C \subset B$

④ $B \subset A=C$ ⑤ $C=B \subset A$

💡 **생각해 봅시다!**

집합 B와 집합 C를 원소나열법으로 구해 본다.

8 집합 $A=\{\varnothing, a, b, \{a, b\}\}$에 대하여 다음 보기 중에서 옳은 것만을 있는 대로 고르시오.

| 보기 |

ㄱ. $n(A)=5$ ㄴ. $\{\varnothing\} \not\subset A$ ㄷ. $\{b\} \in A$

ㄹ. $\varnothing \subset A$ ㅁ. $\{\{a, b\}\} \not\subset A$ ㅂ. $\{a, b\} \in A$

9 두 집합 $A=\{1, a+4\}$, $B=\{-a^2+2, -a+8, 3\}$에 대하여 $A \subset B$일 때, 상수 a의 값을 구하시오.

$A \subset B$
⇨ 집합 A의 모든 원소는 집합 B의 원소이어야 한다.

10 두 집합 $A=\{x \mid x$는 15의 양의 약수$\}$, $B=\{1, a-2, b-2, 15\}$에 대하여 $A \subset B$이고 $B \subset A$일 때, ab의 값은? (단, a, b는 상수)

① 28 ② 30 ③ 32 ④ 35 ⑤ 40

$A \subset B$이고 $B \subset A$
⇨ $A=B$

[교육청기출]
11 집합 $A=\{1, 2, 3, 4, 5\}$의 부분집합 중 홀수가 한 개 이상 속해 있는 집합의 개수는?

① 16 ② 20 ③ 24 ④ 28 ⑤ 32

12 집합 $A=\{a, b, c, d, e, f, g\}$의 부분집합 중 b 또는 f를 원소로 갖는 부분집합의 개수를 구하시오.

13 두 집합 $A=\{a, b, c, d, e\}$, $B=\{a, b, c\}$에 대하여 $B \subset X \subset A$, $X \neq A$ 를 만족시키는 집합 X의 개수를 구하시오.

STEP **2**

14 세 집합 $A=\{x-2 \mid 1<x \leq 3\}$, $B=\{x+a \mid -1 \leq x<7\}$, $C=\{x \mid x>2a\}$에 대하여 $A \subset B \subset C$를 만족시키는 정수 a의 개수는?

① 2   ② 3   ③ 4   ④ 5   ⑤ 6

> $A \subset B \subset C$를 만족시키도록 세 집합을 수직선 위에 나타내어 a의 값의 범위를 구한다.

15 두 집합 $A=\{a, b, c\}$, $B=\{ab, bc, ca\}$에 대하여 $A=B$이고 $a+b+c=-3$일 때, $a^3+b^3+c^3$의 값을 구하시오. (단, $abc \neq 0$)

> $a^3+b^3+c^3$
> $=(a+b+c)(a^2+b^2+c^2$
> $-ab-bc-ca)$
> $+3abc$

16 집합 $A=\{1, 2, 3, \cdots, n\}$의 부분집합 중 1, 2는 반드시 원소로 갖고 3, 4는 원소로 갖지 않는 부분집합의 개수가 16일 때, 자연수 n의 값을 구하시오.

17 두 집합 $A=\{x \mid x^2-4x+3=0\}$, $B=\{x \mid x=2k-1, k=1, 2, 3, 4, 5\}$ 에 대하여 $A \subset X \subset B$, $n(X) \geq 3$인 집합 X의 개수는?

① 3   ② 5   ③ 7   ④ 11   ⑤ 13

실력 UP

18 집합 $A=\{2, 3, 4, 5\}$의 공집합이 아닌 서로 다른 15개의 부분집합을 각각 A_1, A_2, A_3, $\cdots$, A_{15}라 하고, A_1의 원소 중에서 최소인 원소를 a_1, A_2의 원소 중에서 최소인 원소를 a_2, $\cdots$, A_{15}의 원소 중에서 최소인 원소를 a_{15}라 할 때, $a_1+a_2+a_3+ \cdots +a_{15}$의 값을 구하시오.

> 최소인 원소가 2, 3, 4, 5인 경우로 나누어 생각한다.

집합과 명제

01 | 집합의 연산

1. 합집합과 교집합 ▷ 필수예제 **1, 3**

(1) 합집합

두 집합 A, B에 대하여 A에 속하거나 B에 속하는 모든 원소로 이루어진 집합을 A와 B의 **합집합**이라 하며, 이것을 기호로 $A \cup B$와 같이 나타낸다.

➪ $A \cup B = \{x \mid x \in A \text{ 또는 } x \in B\}$

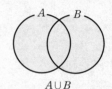

$A \cup B$

(2) 교집합

두 집합 A, B에 대하여 A에도 속하고 B에도 속하는 모든 원소로 이루어진 집합을 A와 B의 **교집합**이라 하며, 이것을 기호로 $A \cap B$와 같이 나타낸다.

➪ $A \cap B = \{x \mid x \in A \text{ 그리고 } x \in B\}$

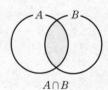

$A \cap B$

(3) 서로소

두 집합 A, B에서 공통인 원소가 하나도 없을 때, 즉

$A \cap B = \varnothing$

일 때, A와 B는 **서로소**라 한다.

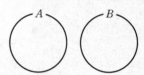

▶ 공집합은 모든 집합과 공통인 원소가 없으므로 모든 집합과 서로소이다.

예   (1) 두 집합 $A = \{1, 2, 3\}$, $B = \{2, 3, 4, 5\}$에 대하여

$A \cup B = \{1, 2, 3, 4, 5\}$

$A \cap B = \{2, 3\}$

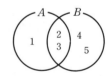

(2) 두 집합 $A = \{1, 3, 5\}$, $B = \{2, 4, 6\}$에 대하여

$A \cap B = \varnothing$이므로 두 집합 A, B는 서로소이다.

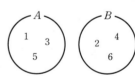

2. 합집합과 교집합의 성질 ▷ 필수예제 **6**

두 집합 A, B에 대하여

(1) $A \cup \varnothing = A$, $A \cap \varnothing = \varnothing$ (2) $A \cup A = A$, $A \cap A = A$

(3) $A \cup (A \cap B) = A$, $A \cap (A \cup B) = A$

▶ 두 집합 A, B에 대하여 다음 포함 관계가 성립한다.

$A \subset (A \cup B)$, $B \subset (A \cup B)$, $(A \cap B) \subset A$, $(A \cap B) \subset B$

설명 (3)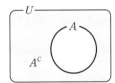

$A \cup (A \cap B) = A$

$A \cap (A \cup B) = A$

3. 여집합과 차집합 ▷ 필수예제 **2**

(1) 전체집합

어떤 집합에 대하여 그 부분집합을 생각할 때, 처음의 집합을 **전체집합**이라 하며, 이것을 기호로 U와 같이 나타낸다.

(2) 여집합

전체집합 U의 부분집합 A에 대하여 U의 원소 중에서 A에 속하지 않는 **모든 원소로 이루어진 집합**을 U에 대한 A의 **여집합**이라 하며, 이것을 기호로 A^C와 같이 나타낸다.

⇨ $A^C = \{x \mid x \in U$ 그리고 $x \notin A\}$

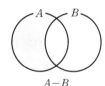

(3) 차집합

두 집합 A, B에 대하여 A에는 속하지만 B에는 속하지 않는 **모든 원소로 이루어진 집합**을 A에 대한 B의 **차집합**이라 하며, 이것을 기호로 $A - B$와 같이 나타낸다.

⇨ $A - B = \{x \mid x \in A$ 그리고 $x \notin B\}$

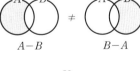

$A - B$

▶ ① 전체집합 U는 전체를 뜻하는 영어 Universal의 첫 글자이고, A^C에서 C는 여집합을 뜻하는 영어 Complement의 첫 글자이다.
② $A \cup U = U$, $A \cap U = A$
③ 서로 다른 두 집합 A, B에 대하여 $A - B$와 $B - A$는 서로 다른 집합이다.
④ 집합 A의 여집합 A^C는 전체집합 U에 대한 A의 차집합과 같다.
즉, $A^C = U - A$이다.

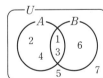

예   전체집합 $U = \{1, 2, 3, 4, 5, 6, 7\}$의 두 부분집합
$A = \{1, 2, 3, 4\}$, $B = \{1, 3, 6\}$에 대하여
$A^C = \{5, 6, 7\}$, $B^C = \{2, 4, 5, 7\}$
$A - B = \{2, 4\}$, $B - A = \{6\}$

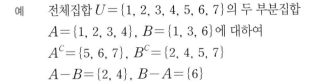

4. 여집합과 차집합의 성질 ▷ 필수예제 6

전체집합 U의 두 부분집합 A, B에 대하여

(1) $A \cup A^C = U$, $A \cap A^C = \varnothing$

(2) $U^C = \varnothing$, $\varnothing^C = U$

(3) $(A^C)^C = A$

(4) $A^C = U - A$

(5) $A - B = A \cap B^C = A - (A \cap B) = (A \cup B) - B = B^C - A^C$

설명

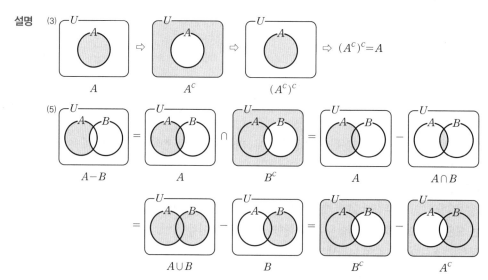

$\Rightarrow A - B = A \cap B^C = A - (A \cap B) = (A \cup B) - B = B^C - A^C$

5. 집합의 연산을 이용한 여러 가지 표현 ▷ 필수예제 7

전체집합 U의 두 부분집합 A, B에 대하여 다음이 성립한다.

(1) $A \subset B$와 같은 표현

① $A \cup B = B$

② $A \cap B = A$

③ $A - B = \varnothing$ ← $A \cap B^C = \varnothing$

④ $B^C \subset A^C$ ← $B^C - A^C = \varnothing$

⑤ $A^C \cup B = U$

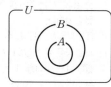

(2) $A \cap B = \varnothing$ (서로소)과 같은 표현

① $A - B = A$

② $B - A = B$

③ $A \subset B^C$

④ $B \subset A^C$

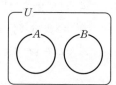

29 다음 두 집합 A, B에 대하여 $A \cup B$와 $A \cap B$를 구하시오.

(1) $A = \{a, c, e\}$, $B = \{a, b, c, d, e\}$

(2) $A = \{3, 6, 9\}$, $B = \{x \mid x$는 6의 양의 약수$\}$

(3) $A = \{x \mid x$는 4 이하의 자연수$\}$, $B = \{x \mid (x+2)(x-1) = 0\}$

💡 **생각해 봅시다!**

$A \cup B$
$= \{x \mid x \in A \text{ 또는 } x \in B\}$
$A \cap B$
$= \{x \mid x \in A \text{ 그리고 } x \in B\}$

30 다음 보기 중에서 두 집합 A, B가 서로소인 것만을 있는 대로 고르시오.

> ┤보기├
>
> ㄱ. $A = \{a, b, c\}$, $B = \{1, 2, 3\}$
>
> ㄴ. $A = \{0, 1, 2\}$, $B = \{x \mid (x-2)^2 = 0\}$
>
> ㄷ. $A = \{x \mid x$는 4의 양의 약수$\}$, $B = \{x \mid x$는 9의 양의 약수$\}$
>
> ㄹ. $A = \{x \mid x$는 음의 정수$\}$, $B = \{x \mid x$는 양의 정수$\}$

두 집합 A, B가 서로소
$\Rightarrow A \cap B = \varnothing$

31 전체집합 $U = \{x \mid x$는 20 이하의 소수$\}$의 두 부분집합
$A = \{2, 5, 11, 17\}$, $B = \{5, 7, 17, 19\}$에 대하여 다음을 구하시오.

(1) A^C (2) B^C (3) $A - B$

(4) $B - A$ (5) $(A \cup B)^C$ (6) $(A \cap B)^C$

A^C
$= \{x \mid x \in U \text{ 그리고 } x \notin A\}$
$A - B$
$= \{x \mid x \in A \text{ 그리고 } x \notin B\}$

32 전체집합 U의 두 부분집합 A, B에 대하여 다음 중 옳지 <u>않은</u> 것은?

① $A \cap A^C = \varnothing$ ② $U - A^C = A$

③ $(A^C)^C \cap U = A$ ④ $B \cap A^C = B - A$

⑤ $A \cup (A \cap B) = B$

합집합과 교집합

↻ 더 다양한 문제는 RPM 수학(하) 22쪽

세 집합 $A=\{3, 5, 7\}$, $B=\{x \mid x$는 $4<x<9$인 정수$\}$, $C=\{x \mid x$는 12의 양의 약수$\}$ 에 대하여 다음을 구하시오.

(1) $A \cap (B \cup C)$ 　　　　　　　　　(2) $(A \cap B) \cup C$

풀이　　$A=\{3, 5, 7\}$, $B=\{5, 6, 7, 8\}$, $C=\{1, 2, 3, 4, 6, 12\}$

(1) $B \cup C=\{1, 2, 3, 4, 5, 6, 7, 8, 12\}$이므로
　　$A \cap (B \cup C)=\{\mathbf{3, 5, 7}\}$

(2) $A \cap B=\{5, 7\}$이므로
　　$(A \cap B) \cup C=\{\mathbf{1, 2, 3, 4, 5, 6, 7, 12}\}$

여집합과 차집합

↻ 더 다양한 문제는 RPM 수학(하) 23쪽

전체집합 $U=\{x \mid x$는 12 이하의 자연수$\}$의 두 부분집합 $A=\{x \mid x$는 짝수$\}$, $B=\{x \mid x$는 3의 배수$\}$에 대하여 다음을 구하시오.

(1) $(A \cup B)^C$ 　　　　　　　　　(2) $(A \cap B)^C$
(3) $A^C - B$ 　　　　　　　　　(4) $B^C - A^C$

풀이　　$U=\{1, 2, 3, \cdots, 12\}$, $A=\{2, 4, 6, 8, 10, 12\}$, $B=\{3, 6, 9, 12\}$

(1) $A \cup B=\{2, 3, 4, 6, 8, 9, 10, 12\}$이므로
　　$(A \cup B)^C=\{\mathbf{1, 5, 7, 11}\}$

(2) $A \cap B=\{6, 12\}$이므로
　　$(A \cap B)^C=\{\mathbf{1, 2, 3, 4, 5, 7, 8, 9, 10, 11}\}$

(3) $A^C=\{1, 3, 5, 7, 9, 11\}$이므로
　　$A^C - B=\{\mathbf{1, 5, 7, 11}\}$

(4) $A^C=\{1, 3, 5, 7, 9, 11\}$, $B^C=\{1, 2, 4, 5, 7, 8, 10, 11\}$이므로
　　$B^C - A^C=\{\mathbf{2, 4, 8, 10}\}$

KEY Point

• $A \cup B \Rightarrow A$와 B의 모든 원소　　　　　• $A \cap B \Rightarrow A$와 B의 공통 원소
• $A^C \Rightarrow U$에서 A의 원소 제외　　　　　• $A-B \Rightarrow A$에서 B의 원소 제외

확인 체크

33 세 집합 $A=\{x \mid x$는 3 이하의 자연수$\}$, $B=\{x \mid x$는 4의 양의 약수$\}$, $C=\{x \mid x$는 $1 \leq x \leq 8$인 홀수$\}$에 대하여 다음 중 옳지 <u>않은</u> 것은?

① $A \cup B=\{1, 2, 3, 4\}$　　② $B \cap C=\{1\}$　　③ $(A \cup B) \cap C=\{3\}$
④ $A \cup (B \cap C)=\{1, 2, 3\}$　⑤ $A \cap (B \cup C)=\{1, 2, 3\}$

34 전체집합 $U=\{1, 2, 3, \cdots, 8\}$의 두 부분집합 $A=\{x \mid x$는 8의 약수$\}$, $B=\{x \mid x$는 소수$\}$에 대하여 집합 $(A-B)^C$의 모든 원소의 합을 구하시오.

다음 집합 중에서 집합 $A=\{x\,|\,x$는 1보다 크고 10보다 작은 소수$\}$와 서로소인 것만을 있는 대로 고르시오.

$B=\{1,\ 4,\ 6\}$ $C=\{x\,|\,x$는 10의 양의 약수$\}$

$D=\{x\,|\,x$는 $1<x<10$인 짝수$\}$ $E=\{x\,|\,x$는 4의 양의 배수$\}$

풀이

$A=\{2,\ 3,\ 5,\ 7\}$, $B=\{1,\ 4,\ 6\}$, $C=\{1,\ 2,\ 5,\ 10\}$, $D=\{2,\ 4,\ 6,\ 8\}$, $E=\{4,\ 8,\ 12,\ 16,\ \cdots\}$
이므로
$A\cap B=\varnothing$, $A\cap C=\{2,\ 5\}$, $A\cap D=\{2\}$, $A\cap E=\varnothing$
따라서 집합 A와 서로소인 집합은 **B, E**이다.

KEY Point

• 두 집합 A, B가 서로소이다.
 ⇨ $A\cap B=\varnothing$
 ⇨ 공통인 원소가 하나도 없다.

확인 체크

35 다음 중 두 집합 A, B가 서로소인 것은?

① $A=\{x\,|\,x-1=0\}$, $B=\{x\,|\,x^2-1=0\}$

② $A=\{x\,|\,x^2=16\}$, $B=\{x\,|\,x<-8\}$

③ $A=\{x\,|\,x$는 음이 아닌 정수$\}$, $B=\{x\,|\,x$는 자연수$\}$

④ $A=\{x\,|\,x=2n,\ n$은 자연수$\}$, $B=\{x\,|\,x=3n+1,\ n$은 자연수$\}$

⑤ $A=\{x\,|\,x$는 3의 양의 배수$\}$, $B=\{x\,|\,x$는 8의 양의 배수$\}$

36 집합 $A=\{a,\ b,\ c,\ d\}$의 부분집합 중에서 집합 $B=\{a,\ c\}$와 서로소인 집합의 개수를 구하시오.

37 집합 $A=\{1,\ 2,\ 3,\ 4,\ 5\}$의 부분집합 중에서 집합 B와 서로소인 집합이 8개일 때, 집합 B의 원소의 개수를 구하시오. (단, $B\subset A$)

전체집합 $U = \{x \mid x$는 9 이하의 자연수$\}$의 두 부분집합 A, B에 대하여
$$(A \cup B)^C = \{2\}, \quad A \cap B = \{5, 8\}, \quad A - B = \{1, 6, 7\}$$
일 때, 집합 B를 구하시오.

설명 집합의 연산에 대한 문제는 벤다이어그램을 이용하면 쉽게 해결할 수 있다.
오른쪽 그림과 같이 전체집합 U는 두 집합 A, B에 의하여 4개의 부분으로 나누어지며 각
부분이 나타내는 집합은 다음과 같다.

① $A \cap B$　　　　② $A - B$　　　　③ $B - A$　　　　④ $(A \cup B)^C$

각 부분에 해당하는 원소를 써넣어 조건에 맞는 집합을 구한다.

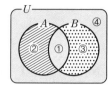

풀이 전체집합 $U = \{1, 2, 3, 4, 5, 6, 7, 8, 9\}$와 주어진 조건을 만족시키는 두 부분
집합 A, B를 벤다이어그램으로 나타내면 오른쪽 그림과 같으므로
$$B = \{3, 4, 5, 8, 9\}$$

KEY Point　• 집합의 연산에 대한 문제는 주어진 조건을 벤다이어그램으로 나타내면 쉽게 해결할 수 있다.

38 두 집합 A, B에 대하여
$$B = \{b, d, e\}, \quad A \cap B = \{b, d\}, \quad A \cup B = \{b, d, e, g\}$$
일 때, 집합 A를 구하시오.

39 전체집합 $U = \{x \mid x$는 7 이하의 자연수$\}$의 두 부분집합 A, B에 대하여
$$A \cap B = \{7\}, \quad B - A = \{4, 5\}, \quad (A \cup B)^C = \{1, 3\}$$
일 때, 집합 $A \cap B^C$를 구하시오.

40 전체집합 $U = \{x \mid x$는 $1 \leq x \leq 11$인 홀수$\}$의 두 부분집합 A, B에 대하여
$$A - B = \{1, 11\}, \quad B - A = \{5, 9\}, \quad (A \cap B)^C = \{1, 5, 7, 9, 11\}$$
일 때, 집합 B의 모든 원소의 합을 구하시오.

집합의 연산을 이용한 미지수 구하기   더 다양한 문제는 **RPM** 수학(하) 24쪽

필수예제 **05**

두 집합 $A=\{2,\ 3,\ a^2+4\}$, $B=\{a+1,\ 4,\ 2a+3\}$에 대하여 $A\cap B=\{2,\ 5\}$일 때, 상수 a의 값을 구하시오.

설명 $A\cap B$의 원소는 두 집합 A, B에 모두 속하는 원소이므로 $A\cap B=\{2,\ 5\}$에서 $5\in A$임을 이용한다.

풀이 $A\cap B=\{2,\ 5\}$에서 $5\in A$이므로
$a^2+4=5,\ a^2=1$ $\therefore a=-1$ 또는 $a=1$
(i) $a=-1$일 때,
    $A=\{2,\ 3,\ 5\}$, $B=\{0,\ 1,\ 4\}$이므로 $A\cap B=\varnothing$
    따라서 주어진 조건을 만족시키지 않는다.
(ii) $a=1$일 때,
    $A=\{2,\ 3,\ 5\}$, $B=\{2,\ 4,\ 5\}$이므로 $A\cap B=\{2,\ 5\}$
(i), (ii)에서 $a=\mathbf{1}$

KEY Point

- $k\in(A\cup B)$이면 $\Rightarrow k\in A$ 또는 $k\in B$
- $k\in(A\cap B)$이면 $\Rightarrow k\in A$ 그리고 $k\in B$
- $k\in(A-B)$이면 $\Rightarrow k\in A$ 그리고 $k\notin B$

 확인 체크

41 두 집합 $A=\{1,\ 4,\ a^2+1\}$, $B=\{3,\ 3a-5,\ a^2+2a-3\}$에 대하여 $A\cap B=\{1,\ 5\}$일 때, 상수 a의 값을 구하시오.

42 두 집합 $A=\{1,\ a^2+1,\ 3,\ 5\}$, $B=\{a^2,\ a-1,\ a+6\}$에 대하여 $A-B=\{2,\ 3\}$일 때, 집합 B를 구하시오. (단, a는 상수)

43 두 집합 $A=\{2,\ 5,\ a-1\}$, $B=\{4,\ 2a-3\}$에 대하여 $A\cup B=\{2,\ 4,\ 5,\ 7\}$일 때, 집합 B의 모든 원소의 합을 구하시오. (단, a는 상수)

집합의 연산의 성질

○ 더 다양한 문제는 RPM 수학(하) 25쪽

전체집합 U의 두 부분집합 A, B에 대하여 다음 중 항상 옳은 것은?

① $A \subset U^C$ ② $(A \cup B) \subset A$ ③ $(A \cap B) \subset B$
④ $U \cap B^C = B$ ⑤ $U \subset (A \cup B)$

풀이 ① $U^C = \varnothing$이므로 $U^C \subset A$ ② $A \subset (A \cup B)$
④ $U \cap B^C = B^C$ ⑤ $(A \cup B) \subset U$
따라서 항상 옳은 것은 ③이다.

집합의 연산의 성질과 포함 관계

○ 더 다양한 문제는 RPM 수학(하) 25쪽

전체집합 U의 두 부분집합 A, B에 대하여 $B \subset A$일 때, 다음 중 항상 옳은 것은?

① $A \cap B = B$ ② $A \cup B = B$ ③ $A - B = \varnothing$
④ $A^C \cup B = U$ ⑤ $B^C \subset A^C$

풀이 주어진 조건을 벤다이어그램으로 나타내면 오른쪽 그림과 같다.
② $A \cup B = A$ ③ $A - B \neq \varnothing$
④ $A^C \cup B \neq U$ ⑤ $A^C \subset B^C$
따라서 항상 옳은 것은 ①이다.

44 전체집합 U의 공집합이 아닌 서로 다른 두 부분집합 A, B에 대하여 다음 중 나머지 넷과 다른 하나는?

① $A - B^C$ ② $(A \cup A^C) \cup B$ ③ $(U - A^C) \cap B$
④ $(A^C)^C \cap (U - B^C)$ ⑤ $(A \cap B) \cup (B \cap B^C)$

45 전체집합 U의 두 부분집합 A, B에 대하여 $B^C \subset A^C$일 때, 다음 중 항상 성립한다고 할 수 없는 것은?

① $A \subset B$ ② $A \cup B = B$ ③ $A - B = \varnothing$
④ $A \cup B^C = U$ ⑤ $A \cap B = A$

46 전체집합 U의 두 부분집합 A, B가 서로소일 때, 다음 보기 중에서 항상 옳은 것만을 있는 대로 고르시오.

┤ 보기 ├
ㄱ. $A - B = \varnothing$ ㄴ. $A \subset B^C$ ㄷ. $A \cup B^C = A$
ㄹ. $B \cap A^C = B$ ㅁ. $A \cap (B - A) = \varnothing$ ㅂ. $A - (U - B) = \varnothing$

두 집합 $A=\{a, b, c, d, e\}$, $B=\{d, e\}$에 대하여 $A \cap X=X$, $(A-B) \cup X=X$
를 만족시키는 집합 X의 개수를 구하시오.

설명 집합 X와 주어진 집합 사이의 관계를 파악하여 집합 X가 반드시 포함하는 원소와 포함하지 않는 원소를 찾는다.

풀이 $A \cap X=X$에서 $X \subset A$
$(A-B) \cup X=X$에서 $(A-B) \subset X$
$\therefore (A-B) \subset X \subset A$
즉, $\{a, b, c\} \subset X \subset \{a, b, c, d, e\}$
따라서 집합 X는 집합 A의 부분집합 중 a, b, c를 반드시 원소로 갖는 부분집합이므로 구하는 집합 X
의 개수는
$2^{5-3}=2^2=\mathbf{4}$

KEY Point
- $A \cap B=A$이면 $A \subset B$, $A \cup B=B$이면 $A \subset B$
- $A \subset X \subset B$를 만족시키는 집합 X의 개수
  ⇨ 집합 B의 부분집합 중 집합 A의 모든 원소를 반드시 원소로 갖는 부분집합의 개수

47 두 집합 $A=\{1, 2, 3, 4, 5, 6\}$, $B=\{4, 5, 6, 7, 8\}$에 대하여 $A \cap X=X$,
$(A \cap B) \cup X=X$를 만족시키는 집합 X의 개수를 구하시오.

48 전체집합 $U=\{x \mid x$는 15 이하의 소수$\}$의 두 부분집합 $A=\{2, 7\}$, $B=\{3, 13\}$에 대하여 $A-X=\varnothing$, $B-X=B$를 만족시키는 집합 U의 부분집합 X의 개수를 구하시오.

49 전체집합 $U=\{1, 3, 5, 7, 9, 11, 13\}$의 세 부분집합 A, B, X에 대하여
$A=\{1, 5, 9, 13\}$, $B=\{3, 7, 9, 11\}$일 때, $(A \cup X) \subset (B \cup X)$를 만족시키는 집합 X
의 개수를 구하시오.

💡 **생각해 봅시다!**

19 두 집합 $A=\{x\mid -2\leq x\leq 3\}$, $B=\{x\mid x\leq a\}$가 서로소일 때, 정수 a의 최댓값을 구하시오.

20 전체집합 $U=\{a, b, c, d, e, f\}$의 두 부분집합 A, B에 대하여
$$A^C\cap B^C=\{d\}, \ A-B=\{b, c\}, \ B-A=\{e\}$$
일 때, 집합 $A\cap B$를 구하시오.

21 오른쪽 벤다이어그램에서 색칠한 부분을 나타내는 집합은? (단, U는 전체집합)

주어진 집합의 벤다이어그램을 각각 그려 본다.

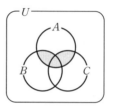

① $A\cup(B\cap C)$ ② $A\cap(B\cup C)$
③ $B\cap(A\cup C)$ ④ $A^C\cap(B\cup C)$
⑤ $B^C\cap(A\cup C)$

22 두 집합 A, B에 대하여
$$A=\{-2, 2a-3, a+1\}, \ B=\{3, 2-a^2\}, \ B-A=\varnothing$$
일 때, 상수 a의 값을 구하시오.

$B-A=\varnothing$
$\Rightarrow B\subset A$

23 전체집합 U의 두 부분집합 A, B에 대하여 $B-(A\cap B)=\varnothing$일 때, 다음 중 항상 성립한다고 할 수 <u>없는</u> 것은?

① $B\subset A$ ② $A\cap B=B$ ③ $A\cup B=A$
④ $A-B=\varnothing$ ⑤ $A\cup B^C=U$

24 전체집합 $U=\{x\mid x$는 7 이하의 자연수$\}$의 두 부분집합 $A=\{1, 7\}$, $B=\{4, 5, 6\}$에 대하여 $A\cup X=X$, $X\cap B^C=X$를 만족시키는 집합 U의 부분집합 X의 개수를 구하시오.

25 전체집합 $U=\{x\,|\,x$는 실수$\}$의 두 부분집합
$$A=\{x\,|\,x^3-3x^2+2x=0\},\ B=\{x\,|\,x^2+x+a=0\}$$
에 대하여 $A-B=\{0,\,1\}$일 때, 집합 $B-A$를 구하시오. (단, a는 상수)

[교육청기출]
26 전체집합 $U=\{x\,|\,x$는 자연수$\}$의 부분집합 A는 원소의 개수가 4이고, 모든 원소의 합이 21이다. 상수 k에 대하여 집합 $B=\{x+k\,|\,x\in A\}$가 다음 조건을 만족시킨다.

> (가) $A\cap B=\{4,\,6\}$　　　(나) $A\cup B$의 모든 원소의 합이 40이다.

집합 A의 모든 원소의 곱을 구하시오.

[교육청기출]
27 두 집합 $A=\{-1,\,2\}$, $B=\{x\,|\,mx+1=x\}$에 대하여 $A\cup B=A$를 만족시키는 모든 실수 m의 값의 합은?

① $-\dfrac{5}{2}$　　② -1　　③ $\dfrac{1}{2}$　　④ 2　　⑤ $\dfrac{7}{2}$

$B=\varnothing$일 때와 $B\neq\varnothing$일 때로 나누어 생각한다.

28 전체집합 $U=\{x\,|\,x$는 24의 양의 약수$\}$의 두 부분집합
$$A=\{x\,|\,x$는 6의 약수$\},\ B=\{2,\,4,\,6,\,8\}$$
에 대하여 $(A-B)\cap C=\{3\}$, $B\cap C=B$를 만족시키는 집합 U의 부분집합 C의 개수를 구하시오.

실력 UP
29 전체집합 $U=\{x\,|\,x$는 11 이하의 소수$\}$의 부분집합 X에 대하여 집합 X의 모든 원소의 합을 $S(X)$라 할 때, 집합 U의 두 부분집합 A, B가 다음 조건을 모두 만족시킨다. 집합 B를 구하시오. (단, $A\neq\varnothing$)

> (가) $A-B=\varnothing$　　(나) $S(B)-S(A)=10$　　(다) $S(B)<S(B^C)$

조건을 만족시키는 세 집합 U, A, B를 벤다이어그램으로 그려 본다.

02 | 집합의 연산 법칙

2. 집합의 연산

1. 집합의 연산 법칙 ▷ 필수예제 **9, 10**

세 집합 A, B, C에 대하여

(1) **교환법칙**

$$A \cup B = B \cup A, \ A \cap B = B \cap A$$

(2) **결합법칙**

$$(A \cup B) \cup C = A \cup (B \cup C)$$
$$(A \cap B) \cap C = A \cap (B \cap C)$$

(3) **분배법칙**

$$A \cup (B \cap C) = (A \cup B) \cap (A \cup C)$$
$$A \cap (B \cup C) = (A \cap B) \cup (A \cap C)$$

▶ 세 집합의 연산에서 결합법칙이 성립하므로 괄호를 사용하지 않고 $A \cup B \cup C$, $A \cap B \cap C$로 나타내기도 한다.

설명 (3) 벤다이어그램을 이용하여 분배법칙이 성립함을 확인해 보자.

① $A \cup (B \cap C) = (A \cup B) \cap (A \cup C)$

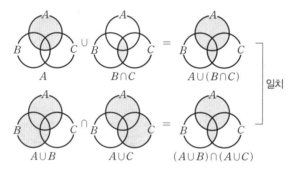

② $A \cap (B \cup C) = (A \cap B) \cup (A \cap C)$

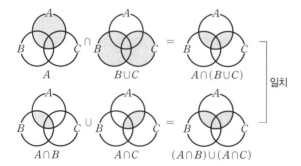

예제 세 집합 A, B, C에 대하여 $A \cap B = \{2, 3, 4\}$, $A \cap C = \{3, 6\}$일 때, $A \cap (B \cup C)$를 구하시오.

풀이
$$\begin{aligned} A \cap (B \cup C) &= (A \cap B) \cup (A \cap C) \\ &= \{2, 3, 4\} \cup \{3, 6\} \\ &= \{2, 3, 4, 6\} \end{aligned}$$

2. 드모르간의 법칙   ▷ 필수예제 **9, 10**

전체집합 U의 두 부분집합 A, B에 대하여 다음이 성립하고, 이것을 **드모르간의 법칙**이라 한다.

(1) $(A \cup B)^C = A^C \cap B^C$

(2) $(A \cap B)^C = A^C \cup B^C$

▶ 전체집합 U의 세 부분집합 A, B, C에 대하여

① $(A \cup B \cup C)^C = A^C \cap B^C \cap C^C$ ② $(A \cap B \cap C)^C = A^C \cup B^C \cup C^C$

설명 벤다이어그램을 이용하여 드모르간의 법칙이 성립함을 확인해 보자.

(1) $(A \cup B)^C = A^C \cap B^C$

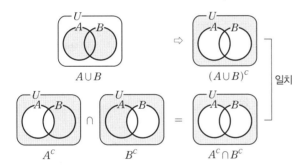

(2) $(A \cap B)^C = A^C \cup B^C$

예제 전체집합 U의 두 부분집합 A, B에 대하여 $(A \cap B) \cup (A^C \cup B^C)$를 간단히 하시오.

풀이
$$\begin{aligned} (A \cap B) \cup (A^C \cup B^C) &= (A \cap B) \cup (A \cap B)^C \qquad \text{← 드모르간의 법칙} \\ &= U \end{aligned}$$

집합의 연산 법칙을 이용하여 식 간단히 하기 더 다양한 문제는 **RPM** 수학(하) 26, 27쪽

전체집합 U의 두 부분집합 A, B에 대하여 다음을 간단히 하시오.

(1) $A \cap (A-B)^c$

(2) $A^c \cup (B-A)^c$

(3) $B - \{(B-A) \cup (B-A^c)\}$

설명 복잡한 집합은 집합의 연산 법칙과 드모르간의 법칙을 이용하여 간단히 한다.

풀이

(1) $A \cap (A-B)^c = A \cap (A \cap B^c)^c$
$\qquad\qquad\qquad = A \cap (A^c \cup B)$ ← 드모르간의 법칙
$\qquad\qquad\qquad = (A \cap A^c) \cup (A \cap B)$ ← 분배법칙
$\qquad\qquad\qquad = \varnothing \cup (A \cap B)$
$\qquad\qquad\qquad = \boldsymbol{A \cap B}$

(2) $A^c \cup (B-A)^c = A^c \cup (B \cap A^c)^c$
$\qquad\qquad\qquad = A^c \cup (B^c \cup A)$ ← 드모르간의 법칙
$\qquad\qquad\qquad = A^c \cup (A \cup B^c)$ ← 교환법칙
$\qquad\qquad\qquad = (A^c \cup A) \cup B^c$ ← 결합법칙
$\qquad\qquad\qquad = U \cup B^c$
$\qquad\qquad\qquad = \boldsymbol{U}$

(3) $B - \{(B-A) \cup (B-A^c)\} = B - \{(B \cap A^c) \cup (B \cap A)\}$
$\qquad\qquad\qquad\qquad\qquad = B - \{B \cap (A^c \cup A)\}$ ← 분배법칙
$\qquad\qquad\qquad\qquad\qquad = B - (B \cap U)$
$\qquad\qquad\qquad\qquad\qquad = B - B$
$\qquad\qquad\qquad\qquad\qquad = \boldsymbol{\varnothing}$

KEY Point
- 교환법칙: $A \cup B = B \cup A$, $A \cap B = B \cap A$
- 결합법칙: $(A \cup B) \cup C = A \cup (B \cup C)$, $(A \cap B) \cap C = A \cap (B \cap C)$
- 분배법칙: $A \cup (B \cap C) = (A \cup B) \cap (A \cup C)$, $A \cap (B \cup C) = (A \cap B) \cup (A \cap C)$
- 드모르간의 법칙: $(A \cup B)^c = A^c \cap B^c$, $(A \cap B)^c = A^c \cup B^c$

확인 체크

50 전체집합 U의 세 부분집합 A, B, C에 대하여 다음을 간단히 하시오.

(1) $(A-B)^c \cup A$

(2) $(A-B) \cap (B-A)$

(3) $\{A \cap (A^c \cup B)\} \cup \{B \cap (B \cup C)\}$

51 전체집합 U의 세 부분집합 A, B, C에 대하여 $A-(B \cup C) = (A-B)-C$가 성립함을 설명하시오.

전체집합 U의 두 부분집합 A, B에 대하여 $\{(A^c \cup B^c) \cap (A \cup B^c)\} \cap A = \varnothing$이 성립할 때, 다음 중 항상 옳은 것은?

① $A \subset B$ ② $B \subset A$ ③ $A = B$
④ $A \cap B = \varnothing$ ⑤ $A \cup B = U$

설명   집합의 연산 법칙을 이용하여 식을 간단히 한 후 두 집합 A, B 사이의 포함 관계를 구한다.

풀이   주어진 등식의 좌변을 간단히 하면

$$\{(A^c \cup B^c) \cap (A \cup B^c)\} \cap A = \{(A^c \cap A) \cup B^c\} \cap A$$
$$= (\varnothing \cup B^c) \cap A$$
$$= B^c \cap A$$
$$= A \cap B^c$$
$$= A - B$$

이므로 $A - B = \varnothing$에서 $A \subset B$이다.
이때 $A \subset B$이면
④ $A \cap B = A$ ⑤ $A \cup B = B$
따라서 항상 옳은 것은 ①이다.

KEY Point
• 집합의 연산 법칙을 이용하여 식을 간단히 한 후 다음과 같은 성질을 이용하여 두 집합 사이의 포함 관계를 구한다.
① $A \cap B = A$이면 $A \subset B$ ② $A \cup B = A$이면 $B \subset A$ ③ $A - B = \varnothing$이면 $A \subset B$

확인 체크

52 전체집합 U의 두 부분집합 A, B에 대하여 $(A \cup B) \cap A^c = \varnothing$이 성립할 때, 다음 보기 중에서 항상 옳은 것만을 있는 대로 고르시오.

| 보기 |
ㄱ. $A \cap B = \varnothing$ ㄴ. $A \cup B = A$ ㄷ. $A \cup B^c = U$

53 전체집합 U의 두 부분집합 A, B에 대하여 $(A \cup B) \cap (B - A)^c = A \cap B$가 성립할 때, 다음 중 항상 옳은 것은?

① $A \subset B$ ② $A^c \subset B^c$ ③ $A \cap B^c = A$
④ $A \cup B = U$ ⑤ $A \cap B = \varnothing$

특강 배수의 집합의 연산

1. 배수의 집합의 연산

자연수 k, m, n의 양의 배수의 집합을 각각 A_k, A_m, A_n이라 할 때,

(1) $A_m \cap A_n = A_k \Longleftrightarrow k$는 m, n의 최소공배수

(2) $A_m \cup A_n = A_m \Longleftrightarrow A_n \subset A_m \Longleftrightarrow n$이 m의 배수

설명   자연수 k의 양의 배수의 집합을 A_k라 할 때,

(1) $A_m \cap A_n$은 m과 n의 공배수의 집합이다.

    예를 들어 두 집합 A_3, A_4는

$$A_3 = \{3, 6, 9, 12, 15, 18, 21, 24, \cdots\}$$
$$A_4 = \{4, 8, 12, 16, 20, 24, \cdots\}$$

    이므로 $A_3 \cap A_4 = \{12, 24, 36, \cdots\} = A_{12}$ ← 3과 4의 최소공배수는 12이다.

(2) n이 m의 배수이면 $A_m \cup A_n$은 m의 배수의 집합이다.

    예를 들어 두 집합 A_2, A_4는

$$A_2 = \{2, 4, 6, 8, 10, 12, 14, 16, \cdots\}$$
$$A_4 = \{4, 8, 12, 16, 20, 24, \cdots\}$$

    이므로 $A_2 \cup A_4 = \{2, 4, 6, 8, 10, \cdots\} = A_2$ ← 4는 2의 배수이다.

 배수의 집합의 연산   ↻ 더 다양한 문제는 **RPM** 수학(하) 28쪽

자연수 k의 양의 배수의 집합을 A_k라 할 때, 다음을 간단히 하시오.

(1) $(A_2 \cup A_3) \cap A_4$ (2) $(A_6 \cup A_{12}) \cap (A_9 \cup A_{18})$

풀이   (1) $(A_2 \cup A_3) \cap A_4 = (A_2 \cap A_4) \cup (A_3 \cap A_4)$

$A_2 \cap A_4$는 2와 4의 공배수의 집합, 즉 4의 배수의 집합이고, $A_3 \cap A_4$는 3과 4의 공배수의 집합, 즉 12의 배수의 집합이므로

$(A_2 \cup A_3) \cap A_4 = (A_2 \cap A_4) \cup (A_3 \cap A_4) = A_4 \cup A_{12}$

이때 $A_{12} \subset A_4$이므로 $(A_2 \cup A_3) \cap A_4 = \boldsymbol{A_4}$

(2) $A_6 \cup A_{12} = A_6$, $A_9 \cup A_{18} = A_9$이므로

$(A_6 \cup A_{12}) \cap (A_9 \cup A_{18}) = A_6 \cap A_9 = \boldsymbol{A_{18}}$

---

 54   자연수 전체의 집합의 부분집합 $A_k = \{x \mid x$는 k의 배수$\}$에 대하여 다음 물음에 답하시오. (단, k는 자연수)

(1) $(A_4 \cup A_8) \cap (A_3 \cup A_9) = A_m$을 만족시키는 자연수 m의 값을 구하시오.

(2) $A_n \subset \{(A_6 \cap A_8) \cup A_{12}\}$를 만족시키는 자연수 n의 최솟값을 구하시오.

새롭게 약속된 집합 (대칭차집합)

1. 대칭차집합

(1) 대칭차집합

전체집합 U의 두 부분집합 A, B에 대하여 두 차집합 $A-B$와 $B-A$의 합집합을 **대칭차집합**이라 하며 일반적으로 연산 기호 $\triangle$를 사용하여 다음과 같이 나타낸다.

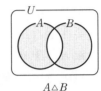

$A\triangle B$

$$A\triangle B=(A-B)\cup(B-A)$$
$$=(A\cup B)-(A\cap B)$$
$$=(A\cup B)\cap(A\cap B)^C$$

(2) 대칭차집합의 성질

전체집합 U의 세 부분집합 A, B, C에 대하여

① $A\triangle B=B\triangle A$ (교환법칙)　　　　② $(A\triangle B)\triangle C=A\triangle(B\triangle C)$ (결합법칙)

 대칭차집합

더 다양한 문제는 **RPM** 수학(하) 31쪽

전체집합 U의 두 부분집합 A, B에 대하여 연산 $\triangle$를
$$A\triangle B=(A-B)\cup(B-A)$$
라 할 때, 다음 보기 중에서 항상 옳은 것만을 있는 대로 고르시오.

┌─ 보기 ├─

ㄱ. $A\triangle A^C=U$　　　　ㄴ. $U\triangle\varnothing=\varnothing$　　　　ㄷ. $A\triangle\varnothing=A$

ㄹ. $A\triangle A=\varnothing$　　　　ㅁ. $A\triangle U=A^C$

풀이

ㄱ. $A\triangle A^C=(A-A^C)\cup(A^C-A)=(A\cap A)\cup(A^C\cap A^C)=A\cup A^C=U$

ㄴ. $U\triangle\varnothing=(U-\varnothing)\cup(\varnothing-U)=U\cup\varnothing=U$

ㄷ. $A\triangle\varnothing=(A-\varnothing)\cup(\varnothing-A)=A\cup\varnothing=A$

ㄹ. $A\triangle A=(A-A)\cup(A-A)=\varnothing\cup\varnothing=\varnothing$

ㅁ. $A\triangle U=(A-U)\cup(U-A)=\varnothing\cup A^C=A^C$

따라서 옳은 것은 ㄱ, ㄷ, ㄹ, ㅁ이다.

---

 55 전체집합 U의 두 부분집합 A, B에 대하여 연산 $\circledcirc$를
$$A\circledcirc B=(A-B)\cup(B-A)$$
라 할 때, 다음 중 $(A\circledcirc B)\circledcirc A$와 항상 같은 집합은?

① A　　　② B　　　③ $A\cap B$　　　④ $A\cup B$　　　⑤ $A-B$

03 | 유한집합의 원소의 개수

2. 집합의 연산

---

1. 합집합의 원소의 개수 ▷ 필수예제 **11, 12**

세 유한집합 A, B, C에 대하여

(1) $n(A \cup B) = n(A) + n(B) - n(A \cap B)$

특히, $A \cap B = \varnothing$이면 $n(A \cap B) = 0$이므로 $n(A \cup B) = n(A) + n(B)$

(2) $n(A \cup B \cup C)$
$= n(A) + n(B) + n(C) - n(A \cap B) - n(B \cap C) - n(C \cap A) + n(A \cap B \cap C)$

설명 (1) 오른쪽 그림과 같이 집합 $A \cup B$를 세 부분으로 나누고 각 영역에 속하는 원소의 개수를
a, b, c라 하면

$$n(A \cup B) = a + b + c = (a+b) + (b+c) - b$$
$$= n(A) + n(B) - n(A \cap B)$$

(2) 오른쪽 그림과 같이 집합 $A \cup B \cup C$를 일곱 부분으로 나누고 각 영역에 속하는 원소의
개수를 a, b, c, d, e, f, g라 하면

$$n(A \cup B \cup C) = a + b + c + d + e + f + g$$
$$= (a+b+f+g) + (b+c+d+g) + (d+e+f+g)$$
$$- (b+g) - (d+g) - (f+g) + g$$
$$= n(A) + n(B) + n(C) - n(A \cap B) - n(B \cap C) - n(C \cap A) + n(A \cap B \cap C)$$

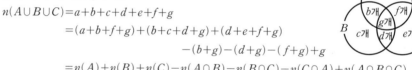

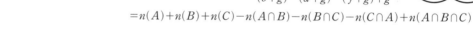

---

2. 여집합과 차집합의 원소의 개수 ▷ 필수예제 **11, 12**

전체집합 U가 유한집합일 때, 두 부분집합 A, B에 대하여

(1) $n(A^C) = n(U) - n(A)$

(2) $n(A-B) = n(A) - n(A \cap B) = n(A \cup B) - n(B)$

특히, $B \subset A$이면 $A \cap B = B$이므로 $n(A-B) = n(A) - n(B)$

▶ 일반적으로는 $n(A-B) \neq n(A) - n(B)$임에 유의한다.

설명 (1) 오른쪽 그림과 같이 전체집합 U를 두 부분으로 나누고 각 영역에 속하는 원소의 개수
를 a, b라 하면
$$n(A^C) = b = (a+b) - a = n(U) - n(A)$$

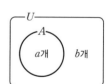

(2) 오른쪽 그림과 같이 집합 $A \cup B$를 세 부분으로 나누고 각 영역에 속하는 원소의 개수를
a, b, c라 하면
$$n(A-B) = a = (a+b) - b = n(A) - n(A \cap B)$$
$$n(A-B) = a = (a+b+c) - (b+c) = n(A \cup B) - n(B)$$

개념원리 익히기

56 두 집합 A, B에 대하여 다음을 구하시오.

(1) $n(A)=10$, $n(B)=8$, $n(A\cap B)=4$일 때, $n(A\cup B)$

(2) $n(A)=8$, $n(B)=5$, $n(A\cup B)=10$일 때, $n(A\cap B)$

(3) $n(A)=6$, $n(A\cap B)=2$, $n(A\cup B)=13$일 때, $n(B)$

> 생각해 봅시다!
>
> $n(A\cup B)$
> $=n(A)+n(B)$
> $\qquad -n(A\cap B)$

57 세 집합 A, B, C에 대하여 $n(A)=12$, $n(B)=16$, $n(C)=17$, $n(A\cap B)=8$, $n(B\cap C)=12$, $n(C\cap A)=7$, $n(A\cap B\cap C)=5$일 때, $n(A\cup B\cup C)$를 구하시오.

> $n(A\cup B\cup C)$
> $=n(A)+n(B)+n(C)$
> $\quad -n(A\cap B)$
> $\quad -n(B\cap C)$
> $\quad -n(C\cap A)$
> $\quad +n(A\cap B\cap C)$

58 두 집합 A, B에 대하여 $n(A)=20$, $n(B)=13$, $n(A\cap B)=8$일 때, 다음을 구하시오.

(1) $n(A-B)$

(2) $n(B-A)$

> $n(A-B)$
> $=n(A)-n(A\cap B)$

59 전체집합 U의 두 부분집합 A, B에 대하여 $n(U)=33$, $n(A)=21$, $n(B)=14$, $n(A\cap B)=9$일 때, 다음을 구하시오.

(1) $n(A^C)$

(2) $n(B^C)$

(3) $n((A\cap B)^C)$

(4) $n(A^C\cap B^C)$

> $n(A^C)=n(U)-n(A)$

필수 예제 11

전체집합 U의 두 부분집합 A, B에 대하여
$$n(U)=60, \ n(A)=37, \ n(B)=40, \ n(A^C \cap B^C)=15$$
일 때, $n(B-A)$를 구하시오.

풀이

$n(A^C \cap B^C)=n((A \cup B)^C)=n(U)-n(A \cup B)$에서
$15=60-n(A \cup B)$ $\therefore n(A \cup B)=45$
$n(A \cup B)=n(A)+n(B)-n(A \cap B)$에서
$45=37+40-n(A \cap B)$ $\therefore n(A \cap B)=32$
$\therefore n(B-A)=n(B)-n(A \cap B)=40-32=8$

다른풀이

$n(A^C \cap B^C)=n((A \cup B)^C)=n(U)-n(A \cup B)$에서
$15=60-n(A \cup B)$ $\therefore n(A \cup B)=45$
$\therefore n(B-A)=n(A \cup B)-n(A)=45-37=8$

KEY Point

- $n(A \cup B)=n(A)+n(B)-n(A \cap B)$
- $n(A \cup B \cup C)=n(A)+n(B)+n(C)-n(A \cap B)-n(B \cap C)-n(C \cap A)+n(A \cap B \cap C)$
- $n(A^C)=n(U)-n(A)$
- $n(A-B)=n(A)-n(A \cap B)=n(A \cup B)-n(B)$

확인 체크

60 전체집합 U의 두 부분집합 A, B에 대하여
$$n(U)=32, \ n(A \cap B)=4, \ n(A^C \cap B^C)=11$$
일 때, $n(A)+n(B)$를 구하시오.

61 전체집합 U의 두 부분집합 A, B에 대하여
$$n(U)=25, \ n(A)=12, \ n(B)=10, \ n(A \cup B)=18$$
일 때, 오른쪽 벤다이어그램에서 색칠한 부분이 나타내는 집합의
원소의 개수를 구하시오.

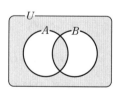

62 세 집합 A, B, C에 대하여 $A \cap C=\varnothing$이고,
$$n(A)=10, \ n(B)=9, \ n(C)=6, \ n(A \cup B)=15, \ n(B \cup C)=11$$
일 때, $n(A \cup B \cup C)$를 구하시오.

60명의 학생에게 영어, 수학 문제를 풀게 했더니 영어 문제를 푼 학생은 35명, 수학 문제를 푼 학생은 28명이고, 영어와 수학 문제를 모두 못 푼 학생은 5명이었다. 다음 물음에 답하시오.

(1) 영어 문제와 수학 문제 중 적어도 한 문제를 푼 학생 수를 구하시오.

(2) 영어 문제와 수학 문제를 둘 다 푼 학생 수를 구하시오.

(3) 영어 문제만 푼 학생 수를 구하시오.

설명 $n(A^c \cap B^c) = n(U) - n(A \cup B)$, $n(A \cup B) = n(A) + n(B) - n(A \cap B)$

$n(A - B) = n(A) - n(A \cap B)$

풀이   전체 학생의 집합을 U, 영어 문제를 푼 학생의 집합을 A, 수학 문제를 푼 학생의 집합을 B라 하면

$n(U) = 60$, $n(A) = 35$, $n(B) = 28$, $n(A^c \cap B^c) = 5$

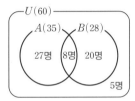

(1) 영어 문제와 수학 문제 중 적어도 한 문제를 푼 학생의 집합은 $A \cup B$

이므로 $n(A^c \cap B^c) = n((A \cup B)^c) = n(U) - n(A \cup B)$에서

$5 = 60 - n(A \cup B)$ $\therefore n(A \cup B) = \mathbf{55}$

(2) 영어 문제와 수학 문제를 둘 다 푼 학생의 집합은 $A \cap B$이므로

$n(A \cup B) = n(A) + n(B) - n(A \cap B)$에서

$55 = 35 + 28 - n(A \cap B)$ $\therefore n(A \cap B) = \mathbf{8}$

(3) 영어 문제만 푼 학생의 집합은 $A - B$이므로

$n(A - B) = n(A) - n(A \cap B)$

$= 35 - 8 = \mathbf{27}$

KEY
Point   • **전체집합 U의 두 부분집합 A, B에 대하여**

① 또는, 적어도 ~인 ⇨ $A \cup B$ ② 모두, 둘 다 ⇨ $A \cap B$

③ ~만, ~뿐 ⇨ $A - B$ 또는 $B - A$ ④ 둘 중 하나만 ⇨ $(A - B) \cup (B - A)$

확인
체크   **63**   학생 80명이 방과 후 수업으로 중국어와 일본어 두 과목 중 적어도 한 과목을 신청하였다. 중국어를 신청한 학생이 52명, 일본어를 신청한 학생이 45명일 때, 일본어만 신청한 학생 수를 구하시오.

     64   어느 학급의 학생 40명을 대상으로 A, B 두 포털사이트에서의 이메일 이용 여부를 조사하였다. A포털사이트의 이메일을 이용하는 학생이 25명, B포털사이트의 이메일을 이용하는 학생이 20명, 두 포털사이트 중 어느 한 곳의 이메일도 이용하지 않는 학생이 5명이었을 때, 두 포털사이트의 이메일을 모두 이용하는 학생 수를 구하시오.

전체집합 U의 두 부분집합 A, B에 대하여 $n(U)=30$, $n(A)=22$, $n(B)=17$일 때, $n(A\cap B)$의 최댓값을 M, 최솟값을 m이라 하자. 이때 $M+m$의 값을 구하시오.

풀이

$$\begin{aligned} n(A\cup B)&=n(A)+n(B)-n(A\cap B)\\ &=22+17-n(A\cap B)\\ &=39-n(A\cap B) \end{aligned}$$

(i) $n(A\cap B)$가 최대인 경우는 $n(A\cup B)$가 최소일 때이므로 $B\subset A$일 때이다.

∴ $M=n(B)=17$

(ii) $n(A\cap B)$가 최소인 경우는 $n(A\cup B)$가 최대일 때이므로 $A\cup B=U$일 때이다.

$n(A\cup B)=n(A)+n(B)-n(A\cap B)$에서

$30=22+17-m$　∴ $m=9$

(i), (ii)에서 $M+m=$ **26**

다른풀이

$A\subset(A\cup B)$, $B\subset(A\cup B)$이므로

$n(A)\le n(A\cup B)$, $n(B)\le n(A\cup B)$　∴ $22\le n(A\cup B)$　⋯⋯ ㉠

$(A\cup B)\subset U$이므로 $n(A\cup B)\le n(U)$　∴ $n(A\cup B)\le 30$　⋯⋯ ㉡

㉠, ㉡에서 $22\le n(A\cup B)\le 30$

$22\le 22+17-n(A\cap B)\le 30$, $-17\le -n(A\cap B)\le -9$

∴ $9\le n(A\cap B)\le 17$

따라서 $M=17$, $m=9$이므로 $M+m=26$

KEY Point

• 전체집합 U의 두 부분집합 A, B에 대하여 $n(B)<n(A)$일 때,

① $n(A\cap B)$가 최대 ⇨ $n(A\cup B)$가 최소, 즉 $B\subset A$

② $n(A\cap B)$가 최소 ⇨ $n(A\cup B)$가 최대, 즉 $A\cup B=U$

**확인
체크**

65 두 집합 A, B에 대하여 $n(A)=15$, $n(B)=26$, $n(A\cap B)\ge 7$일 때, $n(A\cup B)$의 최 댓값과 최솟값의 합을 구하시오.

66 어느 학급의 40명의 학생 중 설악산에 가 본 학생은 25명이고, 지리산에 가 본 학생은 18명 이었다. 설악산과 지리산에 모두 가 본 학생 수의 최댓값을 M, 최솟값을 m이라 할 때, $M+m$의 값을 구하시오.

STEP **1**

● 생각해 봅시다!

30 전체집합 $U=\{1, 2, 3, 4, 5, 6, 7\}$의 두 부분집합 A, B에 대하여
$A=\{1, 2, 3\}$, $(A\cup B)\cap(A^C\cup B^C)=\{2, 4, 6\}$일 때, 집합 B의 모든
원소의 합을 구하시오.

31 전체집합 U의 세 부분집합 A, B, C에 대하여 다음 보기 중에서 항상 성립하
는 것만을 있는 대로 고르시오.

연산 법칙을 이용하여 간
단히 한다.

┌─┤보기├─
│ ㄱ. $(A^C\cup B)\cap A=A\cap B$
│ ㄴ. $(A\cup B)\cap(A^C\cap B^C)=\varnothing$
│ ㄷ. $(A-B)\cup(A-C)=A-(B\cap C)$
│ ㄹ. $\{(A\cap B)\cup(A-B)\}\cap B=A$

32 전체집합 U의 두 부분집합 A, B에 대하여
$$\{(A\cap B)\cup(A\cap B^C)\}\cup\{(A^C\cup B)\cap(A^C\cup B^C)\}$$
를 간단히 하면?

① A ② B ③ U ④ A^C ⑤ $\varnothing$

33 전체집합 U의 공집합이 아닌 두 부분집합 A, B에 대하여
$(A-B)^C\cap B^C=A^C$가 성립할 때, 다음 중 항상 옳은 것은?

$(A\cap B)^C=A^C\cup B^C$

① $A\subset B$ ② $B\subset A$ ③ $A=B$
④ $A\cap B=\varnothing$ ⑤ $A\cup B=U$

34 전체집합 $U=\{1, 2, 3, \cdots, 200\}$의 부분집합 A_k를
$A_k=\{x\,|\,x$는 k의 배수, k는 자연수$\}$라 할 때, 집합 $A_5\cap(A_3\cup A_6)$의 원소
의 개수를 구하시오.

자연수 k, m, n에 대하여
$A_m\cap A_n=A_k$이면
⇨ k는 m, n의 최소공배수

35 두 집합 X, Y에 대하여 연산 $\odot$을 $X\odot Y=(X-Y)\cup(Y-X)$라 하자.
세 집합 $A=\{1, 2, 3, 4\}$, $B=\{1, 2\}$, $C=\{1, 3, 5\}$에 대하여 집합
$(A\odot B)\odot C$의 모든 원소의 합을 구하시오.

36 전체집합 U의 두 부분집합 A, B에 대하여
$$n(U)=24,\ n(A)=8,\ n(B)=12,\ n(A^C \cap B^C)=9$$
일 때, $n(A \cap B)$를 구하시오.

$n(A \cup B)$
$=n(A)+n(B)$
$\qquad -n(A \cap B)$
$n(A^C)=n(U)-n(A)$

37 48명의 학생에게 a, b 두 문제를 풀게 하였더니 a문제를 푼 학생은 23명, 두 문제를 모두 푼 학생은 10명, a문제와 b문제 중 어느 것도 못 푼 학생은 5명이었다. 이때 b문제를 푼 학생 수를 구하시오.

STEP **2**

38 자연수 k의 양의 배수의 집합을 A_k라 할 때, $A_m \subset (A_4 \cap A_6)$, $(A_8 \cup A_{12}) \subset A_n$을 만족시키는 자연수 m의 최솟값과 자연수 n의 최댓값의 합을 구하시오.

자연수 k, l에 대하여
$A_l \subset A_k$이면
$\Rightarrow l$은 k의 배수

39 전체집합 U의 세 부분집합 A, B, C에 대하여 연산 $*$을
$A * B = (A-B) \cup (B-A)$라 할 때, 다음 보기 중에서 항상 옳은 것만을 있는 대로 고르시오.

┤보기├
ㄱ. $A^C * B^C = A * B$
ㄴ. $(A * B) * C = A * (B * C)$
ㄷ. $A * (A * B) = B$

[평가원기출]
40 다음 조건을 만족시키는 전체집합 U의 두 부분집합 A, B에 대하여 $n(B-A)$의 최댓값을 구하시오.

㈎ $n(U)=25$ ㈏ $A \cap (A^C \cup B) \neq \varnothing$ ㈐ $n(A-B)=11$

41 지우네 학년 50명의 학생을 대상으로 과학탐구, 프로그램언어, 영화논평의 세 동아리의 가입자 수를 조사하였다. 과학탐구 동아리에 가입한 학생은 23명, 프로그램언어 동아리에 가입한 학생은 28명, 영화논평 동아리에 가입한 학생은 21명이고, 세 동아리에 모두 가입한 학생은 7명, 세 동아리 중 어느 동아리에도 가입하지 않은 학생은 4명이었다. 이때 세 동아리 중 두 동아리에만 가입한 학생 수를 구하시오.

[교육청기출]

42 집합 A_n을 $A_n = \{x \mid x$는 n의 배수$\}$ $(n = 1, 2, 3, \cdots)$이라 하자.
$A_n \cap A_2 = A_{2n}$이고 90이 집합 $A_2 - A_n$의 원소가 되도록 하는 90 이하의 자연수 n의 개수를 구하시오.

43 전체집합 $U = \{x \mid x$는 50 이하의 자연수$\}$의 부분집합
$A_k = \{x \mid x = kn + 2,\ n$은 정수$\}$에 대하여 집합 $A_3 \cap (A_4 \cup A_6)$의 원소의 개수를 구하시오. (단, k는 자연수)

> 💡 **생각해 봅시다!**
>
> 집합 A_k의 원소 x에 대하여 $x - 2$는 자연수 k의 배수임을 이용한다.

44 두 집합 X, Y에 대하여 연산 $\triangle$를 $X \triangle Y = (X - Y) \cup (Y - X)$라 하자.
세 집합 A, B, C가 $n(A \cup B \cup C) = 75$, $n(A \triangle B) = 45$, $n(B \triangle C) = 47$,
$n(C \triangle A) = 42$를 만족시킬 때, $n(A \cap B \cap C)$를 구하시오.

[수능기출]

45 세 집합 A, B, C에 대하여 $n(A) = 14$, $n(B) = 16$, $n(C) = 19$,
$n(A \cap B) = 10$, $n(A \cap B \cap C) = 5$일 때, $n(C - (A \cup B))$의 최솟값을 구하시오. (단, $n(X)$는 집합 X의 원소의 개수이다.)

46 어느 학급의 학생 36명을 대상으로 등교할 때 이용하는 교통수단을 조사하였더니 버스를 이용하는 학생이 22명, 지하철을 이용하는 학생이 9명이었다. 버스와 지하철을 모두 이용하여 등교하는 학생이 5명 이상이라 할 때, 버스와 지하철 중 적어도 어느 하나를 이용하는 학생은 최대 a명이고, 최소 b명이다. 이때 $a + b$의 값을 구하시오.

> 주어진 조건을 집합으로 나타내어 본다.

진정한 지혜

일반인들의 어리석음을 멀리 하는 것이 진정한 지혜이다.

어리석음은 일반에 널리 통용되기에 힘을 갖는다. 한 개인의 어리석음을 압도할 수는 있어도 일반의 어리석음을 피할 수는 없다. 일반인들의 생각은 편견으로 가득 차 있다. 그들은 자신의 운명이 최고의 것이어도 만족하지 못하고 자신의 분별이 최악의 것이어도 만족스러워 한다. 더욱이 모두가 자신의 행복에 만족하지 못하고 다른 이의 행복을 시기하고 있다.

또한, 오늘날의 사람들은 어제의 것을 칭찬하고, 여기 있는 사람들은 저곳의 일을 부러워한다. 지나간 모든 것이 더 좋아 보이며 멀리 있는 것이 더 높이 평가되는 것이다. 매사에 기뻐 웃는 자는 매사에 슬퍼하는 자만큼 대단한 바보이다.

I

집합과 명제

01 | 명제와 조건

3. 명제

1. 명제 ▷ 필수예제 **1**

> **참**인지 **거짓**인지를 명확하게 판별할 수 있는 문장이나 식을 **명제**라 한다.

▶ ① 거짓인 문장이나 식도 명제이다.
   ② 명제는 보통 알파벳 소문자 $p, q, r, \cdots$로 나타낸다.

설명 참인지 거짓인지를 명확하게 판별할 수 있는 문장이나 식을 명제라
하고, 이때 명제가 참이면 참인 명제, 거짓이면 거짓인 명제라 한다.

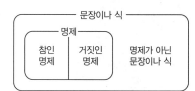

① 4는 2의 배수이다. ⇨ 참인 명제
② 3은 5의 약수이다. ⇨ 거짓인 명제
③ 서울과 인천은 가깝다. ⇨ '가깝다'는 참, 거짓을 판별할 수 있는 기
   준이 명확하지 않다. ⇨ 명제가 아니다.
④ $2x=8$ ⇨ x의 값에 따라 참, 거짓이 달라진다. ⇨ 명제가 아니다.

2. 명제의 부정 ▷ 필수예제 **1**

> (1) **명제의 부정**: 명제 p에 대하여 'p가 아니다.'를 명제 p의 **부정**이라 하며, 이것을 기호로 $\sim p$
> 와 같이 나타낸다.
> (2) 명제 p와 그 부정 $\sim p$의 참, 거짓 사이에는 다음과 같은 관계가 있다.
> ① 명제 p가 참이면 ⇨ $\sim p$는 거짓
> ② 명제 p가 거짓이면 ⇨ $\sim p$는 참
> (3) 명제 $\sim p$의 부정은 p이다. 즉, $\sim(\sim p)=p$

▶ $\sim p$는 'p가 아니다.' 또는 'not p'라 읽는다.

설명 (2) ① 명제 p가 참이면 그 부정 $\sim p$는 거짓이다.

p	$\sim p$
참	거짓
거짓	참

p: 6은 짝수이다. ⇨ 참
$\sim p$: 6은 짝수가 아니다. ⇨ 거짓
이때 자연수라는 전제 조건이 없으므로 부정을 '6은 홀수이다.'라 하면 안된다.
② 명제 p가 거짓이면 그 부정 $\sim p$는 참이다.
p: $5<3$ ⇨ 거짓
$\sim p$: $5 \geq 3$ ⇨ 참
이때 '$<$'의 부정을 '$>$'로 착각하여 '$5>3$'이라 하면 안된다.

3. 조건

변수를 포함한 문장이나 식이 **변수의 값에 따라 참, 거짓이 판별**될 때, 그 문장이나 식을 **조건**이라 한다.

▶ ① 일반적으로 조건은 명제가 아니다.
  ② 변수 x를 포함하는 조건을 $p(x)$, $q(x)$, $r(x)$, …로 나타내는데, 이를 간단히 p, q, r, …로 나타내기도 한다.

설명 x를 포함한 문장이나 식이 x의 값에 따라 참, 거짓이 판별될 때, 그 문장이나 식을 조건이라 한다.

$$2x-5=1 \Rightarrow x=3$$이면 참, $x=4$이면 거짓

$\Rightarrow x$의 값에 따라 참, 거짓이 판별되므로 조건이다.

예 3은 홀수이다. $\Rightarrow$ 참, 거짓을 판별할 수 있다. $\Rightarrow$ 명제
x는 홀수이다. $\Rightarrow x$의 값에 따라 참, 거짓이 판별된다. $\Rightarrow$ 조건

4. 진리집합   ▷ 필수예제 **2**

전체집합 U의 원소 중에서 **조건 $p(x)$를 참이 되게 하는 모든 원소의 집합**을 조건 $p(x)$의 **진리집합**이라 하고, 주로 집합 P로 나타낸다. 즉,

$$P=\{x \mid x \in U, \ p(x)\text{가 참}\}$$

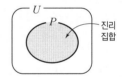

▶ ① 일반적으로 조건 p, q, r, …의 진리집합은 각각 P, Q, R, …로 나타낸다.
  ② 특별한 언급이 없으면 전체집합은 실수 전체의 집합으로 생각한다.

설명 전체집합 $U=\{x \mid x$는 10 이하의 자연수$\}$에 대하여 조건 p가

  $p: x$는 6의 약수

일 때, 전체집합 U의 원소 중 조건 p를 참이 되게 하는 원소는 1, 2, 3, 6이므로 조건 p의 진리집합을 P라 하면

  $P=\{1, 2, 3, 6\}$

이와 같이 전체집합 U의 원소 중 조건 p를 참이 되게 하는 모든 원소의 집합을 조건 p의 진리집합이라 한다.

예제 전체집합 $U=\{1, 2, 3, 4, 5, 6, 7\}$에 대하여 두 조건

  $p: 2<x<6, \ q: x^2=1$

의 진리집합을 각각 구하시오.

풀이 두 조건 p, q의 진리집합을 각각 P, Q라 하자.
$p: 2<x<6$이므로 $P=\{3, 4, 5\}$
$q: x^2=1$에서 $x=-1$ 또는 $x=1$
그런데 $-1 \notin U$이므로 $Q=\{1\}$

5. 조건의 부정 ▷ 필수예제 **2**

(1) **조건의 부정**: 조건 p에 대하여 'p가 아니다.'를 조건 p의 **부정**이라
하며, 이것을 기호로 $\sim p$와 같이 나타낸다.

(2) **조건의 부정의 진리집합**: 전체집합 U에 대하여 조건 p의 진리집합
을 P라 하면 $\sim p$의 진리집합은 P^C이다.

(3) 조건 $\sim p$의 부정은 p, 즉 $\sim(\sim p)=p$이므로 $\sim(\sim p)$의 진리집합은 p의 진리집합과 같다.

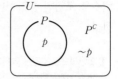

설명 전체집합 $U=\{1, 2, 3, \cdots, 10\}$에 대하여 조건 p가
$\quad$ p: x는 10의 약수이다.
일 때, 조건 p의 부정은
$\quad$ $\sim p$: x는 10의 약수가 아니다.
이때 두 조건 p, $\sim p$의 진리집합을 각각 P, Q라 하면
$\quad$ $P=\{1, 2, 5, 10\}$, $Q=\{3, 4, 6, 7, 8, 9\}$
즉, $Q=P^C$이므로 조건 $\sim p$의 진리집합은 P^C임을 알 수 있다.
또, $(P^C)^C=P$이므로 조건 $\sim p$의 부정 $\sim(\sim p)$의 진리집합은 조건 p의 진리집합과 같음을 알 수 있다.

예 조건 'p: $x-3>2$'의 부정은 '$\sim p$: $x-3\leq 2$'이다.
이때 p의 진리집합은 $P=\{x\,|\,x>5\}$, $\sim p$의 진리집합은 $P^C=\{x\,|\,x\leq 5\}$

6. 조건 'p 또는 q'와 'p 그리고 q' ▷ 필수예제 **2**

(1) 두 조건 p, q의 진리집합을 각각 P, Q라 할 때,
$\quad$ ① 조건 'p **또는** q'의 진리집합 $\Rightarrow P \cup Q$
$\quad$ ② 조건 'p **그리고** q'의 진리집합 $\Rightarrow P \cap Q$

(2) 두 조건 p, q에 대하여
$\quad$ ① 조건 'p **또는** q'의 부정 $\Rightarrow$ '$\sim p$ **그리고** $\sim q$'
$\quad$ ② 조건 'p **그리고** q'의 부정 $\Rightarrow$ '$\sim p$ **또는** $\sim q$'

설명 전체집합 U에서의 두 조건 p, q의 진리집합을 각각 P, Q라 하면
'p 또는 q'의 진리집합은 $P \cup Q$, 'p 그리고 q'의 진리집합은 $P \cap Q$이다.
따라서 다음과 같은 관계가 성립함을 알 수 있다.
$\quad$ ① $(P \cup Q)^C=P^C \cap Q^C$이므로
$\quad\quad$ $\sim(p$ 또는 $q) \Rightarrow \sim p$ 그리고 $\sim q$
$\quad$ ② $(P \cap Q)^C=P^C \cup Q^C$이므로
$\quad\quad$ $\sim(p$ 그리고 $q) \Rightarrow \sim p$ 또는 $\sim q$

예 (1) 조건 '$x=2$이고 $y=3$'의 부정은 $\Rightarrow x \neq 2$ 또는 $y \neq 3$
$\quad$ (2) 조건 '$x \leq 3$ 또는 $x \geq 5$'의 부정은 $\Rightarrow x>3$ 그리고 $x<5 \Rightarrow 3<x<5$

개념원리 익히기

67 다음 중 명제인 것을 모두 고르면? (정답 2개)

① 사람은 꽃보다 아름답다.   ② 농구 선수는 키가 크다.

③ $x \geq 2$ ④ $7 - x = 2 - x$

⑤ 맞꼭지각의 크기는 서로 같다.

💡 생각해 봅시다!
명제: 참인지 거짓인지를 명확하게 판별할 수 있는 문장이나 식

68 다음 명제의 부정을 말하시오.

(1) $2 + 6 > 8$

(2) 17은 소수이다.

(3) $\varnothing \not\subset \{a, b, c, d\}$

69 전체집합 U가 자연수 전체의 집합일 때, 다음 조건의 진리집합을 구하시오.

(1) p: x는 8의 약수이다.

(2) q: $x^2 - 5x - 6 = 0$

진리집합: 전체집합 U의 원소 중에서 조건 p를 참이 되게 하는 모든 원소의 집합

70 실수 전체의 집합에서 다음 조건의 부정을 말하시오.

(1) $x \neq -7$이고 $x \neq 5$

(2) $-4 < x < 6$

(3) $x \leq -2$ 또는 $x > 3$

71 전체집합 $U = \{x \,|\, x$는 5 이하의 자연수$\}$에 대하여 두 조건 p, q가
$$p: 4x - 8 = 0, \quad q: x^2 + 1 < 10$$
일 때, 다음 조건의 진리집합을 구하시오.

(1) p (2) $\sim p$

(3) q (4) $\sim q$

조건 p의 진리집합을 P라 하면 $\sim p$의 진리집합은 P^C 이다.

다음 중 명제인 것을 찾고, 그 명제의 참, 거짓을 판별하시오.

(1) 소수는 홀수이다.

(2) 삼각형의 세 내각의 크기의 합은 $180°$이다.

(3) $x^2 + 4x - 5 \leq 0$

(4) 6의 양의 배수는 3의 양의 배수이다.

풀이

(1) 2는 소수이지만 홀수가 아니므로 **거짓인 명제**이다.

(2) 삼각형의 세 내각의 크기의 합은 $180°$이므로 **참인 명제**이다.

(3) x의 값에 따라 참, 거짓이 달라지므로 **명제가 아니다.**

(4) 6의 양의 배수는 모두 3의 양의 배수이므로 **참인 명제**이다.

KEY Point

• 명제: 참인지 거짓인지를 명확하게 판별할 수 있는 문장이나 식

확인 체크

72 다음 중 명제인 것을 찾고, 그 명제의 참, 거짓을 판별하시오.

(1) $\sqrt{4}$는 유리수이다.

(2) $3x = x - 4$

(3) 직각삼각형의 한 내각의 크기는 $90°$보다 작거나 같다.

(4) 6과 8의 최소공배수는 48이다.

73 다음 보기 중에서 참인 명제인 것만을 있는 대로 고르시오.

┤ 보기 ├

ㄱ. $2^3 < 3^2$ ㄴ. 홀수와 홀수를 곱하면 홀수이다.

ㄷ. 넓이가 같은 두 삼각형은 합동이다.   ㄹ. 정사각형은 평행사변형이다.

74 다음 명제 중 그 부정이 참인 것은?

① $\sqrt{2} + \sqrt{5} \neq \sqrt{7}$ ② $3 \leq \sqrt{5}$

③ 13은 소수이다.   ④ $1 + \sqrt{2}$는 실수이다.

⑤ 정삼각형의 세 내각의 크기는 모두 같다.

실수 전체의 집합에서 두 조건 p, q가
$$p: 1 < x \leq 4, \quad q: x < 3 \text{ 또는 } x > 5$$
일 때, 다음 조건의 진리집합을 구하시오.

(1) $\sim p$　　　　　　　(2) $\sim p$ 또는 q　　　　　　(3) p 그리고 $\sim q$

풀이

두 조건 p, q의 진리집합을 각각 P, Q라 하면
$$P = \{x \mid 1 < x \leq 4\}, \quad Q = \{x \mid x < 3 \text{ 또는 } x > 5\}$$
이고 이것을 수직선 위에 나타내면 오른쪽 그림과 같다.

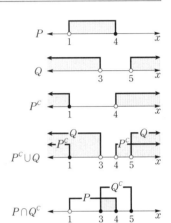

(1) 조건 $\sim p$의 진리집합은 P^C이므로
$$P^C = \{x \mid x \leq 1 \text{ 또는 } x > 4\}$$

(2) 조건 '$\sim p$ 또는 q'의 진리집합은 $P^C \cup Q$이므로
$$P^C \cup Q = \{x \mid x < 3 \text{ 또는 } x > 4\}$$

(3) 조건 'p 그리고 $\sim q$'의 진리집합은 $P \cap Q^C$이므로
$$P \cap Q^C = \{x \mid 3 \leq x \leq 4\}$$

KEY Point

• 두 조건 p, q의 진리집합을 각각 P, Q라 하면
① 조건 $\sim p$의 진리집합 ⇨ P^C
② 조건 'p 또는 q'의 진리집합 ⇨ $P \cup Q$
③ 조건 'p 그리고 q'의 진리집합 ⇨ $P \cap Q$

확인 체크

75 전체집합 $U = \{1, 2, 3, 4, 5, 6\}$에 대하여 두 조건 p, q가
$$p: x \text{는 짝수이다.}, \quad q: x^2 - 5x + 6 = 0$$
일 때, 다음 조건의 진리집합을 구하시오.

(1) $\sim q$　　　　　　　(2) p 또는 q　　　　　　(3) $\sim p$ 그리고 q

76 실수 전체의 집합에서 두 조건 p, q가
$$p: -2 \leq x < 2, \quad q: x \leq -1 \text{ 또는 } x \geq 4$$
일 때, 조건 'p 그리고 $\sim q$'의 진리집합을 구하시오.

77 실수 전체의 집합에서 두 조건 p, q가 $p: x \geq 3$, $q: x < -2$일 때, 두 조건 p, q의 진리집합을 각각 P, Q라 하자. 다음 중 조건 '$-2 \leq x < 3$'의 진리집합을 나타내는 것은?

① $(P \cup Q)^C$　　　　　② $P \cap Q^C$　　　　　③ $P^C \cup Q$
④ $P^C \cup Q^C$　　　　　⑤ $P^C \cap Q$

02 | 명제 $p \longrightarrow q$

3. 명제

1. 명제 $p \longrightarrow q$

두 조건 p, q로 이루어진 명제 'p이면 q이다.'를 기호로 $p \longrightarrow q$와 같이 나타 낸다. 이때 p를 **가정**, q를 **결론**이라 한다.

예   명제 '$x=1$이면 $x+3=4$이다.'에서

　　가정: $x=1$이다.

　　결론: $x+3=4$이다.

2. 명제 $p \longrightarrow q$의 참, 거짓　▷ **필수예제 3~6**

명제 $p \longrightarrow q$에 대하여 두 조건 p, q의 진리집합을 각각 P, Q라 할 때,

(1) **$P \subset Q$이면 명제 $p \longrightarrow q$는 참이다.**

　거꾸로 명제 $p \longrightarrow q$가 참이면 $P \subset Q$이다.

(2) **$P \not\subset Q$이면 명제 $p \longrightarrow q$는 거짓이다.**

　거꾸로 명제 $p \longrightarrow q$가 거짓이면 $P \not\subset Q$이다.

▶ 명제 $p \longrightarrow q$가 거짓임을 보일 때는 **가정 p는 만족시키지만 결론 q는 만족시키지 않는 예가 하나라도 있음을 보이면 된다.** 이와 같이 명제가 거짓임을 보이는 예를 **반례**라 한다.

설명   명제 $p \longrightarrow q$에서 조건 p가 참이 되는 모든 경우에 조건 q도 참이 되면 그 명제는 참이고, 조건 p는 참이 되지만 조건 q가 거짓이 되면 그 명제는 거짓이다.

두 조건 p: $x=2$, q: $x^2=4$에 대하여 p, q의 진리집합을 각각 P, Q라 하면

　　$P=\{2\}$, $Q=\{-2, 2\}$

두 명제 $p \longrightarrow q$, $q \longrightarrow p$의 참, 거짓을 판별해 보자.

(1) 명제 $p \longrightarrow q \Rightarrow x=2$이면 $x^2=4$이다.

　집합 P의 모든 원소가 집합 Q에 속하므로 $P \subset Q$

　따라서 명제 $p \longrightarrow q$는 참이다.

(2) 명제 $q \longrightarrow p \Rightarrow x^2=4$이면 $x=2$이다.

　$-2 \in Q$이지만 $-2 \notin P$이므로 $Q \not\subset P$

　따라서 명제 $q \longrightarrow p$는 거짓이다.

　이때 이 명제가 거짓임을 보여 주는 반례는 $x=-2$이다.

$P \subset Q$, $Q \not\subset P$

예제   명제 '12의 양의 약수이면 6의 양의 약수이다.'의 참, 거짓을 판별하시오.

풀이   12의 양의 약수의 집합을 P, 6의 양의 약수의 집합을 Q라 하면

　　$P=\{1, 2, 3, 4, 6, 12\}$, $Q=\{1, 2, 3, 6\}$

　　따라서 $P \not\subset Q$이므로 주어진 명제는 거짓이다.

필수 예제 03 명제 $p \longrightarrow q$의 참, 거짓

↻ 더 다양한 문제는 **RPM** 수학(하) 41쪽

다음 명제의 참, 거짓을 판별하시오. (단, x, y는 실수)

(1) x가 3의 양의 배수이면 x는 6의 양의 배수이다.

(2) $x^2-3x+2=0$이면 $0<x<4$이다.

(3) x, y가 무리수이면 $x+y$도 무리수이다.

풀이

(1) p: x는 3의 양의 배수, q: x는 6의 양의 배수라 하고, 두 조건 p, q의 진리집합을 각각 P, Q라 하면
$P=\{3,\ 6,\ 9,\ \cdots\}$, $Q=\{6,\ 12,\ 18,\ \cdots\}$
따라서 $P\not\subset Q$이므로 주어진 명제는 **거짓**이다.

(2) p: $x^2-3x+2=0$, q: $0<x<4$라 하고, 두 조건 p, q의 진리집합을 각각 P, Q라 하면
$P=\{x\,|\,x^2-3x+2=0\}=\{1,\ 2\}$, $Q=\{x\,|\,0<x<4\}$
따라서 $P\subset Q$이므로 주어진 명제는 **참**이다.

(3) [반례] $x=\sqrt{2}$, $y=-\sqrt{2}$이면 x, y는 무리수이지만 $x+y=0$은 유리수이다.
따라서 주어진 명제는 **거짓**이다.

필수 예제 04 거짓인 명제의 반례

↻ 더 다양한 문제는 **RPM** 수학(하) 41쪽

전체집합 U에 대하여 두 조건 p, q의 진리집합을 각각 P, Q라 하자. 두 집합 P, Q가 오른쪽 그림과 같을 때, 명제 $\sim p \longrightarrow q$가 거짓임을 보이는 원소를 모두 구하시오.

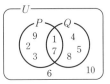

풀이

명제 $\sim p \longrightarrow q$가 거짓임을 보이는 원소는 P^C에 속하고 Q에 속하지 않아야 하므로
$P^C-Q=P^C\cap Q^C=(P\cup Q)^C=\{6,\ 10\}$
따라서 구하는 원소는 **6**, **10**이다.

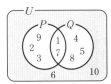

KEY Point

• 두 조건 p, q의 진리집합을 각각 P, Q라 할 때,
① $P\subset Q$이면 명제 $p \longrightarrow q$는 참이다.   ② $P\not\subset Q$이면 명제 $p \longrightarrow q$는 거짓이다.

확인 체크

78 다음 명제의 참, 거짓을 판별하시오. (단, x, y는 실수)

(1) $x^2=9$이면 $x^3=27$이다.

(2) $xy=0$이면 $x=0$이고 $y=0$이다.

(3) $|x|<1$이면 $x<1$이다.

79 전체집합 $U=\{x\,|\,x$는 20 이하의 자연수$\}$에 대하여 두 조건
p: x는 4의 배수이다., q: x는 16의 약수이다.
의 진리집합을 각각 P, Q라 하자. 명제 $p \longrightarrow q$가 거짓임을 보이는 모든 원소의 합을 구하시오.

필수예제 05 명제 $p \longrightarrow q$의 참, 거짓과 진리집합의 포함 관계

더 다양한 문제는 **RPM** 수학(하) 42쪽

전체집합 U에 대하여 두 조건 p, q의 진리집합을 각각 P, Q라 하자. 명제 $\sim p \longrightarrow q$가 참일 때, 다음 중 항상 옳은 것은?

① $P \subset Q$ ② $Q \subset P$ ③ $P \cap Q = \varnothing$

④ $P \cup Q = U$ ⑤ $P = Q$

풀이   명제 $\sim p \longrightarrow q$가 참이므로 $P^C \subset Q$
이것을 벤다이어그램으로 나타내면 오른쪽 그림과 같다.
$\therefore P \cup Q = U$
따라서 옳은 것은 ④이다.

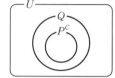

KEY Point

• 두 조건 p, q의 진리집합을 각각 P, Q라 할 때,
⇨ 명제 $p \longrightarrow q$가 참이면 $P \subset Q$이다.

확인체크

80 전체집합 U에 대하여 두 조건 p, q의 진리집합을 각각 P, Q라 하자. 명제 $p \longrightarrow \sim q$가 참일 때, 다음 중 항상 옳은 것은?

① $Q \subset P$ ② $P \cup Q = U$ ③ $Q \subset P^C$

④ $P - Q = \varnothing$ ⑤ $P^C \cap Q = \varnothing$

81 전체집합 U에 대하여 두 조건 p, q의 진리집합을 각각 P, Q라 하자. $P \cap Q = \varnothing$일 때, 다음 보기 중에서 항상 참인 명제인 것만을 있는 대로 고르시오.

┤보기├

ㄱ. $p \longrightarrow q$ ㄴ. $\sim p \longrightarrow q$ ㄷ. $p \longrightarrow \sim q$

ㄹ. $q \longrightarrow p$ ㅁ. $q \longrightarrow \sim p$

82 전체집합 U에 대하여 세 조건 p, q, r의 진리집합을 각각 P, Q, R라 하자. $P \cup Q = P$, $Q \cap R = R$일 때, 다음 명제 중 항상 참이라고 할 수 없는 것은?

① $r \longrightarrow q$ ② $\sim q \longrightarrow \sim r$ ③ $\sim p \longrightarrow \sim q$

④ $q \longrightarrow p$ ⑤ $\sim r \longrightarrow \sim p$

더 다양한 문제는 **RPM** 수학(하) 42쪽

필수예제 06 명제 $p \longrightarrow q$가 참이 되도록 하는 상수 구하기

다음 물음에 답하시오.

(1) 두 조건 p: $-2 < x < a+1$, q: $-2a \leq x \leq 4$에 대하여 명제 $p \longrightarrow q$가 참이 되도록 하는 실수 a의 값의 범위를 구하시오.

(2) 두 조건 p: $x < -3$ 또는 $x \geq 3$, q: $a-1 < x \leq a+6$에 대하여 명제 $\sim p \longrightarrow q$가 참이 되도록 하는 실수 a의 값의 범위를 구하시오.

풀이

(1) 두 조건 p, q의 진리집합을 각각 P, Q라 하면
$P = \{x \mid -2 < x < a+1\}$, $Q = \{x \mid -2a \leq x \leq 4\}$
명제 $p \longrightarrow q$가 참이 되려면 $P \subset Q$이어야 하므로 오른쪽 그림에서
$-2a \leq -2$, $a+1 \leq 4$
∴ **$1 \leq a \leq 3$**

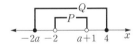

(2) p: $x < -3$ 또는 $x \geq 3$에서 $\sim p$: $-3 \leq x < 3$
두 조건 p, q의 진리집합을 각각 P, Q라 하면
$P^C = \{x \mid -3 \leq x < 3\}$, $Q = \{x \mid a-1 < x \leq a+6\}$
명제 $\sim p \longrightarrow q$가 참이 되려면 $P^C \subset Q$이어야 하므로 오른쪽 그림에서
$a-1 < -3$, $a+6 \geq 3$
∴ **$-3 \leq a < -2$**

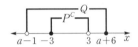

KEY Point

• 두 조건 p, q의 진리집합을 각각 P, Q라 할 때, 명제 $p \longrightarrow q$가 참이 되려면
⇨ $P \subset Q$를 만족시키는 P, Q를 수직선 위에 나타낸다.

확인 체크

83 두 조건 p: $2a-1 \leq x \leq a+2$, q: $0 \leq x \leq 5$에 대하여 명제 $p \longrightarrow q$가 참이 되도록 하는 정수 a의 개수를 구하시오.

84 두 조건 p: $x < -2$ 또는 $x > 3$, q: $-a < x < a+6$에 대하여 명제 $\sim p \longrightarrow q$가 참이 되도록 하는 실수 a의 값의 범위를 구하시오.

03 | '모든'이나 '어떤'을 포함한 명제

3. 명제

1. '모든'이나 '어떤'을 포함한 명제의 참, 거짓   ▷ 필수예제 **7**

전체집합 U에 대하여 조건 p의 진리집합을 P라 할 때,

(1) 명제 '모든 x에 대하여 p이다.'는 $\begin{cases} P=U \text{이면 참} \\ P \neq U \text{이면 거짓} \end{cases}$ ← 하나라도 거짓이면 거짓

(2) 명제 '어떤 x에 대하여 p이다.'는 $\begin{cases} P \neq \varnothing \text{이면 참} \\ P = \varnothing \text{이면 거짓} \end{cases}$ ← 하나라도 참이면 참

▶ ① '모든 x에 대하여 p이다.'가 참이라는 것은 전체집합에 속하는 모든 원소 x에 대하여 p가 참임을 뜻한다.
  ② '어떤 x에 대하여 p이다.'가 참이라는 것은 전체집합에 속하는 원소 중에서 p가 참이 되게 하는 x가 존재함을 뜻한다.

예   전체집합 U가 실수 전체의 집합일 때,
  (1) 명제 '모든 실수 x에 대하여 $x^2=1$이다.'에서
    조건 '$p: x^2=1$'의 진리집합을 P라 하면 $P=\{-1, 1\}$
    이때 $P \neq U$이므로 이 명제는 거짓이다.
  (2) 명제 '어떤 실수 x에 대하여 $x^2=1$이다.'에서
    조건 '$p: x^2=1$'의 진리집합을 P라 하면 $P=\{-1, 1\}$
    이때 $P \neq \varnothing$이므로 이 명제는 참이다.

2. '모든'이나 '어떤'을 포함한 명제의 부정

조건 p에 대하여
(1) 명제 '**모든 x에 대하여 p이다.**'의 부정 ⇨ '**어떤 x에 대하여 $\sim p$이다.**'
(2) 명제 '**어떤 x에 대하여 p이다.**'의 부정 ⇨ '**모든 x에 대하여 $\sim p$이다.**'

예   (1) 명제 '모든 실수 x에 대하여 $x^2-4x+4 \geq 0$이다.'의 부정
    ⇨ 어떤 실수 x에 대하여 $x^2-4x+4 < 0$이다.
  (2) 명제 '어떤 실수 x에 대하여 $x-4=5$이다.'의 부정
    ⇨ 모든 실수 x에 대하여 $x-4 \neq 5$이다.

필수 예제 07 '모든'이나 '어떤'을 포함한 명제의 참, 거짓   ⟳ 더 다양한 문제는 **RPM** 수학(하) 43쪽

전체집합 $U=\{-2, -1, 0, 1, 2\}$에 대하여 $x \in U$일 때, 다음 보기 중에서 참인 명제인 것만을 있는 대로 고르시오.

┌─ |보기| ───┐
ㄱ. 모든 x에 대하여 $2x-1<5$이다.   ㄴ. 어떤 x에 대하여 $|x|>2$이다.
ㄷ. 어떤 x에 대하여 $x^2>x+2$이다.   ㄹ. 모든 x에 대하여 $|x|=x$이다.
└──┘

풀이

ㄱ. p: $2x-1<5$라 하고 조건 p의 진리집합을 P라 하면
    $2x-1<5$에서 $x<3$ $\therefore P=\{-2, -1, 0, 1, 2\}$
    따라서 $P=U$이므로 주어진 명제는 참이다.

ㄴ. p: $|x|>2$라 하고 조건 p의 진리집합을 P라 하면
    $|x|>2$에서 $x<-2$ 또는 $x>2$ $\therefore P=\varnothing$
    따라서 주어진 명제는 거짓이다.

ㄷ. p: $x^2>x+2$라 하고 조건 p의 진리집합을 P라 하면
    $x^2>x+2$에서 $x^2-x-2>0$
    $(x+1)(x-2)>0$ $\therefore x<-1$ 또는 $x>2$ $\therefore P=\{-2\}$
    따라서 $P \neq \varnothing$이므로 주어진 명제는 참이다.

ㄹ. p: $|x|=x$라 하고 조건 p의 진리집합을 P라 하면
    $|x|=x$에서 $x \geq 0$ $\therefore P=\{0, 1, 2\}$
    따라서 $P \neq U$이므로 주어진 명제는 거짓이다.

따라서 참인 명제는 ㄱ, ㄷ이다.

KEY Point

- '모든 x에 대하여 ~' ⇨ 조건을 만족시키지 않는 x가 하나라도 존재하면 거짓
- '어떤 x에 대하여 ~' ⇨ 조건을 만족시키는 x가 하나라도 존재하면 참

확인 체크

85 다음 중 거짓인 명제는?

① 어떤 양의 정수 x에 대하여 $x-2=4$이다.
② 어떤 무리수 x에 대하여 $\sqrt{2}+x=0$이다.
③ 모든 실수 x에 대하여 $x^2 \geq 0$이다.
④ 모든 실수 x, y에 대하여 $x^2+y^2>0$이다.
⑤ 모든 자연수 x, y에 대하여 $x+y \geq 2$이다.

86 다음 명제의 부정을 말하고, 그것의 참, 거짓을 판별하시오.

(1) 어떤 실수 x에 대하여 $x^2 \leq 0$이다.
(2) 모든 실수 x에 대하여 $x^2-x+4>0$이다.

1. 명제의 역과 대우   ▷ 필수예제 **8**

명제 $p \longrightarrow q$에서

(1) 명제 $q \longrightarrow p$를 명제 $p \longrightarrow q$의 **역**이라 한다.
 └─→ 가정과 결론을 서로 바꾼 명제

(2) 명제 $\sim q \longrightarrow \sim p$를 명제 $p \longrightarrow q$의 **대우**라 한다.
 └─→ 가정과 결론을 각각 부정하여 서로 바꾼 명제

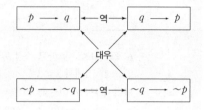

예제   명제 '$x=-3$이면 $x^2=9$이다.'의 역과 대우를 말하시오.

답   역: $x^2=9$이면 $x=-3$이다.
대우: $x^2 \neq 9$이면 $x \neq -3$이다.

2. 명제와 그 대우의 참, 거짓   ▷ 필수예제 **8, 9**

명제 $p \longrightarrow q$와 그 대우 $\sim q \longrightarrow \sim p$는 참, 거짓이 일치한다.

(1) 명제 $p \longrightarrow q$가 **참**이면 그 대우 $\sim q \longrightarrow \sim p$도 **참**이다.

(2) 명제 $p \longrightarrow q$가 **거짓**이면 그 대우 $\sim q \longrightarrow \sim p$도 **거짓**이다.

▶ ① 명제 $p \longrightarrow q$가 참이더라도 그 역 $q \longrightarrow p$는 참이 아닌 경우가 있다.
② 어떤 명제가 참임을 보일 때에는 그 대우가 참임을 보여도 된다.

설명   전체집합 U에 대하여 두 조건 p, q의 진리집합을 각각 P, Q라 하면 $\sim p, \sim q$의 진리집합은 각각 P^C, Q^C이다.

(1) 명제 $p \longrightarrow q$가 참이면 $P \subset Q$이므로

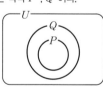

$Q^C \subset P^C$ ⇨ 명제 $\sim q \longrightarrow \sim p$도 참

거꾸로 명제 $\sim q \longrightarrow \sim p$가 참이면 $Q^C \subset P^C$이므로

$P \subset Q$ ⇨ 명제 $p \longrightarrow q$도 참

(2) 명제 $p \longrightarrow q$가 거짓이면 $P \not\subset Q$이므로

$Q^C \not\subset P^C$ ⇨ 명제 $\sim q \longrightarrow \sim p$도 거짓

거꾸로 명제 $\sim q \longrightarrow \sim p$가 거짓이면 $Q^C \not\subset P^C$이므로

$P \not\subset Q$ ⇨ 명제 $p \longrightarrow q$도 거짓

따라서 명제 $p \longrightarrow q$와 그 대우 $\sim q \longrightarrow \sim p$는 참, 거짓이 항상 일치한다.

이처럼 명제와 그 대우는 참, 거짓이 항상 일치하기 때문에 명제의 참, 거짓을 판별하기 어려울 때에는 대우의 참, 거짓을 판별하여 주어진 명제가 참인지 거짓인지를 알아낼 수 있다.

예 참인 명제 '$|x| < 1$이면 $x < 1$이다.'에 대하여

    (1) 주어진 명제의 역은 '$x < 1$이면 $|x| < 1$이다.'이고 이 명제는 거짓이다.

       [반례] $x = -2$이면 $x < 1$이지만 $|x| \geq 1$이다.

    (2) 주어진 명제의 대우는 '$x \geq 1$이면 $|x| \geq 1$이다.'이고 주어진 명제가 참이므로 그 대우도
       참이다.

예제 명제 $p \longrightarrow \sim q$가 참일 때, 다음 중 반드시 참인 명제는?

    ① $p \longrightarrow q$ ② $\sim q \longrightarrow p$ ③ $\sim p \longrightarrow q$

    ④ $q \longrightarrow p$ ⑤ $q \longrightarrow \sim p$

풀이 명제 $p \longrightarrow \sim q$가 참이므로 그 대우 ⑤ $q \longrightarrow \sim p$도 참이다.

3. 삼단논법   ▷ 필수예제 **10**

  세 조건 p, q, r에 대하여 두 명제 $p \longrightarrow q$, $q \longrightarrow r$가 모두 참이면 명제 $p \longrightarrow r$가 참이다.

▶   세 조건 p, q, r의 진리집합을 각각 P, Q, R라 할 때, $P \subset Q$이고 $Q \subset R$이므로 $P \subset R$이다.

설명 세 조건 p, q, r의 진리집합을 각각 P, Q, R라 하자.

       명제 $p \longrightarrow q$가 참이면 $\Rightarrow P \subset Q$

       명제 $q \longrightarrow r$가 참이면 $\Rightarrow Q \subset R$

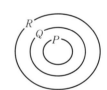

    이므로 $P \subset R$

    따라서 명제 $p \longrightarrow r$도 참이다.

    예를 들면 세 조건

       p: 소크라테스이다., q: 인간이다., r: 죽는다.

    에 대하여 두 명제 $p \longrightarrow q$, $q \longrightarrow r$가 모두 참이므로 명제 $p \longrightarrow r$가 참이다.

    즉, 두 명제 '소크라테스는 인간이다.', '인간은 죽는다.'가 모두 참이므로 '소크라테스는 죽는다.'가 참이라고 결론짓는

    방법을 삼단논법이라 한다.

예제 세 조건 p, q, r에 대하여 두 명제 $p \longrightarrow \sim q$, $r \longrightarrow q$가 모두 참일 때, 명제 $p \longrightarrow \sim r$가
    참임을 설명하시오.

풀이 명제 $r \longrightarrow q$가 참이므로 그 대우 $\sim q \longrightarrow \sim r$도 참이다.

    따라서 두 명제 $p \longrightarrow \sim q$, $\sim q \longrightarrow \sim r$가 모두 참이므로 명제 $p \longrightarrow \sim r$가 참이다.

다음 명제의 역, 대우를 말하고, 그것의 참, 거짓을 판별하시오. (단, x, y는 실수)

(1) $x \geq 1$이고 $y \geq 1$이면 $x + y \geq 2$이다.

(2) $xy \neq 2$이면 $x \neq 1$ 또는 $y \neq 2$이다.

(3) $xy > 0$이면 $x > 0$이고 $y > 0$이다.

(4) 두 집합 A, B에 대하여 $A \cup B = B$이면 $A \subset B$이다.

풀이

(1) **역: $x + y \geq 2$이면 $x \geq 1$이고 $y \geq 1$이다. (거짓)**
  [반례] $x = 2$, $y = 0$이면 $x + y \geq 2$이지만 $x \geq 1$이고 $y < 1$이다.
  대우: $x + y < 2$이면 $x < 1$ 또는 $y < 1$이다. (참)

(2) **역: $x \neq 1$ 또는 $y \neq 2$이면 $xy \neq 2$이다. (거짓)**
  [반례] $x = 2$, $y = 1$이면 $x \neq 1$ 또는 $y \neq 2$이지만 $xy = 2$이다.
  대우: $x = 1$이고 $y = 2$이면 $xy = 2$이다. (참)

(3) **역: $x > 0$이고 $y > 0$이면 $xy > 0$이다. (참)**
  대우: $x \leq 0$ 또는 $y \leq 0$이면 $xy \leq 0$이다. (거짓)
  [반례] $x = -2$, $y = -1$이면 $x \leq 0$ 또는 $y \leq 0$이지만 $xy > 0$이다.

(4) **역: 두 집합 A, B에 대하여 $A \subset B$이면 $A \cup B = B$이다. (참)**
  대우: 두 집합 A, B에 대하여 $A \not\subset B$이면 $A \cup B \neq B$이다. (참)

KEY Point

• 명제 $p \longrightarrow q$에서 $\Rightarrow$ $\begin{cases} \text{역: } q \longrightarrow p \\ \text{대우: } \sim q \longrightarrow \sim p \end{cases}$

확인 체크

87 다음 명제 중 그 역과 대우가 모두 참인 것은? (단, x, y는 실수)

① $x^3 = x$이면 $x = 0$ 또는 $x = 1$이다.

② $xy > 1$이면 $x > 1$이고 $y > 1$이다.

③ $|x| + |y| = 0$이면 $x = 0$이고 $y = 0$이다.

④ $xy < 0$이면 $x^2 + y^2 > 0$이다.

⑤ 두 삼각형이 합동이면 두 삼각형의 넓이가 같다.

88 다음 보기 중에서 역이 거짓인 명제인 것만을 있는 대로 고르시오. (단, x, y는 자연수)

| 보기 |

ㄱ. x 또는 y가 홀수이면 xy는 홀수이다.

ㄴ. x, y가 짝수이면 $x + y$는 짝수이다.

ㄷ. $x - 3 = 0$이면 $x^2 - 4x + 3 = 0$이다.

명제의 대우를 이용하여 상수 구하기   ↻ 더 다양한 문제는 **RPM** 수학(하) 44쪽

> 두 실수 x, y에 대하여 명제 '$x+y>3$이면 $x>a$ 또는 $y>1$이다.'가 참일 때, 실수 a의 최댓값을 구하시오.

풀이 주어진 명제가 참이므로 그 대우 '$x\leq a$이고 $y\leq1$이면 $x+y\leq3$이다.'도 참이다.
$x\leq a$이고 $y\leq1$에서 $x+y\leq a+1$이므로
$a+1\leq3$　　∴ $a\leq2$
따라서 실수 a의 최댓값은 **2**이다.

삼단논법   ↻ 더 다양한 문제는 **RPM** 수학(하) 44, 45쪽

> 세 조건 p, q, r에 대하여 두 명제 $p\longrightarrow q$, $\sim r\longrightarrow\sim q$가 모두 참일 때, 다음 보기 중에서 항상 참인 명제인 것만을 있는 대로 고르시오.
>
> ┤ 보기 ├
> ㄱ. $p\longrightarrow r$　　　　　　ㄴ. $\sim r\longrightarrow\sim p$　　　　　　ㄷ. $\sim p\longrightarrow\sim r$
> ㄹ. $\sim q\longrightarrow\sim p$　　　　ㅁ. $q\longrightarrow\sim r$

풀이 ㄱ. 명제 $\sim r\longrightarrow\sim q$가 참이므로 그 대우 $q\longrightarrow r$도 참이다.
　　　　　따라서 두 명제 $p\longrightarrow q$, $q\longrightarrow r$가 모두 참이므로 명제 $p\longrightarrow r$가 참이다.
　　　ㄴ. 명제 $p\longrightarrow r$가 참이므로 그 대우 $\sim r\longrightarrow\sim p$도 참이다.
　　　ㄹ. 명제 $p\longrightarrow q$가 참이므로 그 대우 $\sim q\longrightarrow\sim p$도 참이다.
　　　따라서 참인 명제인 것은 **ㄱ, ㄴ, ㄹ**이다.

KEY Point
• 두 명제 $p\longrightarrow q$, $q\longrightarrow r$가 모두 참이면 명제 $p\longrightarrow r$가 참이다. (삼단논법)

확인 체크

89 명제 '$x^2-ax+7\neq0$이면 $x-1\neq0$이다.'가 참일 때, 실수 a의 값을 구하시오.

90 네 조건 p, q, r, s에 대하여 세 명제 $p\longrightarrow q$, $\sim q\longrightarrow\sim r$, $s\longrightarrow\sim q$가 모두 참일 때, 다음 명제 중 항상 참이라고 할 수 <u>없는</u> 것은?

① $\sim q\longrightarrow\sim p$　　　② $p\longrightarrow\sim s$　　　③ $p\longrightarrow r$
④ $r\longrightarrow\sim s$　　　⑤ $s\longrightarrow\sim p$

정답과 풀이 **65**쪽

STEP **1**

🔅 **생각해 봅시다!**

47 전체집합 $U=\{x\,|\,x$는 $|x|\leq4$인 정수$\}$에 대하여 두 조건 p, q가

$$p: x^2-4x=0, \quad q: x^2-2x-3\leq0$$

일 때, 조건 'p 또는 $\sim q$'의 진리집합의 원소의 개수를 구하시오.

48 다음 보기 중에서 참인 명제인 것만을 있는 대로 고르시오. (단, x, y는 실수)

┤보기├─

ㄱ. x가 8의 양의 배수이면 x는 4의 양의 배수이다.

ㄴ. $xy=0$이면 $x^2+y^2=0$이다.

ㄷ. $x>0$, $y>0$이면 $|xy|=xy$이다.

ㄹ. 삼각형 ABC가 이등변삼각형이면 $\angle A=\angle B$이다.

49 전체집합 U에 대하여 두 조건 p, q의 진리집합을 각각 P, Q라 할 때, 다음 중 명제 $p \longrightarrow \sim q$가 거짓임을 보이는 원소가 속하는 집합은?

① $P\cap Q$ ② $P\cap Q^C$ ③ $P^C\cap Q$

④ $P^C\cap Q^C$ ⑤ $P^C\cup Q^C$

명제 $p \longrightarrow q$가 거짓임을 보이는 반례가 속하는 집합 ⇨ $P-Q$

50 전체집합 U에 대하여 세 조건 p, q, r의 진리집합을 각각 P, Q, R라 하자. 세 집합 P, Q, R 사이의 포함 관계가 오른쪽 그림과 같을 때, 다음 명제 중 항상 참이라고 할 수 <u>없는</u> 것은?

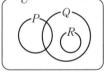

① $r \longrightarrow \sim p$ ② $p \longrightarrow \sim r$ ③ $r \longrightarrow q$

④ $\sim q \longrightarrow \sim r$ ⑤ $r \longrightarrow \sim q$

$P\subset Q$이면 명제 $p \longrightarrow q$가 참이다.

[교육청기출]

51 실수 x에 대한 두 조건

$$p: |x-a|\leq1, \quad q: x^2-2x-8>0$$

에 대하여 $p \longrightarrow \sim q$가 참이 되도록 하는 실수 a의 최댓값은?

① 1   ② 2   ③ 3   ④ 4   ⑤ 5

52 네 조건 p, q, r, s에 대하여 세 명제 $p \longrightarrow q$, $\sim s \longrightarrow \sim q$, $s \longrightarrow r$가 모두 참일 때, 다음 명제 중 항상 참이라고 할 수 <u>없는</u> 것은?

① $q \longrightarrow s$ ② $p \longrightarrow s$ ③ $q \longrightarrow r$

④ $r \longrightarrow \sim q$ ⑤ $\sim r \longrightarrow \sim p$

두 명제 $p \longrightarrow q$, $q \longrightarrow r$가 모두 참이면
⇨ 명제 $p \longrightarrow r$가 참이다.

2

53 실수 x, y, z에 대하여 조건 $(x-y)^2+(y-z)^2+(z-x)^2=0$의 부정과 서로 같은 것은?

① $(x-y)(y-z)(z-x)=0$ ② $x \neq y$ 그리고 $y \neq z$ 그리고 $z \neq x$

③ $(x-y)(y-z)(z-x)\neq 0$ ④ x, y, z는 모두 서로 다른 수이다.

⑤ x, y, z 중 적어도 두 수는 서로 다르다.

'그리고'의 부정은 '또는'이다.

54 전체집합 U에 대하여 세 조건 p, q, r의 진리집합을 각각 P, Q, R라 하자. $P \subset (Q-R)$일 때, 다음 명제 중 항상 참인 것을 모두 고르면? (정답 2개)

① $p \longrightarrow \sim r$ ② $q \longrightarrow p$ ③ $q \longrightarrow \sim r$

④ $r \longrightarrow \sim p$ ⑤ $r \longrightarrow q$

55 실수 x에 대하여 세 조건 p, q, r가

p: $x<2a-5$, q: $4x-1=27$, r: $x^2-3x-4=0$

일 때, 명제 $q \longrightarrow p$는 거짓이고, 명제 $r \longrightarrow p$는 참이 되도록 하는 정수 a의 개수를 구하시오.

56 두 조건

p: $|x+2| \geq k$, q: $|x+3|<4$

에 대하여 명제 $p \longrightarrow \sim q$의 역이 참이 되도록 하는 실수 k의 최댓값을 구하시오. (단, $k>0$)

명제 $p \longrightarrow \sim q$의 역
⇨ $\sim q \longrightarrow p$

57 네 조건 p, q, r, s에 대하여 두 명제 $q \longrightarrow \sim p$, $\sim r \longrightarrow s$가 모두 참일 때, 다음 중 명제 $p \longrightarrow r$가 참임을 보이기 위해 필요한 참인 명제는?

① $p \longrightarrow s$ ② $\sim s \longrightarrow \sim q$ ③ $r \longrightarrow p$

④ $s \longrightarrow q$ ⑤ $q \longrightarrow \sim r$

58 실수 전체의 집합에서 명제 '어떤 실수 x에 대하여 $x^2-2kx+k+6<0$이다.'의 부정이 참이 되도록 하는 정수 k의 최솟값을 구하시오.

💡 **생각해 봅시다!**

모든 실수 x에 대하여 $ax^2+bx+c\geq0$이 성립하려면

$\Rightarrow a>0,\ b^2-4ac\leq0$

59 전체집합 U에 대하여 세 조건 p, q, r의 진리집합을 각각 P, Q, R라 할 때, 다음은 세 집합 P, Q, R의 관계를 나타낸 것이다.

> (개) 어떤 $x\in P$에 대하여 $x\not\in Q$이다.
> (내) 모든 $x\in Q$에 대하여 $x\not\in R$이다.

이때 다음 보기 중에서 항상 참인 명제인 것만을 있는 대로 고르시오.

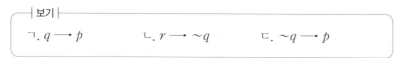

─┤ 보기├─

ㄱ. $q\longrightarrow p$　　　ㄴ. $r\longrightarrow {\sim}q$　　　ㄷ. ${\sim}q\longrightarrow p$

[수능기출]

60 전체집합 U의 세 부분집합 P, Q, R가 각각 세 조건 p, q, r의 진리집합이고 두 명제 $p\longrightarrow q$와 $q\longrightarrow r$가 모두 참일 때, 보기 중 옳은 것을 모두 고르면?

진리집합 사이의 포함 관계를 생각한다.

─┤ 보기├─

ㄱ. $P\subset R$　　　ㄴ. $(P\cup Q)\subset R^C$　　　ㄷ. $(P^C\cap R^C)\subset Q^C$

① ㄱ　　　② ㄱ, ㄴ　　　③ ㄱ, ㄷ　　　④ ㄴ, ㄷ　　　⑤ ㄱ, ㄴ, ㄷ

61 다음 두 명제가 모두 참일 때, 명제 '명랑한 사람은 호감을 주는 사람이다.'가 참이려면 하나의 참인 명제가 더 필요하다. 이때 필요한 명제로 가능한 것을 모두 고르면? (정답 2개)

주어진 문장에서 조건을 찾아 p, q, r, s로 나타낸다.

> (개) 잘 웃지 않는 사람은 명랑하지 않은 사람이다.
> (내) 인상이 좋은 사람은 호감을 주는 사람이다.

① 잘 웃는 사람은 명랑한 사람이다.
② 잘 웃지 않는 사람은 인상이 좋지 않다.
③ 명랑한 사람은 인상이 좋은 사람이다.
④ 인상이 좋은 사람은 명랑한 사람이다.
⑤ 인상이 좋지 않은 사람은 잘 웃지 않는 사람이다.

05 | 충분조건과 필요조건

3. 명제

1. 충분조건과 필요조건 ▷ 필수예제 **11, 12**

(1) **충분조건과 필요조건**

명제 $p \longrightarrow q$가 참일 때, 기호로 $p \Longrightarrow q$와 같이 나타내고

p는 q이기 위한 **충분조건**,

q는 p이기 위한 **필요조건**

이라 한다.

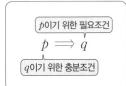

(2) **필요충분조건**

명제 $p \longrightarrow q$에 대하여 $p \Longrightarrow q$이고 $q \Longrightarrow p$일 때, 기호로 $p \Longleftrightarrow q$와 같이 나타내고

p는 q이기 위한 **필요충분조건**

이라 한다.

▶ ① $p \Longrightarrow q$에서 화살표 방향에 따라 p는 주는 쪽이므로 '충분조건', q는 받는 쪽이므로 '필요조건'이라 기억하자.
　② 명제 $p \longrightarrow q$가 거짓일 때, 기호 $p \not\Longrightarrow q$로 나타낸다.

예　(1) x가 실수일 때, 두 조건 $p : x = 2$, $q : x^2 = 4$에 대하여

$p \Longrightarrow q$, $q \not\Longrightarrow p$

따라서 p는 q이기 위한 충분조건, q는 p이기 위한 필요조건이다.

(2) x가 실수일 때, 두 조건 $p : x = 2$, $q : 3x = 6$에 대하여

$p \Longrightarrow q$, $q \Longrightarrow p$　　∴ $p \Longleftrightarrow q$

따라서 p는 q이기 위한 필요충분조건이다.

2. 충분조건, 필요조건과 진리집합의 관계 ▷ 필수예제 **11 ~ 13**

두 조건 p, q의 진리집합을 각각 P, Q라 할 때,

(1) $P \subset Q$이면 $p \Longrightarrow q$이므로 ⇨ $\begin{cases} p는 q이기 위한 충분조건 \\ q는 p이기 위한 필요조건 \end{cases}$

(2) $P = Q$이면 $p \Longleftrightarrow q$이므로 ⇨ p는 q이기 위한 필요충분조건

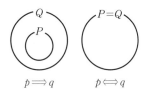

▶ $P \not\subset Q$, $Q \not\subset P$이면 아무 조건도 아니다.

예　두 조건 $p : |x| \leq 2$, $q : x < 5$의 진리집합을 각각 P, Q라 하면

$P = \{x \mid -2 \leq x \leq 2\}$, $Q = \{x \mid x < 5\}$

$P \subset Q$이므로 $p \Longrightarrow q$

따라서 p는 q이기 위한 충분조건이고, q는 p이기 위한 필요조건이다.

두 조건 p, q가 다음과 같을 때, p는 q이기 위한 어떤 조건인지 말하시오.

(단, x, y는 실수)

(1) p: $x<0$ q: $x+|x|=0$

(2) p: $x^2+y^2=0$ q: $|x|+|y|=0$

(3) p: △ABC는 이등변삼각형이다. q: △ABC는 정삼각형이다.

풀이

두 조건 p, q의 진리집합을 각각 P, Q라 하면

(1) $P=\{x|x<0\}$, $Q=\{x|x\le0\}$

$P\subset Q$이고 $Q\not\subset P$이므로 $p\Longrightarrow q$, $q\not\!\!\Longrightarrow p$

따라서 p는 q이기 위한 **충분조건**이다.

(2) $P=\{(x, y)|x=0$이고 $y=0\}$, $Q=\{(x, y)|x=0$이고 $y=0\}$

$P=Q$이므로 $p\Longleftrightarrow q$

따라서 p는 q이기 위한 **필요충분조건**이다.

(3) $p\not\!\!\Longrightarrow q$, $q\Longrightarrow p$이므로 p는 q이기 위한 **필요조건**이다.

[$p\longrightarrow q$의 반례] 오른쪽 그림의 삼각형은 이등변삼각형이지만 정삼각형이 아니다.

KEY Point

• 충분조건, 필요조건, 필요충분조건의 판별

⇨ 진리집합 사이의 포함 관계를 이용하거나 두 명제 $p\longrightarrow q$, $q\longrightarrow p$의 참, 거짓을 판별한다.

확인 체크

91 두 조건 p, q에 대하여 p가 q이기 위한 필요조건이지만 충분조건이 아닌 것은?

(단, x, y는 실수, A, B는 집합)

① p: x는 6의 양의 약수이다. q: x는 18의 양의 약수이다.

② p: $x>1$이고 $y>1$ q: $xy>1$

③ p: x, y는 유리수이다. q: xy는 유리수이다.

④ p: □ABCD는 직사각형이다. q: □ABCD의 두 대각선의 길이가 같다.

⑤ p: $(A\cap B)\subset(A\cup B)$ q: $A=B$

92 다음 보기 중에서 두 조건 p, q에 대하여 p가 q이기 위한 필요충분조건인 것만을 있는 대로 고르시오. (단, x, y, z는 실수)

┤보기├

ㄱ. p: $x+y$가 짝수 q: x, y가 모두 짝수

ㄴ. p: $|x|=|y|$ q: $x^2=y^2$

ㄷ. p: $(x-y)(y-z)=0$ q: $x=y=z$

다음 물음에 답하시오.

(1) 두 조건 $p: -2 \le x \le 5$, $q: |x| \le a$에 대하여 p가 q이기 위한 충분조건일 때, 실수 a의 값의 범위를 구하시오. (단, $a > 0$)

(2) $x + 3 \neq 0$이 $x^2 + 3ax + 27 \neq 0$이기 위한 필요조건일 때, 실수 a의 값을 구하시오.

설명

(2) p가 q이기 위한 필요조건일 때, 명제 $q \longrightarrow p$가 참이고 그 대우 $\sim p \longrightarrow \sim q$도 참이다.

풀이

(1) 두 조건 p, q의 진리집합을 각각 P, Q라 하면

$P = \{x | -2 \le x \le 5\}$, $Q = \{x | |x| \le a\} = \{x | -a \le x \le a\}$

p가 q이기 위한 충분조건이므로 $p \Longrightarrow q$, 즉 $P \subset Q$이고 이를 만족시키도록 두 집합 P, Q를 수직선 위에 나타내면 오른쪽 그림과 같다.

따라서 $-a \le -2$, $a \ge 5$이므로

$$a \ge 5$$

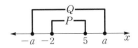

(2) $x + 3 \neq 0$이 $x^2 + 3ax + 27 \neq 0$이기 위한 필요조건이므로 명제

'$x^2 + 3ax + 27 \neq 0$이면 $x + 3 \neq 0$이다.'가 참이다.

따라서 그 대우인 '$x + 3 = 0$이면 $x^2 + 3ax + 27 = 0$이다.'가 참이므로

$x = -3$을 $x^2 + 3ax + 27 = 0$에 대입하면

$9 - 9a + 27 = 0$ $\therefore a = 4$

KEY Point

• 충분조건, 필요조건이 되는 상수 구하기

① 조건이 부등식으로 주어졌을 때 ⇨ 진리집합 사이의 포함 관계를 이용

② 조건에 $\neq$를 포함한 식이 주어졌을 때 ⇨ 대우를 이용

확인 체크

93 두 조건 $p: -1 \le x \le k$, $q: -\dfrac{k}{6} \le x \le 4$에 대하여 p가 q이기 위한 필요조건일 때, 실수 k의 값의 범위를 구하시오. (단, $k \ge -1$)

94 두 조건 $p: x^2 - x + a = 0$, $q: (x+3)(x-4)^2 = 0$에 대하여 p가 q이기 위한 필요충분조건일 때, 실수 a의 값을 구하시오.

95 세 조건 $p: -2 < x < 1$ 또는 $x > 3$, $q: x > a$, $r: x > b$에 대하여 q는 p이기 위한 필요조건이고, r는 p이기 위한 충분조건일 때, a의 최댓값과 b의 최솟값의 곱을 구하시오.

(단, a, b는 실수)

전체집합 U에 대하여 두 조건 p, q의 진리집합을 각각 P, Q라 하자. $\sim p$는 $\sim q$이기 위한 필요조건일 때, 다음 중 항상 옳은 것은?

① $P^C \subset Q$ ② $Q^C \subset P$ ③ $P \cap Q = P$

④ $P^C \cap Q = \varnothing$ ⑤ $P \cup Q^C = U$

풀이 $\sim p$는 $\sim q$이기 위한 필요조건이므로 $\sim q \Longrightarrow \sim p$
즉, $Q^C \subset P^C$이므로 $P \subset Q$
따라서 항상 옳은 것은 ③이다.

네 조건 p, q, r, s에 대하여 s는 r이기 위한 충분조건, $\sim p$는 q이기 위한 필요조건, $\sim s$는 q이기 위한 충분조건일 때, 다음 보기 중에서 항상 옳은 것만을 있는 대로 고르시오.

┤ 보기 ├

ㄱ. p는 r이기 위한 충분조건이다.
ㄴ. r는 $\sim q$이기 위한 필요조건이다.
ㄷ. p는 s이기 위한 필요충분조건이다.

풀이 s는 r이기 위한 충분조건이므로 $s \Longrightarrow r$
$\sim p$는 q이기 위한 필요조건이므로 $q \Longrightarrow \sim p$에서 $p \Longrightarrow \sim q$
$\sim s$는 q이기 위한 충분조건이므로 $\sim s \Longrightarrow q$에서 $\sim q \Longrightarrow s$
$\therefore p \Longrightarrow \sim q \Longrightarrow s \Longrightarrow r$
ㄱ. $p \Longrightarrow r$이므로 p는 r이기 위한 충분조건이다.
ㄴ. $\sim q \Longrightarrow r$이므로 r는 $\sim q$이기 위한 필요조건이다.
ㄷ. $p \Longrightarrow s$이므로 p는 s이기 위한 충분조건이다.
따라서 항상 옳은 것은 ㄱ, ㄴ이다.

**확인
체크**   **96**   전체집합 U에 대하여 세 조건 p, q, r의 진리집합을 각각 P, Q, R라 하자. $P \cap Q = \varnothing$, $Q \cup R = Q$일 때, 다음 □ 안에 충분, 필요, 필요충분 중에서 알맞은 것을 써넣으시오.

(1) q는 $\sim p$이기 위한 □조건이다.

(2) $\sim r$는 $\sim q$이기 위한 □조건이다.

(3) p는 $\sim r$이기 위한 □조건이다.

97   세 조건 p, q, r가 다음을 모두 만족시킬 때, q는 r이기 위한 어떤 조건인지 말하시오.

(개) p는 r이기 위한 충분조건이다.   (내) $\sim q$는 $\sim r$이기 위한 충분조건이다.
(대) p는 q이기 위한 필요조건이다.

STEP **1**

🔆 **생각해 봅시다!**

[교육청기출]

62 실수 x, y에 대하여 조건 p가 조건 q이기 위한 필요조건이지만 충분조건이 아닌 것만을 보기에서 있는 대로 고른 것은?

> ──| 보기 |──
> ㄱ. p: $|x+3|=2$ q: $x=-1$
> ㄴ. p: $|x|<1$ q: $x<1$
> ㄷ. p: $x^2>y^2$ q: $x>y>0$

① ㄱ   ② ㄴ   ③ ㄱ, ㄷ   ④ ㄴ, ㄷ   ⑤ ㄱ, ㄴ, ㄷ

두 조건 p, q의 진리집합 사이의 포함 관계를 이용한다.

63 두 조건 p: $x^3-4x^2-x+4=0$, q: $2x+a=0$에 대하여 p가 q이기 위한 필요조건이 되도록 하는 모든 실수 a의 값의 합을 구하시오.

64 두 조건 p: $|x+1|\le 3$, q: $x>a$에 대하여 $\sim q$가 p이기 위한 필요조건일 때, 실수 a의 최솟값을 구하시오.

65 전체집합 U에 대하여 세 조건 p, q, r의 진리집합을 각각 P, Q, R라 할 때, 세 집합 사이의 포함 관계가 오른쪽 그림과 같다. 다음 중에서 옳은 것은?

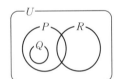

① p는 r이기 위한 충분조건이다.
② p는 q이기 위한 충분조건이다.
③ q는 $\sim r$이기 위한 필요충분조건이다.
④ r는 $\sim q$이기 위한 필요조건이다.
⑤ $\sim q$는 $\sim p$이기 위한 필요조건이다.

$P \subset Q$이면
⇨ p는 q이기 위한 **충분조건**, q는 p이기 위한 **필요조건**

66 세 조건 p, q, r에 대하여 p는 $\sim r$이기 위한 충분조건, r는 q이기 위한 필요조건일 때, 다음 중 항상 참인 명제는?

① $p \longrightarrow q$ ② $q \longrightarrow p$ ③ $p \longrightarrow \sim q$
④ $\sim q \longrightarrow p$ ⑤ $q \longrightarrow \sim r$

명제와 그 대우는 참, 거짓이 일치한다.

STEP **2**

67 세 조건 $p: |x|>a$, $q: x>b$, $r: -5<x<-2$ 또는 $x>5$에 대하여 p는 r이기 위한 필요조건이고, q는 r이기 위한 충분조건이다. 이때 실수 a, b에 대하여 a의 최댓값과 b의 최솟값의 합을 구하시오. (단, $a>0$)

68 전체집합 U에 대하여 세 조건 p, q, r의 진리집합을 각각 P, Q, R라 하자. p는 $\sim r$이기 위한 필요조건이고, r는 q이기 위한 충분조건일 때, 다음 보기 중에서 항상 옳은 것만을 있는 대로 고르시오.

> ┤ 보기 ├
> ㄱ. $R \subset Q$ ㄴ. $P-Q=Q^C$ ㄷ. $P-R=\varnothing$

p가 q이기 위한 충분조건
이면
$\Rightarrow P \subset Q$
p가 q이기 위한 필요조건
이면
$\Rightarrow Q \subset P$

69 조건 p, q, r, s, t에 대하여 p는 q이기 위한 필요조건, q는 r이기 위한 필요조건, r는 s이기 위한 충분조건, $\sim r$는 $\sim t$이기 위한 충분조건, t는 p이기 위한 필요조건일 때, p, q, s, t 중 r이기 위한 필요충분조건인 것의 개수를 구하시오.

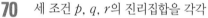

실력UP

70 세 조건 p, q, r의 진리집합을 각각
$$P=\{4\}, Q=\{a^2, b\}, R=\{a-1, ab\}$$
라 하자. p는 q이기 위한 충분조건이고, r는 p이기 위한 필요조건일 때, $a+b$의 최댓값을 구하시오. (단, a, b는 실수)

$A \subset B$이면
$\Rightarrow A$의 모든 원소는 B의 원소이어야 한다.

실력UP [교육청기출]

71 두 실수 a, b에 대하여 세 조건 p, q, r는
$$p: |a|+|b|=0, q: a^2-2ab+b^2=0, r: |a+b|=|a-b|$$
이다. 옳은 것만을 보기에서 있는 대로 고른 것은?

> ┤ 보기 ├
> ㄱ. p는 q이기 위한 충분조건이다.
> ㄴ. $\sim p$는 $\sim r$이기 위한 필요조건이다.
> ㄷ. q이고 r는 p이기 위한 필요충분조건이다.

① ㄱ ② ㄷ ③ ㄱ, ㄴ ④ ㄴ, ㄷ ⑤ ㄱ, ㄴ, ㄷ

06 | 명제의 증명

1. 정의, 증명, 정리

(1) **정의**: 용어의 뜻을 명확하게 정한 문장
(2) **증명**: 정의나 명제의 가정 또는 이미 옳다고 밝혀진 성질을 이용하여 어떤 명제가 참임을 설명하는 것
(3) **정리**: 참임이 증명된 명제 중에서 기본이 되는 것이나 다른 명제를 증명할 때 이용할 수 있는 것

예   (1) 이등변삼각형은 두 변의 길이가 같은 삼각형이다. ⇨ 정의
         이등변삼각형의 두 밑각의 크기는 같다. ⇨ 정리
   (2) 평행사변형은 두 쌍의 대변이 각각 평행한 사각형이다. ⇨ 정의
         평행사변형의 두 대각선은 서로 다른 것을 이등분한다. ⇨ 정리

2. 명제의 증명   ▷ **필수예제 15, 16**

명제가 참임을 직접 증명하기 어려울 때, 다음과 같은 방법을 이용하여 증명할 수 있다.

(1) **대우를 이용한 증명**
명제 $p \longrightarrow q$가 참이면 그 대우 $\sim q \longrightarrow \sim p$도 참이므로 어떤 명제가 참임을 증명할 때 그 **대우가 참**임을 증명하는 방법
(2) **귀류법**
명제 또는 명제의 결론을 부정하면 모순이 생기는 것을 보여서 주어진 명제가 참임을 증명하는 방법

▶ 명제의 대우를 구할 때 전제 조건은 변하지 않는다.
    예를 들어 '실수 x, y에 대하여'라 하면 이것은 가정도 결론도 아닌 x, y에 대한 조건이므로 그 명제의 대우를 구할 때 이 조건은 그대로 적용된다.

설명   (1) 대우를 이용한 증명
       명제 $p \longrightarrow q$가 참이면 그 대우 $\sim q \longrightarrow \sim p$도 참이므로 어떤 명제가 참임을 증명할 때 그 대우가 참임을 증명해도 된다.
       예를 들어 명제 '자연수 a, b에 대하여 $a+b$가 홀수이면 a, b 중 적어도 하나는 짝수이다.'가 참임을 직접 증명하기는 어려우므로 이 명제의 대우 '자연수 a, b에 대하여 a, b가 모두 홀수이면 $a+b$는 짝수이다.'가 참임을 증명하여 주어진 명제가 참임을 증명할 수 있다.
     (2) 귀류법
       명제 $p \longrightarrow q$에서 p이지만 $\sim q$라 가정하고 증명하는 과정에서 모순이 생김을 보여서 명제 $p \longrightarrow q$가 참임을 증명해도 된다.
       예를 들어 명제 '$\sqrt{2}$는 유리수가 아니다.'가 참임을 직접 증명하기는 어려우므로 명제의 결론을 부정하여 '$\sqrt{2}$가 유리수이다.'라 가정하고 증명하는 과정에서 모순이 생김을 보임으로써 주어진 명제가 참임을 증명할 수 있다.

필수 예제 15 대우를 이용한 증명

더 다양한 문제는 **RPM** 수학(하) 47쪽

명제 '자연수 a, b에 대하여 ab가 짝수이면 a 또는 b는 짝수이다.'가 참임을 대우를 이용하여 증명하려고 한다. 다음 물음에 답하시오.

(1) 주어진 명제의 대우를 말하시오.

(2) (1)을 이용하여 주어진 명제가 참임을 증명하시오.

설명

자연수 a에 대하여

a가 홀수이면 $\Rightarrow a=2k-1$ $(k=1, 2, 3, \cdots)$, a가 짝수이면 $\Rightarrow a=2k$ $(k=1, 2, 3, \cdots)$

증명

(1) 주어진 명제의 대우는

'자연수 a, b에 대하여 a, b가 모두 홀수이면 ab는 홀수이다.'

이다.

(2) a, b가 모두 홀수이면

$a=2k-1$, $b=2l-1$ $(k, l$은 자연수)

로 나타낼 수 있다. 이때

$ab=(2k-1)(2l-1)=4kl-2k-2l+1$

$\qquad =2(2kl-k-l)+1$

이므로 ab는 홀수이다.

따라서 주어진 명제의 대우가 참이므로 주어진 명제도 참이다.

KEY Point

• 대우를 이용한 증명

$\Rightarrow$ 주어진 명제의 대우가 참임을 보여서 그 명제가 참임을 증명하는 방법

확인 체크 **98** 다음 명제가 참임을 대우를 이용하여 증명하시오.

(1) 실수 x, y에 대하여 $xy \neq 0$이면 $x \neq 0$이고 $y \neq 0$이다.

(2) 실수 x, y에 대하여 $x+y \geq 2$이면 $x \geq 1$ 또는 $y \geq 1$이다.

(3) 자연수 m에 대하여 m^2이 홀수이면 m도 홀수이다.

명제 '$\sqrt{3}$은 유리수가 아니다.'가 참임을 귀류법을 이용하여 증명하려고 한다. 다음 물음에 답하시오.

(1) 주어진 명제의 부정을 말하시오.

(2) (1)을 이용하여 주어진 명제가 참임을 증명하시오.

증명

(1) 주어진 명제의 부정은

　　'$\sqrt{3}$은 유리수이다.'

　　이다.

(2) $\sqrt{3}$이 유리수라 가정하면

$$\sqrt{3}=\frac{n}{m} \ (m, \ n\text{은 서로소인 자연수}) \qquad \cdots\cdots \ \text{㉠}$$

으로 나타낼 수 있다. ㉠의 양변을 제곱하면

$$3=\frac{n^2}{m^2} \qquad \therefore \ n^2=3m^2 \qquad\qquad \cdots\cdots \ \text{㉡}$$

이때 n^2이 3의 배수이므로 n도 3의 배수이다.

$n=3k$ (k는 자연수)로 놓고 ㉡에 대입하면

$$(3k)^2=3m^2 \qquad \therefore \ m^2=3k^2$$

이때 m^2이 3의 배수이므로 m도 3의 배수이다.

즉, m, n이 모두 3의 배수이므로 m, n이 서로소라는 가정에 모순이다.

따라서 $\sqrt{3}$은 유리수가 아니다.

KEY Point

• **귀류법**

⇨ 결론을 부정하면 모순이 생김을 보여서 주어진 명제가 참임을 증명하는 방법

확인 체크

99 다음 명제가 참임을 귀류법을 이용하여 증명하시오.

(1) $2-\sqrt{3}$은 유리수가 아니다.

(2) 자연수 n에 대하여 n^2이 3의 배수이면 n도 3의 배수이다.

(3) 실수 a, b에 대하여 $a^2+b^2=0$이면 $a=0$이고 $b=0$이다.

1. 절대부등식　▷ 필수예제 **17**

(1) **절대부등식** : 전체집합에 속한 모든 값에 대하여 성립하는 부등식

(2) **부등식의 증명에 이용되는 실수의 성질**

a, b가 실수일 때,

① $a > b \Longleftrightarrow a - b > 0$
② $a^2 \geq 0$, $a^2 + b^2 \geq 0$
③ $a^2 + b^2 = 0 \Longleftrightarrow a = b = 0$
④ $|a|^2 = a^2$, $|ab| = |a||b|$
⑤ $a > 0$, $b > 0$일 때, $a > b \Longleftrightarrow a^2 > b^2$, $a > b \Longleftrightarrow \sqrt{a} > \sqrt{b}$

예　x가 실수일 때,

(1) $x^2 - 9 < 0$ ⇨ $(x+3)(x-3) < 0$이므로 $-3 < x < 3$일 때만 성립
　　⇨ 절대부등식이 아니다.

(2) $x^2 + 2x + 3 > 0$ ⇨ $(x+1)^2 + 2 > 0$이므로 모든 실수 x에 대하여 성립
　　⇨ 절대부등식이다.

2. 여러 가지 절대부등식

다음은 부등식 문제 해결에 자주 이용되는 절대부등식이다.

a, b, c가 실수일 때,

(1) $a^2 \pm ab + b^2 \geq 0$ (단, 등호는 $a = b = 0$일 때 성립)
(2) $a^2 \pm 2ab + b^2 \geq 0$ (단, 등호는 $a = \mp b$일 때 성립, 복부호동순)
(3) $a^2 + b^2 + c^2 - ab - bc - ca \geq 0$ (단, 등호는 $a = b = c$일 때 성립)

▶ 등호가 포함된 부등식이 성립함을 증명할 때는 특별한 말이 없더라도 등호가 성립하는 조건을 찾도록 한다.

증명　(1) $a^2 \pm ab + b^2 = \left(a \pm \dfrac{b}{2}\right)^2 + \dfrac{3}{4}b^2$ (복부호동순)

그런데 $\left(a \pm \dfrac{b}{2}\right)^2 \geq 0$, $\dfrac{3}{4}b^2 \geq 0$이므로 $a^2 \pm ab + b^2 \geq 0$

여기서 등호는 $a \pm \dfrac{b}{2} = 0$, $b = 0$, 즉 $a = b = 0$일 때 성립한다.

(2) $a^2 \pm 2ab + b^2 = (a \pm b)^2 \geq 0$

여기서 등호는 $a \pm b = 0$, 즉 $a = \mp b$일 때 성립한다. (복부호동순)

(3) $a^2 + b^2 + c^2 - ab - bc - ca = \dfrac{1}{2}(2a^2 + 2b^2 + 2c^2 - 2ab - 2bc - 2ca)$

$= \dfrac{1}{2}\{(a-b)^2 + (b-c)^2 + (c-a)^2\}$

그런데 $(a-b)^2 \geq 0$, $(b-c)^2 \geq 0$, $(c-a)^2 \geq 0$이므로 $a^2 + b^2 + c^2 - ab - bc - ca \geq 0$

여기서 등호는 $a - b = b - c = c - a = 0$, 즉 $a = b = c$일 때 성립한다.

3. 산술평균과 기하평균의 관계 ▷ 필수예제 **18 ~ 20**

$a>0$, $b>0$일 때,

$$\frac{a+b}{2} \geq \sqrt{ab} \text{ (단, 등호는 } a=b \text{일 때 성립)}$$

▶ $a>0$, $b>0$일 때, $\frac{a+b}{2}$ 를 a와 b의 **산술평균**, $\sqrt{ab}$ 를 a와 b의 **기하평균**이라 한다.

증명 $\frac{a+b}{2} - \sqrt{ab} = \frac{a+b-2\sqrt{ab}}{2} = \frac{(\sqrt{a})^2 - 2\sqrt{a}\sqrt{b} + (\sqrt{b})^2}{2} = \frac{(\sqrt{a}-\sqrt{b})^2}{2} \geq 0$ ← $a>0$, $b>0$이므로 $\sqrt{ab}=\sqrt{a}\sqrt{b}$

$\therefore \frac{a+b}{2} \geq \sqrt{ab}$

여기서 등호는 $\sqrt{a}-\sqrt{b}=0$, 즉 $a=b$일 때 성립한다.

예제 $a>0$일 때, $a+\frac{4}{a}$의 최솟값을 구하시오.

풀이 $a>0$, $\frac{4}{a}>0$이므로 산술평균과 기하평균의 관계에 의하여

$a+\frac{4}{a} \geq 2\sqrt{a \times \frac{4}{a}} = 4 \left(\text{단, 등호는 } a=\frac{4}{a}, \text{ 즉 } a=2 \text{일 때 성립}\right)$

따라서 $a+\frac{4}{a}$의 최솟값은 4이다.

4. 코시−슈바르츠의 부등식 ▷ 필수예제 **21**

a, b, x, y가 실수일 때,

$$(a^2+b^2)(x^2+y^2) \geq (ax+by)^2 \left(\text{단, 등호는 } \frac{x}{a}=\frac{y}{b} \text{일 때 성립}\right)$$

▶ a, b, c, x, y, z가 실수일 때, 다음이 성립한다.
$(a^2+b^2+c^2)(x^2+y^2+z^2) \geq (ax+by+cz)^2 \left(\text{단, 등호는 } \frac{x}{a}=\frac{y}{b}=\frac{z}{c} \text{일 때 성립}\right)$

증명 $(a^2+b^2)(x^2+y^2) - (ax+by)^2 = a^2x^2 + a^2y^2 + b^2x^2 + b^2y^2 - (a^2x^2 + 2abxy + b^2y^2)$

$= b^2x^2 - 2abxy + a^2y^2$

$= (bx-ay)^2$

그런데 a, b, x, y가 실수이므로 $(bx-ay)^2 \geq 0$

$\therefore (a^2+b^2)(x^2+y^2) \geq (ax+by)^2$

여기서 등호는 $bx-ay=0$, 즉 $\frac{x}{a}=\frac{y}{b}$일 때 성립한다.

예제 a, b, x, y가 실수이고, $a^2+b^2=2$, $x^2+y^2=5$일 때, $ax+by$의 값의 범위를 구하시오.

풀이 a, b, x, y가 실수이므로 코시−슈바르츠의 부등식에 의하여

$(a^2+b^2)(x^2+y^2) \geq (ax+by)^2$에서

$2 \times 5 \geq (ax+by)^2$, $(ax+by)^2 \leq 10$

$\therefore -\sqrt{10} \leq ax+by \leq \sqrt{10} \left(\text{단, 등호는 } \frac{x}{a}=\frac{y}{b} \text{일 때 성립}\right)$

보충학습

두 수 또는 두 식의 대소 관계

두 수 또는 두 식 A, B의 대소를 비교할 때에는 주로 다음과 같은 방법을 이용한다.

(1) 차 $A-B$의 부호를 조사한다.

① $A-B>0 \Longleftrightarrow A>B$ ② $A-B=0 \Longleftrightarrow A=B$

③ $A-B<0 \Longleftrightarrow A<B$

(2) 제곱의 차 A^2-B^2의 부호를 조사한다. ← 근호나 절댓값 기호를 포함한 경우

$A>0$, $B>0$일 때,

① $A^2-B^2>0 \Longleftrightarrow A>B$ ② $A^2-B^2=0 \Longleftrightarrow A=B$

③ $A^2-B^2<0 \Longleftrightarrow A<B$

(3) 비 $\dfrac{A}{B}$와 1의 대소를 비교한다. ← 거듭제곱으로 표현되거나 비가 간단히 정리되는 경우

$A>0$, $B>0$일 때,

① $\dfrac{A}{B}>1 \Longleftrightarrow A>B$ ② $\dfrac{A}{B}=1 \Longleftrightarrow A=B$

③ $\dfrac{A}{B}<1 \Longleftrightarrow A<B$

설명 (2) ① $A^2-B^2>0$이면 $(A+B)(A-B)>0$

이때 $A>0$, $B>0$에서 $A+B>0$이므로 $A-B>0$ $\therefore A>B$

②, ③도 같은 방법으로 성립함을 보일 수 있다.

(3) ① $\dfrac{A}{B}>1$에서 $B>0$이므로 양변에 B를 곱하면 $A>B$

②, ③도 같은 방법으로 성립함을 보일 수 있다.

예제 다음 물음에 답하시오.

(1) $a\geq b>0$일 때, $\dfrac{a}{2+a}$, $\dfrac{b}{2+b}$의 대소를 비교하시오.

(2) a가 실수일 때, $|a|+2$, $|a+2|$의 대소를 비교하시오.

(3) 두 수 2^{60}, 6^{20}의 대소를 비교하시오.

풀이 (1) $\dfrac{a}{2+a}-\dfrac{b}{2+b}=\dfrac{a(2+b)-b(2+a)}{(2+a)(2+b)}=\dfrac{2(a-b)}{(2+a)(2+b)}\geq 0\ (\because a\geq b>0)$

$\therefore \dfrac{a}{2+a}\geq \dfrac{b}{2+b}$ (단, 등호는 $a=b$일 때 성립)

(2) $(|a|+2)^2-|a+2|^2=a^2+4|a|+4-(a^2+4a+4)=4(|a|-a)\geq 0\ (\because |a|\geq a)$

$\therefore |a|+2\geq |a+2|$ (단, 등호는 $|a|=a$, 즉 $a\geq 0$일 때 성립)

(3) $\dfrac{2^{60}}{6^{20}}=\dfrac{(2^3)^{20}}{6^{20}}=\left(\dfrac{8}{6}\right)^{20}>1$ $\therefore 2^{60}>6^{20}$

> a, b가 실수일 때, 다음 부등식이 성립함을 증명하시오.
>
> (1) $(a+b)^2 \geq 4ab$
>
> (2) $|a|+|b| \geq |a+b|$

설명   부등식의 증명에 자주 이용되는 성질

$\Rightarrow$ (실수)$^2 \geq 0$, $|a|^2 = a^2$, $|ab| = |a||b|$, $|a| \geq a$

증명   (1) $(a+b)^2 - 4ab = a^2 + 2ab + b^2 - 4ab$

$$= a^2 - 2ab + b^2$$
$$= (a-b)^2 \geq 0$$

$\therefore (a+b)^2 \geq 4ab$

여기서 등호는 $a-b=0$, 즉 $a=b$일 때 성립한다.

(2) $(|a|+|b|)^2 - |a+b|^2$

$= |a|^2 + 2|a||b| + |b|^2 - (a+b)^2$

$= a^2 + 2|ab| + b^2 - a^2 - 2ab - b^2$ $\leftarrow$ $|a|^2 = a^2$, $|a||b| = |ab|$

$= 2(|ab| - ab)$

그런데 $|ab| \geq ab$이므로 $2(|ab| - ab) \geq 0$

$\therefore (|a|+|b|)^2 \geq |a+b|^2$

$|a|+|b| \geq 0$, $|a+b| \geq 0$이므로

$|a|+|b| \geq |a+b|$

여기서 등호는 $|ab| = ab$, 즉 $ab \geq 0$일 때 성립한다.

KEY Point

- 부등식 $A \geq B$가 성립함을 증명할 때에는
  ① 다항식 $\Rightarrow$ $A-B$를 완전제곱식으로 변형하여 (실수)$^2 \geq 0$임을 이용한다.
  ② 절댓값 기호를 포함한 식 $\Rightarrow$ $A^2 - B^2$으로 변형하여 $|a| \geq a$임을 이용한다.
  특히, 등호가 있을 때에는 등호가 성립하는 경우를 분명히 밝혀야 한다.

확인 체크

100 a, b가 실수일 때, 다음 부등식이 성립함을 증명하시오.

(1) $a^2 + b^2 + 1 \geq ab + a + b$

(2) $|a| - |b| \leq |a-b|$

101 $a>0$, $b>0$일 때, 부등식 $\sqrt{2(a+b)} \geq \sqrt{a} + \sqrt{b}$가 성립함을 증명하시오.

$x>0$, $y>0$일 때, 다음 물음에 답하시오.

(1) $xy=8$일 때, $x+2y$의 최솟값을 구하시오.

(2) $2x+3y=12$일 때, xy의 최댓값을 구하시오.

설명　두 양수의 합의 최솟값 또는 곱의 최댓값을 구할 때는 산술평균과 기하평균의 관계를 이용한다.

풀이　(1) $x>0$, $2y>0$이므로 산술평균과 기하평균의 관계에 의하여

$x+2y \geq 2\sqrt{x \times 2y} = 2\sqrt{2xy}$

그런데 $xy=8$이므로

$x+2y \geq 2\sqrt{2 \times 8} = 8$ (단, 등호는 $x=2y$일 때 성립)

따라서 $x+2y$의 최솟값은 **8**이다.

(2) $2x>0$, $3y>0$이므로 산술평균과 기하평균의 관계에 의하여

$2x+3y \geq 2\sqrt{2x \times 3y} = 2\sqrt{6xy}$

그런데 $2x+3y=12$이므로

$12 \geq 2\sqrt{6xy}$, $6 \geq \sqrt{6xy}$ (단, 등호는 $2x=3y$일 때 성립)

양변을 제곱하면

$36 \geq 6xy$　∴ $xy \leq 6$

따라서 xy의 최댓값은 **6**이다.

KEY Point

• 산술평균과 기하평균의 관계

⇨ $a>0$, $b>0$일 때, $\dfrac{a+b}{2} \geq \sqrt{ab}$ (단, 등호는 $a=b$일 때 성립)

102 양수 a, b에 대하여 $ab=3$일 때, $3a+4b$의 최솟값을 m, 그때의 a, b의 값을 각각 α, β라 하자. 이때 $m+\alpha+\beta$의 값을 구하시오.

103 양수 a, b에 대하여 $9a^2+b^2=36$일 때, ab의 최댓값을 구하시오.

104 $x>0$, $y>0$이고 $3x+y=6$일 때, $\dfrac{1}{x}+\dfrac{3}{y}$의 최솟값을 구하시오.

산술평균과 기하평균의 관계 – 식을 전개하는 경우

더 다양한 문제는 **RPM** 수학(하) 50쪽

$a>0$, $b>0$일 때, $\left(a+\dfrac{1}{b}\right)\left(b+\dfrac{4}{a}\right)$의 최솟값을 구하시오.

설명 주어진 식을 전개하여 산술평균과 기하평균의 관계를 이용한다.

풀이
$$\left(a+\frac{1}{b}\right)\left(b+\frac{4}{a}\right)=ab+4+1+\frac{4}{ab}=ab+\frac{4}{ab}+5$$

$ab>0$, $\dfrac{4}{ab}>0$이므로 산술평균과 기하평균의 관계에 의하여

$$ab+\frac{4}{ab}+5\geq2\sqrt{ab\times\frac{4}{ab}}+5=2\times2+5=9\left(\text{단, 등호는 }ab=\frac{4}{ab}\text{, 즉 }ab=2\text{일 때 성립}\right)$$

따라서 구하는 최솟값은 **9**이다.

주의
$$a+\frac{1}{b}\geq2\sqrt{\frac{a}{b}}\quad\cdots\cdots\text{㉠},\quad b+\frac{4}{a}\geq2\sqrt{\frac{4b}{a}}\quad\cdots\cdots\text{㉡}$$

㉠, ㉡을 변끼리 곱하면 $\left(a+\dfrac{1}{b}\right)\left(b+\dfrac{4}{a}\right)\geq2\sqrt{\dfrac{a}{b}}\times2\sqrt{\dfrac{4b}{a}}=8$이므로 주어진 식의 최솟값을 8이라 하면 안 된다.

왜냐하면 ㉠에서 등호가 성립하는 경우는 $a=\dfrac{1}{b}$, 즉 $ab=1$일 때이고, ㉡에서 등호가 성립하는 경우는

$b=\dfrac{4}{a}$, 즉 $ab=4$일 때이므로 ㉠, ㉡의 등호가 동시에 성립하는 a, b가 존재하지 않기 때문이다.

따라서 **풀이**와 같이 주어진 식을 전개한 후, 산술평균과 기하평균의 관계를 이용해야 한다.

산술평균과 기하평균의 관계 – 식을 변형하는 경우

더 다양한 문제는 **RPM** 수학(하) 50쪽

$x>1$일 때, $4x+\dfrac{1}{x-1}$의 최솟값을 구하시오.

설명 $f(x)+\dfrac{1}{f(x)}$ $(f(x)>0)$의 꼴을 포함하도록 식을 변형하여 산술평균과 기하평균의 관계를 이용한다.

풀이
$$4x+\frac{1}{x-1}=4(x-1)+\frac{1}{x-1}+4$$

$x>1$에서 $x-1>0$이므로 산술평균과 기하평균의 관계에 의하여

$$4(x-1)+\frac{1}{x-1}+4\geq2\sqrt{4(x-1)\times\frac{1}{x-1}}+4=2\times2+4=8$$

$$\left(\text{단, 등호는 }4(x-1)=\frac{1}{x-1}\text{, 즉 }x=\frac{3}{2}\text{일 때 성립}\right)$$

따라서 구하는 최솟값은 **8**이다.

**확인
체크**

105 $a>0$, $b>0$일 때, $(3a+4b)\left(\dfrac{3}{a}+\dfrac{1}{b}\right)$의 최솟값을 구하시오.

106 $x>-2$일 때, $3x+5+\dfrac{3}{x+2}$의 최솟값을 구하시오.

x, y가 실수일 때, 다음 물음에 답하시오.

(1) $x^2+y^2=4$일 때, $4x+3y$의 값의 범위를 구하시오.

(2) $3x+4y=5$일 때, x^2+y^2의 최솟값을 구하시오.

설명　a, b, x, y가 실수일 때, $ax+by$의 값의 범위 또는 x^2+y^2의 최솟값은 코시-슈바르츠의 부등식을 이용하여 구한다.

풀이　(1) x, y가 실수이므로 코시-슈바르츠의 부등식에 의하여

$$(4^2+3^2)(x^2+y^2) \geq (4x+3y)^2$$

그런데 $x^2+y^2=4$이므로 $25 \times 4 \geq (4x+3y)^2$

$$\therefore -10 \leq 4x+3y \leq 10 \left(\text{단, 등호는 } \frac{x}{4}=\frac{y}{3}\text{일 때 성립}\right)$$

(2) x, y가 실수이므로 코시-슈바르츠의 부등식에 의하여

$$(3^2+4^2)(x^2+y^2) \geq (3x+4y)^2$$

그런데 $3x+4y=5$이므로 $25(x^2+y^2) \geq 5^2$

$$\therefore x^2+y^2 \geq 1 \left(\text{단, 등호는 } \frac{x}{3}=\frac{y}{4}\text{일 때 성립}\right)$$

따라서 x^2+y^2의 최솟값은 **1**이다.

KEY Point

• 코시-슈바르츠의 부등식

$$\Rightarrow a, b, x, y\text{가 실수일 때, } (a^2+b^2)(x^2+y^2) \geq (ax+by)^2 \left(\text{단, 등호는 } \frac{x}{a}=\frac{y}{b}\text{일 때 성립}\right)$$

확인 체크

107 a, b가 실수일 때, 다음 물음에 답하시오.

(1) $a^2+b^2=10$일 때, $2a+4b$의 최댓값을 구하시오.

(2) $2a+5b=29$일 때, a^2+b^2의 최솟값을 구하시오.

108 $x^2+y^2=a$를 만족시키는 실수 x, y에 대하여 $3x+2y$의 최댓값과 최솟값의 차가 26일 때, 상수 a의 값을 구하시오. (단, $a>0$)

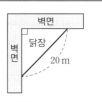

오른쪽 그림과 같이 수직인 두 벽면 사이를 길이가 20 m인 철망으로 막은 삼각형 모양의 닭장이 있다. 이 닭장의 밑면의 넓이의 최댓값을 구하시오.

풀이

닭장에서 직각을 낀 두 변의 길이를 각각 x m, y m라 하면
$$x^2+y^2=20^2=400$$
$x^2>0$, $y^2>0$이므로 산술평균과 기하평균의 관계에 의하여
$$x^2+y^2 \geq 2\sqrt{x^2 \times y^2}=2xy \ (\because \ x>0, \ y>0)$$
그런데 $x^2+y^2=400$이므로 $400 \geq 2xy$
$$\therefore \ xy \leq 200 \ (\text{단, 등호는 } x=y\text{일 때 성립})$$
이때 닭장의 밑면의 넓이는 $\frac{1}{2}xy$ m²이므로

$$\frac{1}{2}xy \leq \frac{1}{2} \times 200=100$$
따라서 닭장의 밑면의 넓이의 최댓값은 **100 m²**이다.

KEY Point

- 두 양수의 합의 최솟값, 두 양수의 곱의 최댓값
  ⇨ 산술평균과 기하평균의 관계를 이용

 확인 체크

109 길이가 40 cm인 철사를 모두 사용하여 오른쪽 그림과 같이 합동인 네 개의 작은 직사각형으로 이루어진 구역을 만들려고 한다. 이때 구역 전체 테두리인 바깥쪽 직사각형의 넓이의 최댓값과 그때의 가로의 길이를 구하시오. (단, 철사의 굵기는 무시한다.)

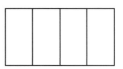

110 오른쪽 그림과 같이 반지름의 길이가 2인 원에 내접하는 직사각형이 있다. 이 직사각형의 둘레의 길이의 최댓값을 구하시오.

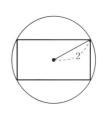

STEP **1**

🔎 **생각해 봅시다!**

귀류법을 이용한 증명
⇨ 결론을 부정하면 모순이 생김을 보여서 명제가 참임을 증명

72 다음은 명제 '자연수 m, n에 대하여 m^2+n^2이 홀수이면 mn은 짝수이다.'를 증명하는 과정이다.

> mn이 $\boxed{(7))}$라 가정하면 m, n은 모두 $\boxed{(나)}$이어야 하므로
> $m=2k-1$, $n=2l-1$ (k, l은 자연수)로 나타낼 수 있다. 이때
> $m^2+n^2=(2k-1)^2+(2l-1)^2=2(2k^2-2k+2l^2-2l+1)$
> 이므로 m^2+n^2은 $\boxed{(다)}$이다.
> 그런데 이것은 m^2+n^2이 $\boxed{(라)}$라는 가정에 모순이다.
> 따라서 자연수 m, n에 대하여 m^2+n^2이 홀수이면 mn은 짝수이다.

위의 과정에서 ⑺ ~ ⑷에 알맞은 것을 써넣으시오.

73 $a>b>0$일 때, 두 수 $A=\dfrac{a}{1+2a}$, $B=\dfrac{b}{1+2b}$의 대소를 비교하시오.

A, B의 대소를 비교할 때
⇨ $A-B$의 부호를 조사한다.

74 양수 x, y에 대하여 $2x+5y=10$일 때, xy의 최댓값을 a, 그때의 x, y의 값을 각각 b, c라 하자. 이때 $a+b+c$의 값을 구하시오.

$a>0$, $b>0$일 때,
$\dfrac{a+b}{2} \geq \sqrt{ab}$
(단, 등호는 $a=b$일 때 성립)

75 $a>0$, $b>0$일 때, $\left(4-\dfrac{9b}{a}\right)\left(1-\dfrac{a}{b}\right)\leq m$이 항상 성립하도록 하는 실수 m의 값의 범위를 구하시오.

[교육청기출]

76 $x>3$일 때, $x^2+\dfrac{49}{x^2-9}$의 최솟값을 구하시오.

77 오른쪽 그림과 같이 반지름의 길이가 $2\sqrt{3}$인 반원 O에 내접하는 직사각형 ABCD의 넓이가 최대일 때, 이 직사각형의 둘레의 길이를 구하시오.

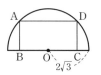

78 실수 a, b, c에 대하여 다음 보기 중에서 옳은 것만을 있는 대로 고르시오.

> | 보기 |
> ㄱ. $\sqrt{a}-\sqrt{b}>\sqrt{a-b}$ (단, $a>b>0$)
> ㄴ. $a^3+b^3+c^3\geq 3abc$ (단, a, b, c는 양수)
> ㄷ. $|a|+|b|\geq|a-b|$

부등식의 증명에 이용되는 성질
⇨ $(\text{실수})^2\geq 0$, $|a|\geq a$

79 $x>0$, $y>0$이고 $3x+2y=16$일 때, $\sqrt{3x}+\sqrt{2y}$의 최댓값을 구하시오.

80 $a>0$, $b>0$, $c>0$일 때, $\left(1+\dfrac{2b}{a}\right)\left(1+\dfrac{c}{b}\right)\left(1+\dfrac{a}{2c}\right)$의 최솟값을 구하시오.

주어진 식을 전개한 후 산술평균과 기하평균의 관계를 이용한다.

81 이차방정식 $x^2-2x+a=0$이 허근을 가질 때, $a+\dfrac{4}{a-1}$의 최솟값을 m, 그 때의 a의 값을 n이라 하자. 이때 $m+n$의 값을 구하시오. (단, a는 실수)

이차방정식이 허근을 가지려면
⇨ 판별식 $D<0$

82 실수 a, b, c에 대하여 $a^2+b^2+c^2=2$일 때, $a+2b+3c$의 최솟값을 구하시오.

실력UP [교육청기출]

83 그림과 같이 양수 a에 대하여 이차함수 $f(x)=x^2-2ax$의 그래프와 직선 $g(x)=\dfrac{1}{a}x$가 두 점 O, A에서 만난다. 이차함수 $y=f(x)$의 그래프의 꼭짓점을 B라 하고 선분 AB의 중점을 C라 하자. 점 C에서 y축에 내린 수선의 발을 H라 할 때, 선분 CH의 길이의 최솟값은? (단, O는 원점)

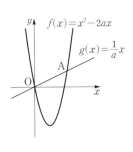

① $\sqrt{3}$ ② 2 ③ $\sqrt{5}$ ④ $\sqrt{6}$ ⑤ $\sqrt{7}$

Take a Break

통찰력을 지녀라.

통찰력을 지녀라. 아니면 그것을 가진 자에게 귀 기울여라. 자신의 것이든 빌어온 것이든 분별력이 없으면 살아갈 수 없다.

그러나 많은 이들은 자신의 무지를 알지 못하고, 또 어떤 이들은 안다고 믿으나 실제로는 아무것도 알지 못한다. 머리에 결함이 있는 자는 치유불가능하다. 그리고 무지한 자는 자신을 알지 못하기에 무지에서 벗어날 생각도 하지 않는다.

스스로 현명하다 믿지 않는 자가 현명한 것이다. 그렇기에 지혜로운 자는 드물기도 하지만 있어도 할 일이 없다. 아무도 그들에게 조언을 구하지 않기 때문이다.

다른 이의 조언을 듣는 것이 그대의 위대함을 깎는 일은 아니며 능력의 결여를 나타내는 것도 아니다. 오히려 그대가 위대하고 능력있는 자임을 보여주는 것이다.

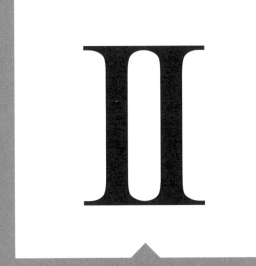

함수

01 | 함수

1. 대응

공집합이 아닌 두 집합 X, Y에 대하여 X의 원소에 Y의 원소를 짝 지어 주는 것을 집합 X에서 집합 Y로의 **대응**이라 한다.

이때 집합 X의 원소 x에 집합 Y의 원소 y가 짝 지어지면 **x에 y가 대응**한다고 하고 기호로

$$x \longrightarrow y$$

와 같이 나타낸다.

예　두 집합 $X = \{$한국, 일본, 미국, 영국$\}$,
　　$Y = \{$도쿄, 서울, 런던, 워싱턴$\}$에 대하여 X의 원소인 나라에 Y의 원소인 수도를 대응시키면 오른쪽 그림과 같다.

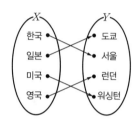

2. 함수　▷ 필수예제 1

두 집합 X, Y에 대하여 **X의 각 원소에 Y의 원소가 오직 하나씩 대응**할 때, 이 대응을 **집합 X에서 집합 Y로의 함수**라 한다. 이 함수를 f라 할 때, 기호로

$$f : X \longrightarrow Y$$

와 같이 나타낸다.

▶　① 함수를 영어로 function이라 하고, 일반적으로 알파벳 소문자 f, g, h, …로 나타낸다.
　　② 'X의 각 원소에'라는 말은 'X의 원소가 하나도 빠지지 않고 모두'라는 뜻이고, 'Y의 원소가 오직 하나씩'이라는 말은 'X의 원소 하나에 Y의 원소가 두 개 이상 대응해서는 안 된다.'라는 뜻이다.

▶　**함수가 될 수 없는 경우는 다음의 2가지 경우이다.**
　　① 집합 X의 원소 중에서 대응하지 않고 남아 있는 원소가 있을 때 [그림 2]
　　② 집합 X의 한 원소에 집합 Y의 원소가 두 개 이상 대응할 때 [그림 3]

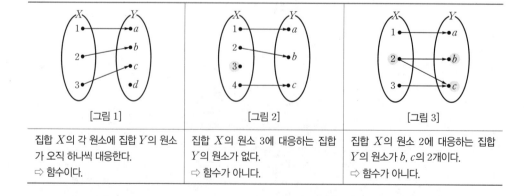

[그림 1]	[그림 2]	[그림 3]
집합 X의 각 원소에 집합 Y의 원소가 오직 하나씩 대응한다. ⇨ 함수이다.	집합 X의 원소 3에 대응하는 집합 Y의 원소가 없다. ⇨ 함수가 아니다.	집합 X의 원소 2에 대응하는 집합 Y의 원소가 b, c의 2개이다. ⇨ 함수가 아니다.

3. 정의역, 공역, 치역   ▷ **필수예제 2**

(1) **정의역과 공역**: 집합 X에서 집합 Y로의 함수 f, 즉 $f : X \longrightarrow Y$에서 집합 X를 함수 f의 **정의역**, 집합 Y를 함수 f의 **공역**이라 한다.

(2) **치역**: 함수 $f : X \longrightarrow Y$에서 정의역 X의 원소 x에 공역 Y의 원소 y가 대응할 때, 이것을 기호로 $y=f(x)$와 같이 나타내고, $f(x)$를 x에서의 **함숫값**이라 한다.
이때 함수 f에서 함숫값 전체의 집합 $\{f(x)|x \in X\}$를 함수 f의 **치역**이라 한다.

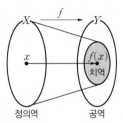

▶ ① 함수 $y=f(x)$의 정의역이나 공역이 주어져 있지 않은 경우, 정의역은 함수 f가 정의되는 실수 x의 값 전체의 집합으로, 공역은 실수 전체의 집합으로 생각한다.
② 치역은 공역의 부분집합이다. 즉, (치역)⊂(공역)

예 오른쪽 그림에서 집합 X의 각 원소에 집합 Y의 원소가 오직 하나씩 대응하므로 이 대응은 함수이다. 이 함수 $f : X \longrightarrow Y$에서
① 정의역: $\{1, 2, 3\}$
② 공역: $\{a, b, c, d\}$
③ 치역: $\{a, b, c\}$

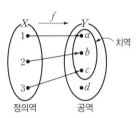

4. 서로 같은 함수   ▷ **필수예제 3**

두 함수 f와 g의 **정의역과 공역이 각각 같고 함숫값이 같을 때**, 즉
(i) 정의역과 공역이 각각 같고
(ii) 정의역의 모든 원소 x에 대하여 $f(x)=g(x)$
일 때, 두 함수 **f와 g는 서로 같다**고 하고, 기호로 $f=g$와 같이 나타낸다.
또, 두 함수 f와 g가 서로 같지 않을 때에는 기호로 $f \neq g$와 같이 나타낸다.

예 두 함수 $f(x)=x, g(x)=x^3$에 대하여
정의역이 $\{-1, 1\}$인 경우에는
$f(-1)=g(-1)=-1, f(1)=g(1)=1$
이므로 두 함수 f와 g는 서로 같다. 즉, $f=g$이다.
또, 정의역이 $\{-2, 2\}$인 경우에는
$f(-2) \neq g(-2), f(2) \neq g(2)$
이므로 두 함수 f와 g는 서로 같지 않다. 즉, $f \neq g$이다.

5. 함수의 그래프 ▷ 필수예제 4

(1) 함수 $f : X \longrightarrow Y$에서 정의역 X의 원소 x와 이에 대응하는 함숫값 $f(x)$의 순서쌍 $(x, f(x))$ 전체의 집합 $\{(x, f(x)) \mid x \in X\}$를 **함수 f의 그래프**라 한다.

(2) 함수 $y = f(x)$의 정의역과 공역의 원소가 모두 실수일 때, 함수 f의 그래프는 순서쌍 $(x, f(x))$를 좌표로 하는 점을 좌표평면에 나타내어 그릴 수 있다.

(3) **함수의 그래프의 특징**

함수의 그래프는 정의역의 각 원소 a에 대하여 y축에 평행한 **직선 $x = a$와 오직 한 점**에서 만난다.

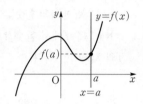

▶ 집합 X의 원소 x와 집합 Y의 원소 y를 순서대로 짝 지어 만든 쌍 (x, y)를 순서쌍이라 한다.

설명 (2) 정의역이 $\{-1, 0, 1\}$인 함수 $f(x) = x^2$의 그래프([그림 1])와 정의역이 실수 전체의 집합인 함수 $g(x) = x^2$의 그래프([그림 2])를 좌표평면 위에 나타내면 다음과 같다.

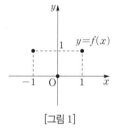

[그림 1]

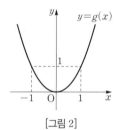

[그림 2]

(3) 함수의 정의에 의해 정의역의 각 원소에 공역의 원소가 오직 하나씩만 대응해야 하므로 함수의 그래프는 정의역의 각 원소 a에 대하여 y축에 평행한 직선(x축에 수직인 직선) $x = a$와 오직 한 점에서 만나야 한다.

따라서 어떤 그래프가 정의역의 원소 a에 대하여 직선 $x = a$와 만나지 않거나 두 점 이상에서 만나면 그 그래프는 함수의 그래프가 될 수 없다.

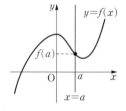

직선 $x = a$와 주어진 그래프의 교점이 1개이다. ⇨ 함수의 그래프이다.	직선 $x = a$와 주어진 그래프의 교점이 2개이다. ⇨ 함수의 그래프가 아니다.

개념원리 익히기

111 다음 대응 중에서 집합 X에서 집합 Y로의 함수인 것을 모두 찾고, 그 함수의 정의역, 공역, 치역을 구하시오.

(1)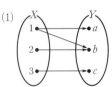

(2)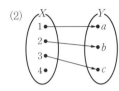

(3)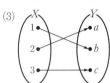

(4)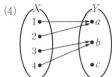

💡 생각해 봅시다!

함수 $f : X \longrightarrow Y$에서 집합 X를 함수 f의 정의역, 집합 Y를 함수 f의 공역, 함숫값 전체의 집합을 치역이라 한다.

112 두 집합 $X=\{-1, 0, 1\}$, $Y=\{-2, -1, 0, 1, 2, 3\}$에 대하여 함수 $f : X \longrightarrow Y$가 다음과 같을 때, 함수 f의 치역을 구하시오.

(1) $f(x)=-x+1$

(2) $f(x)=x^3+x+1$

(3) $f(x)=|x|-1$

함수 f에서 함숫값 전체의 집합을 함수 f의 치역이라 한다.

113 집합 $X=\{-1, 1\}$을 정의역으로 하는 두 함수 f, g에 대하여 두 함수가 서로 같은 것만을 보기에서 있는 대로 고르시오.

┌─| 보기 |─────────────────────
│
│ ㄱ. $f(x)=x+1$, $g(x)=x-1$
│
│ ㄴ. $f(x)=|x|$, $g(x)=x$
│
│ ㄷ. $f(x)=x^3$, $g(x)=\dfrac{1}{x}$
│
└──────────────────────────

두 함수 f와 g의 정의역과 공역이 각각 같고 함숫값이 같을 때
⇨ $f=g$

두 집합 $X=\{-1,\ 0,\ 1\}$, $Y=\{0,\ 1,\ 2\}$에 대하여 다음 대응 중 X에서 Y로의 함수인 것을 모두 고르면? (정답 3개)

① $x \longrightarrow -x$ ② $x \longrightarrow |x|$ ③ $x \longrightarrow x^2+1$

④ $x \longrightarrow 2x+1$ ⑤ $x \longrightarrow x^3+1$

풀이

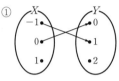 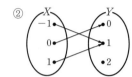 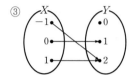

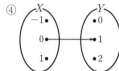 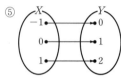

①은 집합 X의 원소 1에 대응하는 집합 Y의 원소가 없으므로 함수가 아니다.

④는 집합 X의 원소 -1, 1에 대응하는 집합 Y의 원소가 없으므로 함수가 아니다.

따라서 함수인 것은 ②, ③, ⑤이다.

KEY Point

• 두 집합 X, Y에 대하여 X의 각 원소에 Y의 원소가 오직 하나씩 대응할 때, 이 대응을 집합 X에서 집합 Y로의 함수라 한다.

확인 체크

114 두 집합 $X=\{0,\ 1,\ 2\}$, $Y=\{0,\ 1,\ 2,\ 3\}$에 대하여 X에서 Y로의 함수인 것만을 보기에서 있는 대로 고르시오.

┌─ 보기 ├─

ㄱ. $x \longrightarrow 3-x$ ㄴ. $x \longrightarrow |x-1|$ ㄷ. $x \longrightarrow x^2$

115 집합 $X=\{-1,\ 0,\ 1\}$에 대하여 다음 대응 중 X에서 X로의 함수가 아닌 것은?

① $x \longrightarrow x$ ② $x \longrightarrow |x|+1$ ③ $x \longrightarrow x^2-|x|+1$

④ $x \longrightarrow -x^2+1$ ⑤ $x \longrightarrow x^3$

↻ 더 다양한 문제는 **RPM** 수학(하) 62, 63쪽

집합 $X=\{1,\ 2,\ 3,\ 4,\ 5,\ 6\}$을 정의역으로 하는 함수 f가

$$f(x)=\begin{cases} 2x-1 & (x\text{는 홀수}) \\ -x+2 & (x\text{는 짝수}) \end{cases}$$

일 때, 함수 f의 치역을 구하시오.

풀이

(i) x가 홀수, 즉 $x=1,\ 3,\ 5$일 때,

$f(x)=2x-1$이므로

$f(1)=2-1=1,\ f(3)=6-1=5,\ f(5)=10-1=9$

(ii) x가 짝수, 즉 $x=2,\ 4,\ 6$일 때,

$f(x)=-x+2$이므로

$f(2)=-2+2=0,\ f(4)=-4+2=-2,\ f(6)=-6+2=-4$

(i), (ii)에서 함수 f의 치역은

$$\{-4,\ -2,\ 0,\ 1,\ 5,\ 9\}$$

KEY Point

• 함수 $f : X \longrightarrow Y$에서 정의역 X의 원소 x에 공역 Y의 원소 y가 대응할 때, $f(x)$를 x에서의 함숫값이라 하고, 함숫값 전체의 집합 $\{f(x)\,|\,x\in X\}$를 함수 f의 치역이라 한다.

확인 체크

116 실수 전체의 집합에서 정의된 함수 f가

$$f(x)=\begin{cases} x-2 & (x\text{는 유리수}) \\ -x & (x\text{는 무리수}) \end{cases}$$

일 때, $f(3)-f(\sqrt{3}-1)$의 값을 구하시오.

117 집합 $X=\{x\,|\,x\text{는 }|x|\leq 2\text{인 정수}\}$를 정의역으로 하는 함수 f가 $f(x)=|x+1|$일 때, 함수 f의 치역을 구하시오.

118 두 집합 $X=\{0,\ 1,\ 2,\ 3,\ 4,\ 5\}$, $Y=\{y\,|\,y\text{는 정수}\}$에 대하여 함수 $f : X \longrightarrow Y$를

$$f(x)=(x^2\text{을 5로 나누었을 때의 나머지})$$

로 정의할 때, 함수 f의 치역을 구하시오.

집합 $X=\{-1, 1\}$을 정의역으로 하는 두 함수

$$f(x)=ax+b,\ g(x)=x^3+2a$$

에 대하여 $f=g$가 성립할 때, 상수 a, b의 값을 구하시오.

풀이

$f=g$가 성립하려면 정의역의 각 원소에 대한 함숫값이 서로 같아야 한다.

$f(-1)=g(-1)$에서

$-a+b=-1+2a$ $\therefore 3a-b=1$ ······ ㉠

$f(1)=g(1)$에서

$a+b=1+2a$ $\therefore a-b=-1$ ······ ㉡

㉠, ㉡을 연립하여 풀면

$a=1,\ b=2$

KEY Point

• 두 함수 f와 g가 서로 같다. 즉, $f=g$

 ⇨ (i) 정의역과 공역이 각각 같다.

     (ii) 정의역의 모든 원소에 대한 함숫값이 서로 같다.

확인 체크

119 집합 $X=\{-1, 0, 1\}$을 정의역으로 하는 함수 f가 $f(x)=x$일 때, 함수 f와 서로 같은 함수인 것만을 보기에서 있는 대로 고르시오. (단, 함수 g, h, p의 정의역은 X이다.)

> | 보기 |
>
> ㄱ. $g(x)=x^3$ ㄴ. $h(x)=x^2$ ㄷ. $p(x)=\sqrt{x^2}$

120 집합 $X=\{0, 1\}$을 정의역으로 하는 두 함수 $f(x)=2x^2+ax-3$, $g(x)=x+b$에 대하여 $f=g$가 성립할 때, ab의 값을 구하시오. (단, a, b는 상수)

121 공집합이 아닌 집합 X를 정의역으로 하는 두 함수 $f(x)=x^3+3x$, $g(x)=6x^2-8x+6$에 대하여 $f=g$를 만족시키는 집합 X를 모두 구하시오.

실수 전체의 집합에서 정의된 다음 그래프 중 함수의 그래프인 것을 모두 찾으시오.

(1)
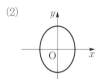

(2)
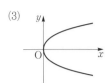

(3)
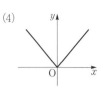

(4)

설명 두 집합 X, Y에 대하여 X의 각 원소에 Y의 원소가 오직 하나씩 대응할 때, 이러한 대응을 집합 X에서 집합 Y로의 함수라 한다. 따라서 정의역의 각 원소 a에 대하여 y축에 평행한 직선(x축에 수직인 직선) $x=a$를 그렸을 때, 그래프와 직선이 오직 한 점에서 만나면 함수의 그래프이다.

풀이 주어진 그래프에 정의역의 각 원소 a에 대하여 직선 $x=a$를 그려서 교점이 1개인 것을 찾는다.

(1)

(2)
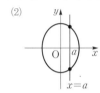

(3)
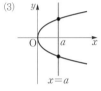

(4)

(1), (4) 직선 $x=a$와 오직 한 점에서 만나므로 함수의 그래프이다.
(2), (3) 직선 $x=a$와 2개의 점에서 만나기도 하므로 함수의 그래프가 아니다.
따라서 함수의 그래프인 것은 (1), (4)이다.

KEY Point
• 정의역의 각 원소 a에 대하여 y축에 평행한 직선 $x=a$를 그렸을 때, 그래프와 직선이 오직 한 점에서 만나면 함수의 그래프이다.

확인 체크

122 실수 전체의 집합에서 정의된 다음 그래프 중 함수의 그래프인 것을 모두 찾으시오.

(1)
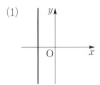

(2)
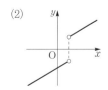

(3)
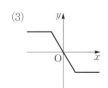

(4)
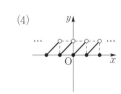

연습문제

정답과 풀이 **73**쪽

STEP **1**

84 두 집합 $X=\{-2, -1, 0\}$, $Y=\{0, 1, 2, 3\}$에 대하여 다음 대응 중 X에서 Y로의 함수가 <u>아닌</u> 것을 모두 고르면? (정답 2개)

① $x \longrightarrow 2-|x|$　　② $x \longrightarrow x+3$　　③ $x \longrightarrow x^3-3x$

④ $x \longrightarrow x^2+x+1$　　⑤ $x \longrightarrow \begin{cases} x-1 & (x \geq 0) \\ -x-1 & (x < 0) \end{cases}$

> 💡 **생각해 봅시다!**
> 대응 관계를 그림으로 나타내어 본다.

85 실수 전체의 집합에서 정의된 함수 f가
$$f(x)=\begin{cases} -2x & (x \text{는 유리수}) \\ x-3 & (x \text{는 무리수}) \end{cases}$$
일 때, $f(2)+\sqrt{3}\,f(\sqrt{3}+2)$의 값을 구하시오.

86 두 집합 $X=\{5, 6, 7, 8, 9\}$, $Y=\{y \mid y \text{는 자연수}\}$에 대하여 X에서 Y로의 함수 f를 $f(x)=(x$의 양의 약수 중 소수의 개수$)$로 정의할 때, 함수 f의 치역을 구하시오.

> **치역**
> ⇨ 함숫값 전체의 집합

87 집합 $X=\{1, 3\}$을 정의역으로 하는 두 함수 f, g가 $f(x)=x^2+7ax+2b$, $g(x)=3ax+b$이고 두 함수가 서로 같을 때, 함수 g의 치역의 모든 원소의 합을 구하시오. (단, a, b는 상수)

88 다음 중 함수의 그래프가 <u>아닌</u> 것은?

> 주어진 그래프에 정의역의 각 원소 a에 대하여 직선 $x=a$를 그려 본다.

①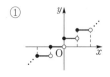　　②　　③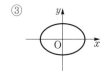

④　　⑤

89 두 집합 $X=\{-1,\ 0,\ 1\}$, $Y=\{1,\ 2,\ 3\}$에 대하여
$f(x)=ax^2+(a+1)x+2$가 X에서 Y로의 함수가 되도록 하는 모든 상수
a의 값의 합을 구하시오.

> 집합 X의 각 원소에 대하여 집합 Y의 원소가 오직 하나씩 대응할 때, 이 대응을 X에서 Y로의 함수라한다.

[교육청기출]

90 집합 $X=\{1,\ 2,\ 3,\ 4,\ 5\}$에서 집합 $Y=\{0,\ 2,\ 4,\ 6,\ 8\}$로의 함수 f를
$$f(x)=(2x^2\text{의 일의 자리의 숫자})$$
로 정의하자. $f(a)=2$, $f(b)=8$을 만족시키는 X의 원소 a, b에 대하여
$a+b$의 최댓값은?

① 5   ② 6   ③ 7   ④ 8   ⑤ 9

91 임의의 실수 a, b에 대하여 함수 f가 $f(a+b)=f(a)+f(b)+4$를 만족시킬
때, $f(4)+f(-4)$의 값을 구하시오.

> a, b에 적당한 수를 대입해본다.

92 집합 $X=\{-2,\ 0,\ a\}$를 정의역으로 하는 두 함수
$$f(x)=x^2+2x,\ g(x)=x^3-4x$$
에 대하여 $f=g$일 때, 상수 a의 값을 구하시오. (단, $a\neq-2$, $a\neq0$)

실력UP

93 양의 실수 전체의 집합에서 정의된 함수 $f(x)$가 다음 조건을 모두 만족시킬
때, $f(2019)$의 값을 구하시오.

> (가) 모든 양의 실수 x에 대하여 $f(4x)=4f(x)$
>
> (나) $f(x)=|3-x|-1$ $(1\leq x<4)$

실력UP

94 집합 $A=\{x\,|\,x$는 30 이하의 자연수$\}$의 부분집합 X를 정의역으로 하는 함
수 f를 $f(x)=(x$를 4로 나누었을 때의 나머지$)$로 정의하자. 이 함수 f의 치
역이 $\{3\}$이 되도록 하는 정의역 X의 개수를 구하시오.

> 함수 f의 치역이 $\{3\}$이 되기 위한 조건을 찾는다.

02 | 여러 가지 함수

1. 일대일함수 ▷ 필수예제 **5**

(1) 함수 $f : X \longrightarrow Y$에서 정의역 X의 **서로 다른 두 원소에 대한 함숫값이 서로 다를 때**, 즉 정의
역 X의 임의의 두 원소 x_1, x_2에 대하여

$$x_1 \neq x_2 \text{이면 } f(x_1) \neq f(x_2)$$

가 성립할 때, 이 함수 f를 **일대일함수**라 한다.

(2) **일대일함수의 그래프의 특징**

일대일함수는 정의역의 서로 다른 두 원소에 대응하는 공역의 원소가
항상 서로 달라야 한다. 따라서 일대일함수의 그래프는 치역의 각 원소
k에 대하여 x축에 평행한 **직선 $y=k$와 오직 한 점**에서 만난다.

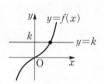

▶ 명제 '$x_1 \neq x_2$이면 $f(x_1) \neq f(x_2)$'의 대우 '$f(x_1)=f(x_2)$이면 $x_1=x_2$'가 성립해도 함수 f는 일대일함수이다.

설명

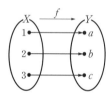
정의역의 원소 1, 2, 3의 함숫값이 각
각 a, b, c로 서로 다르다.
⇨ 일대일함수이다.

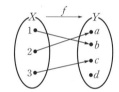
정의역의 원소 1, 2, 3의 함숫값이 각
각 b, a, c로 서로 다르다.
⇨ 일대일함수이다.

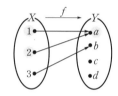
정의역의 두 원소 1, 2의 함숫값이 모
두 a이다.
⇨ 일대일함수가 아니다.

2. 일대일대응 ▷ 필수예제 **5, 6, 8**

함수 $f : X \longrightarrow Y$가 **일대일함수이고 치역과 공역이 같을 때**, 즉
(i) 정의역 X의 임의의 두 원소 x_1, x_2에 대하여

$$x_1 \neq x_2 \text{이면 } f(x_1) \neq f(x_2) \quad \longleftarrow \text{일대일함수}$$

(ii) $\{f(x)\,|\,x \in X\} = Y \quad \longleftarrow \text{(치역)=(공역)}$

가 성립할 때, 이 함수 f를 **일대일대응**이라 한다.

▶ ① 일대일대응의 그래프의 특징
⇨ 치역의 각 원소 k에 대하여 직선 $y=k$와 함수 $y=f(x)$의 그래프의 **교점이 1개**이고
(치역)=(공역)이다.
② 일대일대응이면 일대일함수이지만 일대일함수라고 해서 모두 일대일대응인 것은 아니다.

설명 오른쪽 그림의 함수 f에서
(i) $f(1)=b, f(2)=a, f(3)=c$이므로 $f(1) \neq f(2), f(2) \neq f(3), f(1) \neq f(3)$
(ii) 공역은 $\{a, b, c\}$, 치역은 $\{a, b, c\}$이므로 (공역)=(치역)이다.
따라서 함수 f는 일대일대응이다.

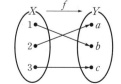

참고 일대일함수와 일대일대응의 그래프의 판별
[방법 1]

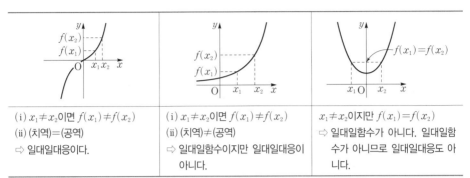

(i) $x_1 \neq x_2$이면 $f(x_1) \neq f(x_2)$ (ii) (치역)=(공역) ⇨ 일대일대응이다.	(i) $x_1 \neq x_2$이면 $f(x_1) \neq f(x_2)$ (ii) (치역)≠(공역) ⇨ 일대일함수이지만 일대일대응이 아니다.	$x_1 \neq x_2$이지만 $f(x_1)=f(x_2)$ ⇨ 일대일함수가 아니다. 일대일함 수가 아니므로 일대일대응도 아 니다.

[방법 2]
일대일함수의 그래프는 치역의 각 원소 k에 대하여 x축에 평행한 직선 $y=k$와 오직 한 점에서 만난다. 또, 일대일대응은 일대일함수이고 치역과 공역이 같으므로 일대일대응의 그래프는 직선 $y=k$와 오직 한 점에서 만나고, 치역과 공역이 같다. 따라서 일대일대응의 그래프인지 판별할 때에는 먼저 일대일함수의 그래프인지 따져본 뒤 치역과 공역이 같은지 확인한다.

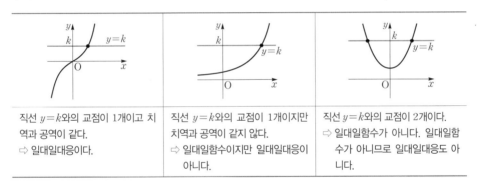

직선 $y=k$와의 교점이 1개이고 치역과 공역이 같다. ⇨ 일대일대응이다.	직선 $y=k$와의 교점이 1개이지만 치역과 공역이 같지 않다. ⇨ 일대일함수이지만 일대일대응이 아니다.	직선 $y=k$와의 교점이 2개이다. ⇨ 일대일함수가 아니다. 일대일함수가 아니므로 일대일대응도 아니다.

3. 항등함수 ▷ 필수예제 **5, 7**

정의역과 공역이 같고, 정의역 X의 각 원소 x에 그 **자신인 x가 대응할 때**, 즉
$$f : X \longrightarrow X, \ f(x)=x$$
일 때, 이 함수 f를 집합 X에서의 **항등함수**라 한다.

▶ ① 항등함수를 영어로 identity function이라 하고, 보통 기호로 I와 같이 나타낸다. 특히, 집합 X에서 정의된 항등함수를 I_X로 나타낸다.
② 항등함수는 일대일대응이다.

설명 오른쪽 그림의 함수 f는 정의역과 공역이 $\{1, 2, 3\}$으로 같고, $f(1)=1$, $f(2)=2$, $f(3)=3$이므로 정의역 X의 모든 원소 x에 대하여 $f(x)=x$가 성립한다. 이러한 함수 f를 항등함수라 한다.

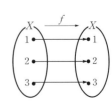

4. 상수함수 ▷ 필수예제 **5, 7, 8**

> 함수 $f : X \longrightarrow Y$에서 정의역 X의 모든 원소 x에 **공역 Y의 단 하나의 원소가 대응할 때**, 즉
> $$f : X \longrightarrow Y,\ \boldsymbol{f(x)=c}\ (c는 \text{ 상수, } c \in Y)$$
> 일 때, 이 함수 f를 **상수함수**라 한다.

▶ ① 상수함수의 치역은 원소가 1개인 집합이다.
　② 상수함수 $f(x)=c$에서 c는 공역의 어떤 원소가 아니라 상수를 나타내는 영어 constant에서 따온 것이다.

설명 오른쪽 그림의 함수 f는 $f(1)=b, f(2)=b, f(3)=b$이므로 정의역 X의 모든 원소
　　 1, 2, 3에 공역 Y의 단 하나의 원소 b가 대응하고 있다.
　　 이러한 함수 f를 상수함수라 한다.

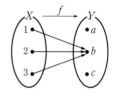

참고 **항등함수와 상수함수의 그래프**
　　 정의역과 공역이 모두 실수 전체의 집합일 때, 항등함수와 상수함수의 그래프는 다음과 같다.

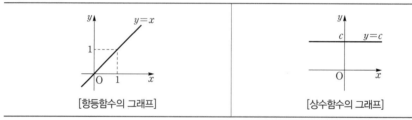

[항등함수의 그래프]	[상수함수의 그래프]

보충학습

함수의 개수

두 집합 $X=\{x_1,\ x_2,\ x_3,\ \cdots,\ x_n\}$, $Y=\{y_1,\ y_2,\ y_3,\ \cdots,\ y_m\}$에 대하여 X에서 Y로의

(1) 함수의 개수 ⇨ $\underbrace{m \times m \times m \times\ \cdots\ \times m}_{n개}=m^n$

(2) 일대일함수의 개수 ⇨ $m \times (m-1) \times (m-2) \times\ \cdots\ \times (m-n+1)$ (단, $m \geq n$)

(3) 일대일대응의 개수 ⇨ $m \times (m-1) \times (m-2) \times\ \cdots\ \times 2 \times 1$ (단, $m=n$)

(4) 상수함수의 개수 ⇨ m

보기의 함수의 그래프 중 다음에 해당하는 함수를 모두 찾으시오.

(단, 정의역과 공역은 모두 실수 전체의 집합이다.)

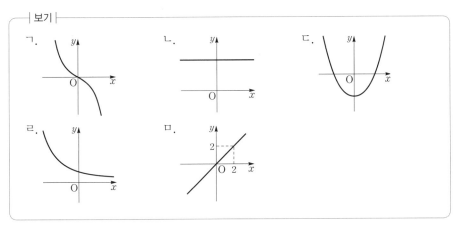

(1) 일대일함수　　　　　　　　　　(2) 일대일대응

(3) 상수함수　　　　　　　　　　　(4) 항등함수

풀이

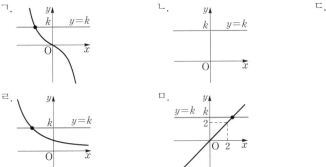

(1) 일대일함수의 그래프는 치역의 각 원소 k에 대하여 직선 $y=k$와 오직 한 점에서 만나므로 ㄱ, ㄹ, ㅁ이다.

(2) 일대일대응은 일대일함수 중에서 치역과 공역이 같은 함수이므로 ㄱ, ㅁ이다.

(3) 상수함수는 치역의 원소가 1개, 즉 그 그래프가 x축에 평행한 직선이므로 ㄴ이다.

(4) 항등함수는 정의역과 공역이 같고 정의역의 각 원소에 그 자신이 대응하는 함수, 즉 그래프가 직선 $y=x$인 함수이므로 ㅁ이다.

확인 체크　**123** 실수 전체의 집합에서 정의된 보기의 함수 중 다음에 해당하는 함수를 모두 찾으시오.

| 보기 |

ㄱ. $y=4x$　　　　ㄴ. $y=3$　　　　ㄷ. $y=x^2$　　　　ㄹ. $y=x$

(1) 일대일대응　　　　　(2) 상수함수　　　　　(3) 항등함수

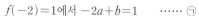

필수 예제 06 일대일대응이 되기 위한 조건

더 다양한 문제는 **RPM** 수학(하) 65쪽

> 두 집합 $X=\{x\,|\,-2\leq x\leq 3\}$, $Y=\{y\,|\,1\leq y\leq 11\}$에 대하여 X에서 Y로의 함수
> $f(x)=ax+b$가 일대일대응일 때, 상수 a, b의 값을 구하시오. (단, $a>0$)

풀이

함수 f가 일대일대응이고 $a>0$이므로 $y=f(x)$의 그래프는 오른쪽 그림과 같아야 한다.

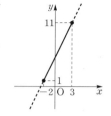

이때 (치역)=(공역)이려면 그래프는 두 점 $(-2,\ 1)$, $(3,\ 11)$을 지나야 하므로

$f(-2)=1$, $f(3)=11$

$f(-2)=1$에서 $-2a+b=1$ ······ ㉠

$f(3)=11$에서 $3a+b=11$ ······ ㉡

㉠, ㉡을 연립하여 풀면

$a=2,\ b=5$

참고

함수 f가 일대일대응이면 정의역의 임의의 두 원소 x_1, x_2에 대하여 $x_1\neq x_2$이면 $f(x_1)\neq f(x_2)$이고 치역과 공역이 같아야 한다. 따라서 정의역과 공역의 양 끝 값을 기준으로 함수의 그래프를 그리면 x의 값이 증가할 때 y의 값은 항상 증가하거나 항상 감소하고, 정의역의 양 끝 값에서의 함숫값은 공역의 최댓값과 최솟값이다.

KEY Point

- 함수 $y=f(x)$가 일대일대응이면
  (i) 정의역의 임의의 두 원소 x_1, x_2에 대하여 $x_1\neq x_2$이면 $f(x_1)\neq f(x_2)$
  (ii) (치역)=(공역)

확인 체크

124 두 집합 $X=\{x\,|\,-1\leq x\leq a\}$, $Y=\{y\,|\,-1\leq y\leq 7\}$에 대하여 X에서 Y로의 함수 $f(x)=-2x+b$가 일대일대응일 때, 상수 a, b에 대하여 $a-b$의 값을 구하시오.

(단, $a>-1$)

125 두 집합 $X=\{x\,|\,x\geq 2\}$, $Y=\{y\,|\,y\geq 3\}$에 대하여 X에서 Y로의 함수 $f(x)=x^2+2x+a$가 일대일대응일 때, 상수 a의 값을 구하시오.

126 실수 전체의 집합에서 정의된 함수 $f(x)=\begin{cases} -x+3 & (x\geq 0) \\ (a+1)x+3 & (x<0) \end{cases}$ 이 일대일대응일 때, 상수 a의 값의 범위를 구하시오.

실수 전체의 집합에서 정의된 두 함수 f, g에 대하여 f는 항등함수이고, 모든 실수 x에 대하여 $g(x)=-3$일 때, $f(5)+g(-2)$의 값을 구하시오.

풀이

함수 f는 항등함수이므로 $f(x)=x$ $\therefore f(5)=5$
모든 실수 x에 대하여 $g(x)=-3$이므로 함수 g는 상수함수이다. 즉, $g(-2)=-3$
$\therefore f(5)+g(-2)=5+(-3)=\mathbf{2}$

두 집합 $X=\{a,\ b,\ c,\ d\}$, $Y=\{0,\ 1,\ 2,\ 3\}$에 대하여 다음을 구하시오.

⑴ X에서 Y로의 함수의 개수
⑵ X에서 Y로의 함수 중 일대일대응의 개수
⑶ X에서 Y로의 함수 중 상수함수의 개수

풀이

⑴ 집합 X의 각 원소에 대응할 수 있는 집합 Y의 원소는 0, 1, 2, 3의 4개씩이므로 함수의 개수는
  $4\times4\times4\times4=4^4=\mathbf{256}$
⑵ a에 대응할 수 있는 원소는 0, 1, 2, 3 중 하나이므로 4개
  b에 대응할 수 있는 원소는 a에 대응한 것을 제외한 3개
  c에 대응할 수 있는 원소는 a, b에 대응한 것을 제외한 2개
  d에 대응할 수 있는 원소는 a, b, c에 대응한 것을 제외한 1개
  따라서 일대일대응의 개수는 $4\times3\times2\times1=\mathbf{24}$
⑶ 집합 X의 원소 a, b, c, d 모두에 대응할 수 있는 집합 Y의 원소는 0, 1, 2, 3의 4개이므로
  상수함수의 개수는 $\mathbf{4}$이다.

KEY Point

• 두 집합 X, Y의 원소가 각각 n개, m개일 때, X에서 Y로의
  ① 함수의 개수 ⇨ m^n
  ② 일대일함수의 개수 ⇨ $m\times(m-1)\times(m-2)\times\cdots\times(m-n+1)$ (단, $m\geq n$)
  ③ 일대일대응의 개수 ⇨ $m\times(m-1)\times(m-2)\times\cdots\times2\times1$ (단, $m=n$)
  ④ 상수함수의 개수 ⇨ m

확인 체크

127 실수 전체의 집합에서 정의된 두 함수 f, g에 대하여 f는 항등함수이고, g는 상수함수이다. $f(5)=g(5)$일 때, $f(7)+g(7)$의 값을 구하시오.

128 두 집합 $X=\{-1,\ 0,\ 1\}$, $Y=\{-2,\ -1,\ 0,\ 1,\ 2\}$에 대하여 X에서 Y로의 함수의 개수를 a, 일대일함수의 개수를 b, 상수함수의 개수를 c라 할 때, $a+b+c$의 값을 구하시오.

💡 생각해 봅시다!

95 일대일함수이지만 일대일대응이 아닌 함수의 그래프인 것만을 보기에서 있는 대로 고르시오. (단, 정의역과 공역은 모두 실수 전체의 집합이다.)

| 보기 |

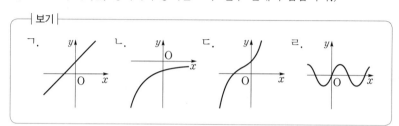

96 집합 $A=\{-1, 0, 1\}$에 대하여 A에서 A로의 함수 f가 다음과 같을 때, 항등함수가 <u>아닌</u> 것은?

① $f(x)=x$ ② $f(x)=x^3$ ③ $f(x)=x^5$

④ $f(x)=|x|$ ⑤ $f(x)=x|x|$

항등함수
⇨ 정의역의 각 원소에 자기 자신이 대응하는 함수

[교육청기출]
97 두 집합 $X=\{1, 2, 3, 4\}$, $Y=\{5, 6, 7, 8\}$에 대하여 함수 f는 X에서 Y로의 일대일대응이다. $f(1)=7$, $f(2)-f(3)=3$일 때, $f(3)+f(4)$의 값은?

① 11   ② 12   ③ 13   ④ 14   ⑤ 15

98 두 집합 $X=\{1, 2, 3\}$, $Y=\{4, 5, 6, 7, 8\}$에 대하여 함수 $f : X \longrightarrow Y$가 상수함수일 때, $f(1)+f(2)+f(3)$의 최댓값과 최솟값의 합을 구하시오.

상수함수
⇨ $f(x)=c$
    (c는 상수, $c \in$(공역))

99 두 집합 $X=\{1, 2, 3, 4\}$, $Y=\{a, b, c, d\}$에 대하여 X에서 Y로의 함수 f 중에서 $f(1)=a$, $f(2)=d$를 만족시키는 함수 f의 개수를 구하시오.

[교육청기출]

100 실수 전체의 집합 R에 대하여 함수 $f: R \longrightarrow R$가
$f(x) = a|x+2| - 4x$로 정의될 때, 이 함수가 일대일대응이 되도록 하는 정수 a의 개수를 구하시오.

일대일대응
⇨ (i) 일대일함수
　(ii) (치역)=(공역)

101 두 집합 $X = \{x \,|\, 0 \le x \le 4\}$, $Y = \{y \,|\, 0 \le y \le 4\}$에 대하여 X에서 Y로의 함수
$$f(x) = \begin{cases} \dfrac{1}{2}x & (0 \le x < 2) \\ ax+b & (2 \le x \le 4) \end{cases}$$
가 일대일대응일 때, $f(3)$의 값을 구하시오. (단, $a < 0$이고, a, b는 상수)

102 집합 X를 정의역으로 하는 함수 $f(x) = x^3 + x^2 - x$가 항등함수가 되도록 하는 집합 X의 개수를 구하시오. (단, $X \ne \varnothing$)

항등함수
⇨ $f(x) = x$

103 두 집합 $X = \{a, b, c\}$, $Y = \{d, e\}$에 대하여 X에서 Y로의 함수 중 치역과 공역이 같은 것의 개수를 구하시오.

치역이 $\{d\}$ 또는 $\{e\}$인 경우를 제외한다.

실력 UP

104 집합 $X = \{a, b, c\}$에 대하여 X에서 X로의 함수
$$f(x) = \begin{cases} -4 & (x < -2) \\ 2x+1 & (-2 \le x \le 1) \\ 3 & (x > 1) \end{cases}$$
이 항등함수일 때, $a+b+c$의 값을 구하시오. (단, a, b, c는 상수)

실력 UP

105 집합 $X = \{-3, -1, 0, 1, 3\}$에 대하여 X에서 X로의 함수 중에서 $f(x) = f(-x)$를 만족시키는 함수 f의 개수를 구하시오.

03 | 합성함수

1. 함수

1. 합성함수 ▷ 필수예제 **9, 10**

(1) 세 집합 X, Y, Z에 대하여 두 함수 f, g가
$f : X \longrightarrow Y$, $g : Y \longrightarrow Z$일 때, 집합 X의 각 원소 x에 집합 Y의 원소 $f(x)$를 대응시키고, 다시 이 $f(x)$에 집합 Z의 원소 $g(f(x))$를 대응시키면 X를 정의역, Z를 공역으로 하는 새로운 함수를 정의할 수 있다.

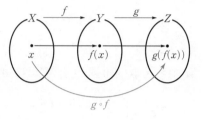

이 함수를 f와 g의 **합성함수**라 하고 기호로 $g \circ f$와 같이 나타낸다.

(2) 함수 $g \circ f : X \longrightarrow Z$에서 x의 함숫값을 기호로 $(g \circ f)(x)$와 같이 나타낸다. 이때 집합 X의 원소 x에 집합 Z의 원소 $g(f(x))$가 대응하므로

$$g \circ f : X \longrightarrow Z, \quad (g \circ f)(x) = g(f(x)) \qquad \leftarrow g(x)\text{의 } x \text{ 대신 } f(x)\text{를 대입하라는 뜻}$$

따라서 f와 g의 합성함수를 $y = g(f(x))$와 같이 나타낼 수 있다.

▶ ① 합성함수를 영어로 composite function이라 한다.
② 함수 f의 치역이 함수 g의 정의역의 부분집합일 때에만 합성함수 $g \circ f$가 정의된다. 즉,
    (f의 치역)$\subset$(g의 정의역)
③ 합성함수 $g \circ f$의 정의역은 f의 정의역과 같고, 공역은 g의 공역과 같다.
④ $g \circ f \Rightarrow$ 함수 f를 함수 g에 합성한 함수
    $f \circ g \Rightarrow$ 함수 g를 함수 f에 합성한 함수

설명   두 함수 $f : X \longrightarrow Y$, $g : Y \longrightarrow Z$가 [그림 1]과 같을 때, $f(1) = 2$이고 $g(2) = 7$이므로 $g(f(1)) = 7$이다.
이와 같이 생각하면 $(g \circ f)(1) = g(f(1)) = g(2) = 7$, $(g \circ f)(2) = g(f(2)) = g(6) = 5$,
$(g \circ f)(3) = g(f(3)) = g(6) = 5$이므로 합성함수 $g \circ f : X \longrightarrow Z$는 [그림 2]와 같다.

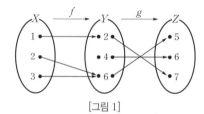

[그림 1]

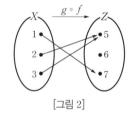

[그림 2]

따라서 이 대응 관계는 X에서 Z로의 새로운 함수가 되고 이 함수를 $g \circ f$와 같이 나타낸다.

예제   두 함수 $f(x) = 2x - 1$, $g(x) = x^2 + 1$에 대하여 다음을 구하시오.
(1) $(f \circ g)(3)$ (2) $(g \circ f)(-2)$ (3) $(f \circ f)(2)$

풀이   (1) $(f \circ g)(3) = f(g(3)) = f(3^2 + 1) = f(10) = 2 \times 10 - 1 = 19$
(2) $(g \circ f)(-2) = g(f(-2)) = g(2 \times (-2) - 1) = g(-5) = (-5)^2 + 1 = 26$
(3) $(f \circ f)(2) = f(f(2)) = f(2 \times 2 - 1) = f(3) = 2 \times 3 - 1 = 5$

2. 합성함수의 성질 ▷ 필수예제 **11**

일반적으로 합성함수는 다음과 같은 성질을 갖는다.

세 함수 f, g, h에 대하여

(1) $g \circ f \neq f \circ g$ ← 교환법칙이 성립하지 않는다.

(2) $h \circ (g \circ f) = (h \circ g) \circ f$ ← 결합법칙이 성립한다.

(3) $f \circ I = I \circ f = f$ (단, I는 항등함수)

▶ $h \circ (g \circ f) = (h \circ g) \circ f$ 가 성립하므로 $h \circ g \circ f$ 와 같이 표현할 수 있다.
    즉, $(h \circ (g \circ f))(x) = ((h \circ g) \circ f)(x) = (h \circ g \circ f)(x) = h(g(f(x)))$

증명   (1) [반례] 두 함수 $f(x) = 2x + 3$, $g(x) = 4x - 2$에 대하여

$$(g \circ f)(x) = g(f(x)) = g(2x + 3) = 4(2x + 3) - 2 = 8x + 10$$
$$(f \circ g)(x) = f(g(x)) = f(4x - 2) = 2(4x - 2) + 3 = 8x - 1$$
$$\therefore g \circ f \neq f \circ g \Rightarrow \text{교환법칙이 성립하지 않는다.}$$

(2) 세 함수 $f : X \longrightarrow Y$, $g : Y \longrightarrow Z$, $h : Z \longrightarrow W$에 대하여

$$g \circ f : X \longrightarrow Z \text{이므로} \ h \circ (g \circ f) : X \longrightarrow W$$
$$h \circ g : Y \longrightarrow W \text{이므로} \ (h \circ g) \circ f : X \longrightarrow W$$

따라서 두 합성함수 $h \circ (g \circ f)$와 $(h \circ g) \circ f$는 모두 X에서 W로의 함수이다.

이때 정의역 X의 임의의 원소 x에 대하여

$$(h \circ (g \circ f))(x) = h((g \circ f)(x)) = h(g(f(x)))$$
$$((h \circ g) \circ f)(x) = (h \circ g)(f(x)) = h(g(f(x)))$$
$$\therefore h \circ (g \circ f) = (h \circ g) \circ f \Rightarrow \text{결합법칙이 성립한다.}$$

(3) 항등함수 I에 대하여 $I(x) = x$이므로

$$(f \circ I)(x) = f(I(x)) = f(x)$$
$$(I \circ f)(x) = I(f(x)) = f(x)$$
$$\therefore f \circ I = I \circ f = f$$

예제   세 함수 f, g, h에 대하여

$$(h \circ g)(x) = 3x + 2, \ f(x) = -2x + 1$$

일 때, 다음을 구하시오.

(1) $((h \circ g) \circ f)(1)$ (2) $(h \circ (g \circ f))(2)$

풀이   (1) $f(1) = -2 \times 1 + 1 = -1$이므로
$$((h \circ g) \circ f)(1) = (h \circ g)(f(1)) = (h \circ g)(-1) = 3 \times (-1) + 2 = -1$$

(2) $f(2) = -2 \times 2 + 1 = -3$이므로
$$(h \circ (g \circ f))(2) = ((h \circ g) \circ f)(2) = (h \circ g)(f(2)) = (h \circ g)(-3) = 3 \times (-3) + 2 = -7$$

KEY Point
- $(g \circ f)(x) = g(f(x))$
- $(h \circ (g \circ f))(x) = ((h \circ g) \circ f)(x) = (h \circ g \circ f)(x) = h(g(f(x)))$

129 두 함수 f, g가 아래 그림과 같을 때, 다음을 구하시오.

🟡 생각해 봅시다!

$(g \circ f)(x) = g(f(x))$
$(f \circ g)(x) = f(g(x))$

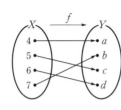 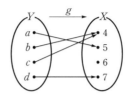

(1) $(g \circ f)(5)$ (2) $(g \circ f)(6)$

(3) $(g \circ f)(7)$ (4) $(f \circ g)(a)$

(5) $(f \circ g)(b)$ (6) $(f \circ g)(c)$

130 두 함수 $f(x) = 2x+3$, $g(x) = -x^2$에 대하여 다음을 구하시오.

$(g \circ f)(x) = g(f(x))$
⇨ $g(x)$의 x 대신 $f(x)$를 대입하라는 뜻이다.

(1) $(g \circ f)(x)$

(2) $(f \circ g)(x)$

(3) $(f \circ f)(x)$

(4) $(g \circ g)(x)$

131 세 함수 $f(x) = x^2 - 2$, $g(x) = -x+5$, $h(x) = 2x-1$에 대하여 다음을 구하시오.

(1) $((f \circ g) \circ h)(x)$

(2) $(f \circ (g \circ h))(x)$

(3) $((g \circ f) \circ h)(x)$

(4) $(f \circ (h \circ g))(x)$

함수 $f : X \longrightarrow X$가 오른쪽 그림과 같을 때, 다음을 구하시오.

(1) $f(2)+(f \circ f)(2)+(f \circ f \circ f)(2)$

(2) 함수 $f \circ f$의 치역

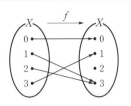

풀이

(1) $f(2)=3$이므로

$(f \circ f)(2)=f(f(2))=f(3)=1$

$(f \circ f \circ f)(2)=f((f \circ f)(2))=f(1)=3$

$\therefore f(2)+(f \circ f)(2)+(f \circ f \circ f)(2)=3+1+3=\mathbf{7}$

(2) $(f \circ f)(0)=f(f(0))=f(0)=0$

$(f \circ f)(1)=f(f(1))=f(3)=1$

$(f \circ f)(2)=f(f(2))=f(3)=1$

$(f \circ f)(3)=f(f(3))=f(1)=3$

따라서 $f \circ f$의 치역은 $\mathbf{\{0, 1, 3\}}$이다.

KEY Point

• $(g \circ f)(x)=g(f(x))$　←— $g(x)$의 x 대신 $f(x)$를 대입하라는 뜻

---

132 두 함수 $f : X \longrightarrow Y$, $g : Y \longrightarrow Z$가 오른쪽 그림과 같을 때, $(g \circ f)(x)=3$을 만족시키는 x의 값을 구하시오.

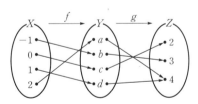

133 두 함수 $f(x)=2x-1$, $g(x)=\begin{cases} -x+3 & (x \geq 1) \\ 5 & (x < 1) \end{cases}$에 대하여 $(f \circ g)(2)+(g \circ f)(-1)$의 값을 구하시오.

134 집합 $X=\{1, 2, 3\}$에 대하여 X에서 X로의 두 함수 f, g가 모두 일대일대응이고 $f(2)=g(1)=3$, $(g \circ f)(2)=(f \circ g)(1)=1$일 때, $f(1)+(g \circ f)(1)$의 값을 구하시오.

두 함수 $f(x)=ax+3$, $g(x)=-x+4$에 대하여 $f \circ g = g \circ f$가 성립할 때, 상수 a의 값을 구하시오.

풀이

$$(f \circ g)(x)=f(g(x))=f(-x+4)$$
$$=a(-x+4)+3=-ax+4a+3$$
$$(g \circ f)(x)=g(f(x))=g(ax+3)$$
$$=-(ax+3)+4=-ax+1$$

$f \circ g = g \circ f$이므로

$$-ax+4a+3=-ax+1$$

$$4a+3=1 \qquad \therefore a=-\frac{1}{2}$$

KEY Point

• $(g \circ f)(x)=g(f(x))$

• $f \circ g = g \circ f$가 성립 $\Rightarrow f(g(x))=g(f(x))$임을 이용한다.

확인 체크

135 두 함수 $f(x)=2x+3$, $g(x)=-x+k$에 대하여 $f \circ g = g \circ f$가 성립할 때, $g(-2)$의 값을 구하시오. (단, k는 상수)

136 두 함수 $f(x)=ax-1$, $g(x)=bx+2$에 대하여 $f \circ g = g \circ f$, $g(3)=-1$이 성립할 때, 상수 a, b에 대하여 ab의 값을 구하시오.

137 함수 $f:X \longrightarrow X$가 오른쪽 그림과 같고, 함수 $g:X \longrightarrow X$가 $g(1)=3$, $f \circ g = g \circ f$를 만족시킬 때, $g(2)+g(4)$의 값을 구하시오.

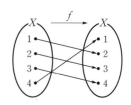

두 함수 $f(x)=x+2$, $g(x)=3x+1$에 대하여 다음을 만족시키는 함수 $h(x)$를 구하시오.

(1) $(f \circ h)(x) = g(x)$ (2) $(h \circ f)(x) = g(x)$ (3) $(h \circ g \circ f)(x) = f(x)$

풀이

(1) $(f \circ h)(x) = f(h(x)) = h(x) + 2$이고, $(f \circ h)(x) = g(x)$이므로
$$h(x) + 2 = 3x + 1$$
$$\therefore \boldsymbol{h(x) = 3x - 1}$$

(2) $(h \circ f)(x) = h(f(x)) = h(x+2)$이고, $(h \circ f)(x) = g(x)$이므로
$$h(x+2) = 3x+1 \quad \cdots\cdots \ominus$$
$x+2 = t$라 하면 $x = t-2$이므로 ⊙에 대입하면
$$h(t) = 3(t-2) + 1 = 3t - 5$$
여기서 t를 x로 바꾸면
$$\boldsymbol{h(x) = 3x - 5}$$

(3) $(h \circ g \circ f)(x) = h(g(f(x))) = h(g(x+2))$
$$= h(3x+7) \quad \leftarrow g(x+2) = 3(x+2)+1 = 3x+7$$
이고, $(h \circ g \circ f)(x) = f(x)$이므로
$$h(3x+7) = x+2 \quad \cdots\cdots \ominus$$
$3x+7 = t$라 하면 $x = \dfrac{1}{3}t - \dfrac{7}{3}$이므로 ⊙에 대입하면
$$h(t) = \dfrac{1}{3}t - \dfrac{7}{3} + 2 = \dfrac{1}{3}t - \dfrac{1}{3}$$
여기서 t를 x로 바꾸면
$$\boldsymbol{h(x) = \dfrac{1}{3}x - \dfrac{1}{3}}$$

KEY Point

함수 $h(x)$를 구하는 방법
- $h(f(x)) = g(x)$의 꼴 ⇨ $f(x) = t$로 놓고 $h(t)$를 구한다.
- $h(g(f(x))) = f(x)$의 꼴 ⇨ $g(f(x))$를 구하여 정리한 후 $g(f(x)) = t$로 놓고 $h(t)$를 구한다.

확인 체크

138 두 함수 $f(x) = 2x-1$, $g(x) = -3x+4$에 대하여 다음을 만족시키는 함수 $h(x)$를 구하시오.

(1) $(f \circ h)(x) = g(x)$ (2) $(h \circ f)(x) = g(x)$ (3) $(h \circ g \circ f)(x) = g(x)$

139 실수 전체의 집합에서 정의된 함수 f가 $f\left(\dfrac{x+1}{2}\right) = 3x+2$를 만족시킬 때, $f\left(\dfrac{1-2x}{3}\right)$를 구하시오.

함수 $f(x)=x+1$에 대하여
$$f^1=f, f^2=f \circ f, f^3=f \circ f^2, \cdots, f^{n+1}=f \circ f^n \ (n\text{은 자연수})$$
으로 정의할 때, $f^{10}(a)=30$을 만족시키는 a의 값을 구하시오.

풀이

$f^1(x)=f(x)=x+1$

$f^2(x)=(f \circ f)(x)=f(f(x))=f(x+1)=(x+1)+1=x+2$

$f^3(x)=(f \circ f^2)(x)=f(f^2(x))=f(x+2)=(x+2)+1=x+3$

$f^4(x)=(f \circ f^3)(x)=f(f^3(x))=f(x+3)=(x+3)+1=x+4$

$\qquad \vdots$

$\therefore f^n(x)=x+n$

따라서 $f^{10}(x)=x+10$이므로 $f^{10}(a)=30$에서

$a+10=30 \qquad \therefore a=\mathbf{20}$

KEY Point

• 함수 f에 대하여 $f^1=f, f^{n+1}=f \circ f^n \ (n\text{은 자연수})$일 때
⇨ $f^2, f^3, f^4, \cdots$를 직접 구하여 f^n을 추정한다.

확인 체크

140 함수 $f(x)=x+2$에 대하여 $f^1=f, f^{n+1}=f \circ f^n \ (n\text{은 자연수})$으로 정의할 때, $f^{2019}(1)$의 값을 구하시오.

141 함수 $f(x)=\dfrac{x}{3}$에 대하여
$$f^1=f, f^2=f \circ f, f^3=f \circ f^2, \cdots, f^{n+1}=f \circ f^n \ (n\text{은 자연수})$$
으로 정의할 때, $f^5(729)+f^4(243)$의 값을 구하시오.

142 함수 $f : X \longrightarrow X$가 오른쪽 그림과 같고
$$f^1=f, f^{n+1}=f \circ f^n \ (n\text{은 자연수})$$
으로 정의할 때, $f^{100}(1)+f^{101}(3)$의 값을 구하시오.

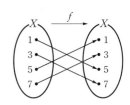

$0 \leq x \leq 2$에서 정의된 두 함수 $y=f(x)$와 $y=g(x)$의 그래프가 오른쪽 그림과 같을 때, 합성함수 $y=(f \circ g)(x)$의 그래프를 그리시오.

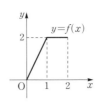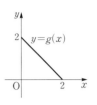

설명
함수 $y=f(x)$의 그래프가 꺾인 점(함수식이 달라지는 경계가 되는 점)을 기준으로 정의역의 범위를 나누어 함수의 식을 구한다.

주어진 두 그래프로부터 두 함수 $f(x)$, $g(x)$의 식을 구해 보자.

함수 $y=f(x)$의 그래프는 $0 \leq x \leq 1$에서는 두 점 $(0, 0)$, $(1, 2)$를 지나는 직선이고 $1 \leq x \leq 2$에서는 직선 $y=2$이므로

$$f(x) = \begin{cases} 2x & (0 \leq x \leq 1) \\ 2 & (1 \leq x \leq 2) \end{cases}$$

또, 함수 $y=g(x)$의 그래프는 $0 \leq x \leq 2$에서 두 점 $(0, 2)$, $(2, 0)$을 지나는 직선이므로

$$g(x) = -x + 2 \quad (0 \leq x \leq 2)$$

이때 $(f \circ g)(x) = f(g(x)) = \begin{cases} 2g(x) & (0 \leq g(x) \leq 1) \\ 2 & (1 \leq g(x) \leq 2) \end{cases}$ 이고, 오른쪽 그림에서

$0 \leq g(x) \leq 1$인 x의 값의 범위는 $1 \leq x \leq 2$, $1 \leq g(x) \leq 2$인 x의 값의 범위는 $0 \leq x \leq 1$이다.

풀이
주어진 그래프로부터

$$f(x) = \begin{cases} 2x & (0 \leq x \leq 1) \\ 2 & (1 \leq x \leq 2) \end{cases}, \quad g(x) = -x + 2 \quad (0 \leq x \leq 2)$$

$$\therefore (f \circ g)(x) = f(g(x)) = \begin{cases} 2g(x) & (0 \leq g(x) \leq 1) \\ 2 & (1 \leq g(x) \leq 2) \end{cases}$$

$$= \begin{cases} 2(-x+2) & (0 \leq -x+2 \leq 1) \\ 2 & (1 \leq -x+2 \leq 2) \end{cases} \quad \leftarrow g(x) = -x+2$$

$$= \begin{cases} 2 & (0 \leq x \leq 1) \\ -2x+4 & (1 \leq x \leq 2) \end{cases}$$

따라서 함수 $y=(f \circ g)(x)$의 그래프는 오른쪽 그림과 같다.

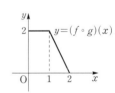

• 합성함수 $(f \circ g)(x)$의 그래프
  (ⅰ) 구간에 따른 $f(x)$, $g(x)$의 식을 구한다.
  　　이때 꺾인 점을 기준으로 정의역의 범위를 나누어 함수의 식을 생각한다.
  (ⅱ) $f(g(x))$의 식을 구한 후 그래프를 그린다.

**확인
체크** **143** 두 함수 $y=f(x)\,(0 \leq x \leq 2)$와 $y=g(x)\,(-1 \leq x \leq 1)$의 그래프가 오른쪽 그림과 같을 때, 합성함수 $y=(g \circ f)(x)$의 그래프를 그리시오.

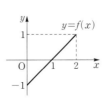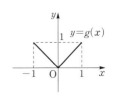

연습문제

정답과 풀이 **77**쪽

STEP **1**

😊 **생각해 봅시다!**
$(g \circ f)(a) = g(f(a))$
$(g \circ f)(b) = g(f(b))$

106 두 함수
$$f : X \longrightarrow Z, \, g : Z \longrightarrow Y$$
가 오른쪽 그림과 같을 때,
$(g \circ f)(a) + (g \circ f)(b)$의 값을 구하시오.

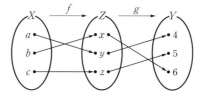

107 두 함수 $f(x) = \begin{cases} -x^2 & (x \geq 0) \\ x^2 & (x < 0) \end{cases}$, $g(x) = -x$에 대하여
$(f \circ f \circ g \circ g)(\sqrt{2})$의 값을 구하시오.

108 세 함수 f, g, h에 대하여 $(f \circ g)(x) = x^2 + 4$, $h(x) = x - 1$일 때,
$(f \circ (g \circ h))(x) = 20$을 만족시키는 모든 실수 x의 값의 합을 구하시오.

함수의 합성에 대한 결합
법칙이 성립한다.
$\Rightarrow f \circ (g \circ h)$
$\quad = (f \circ g) \circ h$

109 두 함수 $f(x) = -ax + b$, $g(x) = 3x + 4$가 $f \circ g = g \circ f$를 만족시킬 때, 함수 $y = f(x)$의 그래프는 a의 값에 관계없이 한 점 (m, n)을 지난다. 이때 $m + n$의 값을 구하시오. (단, a, b는 상수)

[교육청기출]

110 두 함수 $f(x) = \dfrac{1}{2}x + 1$, $g(x) = -x^2 + 5$가 있다. 모든 실수 x에 대하여 함수 $h(x)$가 $(f \circ h)(x) = g(x)$를 만족시킬 때, $h(3)$의 값은?

① -10 ② -5 ③ 0 ④ 5 ⑤ 10

STEP **2**

[교육청기출]

111 두 함수 $f(x) = x + a$, $g(x) = \begin{cases} x - 2 & (x < 2) \\ x^2 & (x \geq 2) \end{cases}$에 대하여
$(f \circ g)(0) + (g \circ f)(0) = 10$을 만족시키는 상수 a의 값을 구하시오.

112 두 함수 $f(x)=-x$, $g(x)=2x-1$에 대하여 $h \circ g \circ f=f$를 만족시키는 일차함수 $h(x)$가 있다. $h(k)=4$일 때, 상수 k의 값을 구하시오.

함수 h가 일차함수이므로
$h(x)=ax+b$
(a, b는 상수, $a \neq 0$)
로 놓는다.

113 집합 $X=\{1, 2, 3, 4, 5\}$에 대하여 함수 $f : X \longrightarrow X$가
$f(x)=\begin{cases} 5 & (x=1) \\ x-1 & (x>1) \end{cases}$이고, $f^1=f$, $f^{n+1}=f \circ f^n$ (n은 자연수)으로 정의할 때, $f^{2022}(3)$의 값을 구하시오.

114 $0 \leq x \leq 4$에서 정의된 함수 $y=f(x)$의 그래프가 오른쪽 그림과 같을 때, $f^{100}(1)$의 값을 구하시오.
(단, $f^1=f$, $f^{n+1}=f \circ f^n$, n은 자연수)

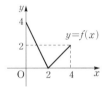

구간을 나누어 함수의 식을 구한다.

115 $0 \leq x \leq 1$에서 정의된 함수 $y=f(x)$의 그래프가 오른쪽 그림과 같을 때, 합성함수 $y=(f \circ f)(x)$의 그래프를 그리시오.

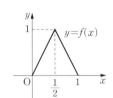

$0 \leq x \leq \dfrac{1}{2}$, $\dfrac{1}{2} \leq x \leq 1$에서 함수 $f(x)$의 식을 각각 구한다.

실력 UP
116 두 함수 $f(x)=x-4$, $g(x)=\begin{cases} -x+7 & (x<0) \\ 2x^2-4ax+7 & (x \geq 0) \end{cases}$에 대하여 합성함수 $f \circ g$의 치역이 $\{y|y \geq 1\}$일 때, 상수 a의 값을 구하시오.

실력 UP
117 두 함수 $y=f(x)$와 $y=g(x)$의 그래프가 다음 그림과 같다. 이때 합성함수 $y=(g \circ f)(x)$의 그래프를 그리시오.

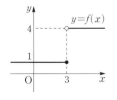 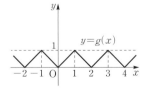

$x \leq 3$, $x>3$인 범위로 나누어 생각한다.

1. 역함수   ▷ 필수예제 **14, 15**

(1) 함수 $f : X \longrightarrow Y$가 일대일대응일 때, 집합 Y의 각 원소 y
에 대하여 $f(x)=y$인 집합 X의 원소 x가 오직 하나씩 존
재한다.
이때 Y의 각 원소 y에 $f(x)=y$인 X의 원소 x를 대응시키
면 Y를 정의역, X를 공역으로 하는 새로운 함수를 정의할
수 있다.
이 함수를 f의 **역함수**라 하고 기호로 $\boldsymbol{f^{-1}}$와 같이 나타낸다.
$$f^{-1} : Y \longrightarrow X,\ \boldsymbol{x=f^{-1}(y)}$$

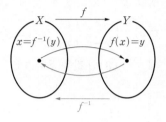

(2) **역함수가 존재할 조건**

함수 $f : X \longrightarrow Y$의 역함수 f^{-1}가 존재할 필요충분조건은 f가 **일대일대응**인 것이다.

▶ ① 역함수를 영어로 inverse function이라 하고, f^{-1}는 'f의 역함수' 또는 'f inverse'라 읽는다.
　② 함수 f의 치역이 역함수 f^{-1}의 정의역이 되고, 함수 f의 정의역이 역함수 f^{-1}의 치역이 된다.

설명　(2) 다음 그림과 같이 함수 $f : X \longrightarrow Y$가 일대일대응이면 역의 대응도 함수가 되고 이 함수를 f의 역함수라 한다.

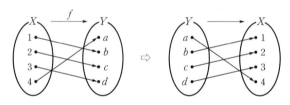

그러나 다음 그림과 같이 함수 $g : X \longrightarrow Y$가 일대일대응이 아니면 역의 대응은 함수가 아니다. 즉, 이 경우는 역
함수가 정의되지 않는다.

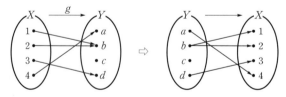

따라서 주어진 함수의 역함수가 존재할 필요충분조건은 주어진 함수가 일대일대응인 것이다.

예　오른쪽 그림과 같은 함수 $f : X \longrightarrow Y$
에 대하여
$f(1)=b, f(2)=c, f(3)=a$
이므로
$f^{-1}(b)=1, f^{-1}(c)=2, f^{-1}(a)=3$

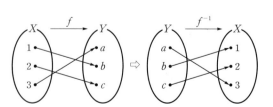

2. 역함수 구하기   ▷ 필수예제 **16**

함수를 나타낼 때는 일반적으로 정의역의 원소를 x, 치역의 원소를 y로 나타내므로 함수 $y=f(x)$의 역함수 $x=f^{-1}(y)$도 x와 y를 서로 바꾸어 $y=f^{-1}(x)$와 같이 나타낸다.

이때 함수 $y=f(x)$의 역함수 $y=f^{-1}(x)$는 다음과 같은 순서로 구한다.

　(ⅰ) 주어진 함수가 **일대일대응**인지를 확인한다.

　(ⅱ) $y=f(x)$를 x에 대하여 푼다. 즉, $\boldsymbol{x=f^{-1}(y)}$**의 꼴로 나타낸다.**

　(ⅲ) $x=f^{-1}(y)$에서 $\boldsymbol{x}$**와** $\boldsymbol{y}$**를 서로 바꾸어** $y=f^{-1}(x)$로 나타낸다.

　이때 함수 f의 치역이 역함수 f^{-1}의 정의역이 되고, 함수 f의 정의역이 역함수 f^{-1}의 치역이 된다.

$$y=f(x) \xrightarrow{\;x\text{에 대하여 푼다.}\;} x=f^{-1}(y) \xrightarrow{\;x\text{와 }y\text{를 서로 바꾼다.}\;} y=f^{-1}(x)$$

예제　함수 $y=x+2$의 역함수를 구하시오.

풀이　함수 $y=x+2$는 일대일대응이므로 역함수가 존재한다.

　　　$y=x+2$를 x에 대하여 풀면 $x=y-2$

　　　x와 y를 서로 바꾸면 구하는 역함수는 $y=x-2$

3. 역함수의 성질   ▷ 필수예제 **17**

　(1) 함수 $f:X \longrightarrow Y$가 일대일대응일 때, 그 역함수 $f^{-1}:Y \longrightarrow X$에 대하여

　　① $(f^{-1})^{-1}=f$　　　　　　　　　　　　　　← f^{-1}의 역함수는 f

　　② $(f^{-1}\circ f)(x)=x \ (x \in X)$, 즉 $f^{-1}\circ f=I_X$　　← $f^{-1}\circ f$는 X에서의 항등함수

　　　$(f\circ f^{-1})(y)=y \ (y \in Y)$, 즉 $f\circ f^{-1}=I_Y$　　← $f\circ f^{-1}$는 Y에서의 항등함수

　(2) 두 함수 $f:X \longrightarrow Y$, $g:Y \longrightarrow X$에 대하여

　　　$g\circ f=I_X,\ f\circ g=I_Y \Longleftrightarrow g=f^{-1}$

　(3) 세 함수 $f,\ g,\ h$가 모두 일대일대응이고 그 역함수가 각각 $f^{-1},\ g^{-1},\ h^{-1}$일 때,

　　① $(g\circ f)^{-1}=f^{-1}\circ g^{-1}$

　　② $(h\circ g\circ f)^{-1}=f^{-1}\circ g^{-1}\circ h^{-1}$

▶　① 함수 f와 그 역함수 f^{-1}를 합성한 결과는 항등함수이다.
　　② 함수 f와 합성한 결과가 항등함수인 함수는 f의 역함수이다.
　　③ $f^{-1}\circ f=I_X, f\circ f^{-1}=I_Y$에서 일반적으로 $I_X \neq I_Y$이므로 $f^{-1}\circ f \neq f\circ f^{-1}$이다.

증명 (1) ① $y=f(x)$에서 역함수의 정의로부터 $x=f^{-1}(y)$

　　　　$x=f^{-1}(y)$에서 역함수의 정의로부터 $y=(f^{-1})^{-1}(x)$

　　　　즉, $y=f(x), y=(f^{-1})^{-1}(x)$이므로 $f(x)=(f^{-1})^{-1}(x)$

　　　　　　$\therefore (f^{-1})^{-1}=f$

　　　② $(f^{-1}\circ f)(x)=f^{-1}(f(x))=f^{-1}(y)=x\ (x\in X)$

　　　　　　$\therefore f^{-1}\circ f=I_X$　←─ 집합 X에서의 항등함수

　　　　$(f\circ f^{-1})(y)=f(f^{-1}(y))=f(x)=y\ (y\in Y)$

　　　　　　$\therefore f\circ f^{-1}=I_Y$　←─ 집합 Y에서의 항등함수

(2) $\Longleftarrow$는 (1)의 ②에 의해 성립하므로 $\Longrightarrow$만 보이면 된다.

　　$g\circ f=I_X$에서 $(g\circ f)(x)=I_X(x)=x$이므로 f는 일대일함수이다.

　　또, $f\circ g=I_Y$에서 $(f\circ g)(y)=I_Y(y)=y$이므로 f의 치역과 공역은 서로 같다.

　　따라서 f는 일대일대응이고 역함수 f^{-1}가 존재하므로

　　　　$g=g\circ I_Y=g\circ(f\circ f^{-1})=(g\circ f)\circ f^{-1}=I_X\circ f^{-1}=f^{-1}$

　　　$\therefore g=f^{-1}$

(3) ① $(g\circ f)\circ(f^{-1}\circ g^{-1})=g\circ(f\circ f^{-1})\circ g^{-1}$

　　　　　　　　　　　　　$=g\circ I\circ g^{-1}=g\circ g^{-1}=I$

　　마찬가지로 $(f^{-1}\circ g^{-1})\circ(g\circ f)=I$

　　따라서 $f^{-1}\circ g^{-1}$는 $g\circ f$의 역함수이다.

　　　$\therefore (g\circ f)^{-1}=f^{-1}\circ g^{-1}$

　　② $(h\circ g\circ f)\circ(f^{-1}\circ g^{-1}\circ h^{-1})=h\circ g\circ(f\circ f^{-1})\circ g^{-1}\circ h^{-1}$

　　　　　　　　　　　　　$=h\circ g\circ I\circ g^{-1}\circ h^{-1}=h\circ g\circ g^{-1}\circ h^{-1}$

　　　　　　　　　　　　　$=h\circ(g\circ g^{-1})\circ h^{-1}=h\circ I\circ h^{-1}=h\circ h^{-1}=I$

　　마찬가지로 $(f^{-1}\circ g^{-1}\circ h^{-1})\circ(h\circ g\circ f)=I$

　　　$\therefore (h\circ g\circ f)^{-1}=f^{-1}\circ g^{-1}\circ h^{-1}$

4. 역함수의 그래프　　▷ 필수예제 **18, 19**

함수 $y=f(x)$의 그래프와 그 역함수 $y=f^{-1}(x)$의 그래프는 **직선 $y=x$에 대하여 대칭**이다.

설명 함수 $y=f(x)$의 역함수 $y=f^{-1}(x)$가 존재할 때, 함수 $y=f(x)$의 그래프 위의 임의의 점 (a, b)에 대하여

　　　$b=f(a) \Longleftrightarrow a=f^{-1}(b)$

가 성립하므로 점 (b, a)는 역함수 $y=f^{-1}(x)$의 그래프 위의 점이다.
이때 점 (a, b)와 점 (b, a)는 직선 $y=x$에 대하여 대칭이므로 함수 $y=f(x)$의 그래프와 그 역함수 $y=f^{-1}(x)$의 그래프는 직선 $y=x$에 대하여 대칭이다.

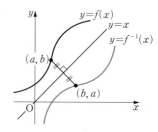

개념원리 익히기

144 다음 함수 f의 역함수가 존재하는지 말하시오.

(1)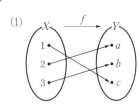

(2)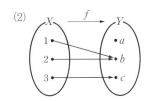

(3)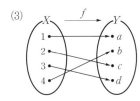

(4)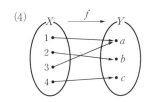

> 💡 **생각해 봅시다!**
>
> 함수 $y=f(x)$의 역함수가 존재하기 위한 필요충분조건은 함수 $y=f(x)$가 일대일대응인 것이다.

145 다음 함수의 역함수를 구하시오.

(1) $y=4x-2$

(2) $y=-\dfrac{1}{2}x+\dfrac{3}{2}$

> 역함수 구하기
> ⇨ 일대일대응인 함수 $y=f(x)$에서 x에 대하여 푼 후, x와 y를 서로 바꾸어 $y=f^{-1}(x)$로 나타낸다.

146 오른쪽 그림과 같이 주어진 함수 f에 대하여 다음을 구하시오.

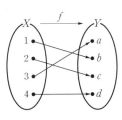

(1) $f^{-1}(b)$

(2) $(f^{-1})^{-1}(2)$

(3) $(f^{-1}\circ f)(4)$

(4) $(f\circ f^{-1})(a)$

147 함수 $f(x)=-2x+3$에 대하여 다음 등식을 만족시키는 상수 a의 값을 구하시오.

(1) $f^{-1}(5)=a$

(2) $f^{-1}(a)=-2$

> $f^{-1}(a)=b$이면
> ⇨ $f(b)=a$

필수 예제 14 역함수

↻ 더 다양한 문제는 **RPM** 수학(하) 69, 71쪽

다음 물음에 답하시오.

(1) 함수 $f(x)=ax+b$에 대하여 $f(-3)=-3$, $f^{-1}(7)=2$일 때, 상수 a, b의 값을 구하시오.

(2) 함수 $f(x)=ax+b$에 대하여 $f^{-1}(2)=0$, $f(f(0))=3$일 때, $f(6)$의 값을 구하시오.

(단, a, b는 상수)

설명 $f^{-1}(a)=b$이면 $f(b)=a$임을 이용한다.

풀이
(1) $f(-3)=-3a+b=-3$ ...... ㉠

$f^{-1}(7)=2$에서 $f(2)=7$이므로 $f(2)=2a+b=7$ ...... ㉡

㉠, ㉡을 연립하여 풀면 $a=2$, $b=3$

(2) $f^{-1}(2)=0$에서 $f(0)=2$이므로 $f(0)=b=2$ ...... ㉠

또, $f(f(0))=f(2)=3$이므로 $2a+b=3$ ...... ㉡

㉠, ㉡을 연립하여 풀면 $a=\dfrac{1}{2}$, $b=2$

$\therefore f(x)=\dfrac{1}{2}x+2$

$\therefore f(6)=\dfrac{1}{2}\times6+2=\mathbf{5}$

KEY Point
• 함수 f의 역함수가 f^{-1}일 때, $f^{-1}(a)=b \Longleftrightarrow f(b)=a$

확인 체크

148 함수 $f(x)=-2x+6$의 역함수를 $g(x)$라 할 때, $g(8)+g^{-1}(3)$의 값을 구하시오.

149 두 함수 $f(x)=2x+a$, $g(x)=-2x+b$에 대하여 $f^{-1}(3)=2$, $g^{-1}(4)=-2$일 때, 상수 a, b에 대하여 $b-a$의 값을 구하시오.

150 두 함수 $f(x)=4x-2$, $g(x)=x-1$에 대하여 $(f^{-1}\circ g)(a)=1$을 만족시키는 상수 a의 값을 구하시오.

함수 $f(x)=\begin{cases} 2x & (x \geq 1) \\ 2(1-k)x+2k & (x<1) \end{cases}$ 의 역함수가 존재할 때, 실수 k의 값의 범위를 구하시오.

풀이

함수 $f(x)$의 역함수가 존재하려면 $f(x)$가 일대일대응이어야 하므로
$y=f(x)$의 그래프는 오른쪽 그림과 같아야 한다.
즉, $x<1$에서 $f(x)=2(1-k)x+2k$의 그래프의 기울기가 양수이어야 하므로
$2(1-k)>0$
$\therefore k<1$

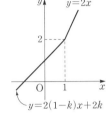

참고

$x<1$에서 $f(x)=2(1-k)x+2k$의 그래프의 기울기가 0이거나 음수인 경우의 그래프는 다음 그림과 같으므로 이 경우는 일대일대응이 아니다.

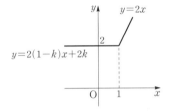
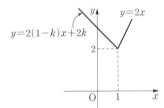

KEY Point

• 함수 f의 역함수 f^{-1}가 존재한다.
  ⇨ f가 일대일대응이다.
  ⇨ (i) 정의역의 임의의 두 원소 x_1, x_2에 대하여 $x_1 \neq x_2$이면 $f(x_1) \neq f(x_2)$
     (ii) 치역과 공역이 서로 같다.

확인 체크

151 함수 $f(x)=\begin{cases} (3k-5)x+3(k-1) & (x \geq -1) \\ -x+1 & (x<-1) \end{cases}$ 의 역함수가 존재할 때, 정수 k의 최댓값을 구하시오.

152 집합 $X=\{x|0 \leq x \leq a\}$에서 집합 $Y=\{y|b \leq y \leq 5\}$로의 함수 $f(x)=3x+2$의 역함수가 존재할 때, 상수 a, b에 대하여 $a+b$의 값을 구하시오.

153 실수 전체의 집합에서 정의된 함수 $f(x)=ax+|x-2|+3-2a$의 역함수가 존재할 때, 실수 a의 값의 범위를 구하시오.

함수 $f(x) = \dfrac{1}{2}x + a$의 역함수가 $f^{-1}(x) = bx - 2$일 때, 상수 a, b에 대하여 $a + b$의 값

을 구하시오.

풀이

$y = \dfrac{1}{2}x + a$로 놓고 x에 대하여 풀면

$\dfrac{1}{2}x = y - a$ $\therefore x = 2y - 2a$

x와 y를 서로 바꾸면 $y = 2x - 2a$

$\therefore f^{-1}(x) = 2x - 2a$

따라서 $2x - 2a = bx - 2$이므로

$2 = b$, $-2a = -2$에서 $a = 1$

$\therefore a + b = \mathbf{3}$

KEY Point

• **역함수 구하기**

$$y = f(x) \xrightarrow{\ x\text{에 대하여 푼다.}\ } x = f^{-1}(y) \xrightarrow{\ x\text{와 } y \text{를 서로 바꾼다.}\ } y = f^{-1}(x)$$

확인 체크

154 함수 $y = ax + b$의 역함수가 $y = \dfrac{1}{3}x + 2$일 때, 상수 a, b에 대하여 ab의 값을 구하시오.

155 두 함수 $f(x) = -3x + 1$, $g(x) = x - 2$에 대하여 $h(x) = (g \circ f)(x)$일 때, $h^{-1}(x)$를 구하시오.

156 실수 전체의 집합에서 정의된 함수 f에 대하여 $f(3x - 2) = 6x + 1$이고 $f^{-1}(x) = ax + b$일 때, 상수 a, b의 값을 구하시오.

두 함수 $f(x)=3x-1$, $g(x)=-2x+4$에 대하여 다음을 구하시오.

(1) $(g \circ f)^{-1}(2)$ (2) $(f \circ (g \circ f)^{-1})(-2)$

풀이

(1) $(g \circ f)^{-1}(2) = (f^{-1} \circ g^{-1})(2) = f^{-1}(g^{-1}(2))$

$g^{-1}(2)=k$라 하면 $g(k)=2$이므로

$-2k+4=2$ $\therefore k=1$

$\therefore g^{-1}(2)=1$

$f^{-1}(1)=l$이라 하면 $f(l)=1$이므로

$3l-1=1$ $\therefore l=\dfrac{2}{3}$

$\therefore f^{-1}(1)=\dfrac{2}{3}$

$\therefore (g \circ f)^{-1}(2) = f^{-1}(g^{-1}(2)) = f^{-1}(1) = \dfrac{\mathbf{2}}{\mathbf{3}}$

(2) $(f \circ (g \circ f)^{-1})(-2) = (f \circ f^{-1} \circ g^{-1})(-2)$ ← $(g \circ f)^{-1} = f^{-1} \circ g^{-1}$

$\qquad\qquad\qquad\qquad = g^{-1}(-2)$ ← $f \circ f^{-1} = I$

$g^{-1}(-2)=a$라 하면 $g(a)=-2$이므로

$-2a+4=-2$ $\therefore a=3$

$\therefore g^{-1}(-2)=3$

$\therefore (f \circ (g \circ f)^{-1})(-2) = g^{-1}(-2) = \mathbf{3}$

KEY Point

두 함수 f, g의 역함수가 각각 f^{-1}, g^{-1}일 때,

- $f^{-1} \circ f = I$, $f \circ f^{-1} = I$ (단, I는 항등함수)
- $(f \circ g)^{-1} = g^{-1} \circ f^{-1}$

---

157 두 함수 $f(x)=2x-1$, $g(x)=\dfrac{1}{2}x-1$에 대하여 $(f^{-1} \circ g)^{-1}(3)$의 값을 구하시오.

158 두 함수 $f(x)=-2x+1$, $g(x)=x+4$에 대하여 $(f \circ (g \circ f)^{-1} \circ f)(x)=ax+b$일 때, 상수 a, b의 값을 구하시오.

159 두 함수 $f(x)=2x+1$, $g(x)=-\dfrac{1}{3}x+4$에 대하여 $((f^{-1} \circ g^{-1}) \circ f)(a)=1$을 만족 시키는 상수 a의 값을 구하시오.

두 함수 $y=f(x)$와 $y=x$의 그래프가 오른쪽 그림과 같을
때, $(f \circ f)^{-1}(a)$의 값을 구하시오.

(단, 모든 점선은 x축 또는 y축에 평행하다.)

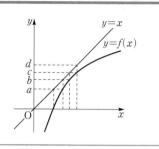

설명 $f^{-1}(n)=m$이면 $f(m)=n$임을 이용하여 점선을 따라가며 함숫값을 구한다.

풀이   직선 $y=x$를 이용하여 x축과 점선이 만나는 점의 x좌표를 구하면 오른쪽
그림과 같다.

$f^{-1}(a)=k$라 하면 $f(k)=a$이므로 $k=b$ $\therefore f^{-1}(a)=b$

$f^{-1}(b)=l$이라 하면 $f(l)=b$이므로 $l=c$ $\therefore f^{-1}(b)=c$

$$\therefore (f \circ f)^{-1}(a)=(f^{-1} \circ f^{-1})(a)$$
$$=f^{-1}(f^{-1}(a))$$
$$=f^{-1}(b)=\boldsymbol{c}$$

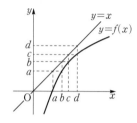

**KEY
Point**

• 그래프를 이용하여 역함수의 함숫값 구하기

⇨ 역함수의 그래프를 직접 그려서 구하지 않고 직선 $y=x$를 이용하여 함숫값을 구하여 역함수의 성질을
이용한다.

확인
체크

160 두 함수 $y=f(x)$와 $y=x$의 그래프가 오른쪽 그림과 같을 때,
$(f \circ f)^{-1}(x_3)$의 값을 구하시오.

(단, 모든 점선은 x축 또는 y축에 평행하다.)

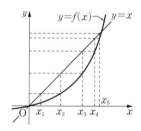

161 세 함수 $y=f(x)$, $y=g(x)$, $y=x$의 그래프가 오른쪽 그림과
같을 때, $(f \circ f \circ g)^{-1}(c)$의 값을 구하시오.

(단, 모든 점선은 x축 또는 y축에 평행하다.)

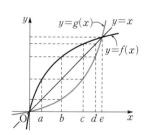

함수 $f(x)=3x+10$의 역함수를 $f^{-1}(x)$라 할 때, 두 함수 $y=f(x)$와 $y=f^{-1}(x)$의 그래프의 교점을 P라 하자. 이때 선분 OP의 길이를 구하시오. (단, O는 원점)

설명 함수 $y=f(x)$의 그래프와 그 역함수 $y=f^{-1}(x)$의 그래프는 직선 $y=x$에 대하여 대칭이다.

풀이 함수 $y=f(x)$의 그래프와 그 역함수 $y=f^{-1}(x)$의 그래프는 직선 $y=x$에 대하여 대칭이므로 오른쪽 그림과 같다.
이때 함수 $y=f(x)$의 그래프와 그 역함수 $y=f^{-1}(x)$의 그래프의 교점은 함수 $y=f(x)$의 그래프와 직선 $y=x$의 교점과 같으므로
$3x+10=x$에서 $2x=-10$ $\therefore x=-5$
즉, 교점의 좌표는 $(-5, -5)$이다.
따라서 $O(0, 0)$, $P(-5, -5)$이므로
$$\overline{OP}=\sqrt{(-5)^2+(-5)^2}=\mathbf{5\sqrt{2}}$$

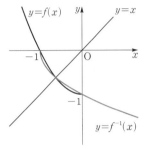

참고 함수 $f(x)=x^2-1\ (x\leq0)$과 같이 함수의 그래프와 그 역함수의 그래프가 직선 $y=x$ 밖에서 만나는 경우도 있다. 따라서 주어진 함수의 그래프와 그 역함수의 그래프의 교점을 직선 $y=x$를 이용하여 구하는 경우에는 반드시 그래프를 그려 그 교점이 주어진 함수의 그래프와 직선 $y=x$의 교점과 일치하는지 확인해야 한다.

KEY
Point
• 함수 $y=f(x)$의 그래프와 직선 $y=x$의 교점이 존재하면 그 교점은 함수 $y=f(x)$의 그래프와 역함수 $y=f^{-1}(x)$의 그래프의 교점과 같다.

**확인
체크**

162 함수 $f(x)=-3x+8$에 대하여 $y=f(x)$의 그래프와 그 역함수 $y=f^{-1}(x)$의 그래프의 교점의 좌표를 (p, q)라 할 때, pq의 값을 구하시오.

163 함수 $f(x)=\dfrac{1}{2}(x-2)^2+2\ (x\geq2)$에 대하여 $y=f(x)$의 그래프와 그 역함수 $y=f^{-1}(x)$의 그래프는 서로 다른 두 점에서 만난다. 이때 이 두 점 사이의 거리를 구하시오.

💡 **생각해 봅시다!**

118 함수 $f(x)=\begin{cases} 3x & (x\geq2) \\ -x^2+5x & (x<2) \end{cases}$에 대하여 $(f\circ f)(3)+f^{-1}(-6)$의 값을 구하시오.

$f^{-1}(a)=b$이면 $f(b)=a$

[교육청기출]

119 집합 $X=\{1, 2, 3, 4\}$에 대하여 함수
$f:X\longrightarrow X$가 오른쪽 그림과 같다.
함수 $g:X\longrightarrow X$의 역함수가 존재하고,
$g(2)=3$, $g^{-1}(1)=3$, $(g\circ f)(2)=2$일 때,
$g^{-1}(4)+(f\circ g)(2)$의 값을 구하시오.

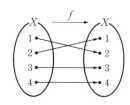

120 일차함수 $f(x)=ax+1$에 대하여 $f=f^{-1}$일 때, 상수 a의 값을 구하시오.

함수 f와 역함수 f^{-1}에 대하여 $f=f^{-1}$
$\Longleftrightarrow (f\circ f)(x)=x$

121 두 함수 $f(x)=\begin{cases} x^2+1 & (x\geq0) \\ x+1 & (x<0) \end{cases}$, $g(x)=x+1$에 대하여
$((f^{-1}\circ g)^{-1}\circ f)(-2)$의 값을 구하시오.

122 세 함수 $y=f(x)$, $y=g(x)$, $y=x$의 그래프가
오른쪽 그림과 같을 때,
$(g\circ f^{-1})(6)+(f^{-1}\circ g)(5)$의 값을 구하시오.
(단, 모든 점선은 x축 또는 y축에 평행하다.)

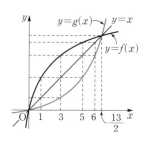

직선 $y=x$를 이용하여 y축과 점선이 만나는 점의 y좌표를 구한다.

123 함수 $f(x)=x^2-4x+6$ $(x\geq2)$에 대하여 $y=f(x)$의 그래프와 그 역함수 $y=f^{-1}(x)$의 그래프가 서로 다른 두 점에서 만날 때, 이 두 점 사이의 거리를 구하시오.

[교육청기출]

124 실수 전체의 집합에서 정의된 두 함수

$$f(x)=5x+20,\ g(x)=\begin{cases} 2x & (x<25) \\ x+25 & (x\geq25) \end{cases}$$

에 대하여 $f(g^{-1}(40))+f^{-1}(g(40))$의 값을 구하시오.

[교육청기출]

125 두 정수 a, b에 대하여 함수 $f(x)=\begin{cases} a(x-2)^2+b & (x<2) \\ -2x+10 & (x\geq2) \end{cases}$는 실수 전체의

집합에서 정의된 역함수를 갖는다. $a+b$의 최솟값은?

① 1   ② 3   ③ 5   ④ 7   ⑤ 9

126 일대일대응인 세 함수 f, g, h에 대하여 $(f\circ g)(x)=2x-3$, $h(x)=x+1$
일 때, $(h^{-1}\circ g^{-1}\circ f^{-1})(1)$의 값을 구하시오.

$(f\circ g)^{-1}(1)=k$라 하면
$(f\circ g)(k)=1$

127 두 함수 $f(x)=ax+b$, $g(x)=x+c$에 대하여 $(f\circ g)^{-1}(2x+1)=x$,
$f^{-1}(3)=-1$일 때, 상수 a, b, c에 대하여 $a+b+c$의 값을 구하시오.

128 집합 $A=\{x\,|\,0\leq x\leq1\}$에 대하여 A에서 A로의
함수 $y=f(x)$의 그래프가 오른쪽 그림과 같다.
함수 $f(x)$의 역함수를 $g(x)$라 할 때, $(g\circ g)\left(\dfrac{1}{2}\right)$
의 값을 구하시오.
    (단, 모든 점선은 x축 또는 y축에 평행하다.)

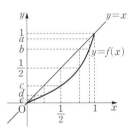

129 함수 $f(x)=\dfrac{1}{2}x^2+a\ (x\geq0)$와 그 역함수 $g(x)$에 대하여 방정식
$f(x)=g(x)$가 실근을 가질 때, 실수 a의 값의 범위를 구하시오.

함수 $y=f(x)$의 그래프와
그 역함수 $y=g(x)$의 그
래프는 직선 $y=x$에 대하
여 대칭이다.

[교육청기출]

130 집합 $S=\{n|1\le n\le 100,\ n$은 9의 배수$\}$의 공집합이 아닌 부분집합 X와
집합 $Y=\{0, 1, 2, 3, 4, 5, 6\}$에 대하여 함수 $f : X \longrightarrow Y$를
    $f(n)$은 'n을 7로 나눈 나머지'
로 정의하자. 함수 $f(n)$의 역함수가 존재하도록 하는 집합 X의 개수를 구하
시오.

> 💡 **생각해 봅시다!**
>
> 역함수가 존재
> $\Longleftrightarrow$ 일대일대응

131 함수 $f(x)=-x|x|+k$에 대하여 $f^{-1}(2)=1$이고, 함수 $g(x)=2x+1$일
때, $(g^{-1}\circ f)^{-1}(2)$의 값을 구하시오. (단, k는 상수)

> $(g^{-1}\circ f)^{-1}=f^{-1}\circ g$

[교육청기출]

132 오른쪽 그림과 같이 점 $(1, 0)$을 지나는 함
수 $y=f(x)$의 그래프와 $y=x$의 그래프가
두 점 $(-1, -1)$, $(4, 4)$에서 만나고 그 외
의 점에서 만나지 않는다.
$\{f(x)\}^2=f(x)f^{-1}(x)$를 만족시키는 모든
실수 x의 값의 합은?

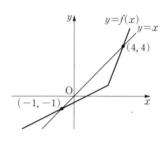

① 1   ② 2   ③ 3   ④ 4   ⑤ 5

133 함수 $f(x)=\dfrac{1}{2}x^2-x+a\ (x\ge 1)$에 대하여 함수 $y=f(x)$의 그래프와 그
역함수 $y=f^{-1}(x)$의 그래프는 서로 다른 두 점에서 만난다. 이 두 점 사이의
거리가 2일 때, 상수 a의 값을 구하시오.

> 함수 $y=f(x)$의 그래프와
> 그 역함수 $y=f^{-1}(x)$의
> 그래프를 그려 본다.

134 함수 $f(x)=\begin{cases} 2x-3 & (x\ge 1) \\ \dfrac{1}{2}x-\dfrac{3}{2} & (x<1) \end{cases}$에 대하여 함수 $y=f(x)$의 그래프와 그 역
함수 $y=f^{-1}(x)$의 그래프로 둘러싸인 도형의 넓이를 구하시오.

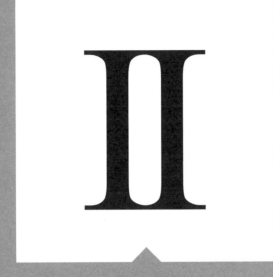

함수

1. 유리식

두 다항식 A, B $(B \neq 0)$에 대하여 $\dfrac{A}{B}$의 꼴로 나타내어지는 식을 **유리식**이라 한다. 특히, B가 0이 아닌 상수이면 $\dfrac{A}{B}$는 다항식이 되므로 다항식도 유리식이다.

▶ 다항식이 아닌 유리식을 **분수식**이라 한다.

예 $\dfrac{1}{x+1}$, x^2-1, $\dfrac{x^2+1}{2}$, $\dfrac{x+1}{x^2+1}$, $1+\dfrac{2}{x}$, $3x$는 모두 유리식이고, 이 중에서

x^2-1, $\dfrac{x^2+1}{2}$, $3x$는 다항식, $\dfrac{1}{x+1}$, $\dfrac{x+1}{x^2+1}$, $1+\dfrac{2}{x}$는 분수식이다.

2. 유리식의 성질

세 다항식 A, B, C $(B \neq 0, C \neq 0)$에 대하여

(1) $\dfrac{A}{B} = \dfrac{A \times C}{B \times C}$ (2) $\dfrac{A}{B} = \dfrac{A \div C}{B \div C}$

▶ 유리식을 통분할 때는 (1)의 성질을, 약분할 때는 (2)의 성질을 이용한다.

3. 유리식의 사칙연산 ▷ 필수예제 1, 2

유리식의 사칙연산은 유리수의 사칙연산과 같은 방법으로 한다. 즉, 유리식의 덧셈과 뺄셈은 분모를 통분하여 계산한다. 또한, 유리식의 곱셈은 분모는 분모끼리, 분자는 분자끼리 곱하여 계산하고, 유리식의 나눗셈은 나누는 식의 분자와 분모를 바꾼 식을 곱하여 계산한다.

네 다항식 A, B, C, D $(C \neq 0, D \neq 0)$에 대하여

(1) **덧셈**: $\dfrac{A}{C} + \dfrac{B}{C} = \dfrac{A+B}{C}$ (2) **뺄셈**: $\dfrac{A}{C} - \dfrac{B}{C} = \dfrac{A-B}{C}$

(3) **곱셈**: $\dfrac{A}{C} \times \dfrac{B}{D} = \dfrac{AB}{CD}$

(4) **나눗셈**: $\dfrac{A}{C} \div \dfrac{B}{D} = \dfrac{A}{C} \times \dfrac{D}{B} = \dfrac{AD}{BC}$ (단, $B \neq 0$)

▶ 유리식의 덧셈, 곱셈에 대하여 교환법칙과 결합법칙이 성립한다.

예　(1) $\dfrac{2}{x+1}-\dfrac{1}{x-2}=\dfrac{2(x-2)}{(x+1)(x-2)}-\dfrac{x+1}{(x+1)(x-2)}$

$\qquad\qquad\qquad\qquad=\dfrac{2(x-2)-(x+1)}{(x+1)(x-2)}=\dfrac{x-5}{(x+1)(x-2)}$

(2) $\dfrac{x+3}{x^2-1}\div\dfrac{x-2}{x^2+3x+2}=\dfrac{x+3}{(x+1)(x-1)}\div\dfrac{x-2}{(x+2)(x+1)}$

$\qquad\qquad\qquad\qquad\quad=\dfrac{x+3}{(x+1)(x-1)}\times\dfrac{(x+2)(x+1)}{x-2}=\dfrac{(x+3)(x+2)}{(x-1)(x-2)}$

4. 특수한 형태의 유리식의 계산　▷ 필수예제 **3~5**

복잡한 형태의 유리식의 계산은 유리식의 꼴에 따라 다음과 같이 간단히 변형한 후 계산한다.

(1) (분자의 차수)≥(분모의 차수)인 경우

분자의 차수가 분모의 차수보다 크거나 같으면 분자를 분모로 나누어

(분자의 차수)<(분모의 차수)가 되도록 변형한 후 계산한다.

⇨ 다항식과 유리식의 합 꼴로 변형한다.

(2) 네 개 이상의 유리식의 계산

네 개 이상의 유리식의 계산은 계산 과정이 간단해지도록 적당히 두 개씩 묶어서 계산한다.

(3) 분모가 두 개 이상의 인수의 곱인 경우

분모가 두 개 이상의 인수의 곱으로 되어 있으면 다음과 같이 부분분수로 변형한다.

⇨ $\dfrac{1}{AB}=\dfrac{1}{B-A}\left(\dfrac{1}{A}-\dfrac{1}{B}\right)$ (단, $A\neq B$)

(4) 분모 또는 분자가 유리식인 경우

분모 또는 분자가 유리식이면 주어진 식의 형태에 따라 다음과 같이 계산한다.

⇨ $\dfrac{A}{\frac{B}{C}}=\dfrac{AC}{B}$, $\dfrac{\frac{A}{B}}{C}=\dfrac{A}{BC}$, $\dfrac{\frac{A}{B}}{\frac{C}{D}}=\dfrac{A}{B}\div\dfrac{C}{D}=\dfrac{A}{B}\times\dfrac{D}{C}=\dfrac{AD}{BC}$

▶ 분자 또는 분모에 또 다른 분수식을 포함한 유리식을 **번분수식**이라 한다.

예　(1) $\dfrac{x+1}{x-2}=\dfrac{(x-2)+3}{x-2}=1+\dfrac{3}{x-2}$

(2) $\dfrac{1}{x+1}+\dfrac{1}{x+3}-\dfrac{1}{x+2}-\dfrac{1}{x+4}=\left(\dfrac{1}{x+1}-\dfrac{1}{x+2}\right)+\left(\dfrac{1}{x+3}-\dfrac{1}{x+4}\right)$

(3) $\dfrac{2}{x(x+1)}=\dfrac{2}{(x+1)-x}\left(\dfrac{1}{x}-\dfrac{1}{x+1}\right)=2\left(\dfrac{1}{x}-\dfrac{1}{x+1}\right)$

(4) $\dfrac{\frac{x-1}{x}}{x-\frac{1}{x}}=\dfrac{\frac{x-1}{x}}{\frac{x^2-1}{x}}=\dfrac{x(x-1)}{x(x^2-1)}=\dfrac{x(x-1)}{x(x+1)(x-1)}=\dfrac{1}{x+1}$

특강 비례식

1. 비례식

비의 값이 같은 두 개의 비 $a:b$와 $c:d$를 $a:b=c:d$ 또는 $\dfrac{a}{b}=\dfrac{c}{d}$와 같이 나타낸 식을 **비례식**이라 한다. 비례식은 비례상수를 이용하여 다음과 같이 나타낼 수 있다.

0이 아닌 실수 k에 대하여

(1) $a:b=c:d \Longleftrightarrow \dfrac{a}{b}=\dfrac{c}{d}=k \Longleftrightarrow a=bk,\ c=dk$

(2) $a:b:c=d:e:f \Longleftrightarrow \dfrac{a}{d}=\dfrac{b}{e}=\dfrac{c}{f}=k \Longleftrightarrow a=dk,\ b=ek,\ c=fk$

특강 1 $\dfrac{x}{a}=\dfrac{y}{b}=\dfrac{z}{c}$의 꼴일 때 식의 값 구하기

더 다양한 문제는 **RPM** 수학(하) 85쪽

0이 아닌 세 실수 $x,\ y,\ z$에 대하여 다음 물음에 답하시오.

(1) $x:y:z=3:4:5$일 때, $\dfrac{x^2-y^2+z^2}{x^2+y^2+z^2}$의 값을 구하시오.

(2) $\dfrac{x+y}{12}=\dfrac{y+z}{13}=\dfrac{z+x}{5}$일 때, $x:y:z$를 구하시오.

풀이

(1) $\dfrac{x}{3}=\dfrac{y}{4}=\dfrac{z}{5}=k\ (k\neq0)$로 놓으면 $x=3k,\ y=4k,\ z=5k$

$\therefore \dfrac{x^2-y^2+z^2}{x^2+y^2+z^2}=\dfrac{(3k)^2-(4k)^2+(5k)^2}{(3k)^2+(4k)^2+(5k)^2}=\dfrac{18k^2}{50k^2}=\dfrac{\mathbf{9}}{\mathbf{25}}$

(2) $\dfrac{x+y}{12}=\dfrac{y+z}{13}=\dfrac{z+x}{5}=k\ (k\neq0)$로 놓으면

$x+y=12k$ ······ ㉠, $y+z=13k$ ······ ㉡, $z+x=5k$ ······ ㉢

㉠+㉡+㉢을 하면 $2(x+y+z)=30k$ $\therefore x+y+z=15k$ ······ ㉣

㉣에서 ㉠, ㉡, ㉢을 각각 빼면 $x=2k,\ y=10k,\ z=3k$

$\therefore x:y:z=2k:10k:3k=\mathbf{2:10:3}$

---

164 $\dfrac{2x+y}{5}=\dfrac{x+2y}{7}$일 때, $\dfrac{xy-x^2}{xy+y^2}$의 값을 구하시오. (단, $xy\neq0$)

165 $(x+y):(y+z):(z+x)=3:4:5$일 때, 다음을 구하시오. (단, $xyz\neq0$)

(1) $x:y:z$

(2) $\dfrac{xy-yz+zx}{x^2+y^2+z^2}$의 값

개념원리 익히기

166 보기의 식에 대하여 다음 물음에 답하시오.

> **│ 보기 │**
>
> ㄱ. $\dfrac{4}{x+1}$ ㄴ. $\dfrac{x^2+1}{2x^2-3}$ ㄷ. $\dfrac{x^2-5x}{8}$
>
> ㄹ. $\dfrac{2x}{3}+\dfrac{3}{5}$ ㅁ. $\dfrac{2x}{x(x-1)}$ ㅂ. $\dfrac{1}{(x+1)(x+2)}$

(1) 다항식인 것만을 있는 대로 고르시오.

(2) 다항식이 아닌 유리식인 것만을 있는 대로 고르시오.

167 다음 두 유리식을 통분하시오.

(1) $\dfrac{1}{x^2-3x}$, $\dfrac{1}{x-3}$ 　　　(2) $\dfrac{2}{x^2-1}$, $\dfrac{3}{x^2+4x+3}$

168 다음 유리식을 약분하시오.

(1) $\dfrac{x^2-5x+6}{x^2-7x+12}$ 　　　(2) $\dfrac{x^4-y^4}{(x+y)(x^3-y^3)}$

169 다음 식을 간단히 하시오.

(1) $\dfrac{2}{x+2}+\dfrac{3}{x+3}$ 　　　(2) $1-\dfrac{6}{2x+1}$

(3) $\dfrac{x+2}{x^2+3x}\times\dfrac{x+3}{2x}$ 　　　(4) $\dfrac{x^2-1}{x+2}\div\dfrac{x+1}{x}$

💡 **생각해 봅시다!**

두 다항식 A, B $(B\neq0)$ 에 대하여 $\dfrac{A}{B}$의 꼴로 나타내어지는 식을 유리식이라 한다.

세 다항식 A, B, C $(B\neq0, C\neq0)$에 대하여
$$\Rightarrow \frac{A}{B}=\frac{A\times C}{B\times C}$$

세 다항식 A, B, C $(B\neq0, C\neq0)$에 대하여
$$\Rightarrow \frac{A}{B}=\frac{A\div C}{B\div C}$$

① 유리식의 덧셈과 뺄셈
　⇨ 분모를 통분한 후 계산한다.
② 유리식의 곱셈
　⇨ 분모는 분모끼리, 분자는 분자끼리 곱한다.
③ 유리식의 나눗셈
　⇨ 나누는 식의 역수를 곱한다.

다음 식을 간단히 하시오.

(1) $\dfrac{2x^2-3x+10}{x^3-8}+\dfrac{1}{x-2}-\dfrac{x-3}{x^2+2x+4}$

(2) $\dfrac{x^2-3x+2}{x^2-x-6}\times\dfrac{x^2-4x+3}{x^2-4}$

(3) $\dfrac{x^2+xz-xy-yz}{x^2-y^2}\div\dfrac{x+z}{x^3+y^3}$

설명

(1) 주어진 식을 통분하여 계산한다.

(2) 분모, 분자를 인수분해한 후 약분하여 계산한다.

(3) 나누는 식의 분자, 분모를 바꾸어 곱셈으로 고친 후 계산한다.

풀이

(1) (주어진 식)$=\dfrac{2x^2-3x+10}{(x-2)(x^2+2x+4)}+\dfrac{x^2+2x+4}{(x-2)(x^2+2x+4)}-\dfrac{(x-3)(x-2)}{(x^2+2x+4)(x-2)}$

$=\dfrac{2x^2-3x+10+x^2+2x+4-(x^2-5x+6)}{(x-2)(x^2+2x+4)}$

$=\dfrac{2(x^2+2x+4)}{(x-2)(x^2+2x+4)}=\dfrac{\mathbf{2}}{\boldsymbol{x-2}}$

(2) (주어진 식)$=\dfrac{(x-1)(x-2)}{(x+2)(x-3)}\times\dfrac{(x-1)(x-3)}{(x+2)(x-2)}=\dfrac{(\boldsymbol{x-1})^2}{(\boldsymbol{x+2})^2}$

(3) (주어진 식)$=\dfrac{x(x-y)+z(x-y)}{(x+y)(x-y)}\div\dfrac{x+z}{(x+y)(x^2-xy+y^2)}$

$=\dfrac{(x-y)(x+z)}{(x+y)(x-y)}\times\dfrac{(x+y)(x^2-xy+y^2)}{x+z}=\boldsymbol{x^2-xy+y^2}$

KEY Point

• 유리식의 덧셈과 뺄셈 ⇨ 분모를 통분한 후 계산한다.

• 유리식의 곱셈 ⇨ 인수분해하여 약분한 다음 분모는 분모끼리, 분자는 분자끼리 곱한다.

• 유리식의 나눗셈 ⇨ 나누는 식의 분자, 분모를 바꾸어 곱하여 계산한다.

확인 체크 **170** 다음 식을 간단히 하시오.

(1) $\dfrac{3x+1}{x^2-1}-\dfrac{2x+3}{x^2+3x+2}+\dfrac{x-2}{x^2+x-2}$

(2) $\dfrac{6x^2-x-1}{x^2-9}\times\dfrac{x^2-x-6}{3x^2-2x-1}\div\dfrac{2x^2+3x-2}{x^2+2x-3}$

$x \neq 1$, $x \neq 2$인 모든 실수 x에 대하여 등식

$$\frac{3x}{x^2-3x+2} = \frac{a}{x-1} + \frac{b}{x-2}$$

가 성립할 때, 상수 a, b의 값을 구하시오.

풀이
주어진 식의 우변을 통분하여 정리하면

$$\frac{a}{x-1} + \frac{b}{x-2} = \frac{a(x-2)+b(x-1)}{(x-1)(x-2)} = \frac{(a+b)x-2a-b}{x^2-3x+2}$$

즉, $\dfrac{3x}{x^2-3x+2} = \dfrac{(a+b)x-2a-b}{x^2-3x+2}$가 x에 대한 항등식이므로 양변의 분자의 동류항의 계수를 비교하면

$a+b=3$, $-2a-b=0$

두 식을 연립하여 풀면

$\boldsymbol{a=-3,\ b=6}$

다른풀이
$x^2-3x+2=(x-1)(x-2)$이므로 주어진 식의 양변에 $(x-1)(x-2)$를 곱하면

$3x=a(x-2)+b(x-1)$

$\therefore 3x=(a+b)x-2a-b$

이 식이 x에 대한 항등식이므로

$a+b=3$, $-2a-b=0$

두 식을 연립하여 풀면 $a=-3$, $b=6$

KEY Point

• 주어진 유리식이 항등식일 때
 ⇨ 통분하여 양변의 분모를 같게 한 후 양변의 분자의 동류항의 계수를 비교한다.

확인 체크

171 $x \neq 1$인 모든 실수 x에 대하여 등식

$$\frac{3x}{x^3-1} = \frac{a}{x-1} + \frac{bx+a}{x^2+x+1}$$

가 성립할 때, ab의 값을 구하시오. (단, a, b는 상수)

172 다음 식의 분모를 0으로 만들지 않는 모든 실수 x에 대하여 등식

$$\frac{2}{x} + \frac{a}{x-1} + \frac{b}{x-2} = \frac{-x+4}{x(x-1)(x-2)}$$

가 성립할 때, $a-b$의 값을 구하시오. (단, a, b는 상수)

다음 식을 간단히 하시오.

(1) $\dfrac{x^2+x-1}{x+1}-\dfrac{x^2-x+2}{x-1}$

(2) $\dfrac{x+2}{x}-\dfrac{x+3}{x+1}-\dfrac{x-5}{x-3}+\dfrac{x-6}{x-4}$

설명 분모를 바로 통분하여 계산할 수도 있으나, 그렇게 하면 분자가 고차식의 복잡한 식이 된다. 분자의 차수가 분모의 차수보다 크거나 같을 때는 분자를 분모로 나누어서 분자의 차수를 분모의 차수보다 작게 식을 변형한 후 계산한다.

풀이
(1) (주어진 식)$=\dfrac{x(x+1)-1}{x+1}-\dfrac{x(x-1)+2}{x-1}$

$=\left(x-\dfrac{1}{x+1}\right)-\left(x+\dfrac{2}{x-1}\right)=-\dfrac{1}{x+1}-\dfrac{2}{x-1}$

$=\dfrac{-(x-1)-2(x+1)}{(x+1)(x-1)}=\dfrac{\boldsymbol{-3x-1}}{\boldsymbol{(x+1)(x-1)}}$

$$\begin{array}{r} x \\ x+1\,\overline{)\,x^2+x-1} \\ \underline{x^2+x} \\ -1 \end{array}$$

$\therefore \dfrac{x^2+x-1}{x+1}=x-\dfrac{1}{x+1}$

(2) (주어진 식)$=\dfrac{x+2}{x}-\dfrac{(x+1)+2}{x+1}-\dfrac{(x-3)-2}{x-3}+\dfrac{(x-4)-2}{x-4}$

$=\left(1+\dfrac{2}{x}\right)-\left(1+\dfrac{2}{x+1}\right)-\left(1-\dfrac{2}{x-3}\right)+\left(1-\dfrac{2}{x-4}\right)$

$=\left(\dfrac{2}{x}-\dfrac{2}{x+1}\right)+\left(\dfrac{2}{x-3}-\dfrac{2}{x-4}\right)$ ⟵ 적당히 두 개씩 묶어서 계산한다.

$=\dfrac{2(x+1)-2x}{x(x+1)}+\dfrac{2(x-4)-2(x-3)}{(x-3)(x-4)}$

$=\dfrac{2}{x(x+1)}+\dfrac{-2}{(x-3)(x-4)}$

$=\dfrac{2(x-3)(x-4)-2x(x+1)}{x(x+1)(x-3)(x-4)}$

$=\dfrac{\boldsymbol{-8(2x-3)}}{\boldsymbol{x(x+1)(x-3)(x-4)}}$

KEY Point 특수한 형태의 유리식의 계산
• (분자의 차수)≥(분모의 차수) ⇨ 분자를 분모로 나누어 간단한 꼴로 변형한다.
• 네 개 이상의 유리식의 계산 ⇨ 적당히 두 개씩 묶어서 계산한다.

확인 체크 **173** 다음 식을 간단히 하시오.

(1) $\dfrac{x^2-x-3}{x+1}-\dfrac{x^2-3x+3}{x-1}$

(2) $\dfrac{x+3}{x+4}+\dfrac{x+7}{x+8}-\dfrac{x+1}{x+2}-\dfrac{x+5}{x+6}$

다음 물음에 답하시오.

(1) $\dfrac{2}{x(x+2)} + \dfrac{2}{(x+2)(x+4)} + \dfrac{2}{(x+4)(x+6)} + \dfrac{2}{(x+6)(x+8)}$ 를 간단히 하시오.

(2) $\dfrac{1}{1\times2} + \dfrac{1}{2\times3} + \dfrac{1}{3\times4} + \cdots + \dfrac{1}{9\times10}$ 의 값을 구하시오.

설명

(1) 주어진 유리식을 살펴보면 분모의 두 인수의 차가 분자와 같음을 알 수 있다.

$$\dfrac{2}{x(x+2)} + \dfrac{2}{(x+2)(x+4)} + \dfrac{2}{(x+4)(x+6)} + \dfrac{2}{(x+6)(x+8)}$$

차: 2   차: 2   차: 2   차: 2

이와 같은 문제는 한 개의 유리식을 두 개의 유리식으로 쪼개면 간단하게 계산할 수 있다.

풀이

(1) (주어진 식) $= \left(\dfrac{1}{x} - \dfrac{1}{x+2}\right) + \left(\dfrac{1}{x+2} - \dfrac{1}{x+4}\right)$

         $+ \left(\dfrac{1}{x+4} - \dfrac{1}{x+6}\right) + \left(\dfrac{1}{x+6} - \dfrac{1}{x+8}\right)$

         $= \dfrac{1}{x} - \dfrac{1}{x+8} = \dfrac{x+8-x}{x(x+8)} = \dfrac{8}{x(x+8)}$

     $\leftarrow \dfrac{2}{x(x+2)} = \dfrac{2}{(x+2)-x}\left(\dfrac{1}{x} - \dfrac{1}{x+2}\right)$
            $= \dfrac{1}{x} - \dfrac{1}{x+2}$
     같은 방법으로 각 항을 변형한다.

(2) (주어진 식) $= \dfrac{1}{2-1}\left(1 - \dfrac{1}{2}\right) + \dfrac{1}{3-2}\left(\dfrac{1}{2} - \dfrac{1}{3}\right) + \dfrac{1}{4-3}\left(\dfrac{1}{3} - \dfrac{1}{4}\right) + \cdots + \dfrac{1}{10-9}\left(\dfrac{1}{9} - \dfrac{1}{10}\right)$

         $= 1 - \dfrac{1}{2} + \dfrac{1}{2} - \dfrac{1}{3} + \dfrac{1}{3} - \dfrac{1}{4} + \cdots + \dfrac{1}{9} - \dfrac{1}{10}$

         $= 1 - \dfrac{1}{10} = \dfrac{9}{10}$

KEY Point

• **부분분수로의 변형: 분모가 두 인수의 곱으로 되어 있을 때**

$$\Rightarrow \dfrac{C}{AB} = \dfrac{C}{B-A}\left(\dfrac{1}{A} - \dfrac{1}{B}\right) \ (\text{단}, \ A \neq B)$$

확인 체크

174 다음 물음에 답하시오.

(1) $\dfrac{1}{x^2+x} + \dfrac{2}{x^2+4x+3} + \dfrac{3}{x^2+9x+18} - \dfrac{6}{x^2+6x}$ 을 간단히 하시오.

(2) $\dfrac{1}{1\times3} + \dfrac{1}{3\times5} + \dfrac{1}{5\times7} + \dfrac{1}{7\times9} + \dfrac{1}{9\times11}$ 의 값을 구하시오.

175 다음 식의 분모를 0으로 만들지 않는 모든 실수 x에 대하여 등식

$$\dfrac{2}{x(x-2)} + \dfrac{4}{x(x+4)} + \dfrac{6}{(x+4)(x+10)} = \dfrac{a}{(x+b)(x+c)}$$

가 성립할 때, $a+b+c$의 값을 구하시오. (단, a, b, c는 상수)

다음 식을 간단히 하시오.

$(1)\ 1-\dfrac{1}{1-\dfrac{1}{1-x}}$

$(2)\ \dfrac{\dfrac{1}{1-x}+\dfrac{1}{1+x}}{\dfrac{1}{1-x}-\dfrac{1}{1+x}}$

설명

(1) 분모에 유리식이 반복되므로 가장 아래에 있는 유리식부터 차례로 계산한다.

(2) 분모와 분자를 각각 간단히 하여 분자에 분모의 역수를 곱하여 계산한다.

풀이

(1) (주어진 식)$=1-\dfrac{1}{\dfrac{(1-x)-1}{1-x}}=1-\dfrac{1}{\dfrac{-x}{1-x}}=1+\dfrac{1-x}{x}=\dfrac{x+(1-x)}{x}=\dfrac{1}{x}$

(2) (주어진 식)$=\dfrac{\dfrac{(1+x)+(1-x)}{(1-x)(1+x)}}{\dfrac{(1+x)-(1-x)}{(1-x)(1+x)}}=\dfrac{\dfrac{2}{(1-x)(1+x)}}{\dfrac{2x}{(1-x)(1+x)}}=\dfrac{2(1-x)(1+x)}{2x(1-x)(1+x)}=\dfrac{1}{x}$

다른풀이

(1) 주어진 식 중 유리식의 분자, 분모에 각각 $1-x$를 곱하여 계산하면

(주어진 식)$=1-\dfrac{1-x}{(1-x)-1}=1+\dfrac{1-x}{x}=1+\dfrac{1}{x}-1=\dfrac{1}{x}$

(2) 주어진 식의 분자, 분모에 각각 $(1-x)(1+x)$를 곱하여 계산하면

(주어진 식)$=\dfrac{\left(\dfrac{1}{1-x}+\dfrac{1}{1+x}\right)\times(1-x)(1+x)}{\left(\dfrac{1}{1-x}-\dfrac{1}{1+x}\right)\times(1-x)(1+x)}=\dfrac{(1+x)+(1-x)}{(1+x)-(1-x)}=\dfrac{2}{2x}=\dfrac{1}{x}$

KEY Point

• 번분수식의 계산

$$\Rightarrow \dfrac{\dfrac{A}{B}}{\dfrac{C}{D}}=\dfrac{A}{B}\div\dfrac{C}{D}=\dfrac{A}{B}\times\dfrac{D}{C}=\dfrac{AD}{BC} \quad\leftarrow \times\left(\dfrac{\dfrac{A}{B}}{\dfrac{C}{D}}\right)\times=\dfrac{AD}{BC}$$

확인 체크

176 다음 식을 간단히 하시오.

$(1)\ \dfrac{\dfrac{1}{x+2}-\dfrac{1}{x+3}}{\dfrac{1}{x+3}-\dfrac{1}{x+4}}$

$(2)\ \dfrac{1-\dfrac{2x-y}{x+y}}{\dfrac{y}{x+y}-1}$

$(3)\ \dfrac{1+\dfrac{2}{x}}{x-3-\dfrac{5}{x+1}}$

177 등식 $\dfrac{17}{72}=\dfrac{1}{a+\dfrac{1}{b+\dfrac{1}{c}}}$ 을 만족시키는 자연수 a, b, c에 대하여 $a+b+c$의 값을 구하시오.

곱셈 공식의 변형을 이용한 유리식의 값   더 다양한 문제는 **RPM** 수학(하) 84쪽

$x^2-3x+1=0$일 때, 다음 식의 값을 구하시오.

(1) $x^2+\dfrac{1}{x^2}$ (2) $x^3+\dfrac{1}{x^3}$ (3) $x^4+\dfrac{1}{x^4}$

풀이 $x^2-3x+1=0$에서 $x\neq0$이므로 양변을 x로 나누면 $x-3+\dfrac{1}{x}=0$ $\therefore\ x+\dfrac{1}{x}=3$

(1) $x^2+\dfrac{1}{x^2}=\left(x+\dfrac{1}{x}\right)^2-2=3^2-2=\mathbf{7}$

(2) $x^3+\dfrac{1}{x^3}=\left(x+\dfrac{1}{x}\right)^3-3\left(x+\dfrac{1}{x}\right)=3^3-3\times3=\mathbf{18}$

(3) $x^4+\dfrac{1}{x^4}=\left(x^2+\dfrac{1}{x^2}\right)^2-2=7^2-2=\mathbf{47}$

조건이 주어졌을 때의 유리식의 값   더 다양한 문제는 **RPM** 수학(하) 85쪽

0이 아닌 세 실수 a, b, c에 대하여 $a+b+c=0$일 때,

$a\left(\dfrac{1}{b}+\dfrac{1}{c}\right)+b\left(\dfrac{1}{c}+\dfrac{1}{a}\right)+c\left(\dfrac{1}{a}+\dfrac{1}{b}\right)$의 값을 구하시오.

풀이 $a\left(\dfrac{1}{b}+\dfrac{1}{c}\right)+b\left(\dfrac{1}{c}+\dfrac{1}{a}\right)+c\left(\dfrac{1}{a}+\dfrac{1}{b}\right)=\dfrac{a}{b}+\dfrac{a}{c}+\dfrac{b}{c}+\dfrac{b}{a}+\dfrac{c}{a}+\dfrac{c}{b}$

$=\dfrac{b+c}{a}+\dfrac{a+c}{b}+\dfrac{a+b}{c}$

$=\dfrac{-a}{a}+\dfrac{-b}{b}+\dfrac{-c}{c}$ ← $a+b+c=0$에서 $b+c=-a$, $a+c=-b$, $a+b=-c$

$=-1-1-1=\mathbf{-3}$

---

178 $2x^2-5x-2=0$일 때, $8x^3-4x^2-\dfrac{4}{x^2}-\dfrac{8}{x^3}$의 값을 구하시오.

179 $x^2+\dfrac{1}{x^2}=14$일 때, $x^3+\dfrac{1}{x^3}$의 값을 구하시오. (단, $x>0$)

180 $x+y+xy=0$일 때, $\dfrac{1}{(1+x)(1+y)}+\dfrac{x}{(x+1)(x+y)}+\dfrac{y}{(y+1)(y+x)}$의 값을 구하시오. (단, $xy\neq0$)

135 $\dfrac{1}{2-x}+\dfrac{1}{2+x}+\dfrac{4}{4+x^2}+\dfrac{32}{16+x^4}$ 를 간단히 하시오.

> **생각해 봅시다!**
> $(a+b)(a-b)=a^2-b^2$
> 을 이용한다.

136 다음 식의 분모를 0으로 만들지 않는 모든 실수 x에 대하여 등식
$$\frac{2x+3}{x+1}-\frac{3x+7}{x+2}+\frac{3x+10}{x+3}-\frac{2x+9}{x+4}=\frac{ax^2+bx+c}{(x+1)(x+2)(x+3)(x+4)}$$
가 성립할 때, $ab+c$의 값을 구하시오. (단, a, b, c는 상수)

137 $f(x)=\dfrac{4x^2-1}{3}$일 때, $\dfrac{1}{f(1)}+\dfrac{1}{f(2)}+\dfrac{1}{f(3)}+\cdots+\dfrac{1}{f(20)}$의 값을 구하시오.

> $\dfrac{1}{AB}$
> $=\dfrac{1}{B-A}\left(\dfrac{1}{A}-\dfrac{1}{B}\right)$
> (단, $A\neq B$)

[교육청기출]

138 두 다항식 A, B에 대하여 $<A,\ B>=\dfrac{A-B}{AB}\ (AB\neq 0)$로 정의할 때,
$$<x+2,\ x>+<x+4,\ x+2>+<x+6,\ x+4>=<x+a,\ x>$$
를 성립하도록 하는 상수 a의 값은?

① -2 ② 0 ③ 2 ④ 4 ⑤ 6

139 $\dfrac{\dfrac{1}{x-2}-\dfrac{1}{x+3}}{\dfrac{1}{x-2}+\dfrac{1}{x+3}}+\dfrac{\dfrac{1}{x+2}-\dfrac{1}{x-3}}{\dfrac{1}{x+2}+\dfrac{1}{x-3}}$ 을 간단히 하시오.

> $\dfrac{\dfrac{A}{B}}{\dfrac{C}{D}}=\dfrac{AD}{BC}$

실력UP

140 0이 아닌 세 실수 a, b, c에 대하여 $\dfrac{1}{a}+\dfrac{1}{b}+\dfrac{1}{c}=0$일 때,
$$\frac{a^2}{(a+b)(a+c)}+\frac{b^2}{(b+a)(b+c)}+\frac{c^2}{(c+b)(c+a)}+\frac{3abc}{(a+b)(b+c)(c+a)}$$
를 간단히 하시오.

> 분모를 통분한 후 식을 간단히 한다.

1. 유리함수

(1) **유리함수**: 함수 $y=f(x)$에서 $f(x)$가 x에 대한 유리식일 때, 이 함수를 **유리함수**라 한다. 특히, $f(x)$가 x에 대한 다항식인 유리함수를 **다항함수**라 한다.

(2) **유리함수의 정의역**: 유리함수에서 정의역이 주어지지 않은 경우에는 **분모가 0이 되지 않도록 하는 실수 전체의 집합**을 정의역으로 한다.

예   (1) $y=\dfrac{1}{x}$, $y=\dfrac{2x-3}{x+2}$, $y=x+1$, $y=x^2+3x-2$는 모두 유리함수이고, 이 중에서

       $y=x+1$, $y=x^2+3x-2$는 다항함수, $y=\dfrac{1}{x}$, $y=\dfrac{2x-3}{x+2}$은 분수함수이다.

   (2) 유리함수 $y=\dfrac{x+1}{x-3}$의 분모를 0으로 하는 x의 값은 $x-3=0$에서 $x=3$이므로 이 함수의

       정의역은 $\{x\,|\,x\neq3$인 실수$\}$이다.

2. 유리함수 $y=\dfrac{k}{x}\,(k\neq0)$의 그래프

(1) 정의역과 치역은 모두 0이 아닌 실수 전체의 집합이다.

(2) $k>0$이면 그래프는 **제1사분면과 제3사분면**에 있고,
    $k<0$이면 그래프는 **제2사분면과 제4사분면**에 있다.

(3) 원점 및 두 직선 $y=x$, $y=-x$에 대하여 대칭이다.

(4) 점근선은 x축$(y=0)$, y축$(x=0)$이다.

(5) $|k|$의 값이 커질수록 그래프는 원점에서 멀어진다.

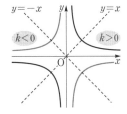

▶ ① 곡선이 어떤 직선에 한없이 가까워질 때, 이 직선을 그 곡선의 **점근선**이라 한다.

   ② 유리함수 $y=\dfrac{k}{x}\,(k\neq0)$의 그래프는 직선 $y=x$에 대하여 대칭이므로 $y=\dfrac{k}{x}$의 역함수는 자기 자신이다.

설명 k의 값을 변화시키면서 함수 $y=\dfrac{k}{x}\,(k\neq0)$의 그래프를 그리면 다음과 같이 원점과 직선 $y=\pm x$에 대하여 대칭이

고, 그래프 위의 점이 원점에서 멀어질수록 x축 또는 y축에 한없이 가까워짐을 알 수 있다.

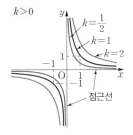

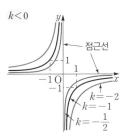

3. 유리함수 $y=\dfrac{k}{x-p}+q\ (k\neq0)$의 그래프 ▷필수예제 **8 ~ 12**

유리함수 $y=\dfrac{k}{x-p}+q\ (k\neq0)$의 그래프는 유리함수 $y=\dfrac{k}{x}$의 그래프를 x축의 방향으로 p만큼, y축의 방향으로 q만큼 평행이동한 것이다.

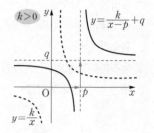

(1) **정의역**: $\{x|x\neq p$인 실수$\}$, **치역**: $\{y|y\neq q$인 실수$\}$
(2) 점근선은 두 직선 $x=p$, $y=q$이다.
(3) 점 $(p,\ q)$에 대하여 대칭이다.
(4) 두 점근선의 교점 $(p,\ q)$를 지나고 기울기가 ±1인 두 직선, 즉
$\quad y=(x-p)+q,\ y=-(x-p)+q$에 대하여 **대칭**이다.

▶ 유리함수에서 $|k|$의 값이 서로 같으면 p, q의 값에 관계없이 평행이동이나 대칭이동에 의해 그 그래프가 서로 겹쳐질 수 있다.

예 $y=\dfrac{5}{x-1}+2$의 그래프는 $y=\dfrac{5}{x}$의 그래프를 x축의 방향으로 1만큼, y축의 방향으로 2만큼 평행이동한 것이며 정의역은 $\{x|x\neq1$인 실수$\}$, 치역은 $\{y|y\neq2$인 실수$\}$이다.

4. 유리함수 $y=\dfrac{ax+b}{cx+d}\ (ad-bc\neq0,\ c\neq0)$의 그래프 ▷필수예제 **8 ~ 12**

유리함수 $y=\dfrac{ax+b}{cx+d}\ (ad-bc\neq0,\ c\neq0)$의 그래프는 $y=\dfrac{k}{x-p}+q\ (k\neq0)$의 꼴로 변형하여 그린다. ← 분자를 분모로 나누어 $\dfrac{(나머지)}{(분모)}+(몫)$의 꼴로 변형

(1) **점근선의 방정식**: $x=-\dfrac{d}{c}$ (분모를 0으로 하는 x의 값), $y=\dfrac{a}{c}$ (일차항 x의 계수의 비)

(2) **점** $\left(-\dfrac{d}{c},\ \dfrac{a}{c}\right)$에 대하여 **대칭**이다.

▶ 유리함수 $y=\dfrac{ax+b}{cx+d}$에서

① $ad-bc=0$, $c\neq0$인 경우: $y=\dfrac{ax+b}{cx+d}=\dfrac{\dfrac{a}{c}(cx+d)+b-\dfrac{ad}{c}}{cx+d}=\dfrac{\dfrac{bc-ad}{c}}{cx+d}+\dfrac{a}{c}=\dfrac{a}{c}\ \left(x\neq-\dfrac{d}{c}\right)$이므로 상수
함수이다.

② $c=0$, $d\neq0$인 경우: $y=\dfrac{ax+b}{cx+d}=\dfrac{ax+b}{d}=\dfrac{a}{d}x+\dfrac{b}{d}$이므로 일차함수이다.

예 $y=\dfrac{2x+4}{x-2}=\dfrac{2(x-2)+8}{x-2}=\dfrac{8}{x-2}+2$에서 $y=\dfrac{2x+4}{x-2}$의 그래프는 $y=\dfrac{8}{x}$의 그래프를 x축의 방향으로 2만큼, y축의 방향으로 2만큼 평행이동한 것이며 정의역은 $\{x|x\neq2$인 실수$\}$, 치역은 $\{y|y\neq2$인 실수$\}$이다.

5. 유리함수 $y = \dfrac{ax+b}{cx+d}$ $(ad-bc \neq 0,\ c \neq 0)$의 역함수 구하기　▷ **필수예제 15**

[방법 1] (ⅰ) $y = f(x)$를 x에 대하여 푼다. 즉, $x = f^{-1}(y)$의 꼴로 고친다.

(ⅱ) $x = f^{-1}(y)$에서 x와 y를 서로 바꾸어 $y = f^{-1}(x)$로 나타낸다.

[방법 2] 공식 이용

$$f(x) = \frac{ax+b}{cx+d} \text{의 역함수} \Rightarrow f^{-1}(x) = \frac{-dx+b}{cx-a}$$ ← a, d의 부호와 위치만 바뀐다.

▶ 유리함수 $y = \dfrac{ax+b}{cx+d}$의 역함수 $y = \dfrac{-dx+b}{cx-a}$는 원래의 함수식에서 분자의 x의 계수인 a와 분모의 상수항인 d의 위치가 바뀌고 그 부호가 각각 바뀐 것과 같다.

설명　[방법 1]을 이용하여 유리함수 $y = \dfrac{ax+b}{cx+d}$ $(ad-bc \neq 0,\ c \neq 0)$의 역함수를 구해 보자.

(ⅰ) $y = \dfrac{ax+b}{cx+d}$를 x에 대하여 풀면

$y(cx+d) = ax+b$, $cxy + dy = ax + b$

$cxy - ax = -dy + b$, $(cy-a)x = -dy + b$

$\therefore x = \dfrac{-dy+b}{cy-a}$

(ⅱ) $x = \dfrac{-dy+b}{cy-a}$에서 x와 y를 서로 바꾸면 구하는 역함수는

$y = \dfrac{-dx+b}{cx-a}$

예제　유리함수 $y = \dfrac{3x+7}{x+2}$의 역함수를 구하시오.

풀이　$y = \dfrac{3x+7}{x+2}$을 x에 대하여 풀면

$y(x+2) = 3x+7$, $xy + 2y = 3x + 7$

$xy - 3x = -2y + 7$, $(y-3)x = -2y + 7$

$\therefore x = \dfrac{-2y+7}{y-3}$

x와 y를 서로 바꾸면 구하는 역함수는 $y = \dfrac{-2x+7}{x-3}$

다른풀이　$y = \dfrac{3x+7}{x+2}$에서 분모의 상수항에 2 대신 -3, 분자의 x의 계수에 3 대신 -2를 대입하여 역함수를 구하면

$y = \dfrac{-2x+7}{x-3}$

개념원리 익히기

181 다음 유리함수의 정의역을 구하시오.

(1) $y = \dfrac{10}{x}$

(2) $y = \dfrac{3-x}{x+3}$

(3) $y = \dfrac{2x+3}{3x-5}$

(4) $y = \dfrac{3x}{x^2-4}$

182 다음 유리함수의 그래프를 그리고, 점근선의 방정식을 구하시오.

(1) $y = \dfrac{2}{x}$

(2) $y = -\dfrac{3}{x}$

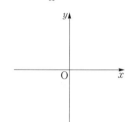

점근선의 방정식: _____

점근선의 방정식: _____

(3) $y = \dfrac{1}{x-1}$

(4) $y = -\dfrac{1}{x} + 2$

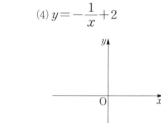

점근선의 방정식: _____

점근선의 방정식: _____

183 다음 유리함수를 $y = \dfrac{k}{x-p} + q$의 꼴로 변형하시오. (단, k, p, q는 상수)

(1) $y = \dfrac{4x-15}{x-3}$

(2) $y = \dfrac{-5x-7}{x+2}$

 생각해 봅시다!

유리함수의 정의역
⇨ 분모가 0이 되지 않도록 하는 실수 전체의 집합

유리함수
$y = \dfrac{k}{x-p} + q$ $(k \neq 0)$의 그래프의 점근선의 방정식
⇨ $x = p$, $y = q$

분자를 분모로 나누어 $\dfrac{(나머지)}{(분모)} + (몫)$의 꼴로 변형한다.

↻ 더 다양한 문제는 **RPM** 수학(하) 81쪽

다음 유리함수의 그래프를 그리고, 정의역, 치역, 점근선의 방정식을 구하시오.

(1) $y = \dfrac{4}{x+1} + 3$

(2) $y = \dfrac{2x+1}{x+2}$

풀이

(1) $y = \dfrac{4}{x+1} + 3$의 그래프는 $y = \dfrac{4}{x}$의 그래프를 x축의 방향으로 -1만큼, y축의 방향으로 3만큼 평행이동한 것이다.

따라서 그래프는 오른쪽 그림과 같고, **정의역은 $\{x \mid x \neq -1$인 실수$\}$**, **치역은 $\{y \mid y \neq 3$인 실수$\}$**, 점근선의 방정식은 $x = -1$, $y = 3$이다.

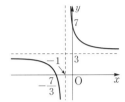

(2) $y = \dfrac{2x+1}{x+2} = \dfrac{2(x+2)-3}{x+2} = -\dfrac{3}{x+2} + 2$

이므로 주어진 유리함수의 그래프는 $y = -\dfrac{3}{x}$의 그래프를 x축의 방향으로 -2만큼, y축의 방향으로 2만큼 평행이동한 것이다.

따라서 그래프는 오른쪽 그림과 같고, **정의역은 $\{x \mid x \neq -2$인 실수$\}$**, **치역은 $\{y \mid y \neq 2$인 실수$\}$**, 점근선의 방정식은 $x = -2$, $y = 2$이다.

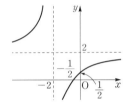

KEY Point

• 유리함수 $y = \dfrac{ax+b}{cx+d}$ $(ad-bc \neq 0,\ c \neq 0)$의 그래프

① 그래프를 그리는 방법

  (i) $y = \dfrac{k}{x-p} + q$ $(k \neq 0)$의 꼴로 변형하여 점근선의 방정식을 구한다.

  (ii) x절편, y절편을 구하여 좌표축에 표시한다.

  (iii) k의 부호에 따라 지나는 사분면을 찾아 그래프를 그린다.

② 점근선의 방정식: $x = -\dfrac{d}{c}$, $y = \dfrac{a}{c}$

184 다음 유리함수의 그래프를 그리고, 정의역, 치역, 점근선의 방정식을 구하시오.

(1) $y = -\dfrac{2}{x+2} + 1$

(2) $y = \dfrac{-2x+1}{x+3}$

(3) $y = \dfrac{6-x}{x-3}$

> 유리함수 $y=\dfrac{-x+5}{x-2}$의 그래프는 유리함수 $y=\dfrac{a}{x}$의 그래프를 x축의 방향으로 b만큼, y축의 방향으로 c만큼 평행이동한 것이다. 이때 상수 a, b, c의 값을 구하시오.

풀이 $y=\dfrac{-x+5}{x-2}=\dfrac{-(x-2)+3}{x-2}=\dfrac{3}{x-2}-1$

이므로 주어진 유리함수의 그래프는 $y=\dfrac{3}{x}$의 그래프를 x축의 방향으로 2만큼, y축의 방향으로 -1만큼 평행이동한 것이다.

$\therefore a=3,\ b=2,\ c=-1$

KEY Point

• 유리함수 $y=\dfrac{k}{x-p}+q\,(k\neq0)$의 그래프

⇨ $y=\dfrac{k}{x}$의 그래프를 x축의 방향으로 p만큼, y축의 방향으로 q만큼 평행이동한 것이다.

• 두 유리함수 $y=\dfrac{k}{x}$와 $y=\dfrac{l}{x-p}+q$의 그래프가 평행이동에 의해 서로 겹쳐지면 ⇨ $k=l$

확인 체크

185 유리함수 $y=-\dfrac{3}{x}$의 그래프를 x축의 방향으로 3만큼, y축의 방향으로 -2만큼 평행이동한 그래프의 식이 $y=\dfrac{ax+b}{x-c}$일 때, 상수 a, b, c에 대하여 abc의 값을 구하시오.

186 다음 보기의 유리함수 중 그 그래프가 평행이동에 의해 유리함수 $y=\dfrac{2}{x}$의 그래프와 겹쳐지는 것만을 있는 대로 고르시오.

┌─ 보기 ├─────────────────────────────────────
ㄱ. $y=\dfrac{x-1}{x-3}$ ㄴ. $y=\dfrac{2x+2}{x+2}$ ㄷ. $y=\dfrac{-4x-2}{x+1}$
───

187 유리함수 $y=\dfrac{ax+3}{x+1}$의 그래프를 평행이동하면 유리함수 $y=\dfrac{4}{x}$의 그래프와 겹쳐질 때, 상수 a의 값을 구하시오.

필수 예제 10 유리함수의 정의역과 치역　　🔄 더 다양한 문제는 **RPM** 수학(하) 87, 89쪽

> 유리함수 $y=\dfrac{-2x+4}{x-1}$ 의 정의역이 $\{x \mid -1 \leq x < 1$ 또는 $1 < x \leq 2\}$ 일 때, 치역을 구하시오.

설명　유리함수의 정의역이 주어졌을 때, 주어진 정의역에서 그래프를 그리고 함숫값의 범위를 확인한다.

풀이

$$y=\frac{-2x+4}{x-1}=\frac{-2(x-1)+2}{x-1}=\frac{2}{x-1}-2$$

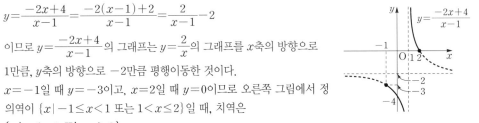

이므로 $y=\dfrac{-2x+4}{x-1}$ 의 그래프는 $y=\dfrac{2}{x}$ 의 그래프를 x축의 방향으로 1만큼, y축의 방향으로 -2만큼 평행이동한 것이다.

$x=-1$일 때 $y=-3$이고, $x=2$일 때 $y=0$이므로 오른쪽 그림에서 정의역이 $\{x \mid -1 \leq x < 1$ 또는 $1 < x \leq 2\}$ 일 때, 치역은

$$\{y \mid y \leq -3 \text{ 또는 } y \geq 0\}$$

KEY Point

• 유리함수의 정의역과 치역

⇨ 주어진 유리함수를 $y=\dfrac{k}{x-p}+q\,(k \neq 0)$ 의 꼴로 변형하여 그래프를 그리고, 주어진 범위에서 정의역 또는 치역을 구한다.

확인 체크

188 유리함수 $y=\dfrac{2x+3}{x+2}$ 의 치역이 $\left\{y \,\middle|\, y \leq \dfrac{3}{2} \text{ 또는 } y \geq 3\right\}$ 일 때, 정의역을 구하시오.

189 $0 \leq x \leq 2$에서 유리함수 $y=\dfrac{2x-3}{x+1}$ 의 최댓값과 최솟값을 구하시오.

190 $0 \leq x \leq a$에서 유리함수 $y=\dfrac{3x+k}{x+2}$ 의 최댓값이 5, 최솟값이 4일 때, 양수 a, k에 대하여 $a+k$의 값을 구하시오. (단, $k > 6$)

다음 물음에 답하시오.

(1) 유리함수 $y=\dfrac{ax-2}{x-1}$의 그래프가 점 $(b,\ 5)$에 대하여 대칭일 때, 상수 a, b의 값을 구하시오.

(2) 유리함수 $y=\dfrac{2x+1}{x-1}$의 그래프가 두 직선 $y=x+a$, $y=-x+b$에 대하여 대칭일 때, 상수 a, b의 값을 구하시오.

풀이

(1) $y=\dfrac{ax-2}{x-1}=\dfrac{a(x-1)+a-2}{x-1}=\dfrac{a-2}{x-1}+a$이므로 점근선의 방정식은 $x=1$, $y=a$

따라서 주어진 유리함수의 그래프는 두 점근선의 교점 $(1,\ a)$에 대하여 대칭이므로

$a=5,\ b=1$

(2) $y=\dfrac{2x+1}{x-1}=\dfrac{2(x-1)+3}{x-1}=\dfrac{3}{x-1}+2$이므로 점근선의 방정식은

$x=1$, $y=2$이고 주어진 유리함수의 그래프는 오른쪽 그림과 같다.

따라서 주어진 유리함수의 그래프는 두 점근선의 교점 $(1,\ 2)$를 지나고 기울기가 1 또는 -1인 직선에 대하여 대칭이다.

즉, 두 직선 $y=x+a$, $y=-x+b$는 각각 점 $(1,\ 2)$를 지나므로

$2=1+a$, $2=-1+b$

$\therefore a=1,\ b=3$

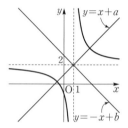

KEY Point

• 유리함수 $y=\dfrac{k}{x-p}+q\ (k\neq0)$의 그래프

① 점 $(p,\ q)$에 대하여 대칭

② 점 $(p,\ q)$를 지나고 기울기가 ±1인 두 직선에 대하여 각각 대칭

확인 체크

191 유리함수 $y=\dfrac{5x+6}{2x+3}$의 그래프가 점 $(a,\ b)$에 대하여 대칭일 때, $a+b$의 값을 구하시오.

192 유리함수 $y=\dfrac{3x+4}{x+2}$의 그래프가 직선 $y=-x+k$에 대하여 대칭일 때, 상수 k의 값을 구하시오.

193 유리함수 $y=\dfrac{bx+3}{x+a}$의 그래프가 두 직선 $y=x+6$, $y=-x-2$에 대하여 대칭일 때, 상수 a, b에 대하여 ab의 값을 구하시오.

유리함수 $y=\dfrac{ax+b}{x+c}$의 그래프가 오른쪽 그림과 같을 때, 상수 a, b, c의 값을 구하시오.

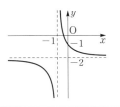

풀이   주어진 유리함수의 그래프의 점근선의 방정식이 $x=-1$, $y=-2$이므로 함수의 식을

$$y=\frac{k}{x+1}-2 \ (k>0) \qquad \cdots\cdots \ \ ⑦$$

로 놓을 수 있다.

⑦의 그래프가 점 $(0, -1)$을 지나므로

$$-1=k-2 \qquad \therefore k=1$$

$k=1$을 ⑦에 대입하면

$$y=\frac{1}{x+1}-2=\frac{1-2(x+1)}{x+1}=\frac{-2x-1}{x+1}$$

$$\therefore a=-2, \ b=-1, \ c=1$$

KEY Point

• 점근선의 방정식이 $x=p$, $y=q$이고 점 (a, b)를 지나는 유리함수의 식 구하기

⇨ 함수의 식을 $y=\dfrac{k}{x-p}+q \ (k\neq0)$로 놓고 $x=a$, $y=b$를 대입하여 상수 k의 값을 구한다.

확인 체크

194 유리함수 $y=\dfrac{k}{x+a}+b$의 그래프가 오른쪽 그림과 같을 때, 상수 a, b, k에 대하여 $a+b+k$의 값을 구하시오.

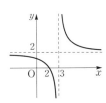

195 유리함수 $y=\dfrac{bx+c}{x+a}$의 그래프가 점 $(3, 1)$을 지나고 점근선의 방정식이 $x=2$, $y=3$일 때, 상수 a, b, c의 값을 구하시오.

196 유리함수 $y=\dfrac{bx-7}{x+a}$의 정의역이 $\{x \,|\, x\neq-2$인 실수$\}$, 치역이 $\{y \,|\, y\neq4$인 실수$\}$일 때, 상수 a, b에 대하여 ab의 값을 구하시오.

유리함수 $y=\dfrac{2x-1}{x-1}$의 그래프와 직선 $y=kx+2$가 만나지 않도록 하는 실수 k의 값의 범위를 구하시오.

풀이

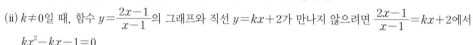

$y=\dfrac{2x-1}{x-1}=\dfrac{2(x-1)+1}{x-1}=\dfrac{1}{x-1}+2$ …… ㉠

이므로 $y=\dfrac{2x-1}{x-1}$의 그래프는 $y=\dfrac{1}{x}$의 그래프를 x축의 방향으로 1만큼, y축의 방향으로 2만큼 평행이동한 것이다.

또, 직선 $y=kx+2$는 k의 값에 관계없이 항상 점 $(0,\ 2)$를 지난다. 이때 ㉠의 그래프와 직선 $y=kx+2$가 만나지 않으려면 오른쪽 그림과 같아야 한다.

(ⅰ) $k=0$일 때, 직선 $y=2$는 점근선이므로 ㉠의 그래프와 만나지 않는다.

(ⅱ) $k\neq0$일 때, 함수 $y=\dfrac{2x-1}{x-1}$의 그래프와 직선 $y=kx+2$가 만나지 않으려면 $\dfrac{2x-1}{x-1}=kx+2$에서

$kx^2-kx-1=0$

이 이차방정식의 실근이 존재하지 않아야 하므로 판별식을 D라 하면

$D=(-k)^2-4\times k\times(-1)<0,\ k^2+4k<0$

$k(k+4)<0$ ∴ $-4<k<0$

(ⅰ), (ⅱ)에서 $-4<k\leq0$

KEY Point • 유리함수의 그래프와 직선의 위치 관계

⇨ 직선이 항상 지나는 점을 찾아 그래프를 그린 후 두 그래프의 위치 관계를 생각한다.

확인 체크

197 유리함수 $y=\dfrac{x-2}{x+1}$의 그래프와 직선 $y=mx+m+1$이 만나지 않도록 하는 실수 m의 값의 범위를 구하시오.

198 유리함수 $y=-\dfrac{3}{x}+3$의 그래프와 직선 $y=3x+a$가 한 점에서 만나도록 하는 모든 실수 a의 값의 합을 구하시오.

199 유리함수 $y=\dfrac{3}{x-1}+2$의 그래프와 직선 $mx-y-m+2=0$이 만나도록 하는 실수 m의 값의 범위를 구하시오.

유리함수 $f(x)=\dfrac{x+1}{x-1}$에 대하여 $f^{101}(10)$의 값을 구하시오.

(단, $f^1=f$, $f^{n+1}=f\circ f^n$이고, n은 자연수)

풀이

$$f^2(x)=(f\circ f^1)(x)=f(f(x))=\dfrac{\dfrac{x+1}{x-1}+1}{\dfrac{x+1}{x-1}-1}=\dfrac{\dfrac{2x}{x-1}}{\dfrac{2}{x-1}}=\dfrac{2x}{2}=x$$

$$f^3(x)=(f\circ f^2)(x)=f(f^2(x))=f(x)=\dfrac{x+1}{x-1}$$

$$f^4(x)=(f\circ f^3)(x)=f(f^3(x))=f(f(x))=x$$

$$\vdots$$

따라서 자연수 n에 대하여 $f(x)=f^3(x)=f^5(x)=\cdots=f^{2n-1}(x)=\dfrac{x+1}{x-1}$,

$f^2(x)=f^4(x)=f^6(x)=\cdots=f^{2n}(x)=x$이므로

$$f^{101}(10)=f(10)=\dfrac{10+1}{10-1}=\dfrac{\mathbf{11}}{\mathbf{9}}$$

다른풀이

$f^1(10)=\dfrac{10+1}{10-1}=\dfrac{11}{9}$, $f^2(10)=f(f(10))=f\left(\dfrac{11}{9}\right)=\dfrac{\dfrac{11}{9}+1}{\dfrac{11}{9}-1}=10$, $f^3(10)=f(f^2(10))=f(10)$, $\cdots$

이므로 $f^{101}(10)=f(10)=\dfrac{11}{9}$

KEY Point

• 유리함수의 합성
⇨ $f^1(x)$, $f^2(x)$, $f^3(x)$, $\cdots$를 차례로 구해서 규칙을 찾는다.

확인 체크

200 유리함수 $f(x)=1-\dfrac{1}{x}$ $(x\neq 1)$에 대하여
$$f^1=f,\ f^2=f\circ f,\ f^3=f\circ f^2,\ \cdots,\ f^{n+1}=f\circ f^n\ (n\text{은 자연수})$$
으로 정의할 때, $f^{200}(x)$를 구하시오.

201 유리함수 $f(x)=\dfrac{3x-3}{x-3}$에 대하여 $f^{2019}(6)$의 값을 구하시오.

(단, $f^1=f$, $f^{n+1}=f\circ f^n$이고, n은 자연수)

202 유리함수 $y=f(x)$의 그래프가 오른쪽 그림과 같고
$$f^1=f,\ f^{n+1}=f\circ f^n\ (n\text{은 자연수})$$
으로 정의할 때, $f^{500}(1)$의 값을 구하시오.

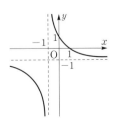

↻ 더 다양한 문제는 **RPM** 수학(하) 90쪽

유리함수 $f(x)=\dfrac{ax+3}{x-1}$에 대하여 $f=f^{-1}$가 성립할 때, 상수 a의 값을 구하시오.

(단, f^{-1}는 f의 역함수)

풀이

$y=\dfrac{ax+3}{x-1}$으로 놓고 x에 대하여 풀면

$y(x-1)=ax+3$, $(y-a)x=y+3$ $\qquad \therefore x=\dfrac{y+3}{y-a}$

x와 y를 서로 바꾸면 $y=\dfrac{x+3}{x-a}$ $\qquad \therefore f^{-1}(x)=\dfrac{x+3}{x-a}$

$f=f^{-1}$이므로 $\dfrac{ax+3}{x-1}=\dfrac{x+3}{x-a}$ $\qquad \therefore a=\mathbf{1}$

다른풀이

$f(x)=\dfrac{ax+3}{x-1}$에서 분모의 상수항에 -1 대신 $-a$, 분자의 x의 계수에 a 대신 1을 대입하여

역함수를 구하면 $f^{-1}(x)=\dfrac{x+3}{x-a}$

$f=f^{-1}$이므로 $\dfrac{ax+3}{x-1}=\dfrac{x+3}{x-a}$ $\qquad \therefore a=1$

KEY Point

• 유리함수 $y=f(x)$의 역함수 구하기
 (i) $y=f(x)$를 x에 대하여 푼다. 즉, $x=f^{-1}(y)$의 꼴로 고친다.
 (ii) $x=f^{-1}(y)$에서 x와 y를 서로 바꾸어 $y=f^{-1}(x)$로 나타낸다.

확인 체크

203 유리함수 $f(x)=\dfrac{ax+b}{2x+c}$의 역함수가 $f^{-1}(x)=\dfrac{-x+3}{2x-1}$일 때, 상수 a, b, c의 값을 구하시오.

204 유리함수 $f(x)=\dfrac{2x+1}{x-2}$일 때, $(f\circ g)(x)=x$를 만족시키는 함수 $g(x)$에 대하여 $(g\circ g)(3)$의 값을 구하시오.

205 유리함수 $f(x)=\dfrac{ax+b}{-x+2}$의 그래프와 그 역함수의 그래프가 모두 점 $(3,\ -9)$를 지날 때, 상수 a, b의 값을 구하시오.

STEP 1

💡 **생각해 봅시다!**

141 유리함수 $y = \dfrac{x+1}{2x-4}$ 의 그래프에 대한 다음 설명 중 옳지 <u>않은</u> 것은?

① 점근선의 방정식은 $x=2$, $y=\dfrac{1}{2}$ 이다.

② 정의역은 $\{x \,|\, x \neq 2$ 인 실수$\}$, 치역은 $\left\{y \,\middle|\, y \neq \dfrac{1}{2}$ 인 실수$\right\}$ 이다.

③ 그래프는 모든 사분면을 지난다.

④ 두 직선 $y=x$, $y=-x$ 에 대하여 대칭이다.

⑤ $y = \dfrac{3}{2x}$ 의 그래프를 평행이동한 것이다.

> 유리함수
> $$y = \frac{k}{x-p} + q \ (k \neq 0)$$
> 의 그래프는 점 (p, q)를 지나고 기울기가 ± 1인 두 직선에 대하여 대칭이다.

142 두 유리함수 $y = \dfrac{ax+3}{2x+1}$, $y = \dfrac{x-2}{3x+b}$ 의 그래프의 점근선의 방정식이 같을 때, ab의 값을 구하시오. (단, a, b는 상수)

143 $1 \leq x \leq \dfrac{5}{2}$ 에서 유리함수 $y = \dfrac{-3-4x}{2x+1}$ 의 최댓값을 a, 최솟값을 b라 할 때, $a+b$의 값을 구하시오.

> 유리함수의 최댓값, 최솟값
> ⇨ 그래프를 그려서 확인한다.

144 유리함수 $y = \dfrac{-2x+5}{x-1}$ 의 그래프는 두 직선 $y=ax+b$와 $y=cx+d$에 대하여 각각 대칭이다. 이때 상수 a, b, c, d에 대하여 $a+2b+c+3d$의 값을 구하시오. (단, $a > c$)

[교육청기출]

145 유리함수 $f(x) = \dfrac{x+b}{x-a}$ 의 그래프가 점 $(3, 7)$을 지나고, 직선 $x=2$를 한 점근선으로 가질 때, $a+b$의 값은? (단, a, b는 상수)

① 6 ② 7 ③ 8 ④ 9 ⑤ 10

146 두 유리함수 $f(x) = \dfrac{2x}{x+1}$, $g(x) = \dfrac{3x-1}{x}$ 의 역함수를 각각 $f^{-1}(x)$, $g^{-1}(x)$라 할 때, $(g^{-1} \circ f)^{-1}(2) = k$를 만족시키는 상수 k의 값을 구하시오.

> 역함수의 성질
> $(g \circ f)^{-1} = f^{-1} \circ g^{-1}$
> 를 이용한다.

연습문제

STEP **2**

[교육청기출]

147 함수 $y=\dfrac{3x+k-10}{x+1}$의 그래프가 제4사분면을 지나도록 하는 모든 자연수 k의 개수는?

① 5   ② 7   ③ 9   ④ 11   ⑤ 13

148 유리함수 $y=\dfrac{bx+c}{ax-1}$의 그래프가 오른쪽 그림과 같을 때, 옳은 것만을 보기에서 있는 대로 고르시오.

(단, a, b, c는 상수)

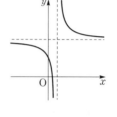

> ┤ 보기 ├
> ㄱ. $a>0$ ㄴ. $b<0$ ㄷ. $c<0$

> 그래프가 y축과 만나는 점과 점근선의 방정식을 이용한다.

149 두 집합 $A=\left\{(x, y)\,\middle|\,y=\dfrac{2x-4}{x-1}\right\}$, $B=\{(x, y)\,|\,y=kx+1\}$에 대하여 $A\cap B=\varnothing$일 때, 실수 k의 값의 범위를 구하시오.

150 유리함수 $y=\dfrac{2x+13}{x-1}$의 그래프와 직선 $y=x-1$이 만나는 두 점 사이의 거리를 구하시오.

> 두 점 (x_1, y_1), (x_2, y_2) 사이의 거리
> $\Rightarrow \sqrt{(x_2-x_1)^2+(y_2-y_1)^2}$

151 유리함수 $f(x)=\dfrac{x+2}{x-1}$에 대하여 함수 $y=(f\circ f\circ f)(x)$의 그래프가 점 (a, b)에 대하여 대칭일 때, $a+b$의 값을 구하시오.

> 합성함수를 직접 구해 본다.

152 유리함수 $f(x)=\dfrac{4x+1}{x-1}$의 역함수를 $g(x)$라 할 때, $y=g(x)$의 그래프를 x축의 방향으로 m만큼, y축의 방향으로 n만큼 평행이동하면 $y=f(x)$의 그래프와 겹쳐진다. 이때 $n-m$의 값을 구하시오.

153 두 유리함수 $y=\dfrac{2x-3}{x-a}$, $y=\dfrac{-ax+2}{x-2}$의 그래프의 점근선으로 둘러싸인 부분의 넓이가 3일 때, 모든 양수 a의 값의 곱을 구하시오.

💡 **생각해 봅시다!**

$y=\dfrac{1}{x}$의 그래프 위의 점의 좌표를 $\left(a, \dfrac{1}{a}\right)(a>0)$로 놓는다.

154 오른쪽 그림과 같이 제1사분면에 있는 유리함수 $y=\dfrac{1}{x}$의 그래프 위의 한 점 A에서 x축, y축에 평행한 직선을 그어 유리함수 $y=\dfrac{k}{x}(k>1)$의 그래프와 만나는 점을 각각 B, C라 하자. 삼각형 ABC의 넓이가 50일 때, 상수 k의 값을 구하시오.

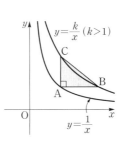

[교육청기출]

155 유리함수 $f(x)=\dfrac{2x+b}{x-a}$가 다음 조건을 만족시킨다.

> (가) 2가 아닌 모든 실수 x에 대하여 $f^{-1}(x)=f(x-4)-4$이다.
>
> (나) 함수 $y=f(x)$의 그래프를 평행이동하면 함수 $y=\dfrac{3}{x}$의 그래프와 일치한다.

$a+b$의 값은? (단, a, b는 상수)

① 1   ② 2   ③ 3   ④ 4   ⑤ 5

[교육청기출]

156 유리함수 $f(x)=\dfrac{3x+k}{x+4}$의 그래프를 x축의 방향으로 -2만큼, y축의 방향으로 3만큼 평행이동한 곡선을 $y=g(x)$라 하자. 곡선 $y=g(x)$의 두 점근선의 교점이 곡선 $y=f(x)$ 위의 점일 때, 상수 k의 값은?

① -6 ② -3 ③ 0   ④ 3   ⑤ 6

유리함수의 그래프를 평행이동하면 점근선도 같이 평행이동된다.

157 유리함수 $f(x)=\dfrac{2x-3}{x-2}(x>2)$의 그래프 위의 임의의 한 점 P에서 x축과 y축에 내린 수선의 발을 각각 A, B라 할 때, $\overline{PA}+\overline{PB}$의 최솟값을 m, 그때의 점 P의 x좌표를 p라 하자. $m+p$의 값을 구하시오.

Take a Break

앞에 누가 있는가?

사람들은 보여지길 바랍니다.
누군가 자신의 말에 귀 기울여 주길 바랍니다.
그리고 자신의 영혼과 마음을 어루만져 주기를 기다립니다.
사랑은 어쩌면 이러한 요구를 알아 주고 보듬어 주는 일이 아닐까요?
요즘 우리는 너무 바빠서, 혹은 다른 이유로 인해
어느 누구를 가만히 바라볼 여유가 없습니다.
바로 당신 앞에 그 사람이 있습니다.
당신은 그곳에 그 사람이 있다는 것을 알고 있습니다.
그러나 당신은 그 사람을 보고 있지 않습니다.
당신의 관심을 끄는 다른 것에 정신이 팔려
바로 앞에 그 사람이 있다는 것을 깨닫지 못합니다.
TV와 컴퓨터에 정신을 빼앗겨
그가 당신에게 이야기하는 것을 듣지 못합니다.
누군가를 사랑한다는 것은 그 사람을 주의 깊게 지켜본다는 것입니다.
당신의 관심 속에서 그 사람을 매일매일 아름답게 변화시키는 것입니다.
그런데, 당신은 그의 얼굴을 마지막으로 본 게 언제인가요?
심지어 당신 자신의 얼굴은 제대로 보고 있습니까?

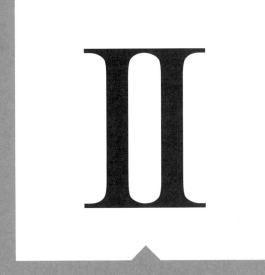

함수

1. 무리식

(1) **무리식** : 근호 안에 문자가 포함된 식 중에서 유리식으로 나타낼 수 없는 식을 **무리식**이라 한다.

(2) **무리식의 값이 실수가 되기 위한 조건**

　무리식의 값이 실수가 되려면 근호 안의 식의 값이 양수 또는 0이어야 하고, 분모는 0이 아니어야 한다.

(근호 안의 식의 값)≥0, (분모)≠0

▶ 유리식과 무리식을 통틀어 식이라 하므로 식을 분류하면 다음과 같다.

$$식 \begin{cases} 유리식 \begin{cases} 다항식 \\ 분수식 \end{cases} \\ 무리식 \end{cases}$$

예　(1) $\sqrt{3x+1}$, $\sqrt{x+2}-\sqrt{4-x}$, $\dfrac{1}{\sqrt{x-1}}$과 같은 식을 무리식이라 한다.

　　(2) ① $\sqrt{x-3}$이 실수가 되려면 ▷ $x-3\geq0$에서 $x\geq3$

　　　　② $\dfrac{1}{\sqrt{x+5}}$이 실수가 되려면 ▷ $x+5\geq0$이고 $x+5\neq0$이므로 $x>-5$

2. 무리식의 계산　▷ 필수예제 **1**

무리식의 계산은 무리수의 계산과 마찬가지로 제곱근의 성질, 분모의 유리화를 이용한다.

(1) **제곱근의 성질**

　$a>0$, $b>0$일 때

　① $\sqrt{a}\sqrt{b}=\sqrt{ab}$, $\dfrac{\sqrt{a}}{\sqrt{b}}=\sqrt{\dfrac{a}{b}}$

　② $\sqrt{a^2b}=a\sqrt{b}$, $\sqrt{\dfrac{a}{b^2}}=\dfrac{\sqrt{a}}{b}$

(2) **분모의 유리화**

　$a>0$, $b>0$일 때

　① $\dfrac{a}{\sqrt{b}}=\dfrac{a\sqrt{b}}{\sqrt{b}\sqrt{b}}=\dfrac{a\sqrt{b}}{b}$

　② $\dfrac{c}{\sqrt{a}+\sqrt{b}}=\dfrac{c(\sqrt{a}-\sqrt{b})}{(\sqrt{a}+\sqrt{b})(\sqrt{a}-\sqrt{b})}=\dfrac{c(\sqrt{a}-\sqrt{b})}{a-b}$ (단, $a\neq b$)

　③ $\dfrac{c}{\sqrt{a}-\sqrt{b}}=\dfrac{c(\sqrt{a}+\sqrt{b})}{(\sqrt{a}-\sqrt{b})(\sqrt{a}+\sqrt{b})}=\dfrac{c(\sqrt{a}+\sqrt{b})}{a-b}$ (단, $a\neq b$)

206 다음 무리식의 값이 실수가 되도록 하는 실수 x의 값의 범위를 구하시오.

(1) $2x + \sqrt{x+1}$

(2) $\sqrt{x-1} - \sqrt{2x-4}$

(3) $\sqrt{x+3} + \dfrac{1}{\sqrt{2-x}}$

(4) $\dfrac{\sqrt{2x-1}}{\sqrt{4-x}}$

207 $2 < x < 3$일 때, $\sqrt{x^2-4x+4} + \sqrt{x^2-6x+9}$를 간단히 하시오.

208 다음 식의 분모를 유리화하시오.

(1) $\dfrac{x}{\sqrt{x+4}-2}$

(2) $\dfrac{6}{\sqrt{x+3}-\sqrt{x-3}}$

(3) $\dfrac{\sqrt{x-2}-1}{\sqrt{x-2}+1}$

209 다음 식을 간단히 하시오.

(1) $(\sqrt{x+1}+\sqrt{x})(\sqrt{x+1}-\sqrt{x})$

(2) $\dfrac{1}{\sqrt{x}+\sqrt{y}} - \dfrac{1}{\sqrt{x}-\sqrt{y}}$

(3) $\dfrac{2x}{2-\sqrt{x+1}} + \dfrac{2x}{2+\sqrt{x+1}}$

💡 **생각해 봅시다!**

무리식의 값이 실수가 되기 위한 조건
⇨ (근호 안의 식의 값)≥ 0
 (분모)$\neq 0$

$(\sqrt{a}-\sqrt{b})(\sqrt{a}+\sqrt{b})$
$= a-b$
임을 이용하여 분모를 유리화한다.

필수 예제 01

$x=\sqrt{3}$일 때, $\dfrac{\sqrt{x+1}-\sqrt{x-1}}{\sqrt{x+1}+\sqrt{x-1}}$의 값을 구하시오.

풀이

$$\frac{\sqrt{x+1}-\sqrt{x-1}}{\sqrt{x+1}+\sqrt{x-1}}=\frac{(\sqrt{x+1}-\sqrt{x-1})^2}{(\sqrt{x+1}+\sqrt{x-1})(\sqrt{x+1}-\sqrt{x-1})}$$
$$=\frac{x+1-2\sqrt{x^2-1}+x-1}{x+1-(x-1)}$$
$$=\frac{2x-2\sqrt{x^2-1}}{2}=x-\sqrt{x^2-1}$$

$x=\sqrt{3}$을 대입하면
$$x-\sqrt{x^2-1}=\sqrt{3}-\sqrt{(\sqrt{3})^2-1}=\boldsymbol{\sqrt{3}-\sqrt{2}}$$

KEY Point

• 무리식의 계산
⇨ 분모에 무리식이 있으면 분모를 유리화한다.

확인 체크

210 다음 식을 간단히 하시오.

(1) $\dfrac{1}{x+\sqrt{x^2-1}}+\dfrac{1}{x-\sqrt{x^2-1}}$ $\qquad$ (2) $\dfrac{x}{\sqrt{x}+\sqrt{x-1}}-\dfrac{x}{\sqrt{x}-\sqrt{x-1}}$

211 $x=\dfrac{1}{\sqrt{2}-1},\ y=\dfrac{1}{\sqrt{2}+1}$일 때, $\dfrac{\sqrt{x}+\sqrt{y}}{\sqrt{x}-\sqrt{y}}$의 값을 구하시오.

212 $x=2+\sqrt{3}$일 때, x^3-4x^2+x+2의 값을 구하시오.

213 $f(x)=\dfrac{1}{\sqrt{x}+\sqrt{x+1}}$일 때, $f(1)+f(2)+f(3)+\cdots+f(99)$의 값을 구하시오.

02 | 무리함수

1. 무리함수

(1) **무리함수**: 함수 $y=f(x)$에서 $f(x)$가 x에 대한 무리식일 때, 이 함수를 **무리함수**라 한다.

(2) **무리함수의 정의역**: 무리함수의 정의역이 주어지지 않은 경우에는 함숫값이 실수가 되도록 하는, 즉 **(근호 안의 식의 값)≥0인 실수 전체의 집합**을 정의역으로 생각한다.

예
(1) $y=\sqrt{x}$, $y=\sqrt{3x-2}$, $y=\sqrt{x-3}-1$은 모두 무리함수이다.

(2) 무리함수 $y=\sqrt{x+2}-3$에서 $x+2\geq0$, 즉 $x\geq-2$이므로 이 함수의 정의역은 $\{x\,|\,x\geq-2\}$이다.

2. 무리함수 $y=\sqrt{x}$의 그래프

무리함수 $y=\sqrt{x}$의 그래프는 그 역함수의 그래프를 이용하여 그릴 수 있다.

$y=\sqrt{x}$ $(x\geq0)$의 역함수를 구하기 위해 $y=\sqrt{x}$를 x에 대하여 풀면

$$x=y^2 \; (y\geq0)$$

x와 y를 서로 바꾸어 역함수를 구하면

$$y=x^2 \; (x\geq0)$$

따라서 무리함수 $y=\sqrt{x}$의 그래프는 그 역함수 $y=x^2$ $(x\geq0)$의 그래프 와 직선 $y=x$에 대하여 대칭이므로 오른쪽 그림과 같다.

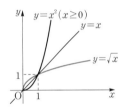

▶ 무리함수 $y=-\sqrt{x}$, $y=\sqrt{-x}$, $y=-\sqrt{-x}$의 그래프는 함수 $y=\sqrt{x}$의 그래프를 각각 x축, y축, 원점에 대하여 대칭이동한 것이다.

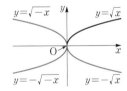

3. 무리함수 $y=\sqrt{ax}$와 $y=-\sqrt{ax}$ $(a\neq0)$의 그래프

(1) **무리함수 $y=\sqrt{ax}$ $(a\neq0)$의 그래프**

① $a>0$일 때, 정의역: $\{x\,|\,x\geq0\}$, 치역: $\{y\,|\,y\geq0\}$

② $a<0$일 때, 정의역: $\{x\,|\,x\leq0\}$, 치역: $\{y\,|\,y\geq0\}$

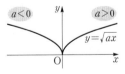

(2) **무리함수 $y=-\sqrt{ax}$ $(a\neq0)$의 그래프**

① $a>0$일 때, 정의역: $\{x\,|\,x\geq0\}$, 치역: $\{y\,|\,y\leq0\}$

② $a<0$일 때, 정의역: $\{x\,|\,x\leq0\}$, 치역: $\{y\,|\,y\leq0\}$

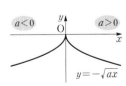

▶ ① 무리함수 $y=\sqrt{ax}\ (a\neq 0)$의 그래프는 함수 $y=\dfrac{x^2}{a}\ (x\geq 0)$의 그래프와 직선 $y=x$에 대하여 대칭이다.

② 두 무리함수 $y=\sqrt{ax},\ y=-\sqrt{ax}\ (a\neq 0)$의 그래프는 $|a|$의 값이 커질수록 x축에서 멀어진다.

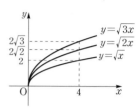

예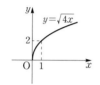

4. 무리함수 $y=\sqrt{a(x-p)}+q\ (a\neq 0)$의 그래프 ▷ 필수예제 **2 ~ 5**

(1) 무리함수 $y=\sqrt{a(x-p)}+q\ (a\neq 0)$의 그래프는 함수 $y=\sqrt{ax}$의 그래프를 x축의 방향으로 p만큼, y축의 방향으로 q만큼 평행이동한 것이다.

(2) $a>0$일 때, **정의역**: $\{x\,|\,x\geq p\}$, **치역**: $\{y\,|\,y\geq q\}$
$a<0$일 때, **정의역**: $\{x\,|\,x\leq p\}$, **치역**: $\{y\,|\,y\geq q\}$

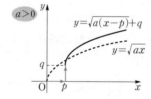 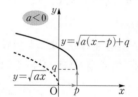

▶ ① $y-q=\sqrt{x-p}$에서 정의역 ➪ (근호 안의 식의 값)≥ 0이므로 $x-p\geq 0$에서 $x\geq p$ ∴ $\{x\,|\,x\geq p\}$
  치역 ➪ $\sqrt{(식)}\geq 0$이므로 $y-q\geq 0$에서 $y\geq q$ ∴ $\{y\,|\,y\geq q\}$
② 점 $(p,\,q)$가 그래프의 시작점이라 생각하고 그래프를 그린다.

5. 무리함수 $y=\sqrt{ax+b}+c\ (a\neq 0)$의 그래프 ▷ 필수예제 **2 ~ 5**

무리함수 $y=\sqrt{ax+b}+c\ (a\neq 0)$의 그래프는 $y=\sqrt{a\left(x+\dfrac{b}{a}\right)}+c$의 꼴로 변형하여 그린다.

이때 $y=\sqrt{ax+b}+c$의 그래프는 $y=\sqrt{ax}$의 그래프를 x축의 방향으로 $-\dfrac{b}{a}$만큼, y축의 방향으로 c만큼 평행이동한 것이다.

예 $y=\sqrt{2-2x}+3=\sqrt{-2(x-1)}+3$의 그래프는 $y=\sqrt{-2x}$의 그래프를 x축의 방향으로 1만큼, y축의 방향으로 3만큼 평행이동한 것이므로 그래프는 오른쪽 그림과 같고, 정의역은 $\{x\,|\,x\leq 1\}$, 치역은 $\{y\,|\,y\geq 3\}$이다.

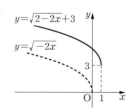

개념원리 익히기

214 다음 보기 중 무리함수인 것만을 있는 대로 고르시오.

보기
ㄱ. $y=\sqrt{3x}$　　　ㄴ. $y=-\sqrt{5x}$　　　ㄷ. $y=\sqrt{(2-x)^2}$
ㄹ. $y=\sqrt{4x-5}$　　　ㅁ. $y=\sqrt{4-x^2}$

💡 생각해 봅시다!

함수 $y=f(x)$에서 $f(x)$가 x에 대한 무리식일 때, 이 함수를 무리함수라 한다.

215 다음 무리함수의 정의역을 구하시오.

(1) $y=\sqrt{-3-x}$　　　　　　(2) $y=-\sqrt{x+2}$
(3) $y=1-\sqrt{2x-4}$　　　　　(4) $y=\sqrt{1-x^2}$

무리함수의 정의역
⇨ (근호 안의 식의 값)≥0
인 실수 전체의 집합

216 다음 무리함수의 그래프를 그리고, 정의역과 치역을 구하시오.

(1) $y=\sqrt{9x}$

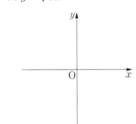

(2) $y=-\sqrt{16x}$

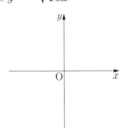

(3) $y=\sqrt{-(x-3)}$

(4) $y=-\sqrt{x-2}+1$

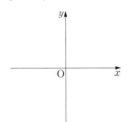

무리함수
$y=\sqrt{a(x-p)}+q$
$(a\neq0)$
의 그래프는 함수 $y=\sqrt{ax}$의 그래프를 x축의 방향으로 p만큼, y축의 방향으로 q만큼 평행이동한 것이다.

다음 무리함수의 그래프를 그리고, 정의역과 치역을 구하시오.

(1) $y=\sqrt{2x+4}+1$　　　　(2) $y=\sqrt{2-x}-1$　　　　(3) $y=2-\sqrt{2x-5}$

설명　　$y=\sqrt{ax+b}+c\ (a\ne0)$의 꼴의 무리함수는 $y=\sqrt{a\left(x+\dfrac{b}{a}\right)}+c$의 꼴로 변형한다.

풀이　　(1) $y=\sqrt{2x+4}+1=\sqrt{2(x+2)}+1$

따라서 $y=\sqrt{2x+4}+1$의 그래프는 $y=\sqrt{2x}$의 그래프를 x축의 방향으로 -2만큼, y축의 방향으로 1만큼 평행이동한 것이므로 오른쪽 그림과 같다.

∴ **정의역**: $\{x\,|\,x\ge-2\}$, **치역**: $\{y\,|\,y\ge1\}$

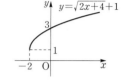

(2) $y=\sqrt{2-x}-1=\sqrt{-(x-2)}-1$

따라서 $y=\sqrt{2-x}-1$의 그래프는 $y=\sqrt{-x}$의 그래프를 x축의 방향으로 2만큼, y축의 방향으로 -1만큼 평행이동한 것이므로 오른쪽 그림과 같다.

∴ **정의역**: $\{x\,|\,x\le2\}$, **치역**: $\{y\,|\,y\ge-1\}$

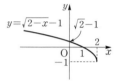

(3) $y=2-\sqrt{2x-5}=-\sqrt{2\left(x-\dfrac{5}{2}\right)}+2$

따라서 $y=2-\sqrt{2x-5}$의 그래프는 $y=-\sqrt{2x}$의 그래프를 x축의 방향으로 $\dfrac{5}{2}$만큼, y축의 방향으로 2만큼 평행이동한 것이므로 오른쪽 그림과 같다.

∴ **정의역**: $\left\{x\,\middle|\,x\ge\dfrac{5}{2}\right\}$, **치역**: $\{y\,|\,y\le2\}$

주의　　$y=-\sqrt{x+a}+b$의 꼴의 무리함수의 정의역은 $\{x\,|\,x\ge-a\}$이고 치역은 $\{y\,|\,y\le b\}$이다.
(3)에서 치역을 $\{y\,|\,y\ge2\}$라 하지 않도록 주의한다.

KEY Point

• $y=\sqrt{ax}$의 그래프

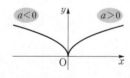

• $y=-\sqrt{ax}$의 그래프

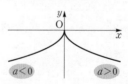

• $y-q=\sqrt{x-p}$의 꼴에서 $x-p\ge0$, $y-q\ge0$이므로
⇨ 정의역: $\{x\,|\,x\ge p\}$, 치역: $\{y\,|\,y\ge q\}$

확인 체크　**217** 다음 무리함수의 그래프를 그리고, 정의역과 치역을 구하시오.

(1) $y=\sqrt{3x-2}-1$　　　　(2) $y=\sqrt{6-2x}+2$　　　　(3) $y=-\sqrt{-x+1}-2$

무리함수 $y=\sqrt{4-2x}+1$의 그래프를 x축의 방향으로 a만큼, y축의 방향으로 b만큼 평행이동하면 무리함수 $y=\sqrt{8-2x}-5$의 그래프와 일치할 때, 상수 a, b에 대하여 $a+b$의 값을 구하시오.

풀이 $y=\sqrt{4-2x}+1$의 그래프를 x축의 방향으로 a만큼, y축의 방향으로 b만큼 평행이동하면

$y=\sqrt{4-2(x-a)}+1+b$ $\therefore y=\sqrt{4+2a-2x}+1+b$

이 함수의 그래프가 $y=\sqrt{8-2x}-5$의 그래프와 일치하므로

$4+2a=8$, $1+b=-5$

따라서 $a=2$, $b=-6$이므로 $a+b=$ **-4**

KEY Point

• 무리함수 $y=\sqrt{ax}\ (a\neq0)$의 그래프를 x축의 방향으로 m만큼, y축의 방향으로 n만큼 평행이동
  ⇨ $y=\sqrt{a(x-m)}+n$

218 다음 보기의 무리함수 중 그 그래프가 평행이동 또는 대칭이동에 의해 무리함수 $y=\sqrt{-x}$의 그래프와 겹쳐지는 것만을 있는 대로 고르시오.

┌ 보기 ├
ㄱ. $y=-\sqrt{-x}$ ㄴ. $y=\sqrt{-2x+6}$ ㄷ. $y=-\sqrt{4-x}+7$

219 무리함수 $y=\sqrt{ax-3}+2$의 그래프를 x축의 방향으로 b만큼, y축의 방향으로 c만큼 평행이동하면 무리함수 $y=\sqrt{5x+2}$의 그래프와 일치할 때, 상수 a, b, c에 대하여 $a+bc$의 값을 구하시오.

220 무리함수 $y=\sqrt{-x+2}$의 그래프를 x축의 방향으로 1만큼, y축의 방향으로 -2만큼 평행이동한 후 y축에 대하여 대칭이동하면 무리함수 $y=\sqrt{ax+b}+c$의 그래프와 일치한다. 이때 상수 a, b, c에 대하여 $a+b+c$의 값을 구하시오.

필수 예제 04 무리함수의 정의역과 치역

더 다양한 문제는 **RPM** 수학(하) 101, 103쪽

무리함수 $y=\sqrt{-3x+6}-1$의 정의역이 $\{x|-1\leq x\leq 2\}$일 때, 치역을 구하시오.

설명 무리함수의 정의역이 주어졌을 때, 주어진 정의역에서 그래프를 그리고 함숫값의 범위를 확인한다.

풀이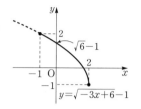
$y=\sqrt{-3x+6}-1=\sqrt{-3(x-2)}-1$
이므로 $y=\sqrt{-3x+6}-1$의 그래프는 $y=\sqrt{-3x}$의 그래프를 x축의 방향으로 2만큼, y축의 방향으로 -1만큼 평행이동한 것이다.
$x=-1$일 때 $y=\sqrt{3+6}-1=2$,
$x=2$일 때 $y=\sqrt{-6+6}-1=-1$
이므로 오른쪽 그림에서 정의역이 $\{x|-1\leq x\leq 2\}$일 때, 치역은
$\{y|-1\leq y\leq 2\}$

KEY Point

• 무리함수의 정의역과 치역
  ⇨ 주어진 무리함수를 $y=\sqrt{a(x-p)}+q\ (a\neq 0)$의 꼴로 변형하여 그래프를 그리고, 주어진 범위에서 정의역 또는 치역을 구한다.

확인 체크

221 무리함수 $y=-\sqrt{4x-4}+3$의 치역이 $\{y|-1\leq y\leq 1\}$일 때, 정의역을 구하시오.

222 $-2\leq x\leq 1$에서 무리함수 $y=-\sqrt{-3x+3}-1$의 최댓값을 a, 최솟값을 b라 할 때, $a-b$의 값을 구하시오.

223 $-3\leq x\leq a$에서 무리함수 $y=\sqrt{3-2x}+2$의 최댓값 b, 최솟값이 3일 때, $b-a$의 값을 구하시오. (단, a는 상수)

무리함수의 식 구하기 ♻ 더 다양한 문제는 **RPM** 수학(하) 101, 102쪽

무리함수 $y=-\sqrt{ax+b}+c$의 그래프가 오른쪽 그림과 같을 때, 상수 a, b, c의 값을 구하시오.

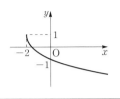

설명 그래프가 시작하는 점의 좌표가 (p, q)인 경우 $y=\pm\sqrt{a(x-p)}+q$로 놓고 그래프가 지나는 점의 좌표를 대입한다.

풀이 주어진 함수의 그래프는 $y=-\sqrt{ax}$ $(a>0)$의 그래프를 x축의 방향으로 -2만큼, y축의 방향으로 1만큼 평행이동한 것이므로 함수의 식을
$$y=-\sqrt{a(x+2)}+1 \quad \cdots\cdots \ \ominus$$
로 놓을 수 있다.
$\ominus$의 그래프가 점 $(0, -1)$을 지나므로
$$-1=-\sqrt{2a}+1, \ \sqrt{2a}=2, \ 2a=4 \quad \therefore \ a=2$$
$a=2$를 $\ominus$에 대입하면 $y=-\sqrt{2(x+2)}+1=-\sqrt{2x+4}+1$
$$\therefore \ \boldsymbol{a=2, \ b=4, \ c=1}$$

KEY Point

• 그래프를 보고 무리함수의 식을 구할 때
  ⇨ 그래프가 시작하는 점의 좌표가 (p, q)인 경우 함수의 식을 $y=\pm\sqrt{a(x-p)}+q$로 놓고, 그래프가 지나는 점의 좌표를 함수식에 대입하여 상수 a의 값을 구한다.

확인
체크

224 무리함수 $y=\sqrt{-ax+b}+c$의 그래프가 오른쪽 그림과 같을 때, 상수 a, b, c에 대하여 $a+b+c$의 값을 구하시오.

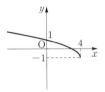

225 무리함수 $f(x)=-\sqrt{ax+b}+c$의 그래프가 오른쪽 그림과 같을 때, $f(k)=-1$을 만족시키는 상수 k의 값을 구하시오.
(단, a, b, c는 상수)

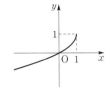

226 무리함수 $y=-\sqrt{ax+9}+b$의 정의역이 $\{x|x\geq-3\}$, 치역이 $\{y|y\leq2\}$일 때, 상수 a, b에 대하여 ab의 값을 구하시오.

무리함수 $y=\sqrt{4-2x}$의 그래프와 직선 $y=-x+k$의 위치 관계가 다음과 같을 때, 실수 k의 값 또는 범위를 구하시오.

(1) 서로 다른 두 점에서 만난다.

(2) 한 점에서 만난다.

(3) 만나지 않는다.

풀이

$y=\sqrt{4-2x}=\sqrt{-2(x-2)}$이므로 주어진 무리함수의 그래프는 $y=\sqrt{-2x}$의 그래프를 x축의 방향으로 2만큼 평행이동한 것이고, $y=-x+k$는 기울기가 -1이고 y절편이 k인 직선이다.

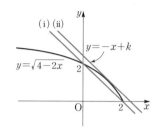

(i) 직선 $y=-x+k$가 점 $(2, 0)$을 지날 때,

$$0=-2+k \qquad \therefore k=2$$

(ii) $y=\sqrt{4-2x}$ 의 그래프와 직선 $y=-x+k$가 접할 때,

$\sqrt{4-2x}=-x+k$의 양변을 제곱하면

$$4-2x=(-x+k)^2, \ 4-2x=x^2-2kx+k^2$$

$$\therefore x^2-2(k-1)x+k^2-4=0$$

이 이차방정식의 판별식을 D라 하면

$$\frac{D}{4}=(k-1)^2-(k^2-4)=0, \ -2k+5=0 \qquad \therefore k=\frac{5}{2}$$

(1) 서로 다른 두 점에서 만나는 경우는 직선이 (i)이거나 (i)과 (ii) 사이에 있을 때이므로 $\boldsymbol{2\le k<\dfrac{5}{2}}$

(2) 한 점에서 만나는 경우는 직선이 (i)보다 아래쪽에 있거나 (ii)일 때이므로 $\boldsymbol{k<2}$ **또는** $\boldsymbol{k=\dfrac{5}{2}}$

(3) 만나지 않는 경우는 직선이 (ii)보다 위쪽에 있을 때이므로 $\boldsymbol{k>\dfrac{5}{2}}$

KEY Point

• 무리함수의 그래프와 직선의 위치 관계
  ⇨ 그래프를 직접 그려서 파악한다.

확인 체크

227 무리함수 $y=\sqrt{4x-8}$의 그래프와 직선 $y=2x-k$가 접하도록 하는 실수 k의 값을 구하시오.

228 무리함수 $y=-\sqrt{6-2x}$의 그래프와 직선 $y=x+k$가 서로 다른 두 점에서 만나도록 하는 실수 k의 값의 범위를 구하시오.

> 무리함수 $y=\sqrt{4x-2}+1$의 역함수를 구하고, 그 역함수의 정의역과 치역을 구하시오.

풀이

$y=\sqrt{4x-2}+1$에서 $y-1=\sqrt{4x-2}$

양변을 제곱하면 $(y-1)^2=4x-2$

$4x=(y-1)^2+2$ $\quad \therefore x=\dfrac{1}{4}(y-1)^2+\dfrac{1}{2}$

x와 y를 서로 바꾸면 $y=\dfrac{1}{4}(x-1)^2+\dfrac{1}{2}$

한편, 함수 $y=\sqrt{4x-2}+1$의 정의역은 $4x-2\geq0$에서 $\left\{x \middle| x\geq\dfrac{1}{2}\right\}$, 치역은 $\{y|y\geq1\}$이고

역함수의 정의역, 치역은 각각 원래 함수의 치역, 정의역이므로

정의역: $\{x|x\geq1\}$, **치역:** $\left\{y \middle| y\geq\dfrac{1}{2}\right\}$

따라서 구하는 역함수는 $y=\dfrac{1}{4}(x-1)^2+\dfrac{1}{2} \ (x\geq1)$

KEY Point

• 무리함수 $y=\sqrt{ax+b}+c \ (a\neq0)$의 역함수

➡ $y-c=\sqrt{ax+b}$의 양변을 제곱하여 x에 대하여 푼 다음 x와 y를 서로 바꾸어 역함수를 구한다. 이때 주어진 무리함수의 치역이 역함수의 정의역이다.

확인 체크

229 함수 $f(x)=x^2-8x+10 \ (x\leq4)$의 역함수가 $f^{-1}(x)=-\sqrt{ax+b}+c \ (x\geq d)$일 때, 상수 a, b, c, d에 대하여 $ab-cd$의 값을 구하시오.

230 무리함수 $f(x)=\sqrt{-x+a}+1$의 역함수를 $g(x)$라 할 때, $g(2)=3$이다. 이때 $g(1)$의 값을 구하시오. (단, a는 상수)

231 두 무리함수 $f(x)=\sqrt{x+3}$, $g(x)=\sqrt{2x+5}+1$에 대하여 $(g^{-1}\circ f)^{-1}(2)$의 값을 구하시오.

무리함수 $f(x)=\sqrt{x-2}+2$의 그래프와 그 역함수 $y=f^{-1}(x)$의 그래프는 서로 다른 두 점에서 만난다. 이때 이 두 점 사이의 거리를 구하시오.

풀이

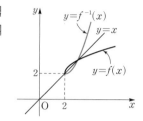

함수 $y=f(x)$의 그래프와 그 역함수 $y=f^{-1}(x)$의 그래프는 오른쪽 그림과 같이 직선 $y=x$에 대하여 대칭이므로 두 함수 $y=f(x)$, $y=f^{-1}(x)$의 그래프의 교점은 함수 $y=f(x)$의 그래프와 직선 $y=x$의 교점과 같다.

$\sqrt{x-2}+2=x$에서 $\sqrt{x-2}=x-2$

양변을 제곱하면 $x-2=x^2-4x+4$

$x^2-5x+6=0$, $(x-2)(x-3)=0$ ∴ $x=2$ 또는 $x=3$

따라서 두 교점의 좌표는 $(2, 2)$, $(3, 3)$이므로 두 점 사이의 거리는

$$\sqrt{(3-2)^2+(3-2)^2}=\sqrt{2}$$

**KEY
Point**

• 무리함수의 역함수의 그래프의 성질

➪ 무리함수 $y=f(x)$의 그래프와 그 역함수 $y=f^{-1}(x)$의 그래프는 직선 $y=x$에 대하여 대칭이다.

232 무리함수 $f(x)=-\sqrt{2-x}$의 그래프와 그 역함수 $y=f^{-1}(x)$의 그래프가 만나는 점의 좌표가 (a, b)일 때, $a+b$의 값을 구하시오.

233 두 함수 $y=\sqrt{2x+7}-2$, $x=\sqrt{2y+7}-2$의 그래프의 교점의 좌표를 구하시오.

234 무리함수 $y=2\sqrt{x-2}$의 그래프를 x축의 방향으로 a만큼 평행이동한 그래프의 식을 $y=f(x)$라 하자. 함수 $y=f(x)$의 그래프와 그 역함수의 그래프가 접할 때, a의 값을 구하시오.

STEP 1

💡 **생각해 봅시다!**

158 $\sqrt{6-2x}+\dfrac{\sqrt{x+3}}{4-x}$의 값이 실수가 되도록 하는 실수 x의 최댓값을 M, 최솟값을 m이라 할 때, $M+m$의 값을 구하시오.

무리식의 값이 실수가 되기 위한 조건
⇨ (근호 안의 식의 값)≥0, (분모)≠0

159 $f(x)=\sqrt{2x+1}+\sqrt{2x-1}$일 때, $\dfrac{1}{f(1)}+\dfrac{1}{f(2)}+\dfrac{1}{f(3)}+\cdots+\dfrac{1}{f(24)}$의 값을 구하시오. (단, $x\geq1$)

$\dfrac{1}{f(x)}$을 유리화한다.

160 무리함수 $y=-\sqrt{4-4x}+5$의 그래프에 대한 설명으로 옳은 것만을 보기에서 있는 대로 고르시오.

┤ 보기 ├
ㄱ. 그래프를 평행이동하면 $y=-\sqrt{-4x}$의 그래프와 일치한다.
ㄴ. 정의역은 $\{x\,|\,x\leq1\}$, 치역은 $\{y\,|\,y\leq5\}$이다.
ㄷ. 제1사분면을 지나지 않는다.

161 정의역이 $\{x\,|\,-6\leq x\leq0\}$인 무리함수 $y=\sqrt{ax+b}+1$의 치역이 $\{y\,|\,3\leq y\leq5\}$일 때, 상수 a, b에 대하여 ab의 값을 구하시오. (단, $a<0$)

[교육청기출]
162 무리함수 $f(x)=\sqrt{x+a}+b$의 그래프가 오른쪽 그림과 같을 때, $f(7)$의 값은? (단, a, b는 상수)

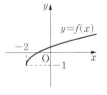

① $\dfrac{3}{2}$ ② 2   ③ $\dfrac{5}{2}$

④ 3   ⑤ $\dfrac{7}{2}$

그래프가 시작하는 점의 좌표를 이용하여 무리함수의 식을 구한다.

163 집합 $A=\{x\,|\,x>1\}$에서 A로의 두 함수 $f(x)=\dfrac{x+2}{x-1}$, $g(x)=\sqrt{2x-1}$에 대하여 $f^{-1}(4)=a$, $(f\circ(g\circ f)^{-1})(2)=b$이다. 이때 상수 a, b에 대하여 ab의 값을 구하시오.

$f^{-1}(m)=n$이면
⇨ $f(n)=m$

164 $x=\dfrac{\sqrt{5}-1}{2}$일 때, $\dfrac{x^4+x^3-2x^2+x+3}{x^3-x+1}$의 값을 구하시오.

> $x=\dfrac{\sqrt{5}-1}{2}$에서
> $2x+1=\sqrt{5}$의 양변을 제곱한다.

165 무리함수 $y=\sqrt{-x+2}+a$의 그래프가 제4사분면은 지나고 제3사분면은 지나지 않도록 하는 정수 a의 값을 구하시오.

166 실수 x, y에 대하여 집합
$$A=\{(x,\,y)\,|\,y=\sqrt{x-2}+3\},\ B=\{(x,\,y)\,|\,y=ax-3a+1\}$$
일 때, $A\cap B\ne\varnothing$이 되도록 하는 실수 a의 값의 범위를 구하시오.

167 함수 $f(x)=\begin{cases}\sqrt{2x-6}+1 & (x\ge3)\\ -\sqrt{-x+3}+1 & (x<3)\end{cases}$에 대하여 $f^{-1}(3)+f^{-1}(-2)$의 값을 구하시오.

> $\begin{cases}x\ge3일 때 f(x)\ge1\\ x<3일 때 f(x)<1\end{cases}$

168 오른쪽 그림은 정의역이 $\{x\,|\,x\ge2\}$이고 꼭짓점의 좌표가 $(2,\,3)$인 이차함수 $y=f(x)$의 그래프이다. 이때 $6\le x\le12$에서 함수 $y=f^{-1}(x)$의 최댓값을 구하시오.

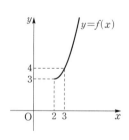

> 이차함수의 식을 이용해서 $y=f^{-1}(x)$의 식을 구한다.

[교육청기출]

169 무리함수 $f(x)=\sqrt{ax+b}+1$의 역함수를 $g(x)$라 하자. 곡선 $y=f(x)$와 곡선 $y=g(x)$가 점 $(1,\,3)$에서 만날 때, $g(5)$의 값은? (단, a, b는 상수)

① -5 ② -4 ③ -3 ④ -2 ⑤ -1

실력 UP

170 유리함수 $y=\dfrac{b}{x+a}+c$의 그래프가 오른쪽 그림과 같을 때, 무리함수 $y=\sqrt{ax+b}+c$의 그래프의 개형으로 알맞은 것은? (단, a, b, c는 상수)

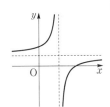

💡 **생각해 봅시다!**

유리함수의 그래프의 개형과 점근선의 방정식을 이용해서 a, b, c의 부호를 구한다.

①   ②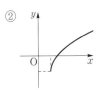

③   ④ 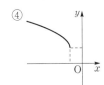 ⑤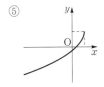

[교육청기출]

171 두 함수 $f(x)=\dfrac{1}{5}x^2+\dfrac{1}{5}k$ $(x\geq0)$, $g(x)=\sqrt{5x-k}$에 대하여 $y=f(x)$, $y=g(x)$의 그래프가 서로 다른 두 점에서 만나도록 하는 모든 정수 k의 개수는?

① 5   ② 7   ③ 9   ④ 11   ⑤ 13

172 함수 $y=\sqrt{|x-1|}$의 그래프와 직선 $y=x+k$가 서로 다른 세 점에서 만나도록 하는 실수 k의 값의 범위를 구하시오.

$|x-1|$
$=\begin{cases} x-1 & (x\geq1) \\ -(x-1) & (x<1) \end{cases}$

173 무리함수 $f(x)=\sqrt{2x-a}+2$의 그래프와 그 역함수 $y=f^{-1}(x)$의 그래프의 두 교점 사이의 거리가 $2\sqrt{2}$일 때, 상수 a의 값을 구하시오.

Take a Break

대인과 소인

잘 되던 일이 갑자기 막히면 대인은 자신을 돌아보며 좀 더 겸손하게 노력하지만, 소인은 다른 사람의 탓으로 돌리기에 급급합니다.

대인은 중요한 일에 승부를 걸지만, 소인은 모든 자질구레한 부분까지도 한 치의 양보가 없습니다.

어려움 속에서도 대인은 좀 더 먼 곳을 보지만, 소인은 당장의 어려움을 참지 못합니다.

대인은 될 수 있는 한 많은 사람들에게 이익이 되는 것을 찾지만, 소인은 자신의 이익만을 생각합니다.

대인은 눈에 보이지 않는 것을 보지만, 소인은 눈에 보이는 것만을 봅니다.

대인은 이웃을 향해 사랑을 키우지만, 소인은 자신과 맞지 않는 사람들에 대해 미움을 키웁니다.

대인은 늘 자신을 반성하지만, 소인은 늘 타인을 비방합니다.

경우의 수

01 | 경우의 수

1. 경우의 수와 순열

1. 사건과 경우의 수

(1) **사건**: 어떤 실험이나 관찰에 의하여 일어나는 결과
(2) **경우의 수**: 사건이 일어날 수 있는 모든 경우의 가짓수

▶ 경우의 수를 구할 때에는 모든 경우를 빠짐없이, 중복되지 않게 구해야 한다.

예   주사위 한 개를 던졌을 때, 짝수의 눈이 나오는 경우는 2, 4, 6의 3가지이다.
           └→ 사건   └→ 경우의 수

2. 합의 법칙 ▷ 필수예제 1, 2

두 사건 A, B가 **동시에 일어나지 않을 때**, 사건 A와 사건 B가 일어나는 경우의 수가 각각 m, n이면 **사건 A 또는 사건 B가 일어나는** 경우의 수는 $m+n$이다.
이것을 **합의 법칙**이라 한다.

▶ ① '또는', '~이거나' 등의 표현이 있으면 합의 법칙을 이용한다.
    ② 합의 법칙은 어느 두 사건도 동시에 일어나지 않는 셋 이상의 사건에 대해서도 성립한다.

설명   두 사건 A, B가 일어나는 경우의 집합을 각각 A, B라 하면 두 사건 A, B가 일어나는

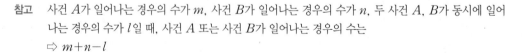

경우의 수는 각각 $n(A)$, $n(B)$이다. 이때
      사건 A 또는 사건 B가 일어나는 경우의 집합 ⇨ $A \cup B$
      두 사건 A, B가 동시에 일어나는 경우의 집합 ⇨ $A \cap B$
이고 각각의 경우의 수는 $n(A \cup B)$, $n(A \cap B)$이므로 사건 A 또는 사건 B가 일어나는 경우의 수는
      $n(A \cup B) = n(A) + n(B) - n(A \cap B)$
한편, 두 사건 A, B가 동시에 일어나지 않으면 $A \cap B = \varnothing$, 즉
$n(A \cap B) = 0$이므로 $n(A) = m$, $n(B) = n$일 때 사건 A 또는 사건 B가
일어나는 경우의 수는
      $n(A \cup B) = n(A) + n(B) = m + n$
이것은 두 사건 A, B에 대한 합의 법칙을 나타낸다.

참고   사건 A가 일어나는 경우의 수가 m, 사건 B가 일어나는 경우의 수가 n, 두 사건 A, B가 동시에 일어
나는 경우의 수가 l일 때, 사건 A 또는 사건 B가 일어나는 경우의 수는
    ⇨ $m + n - l$

예   두 지점 A, B 사이에 지하철 노선이 3가지, 버스 노선이 4가지가
있을 때, A에서 B까지 지하철을 타고 가는 경우의 수는 3, 버스
를 타고 가는 경우의 수는 4이므로 A에서 B까지 지하철 또는 버
스를 타고 가는 경우의 수는 합의 법칙에 의하여
    ⇨ $3 + 4 = 7$

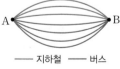

3. 곱의 법칙 ▷ 필수예제 **3, 4**

두 사건 A, B에 대하여 사건 A가 일어나는 경우의 수가 m이고, 그 각각에 대하여 사건 B가 일어나는 경우의 수가 n일 때, **두 사건 A, B가 동시에 일어나는** 경우의 수는 **$m \times n$**이다. 이것을 **곱의 법칙**이라 한다.

▶ ① '이고', '동시에', '연이어(잇달아)' 등의 표현이 있으면 곱의 법칙을 이용한다.
② 곱의 법칙은 동시에 일어나는 셋 이상의 사건에 대해서도 성립한다.

설명 두 사건 A, B가 일어나는 경우의 집합을 각각 A, B라 하면 두 사건 A, B가 일어나는 경우의 수는 각각 $n(A)$, $n(B)$이다.

이때 집합 A의 원소 각각에 집합 B의 원소를 하나씩 대응시키는 순서쌍의 개수는

$$n(A) \times n(B)$$

따라서 $n(A)=m$, $n(B)=n$일 때 사건 A와 사건 B가 동시에 일어나는 경우의 수는

$$n(A) \times n(B) = m \times n$$

이것은 두 사건 A, B에 대한 곱의 법칙을 나타낸다.

참고 ① 수형도: 사건이 일어나는 모든 경우를 나뭇가지 모양의 그림으로 나타낸 것
⇨ 세 문자 a, b, c를 일렬로 나열하는 경우를 수형도로 나타내면

$$a \begin{array}{c} b-c \\ c-b \end{array} \quad b \begin{array}{c} a-c \\ c-a \end{array} \quad c \begin{array}{c} a-b \\ b-a \end{array}$$

② 순서쌍: 사건이 일어나는 경우를 순서대로 짝 지어 만든 쌍
⇨ 세 문자 a, b, c를 일렬로 나열하는 경우를 순서쌍으로 나타내면
$$(a, b, c), (a, c, b), (b, a, c), (b, c, a), (c, a, b), (c, b, a)$$

예 오른쪽 그림과 같이 A지점에서 B지점으로 가는 경우는 2가지이고, 그 각각에 대하여 B지점에서 C지점으로 가는 경우는 3가지이므로 A지점에서 B지점을 거쳐 C지점으로 가는 경우의 수는 곱의 법칙에 의하여
⇨ $2 \times 3 = 6$

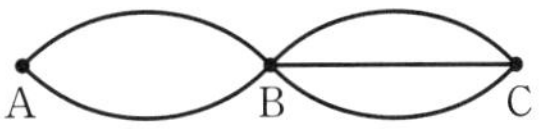

235 분식점에서 김밥 4종류, 라면 3종류, 볶음밥 3종류를 판매하고 있다. 이 중에서 한 가지 음식을 택하는 방법의 수를 구하시오.

💡 **생각해 봅시다!**

사건 A 또는 사건 B가 일어나는 경우의 수
⇨ 합의 법칙을 이용한다.

236 서로 다른 두 개의 주사위를 동시에 던질 때, 다음을 구하시오.

(1) 나오는 두 눈의 수의 합이 11 이상이 되는 경우의 수
(2) 나오는 두 눈의 수의 차가 1 이하가 되는 경우의 수

237 현진이는 모자 4종류, 티셔츠 3종류, 바지 5종류를 가지고 있다. 모자, 티셔츠, 바지를 각각 하나씩 고르는 방법의 수를 구하시오.

두 사건 A, B가 동시에 일어나는 경우의 수
⇨ 곱의 법칙을 이용한다.

238 오른쪽 그림과 같이 집, 도서관, 학교를 연결하는 길이 있다. 집에서 도서관을 거쳐 학교까지 가는 방법의 수를 구하시오.

집   도서관   학교

> 1에서 100까지의 자연수가 각각 하나씩 적힌 100장의 카드에서 1장을 뽑을 때, 다음을 구하시오.
>
> (1) 12의 배수 또는 13의 배수가 적힌 카드가 나오는 경우의 수
>
> (2) 2의 배수 또는 5의 배수가 적힌 카드가 나오는 경우의 수
>
> (3) 100과 서로소인 수가 적힌 카드가 나오는 경우의 수

풀이

(1) 12의 배수가 적힌 카드가 나오는 경우는 12, 24, 36, $\cdots$, 96의 8가지

　　13의 배수가 적힌 카드가 나오는 경우는 13, 26, 39, $\cdots$, 91의 7가지

　　12의 배수이면서 13의 배수인 수가 적힌 카드가 나오는 경우는 없으므로 구하는 경우의 수는 합의 법칙에 의하여

　　$8+7=\mathbf{15}$

(2) 2의 배수가 적힌 카드가 나오는 경우는 2, 4, 6, $\cdots$, 100의 50가지

　　5의 배수가 적힌 카드가 나오는 경우는 5, 10, 15, $\cdots$, 100의 20가지

　　2의 배수이면서 5의 배수, 즉 10의 배수가 적힌 카드가 나오는 경우는

　　10, 20, 30, $\cdots$, 100의 10가지

　　따라서 구하는 경우의 수는

　　$50+20-10=\mathbf{60}$

(3) $100=2^2\times5^2$이므로 100과 서로소인 수는 2의 배수도 아니고 5의 배수도 아닌 자연수이다.

　　2의 배수 또는 5의 배수가 적힌 카드가 나오는 경우의 수가 60이므로 구하는 경우의 수는

　　$100-60=\mathbf{40}$

KEY Point

• 두 사건 A, B가 동시에 일어나지 않을 때, 사건 A와 사건 B가 일어나는 경우의 수가 각각 m, n이면 사건 A 또는 사건 B가 일어나는 경우의 수는

　⇨ $m+n$

확인 체크

239 서로 다른 두 개의 주사위를 동시에 던질 때, 나오는 두 눈의 수의 합이 3의 배수 또는 5의 배수가 되는 경우의 수를 구하시오.

240 서로 다른 두 개의 상자에 1부터 5까지의 자연수가 각각 하나씩 적힌 5개의 공이 각각 들어 있다. 각 상자에서 공을 한 개씩 꺼낼 때, 꺼낸 공에 적힌 수의 차가 2 이하인 경우의 수를 구하시오.

241 1에서 100까지의 자연수 중에서 5 또는 7로 나누어떨어지는 수의 개수를 구하시오.

방정식 $x+2y+3z=11$을 만족시키는 자연수 x, y, z의 순서쌍 (x, y, z)의 개수를 구하시오.

설명 $ax+by+cz=d$의 꼴의 방정식에서 자연수의 해의 개수는 x, y, z 중 계수가 가장 큰 항을 기준으로 나누어 생각한다.

풀이 x, y, z가 자연수이므로 $x \geq 1$, $y \geq 1$, $z \geq 1$

$x+2y+3z=11$에서 $3z<11$, 즉 $z<\dfrac{11}{3}$이므로

$z=1$ 또는 $z=2$ 또는 $z=3$

(i) $z=1$일 때,

     $x+2y=8$이므로 순서쌍 (x, y)는

     $(2, 3)$, $(4, 2)$, $(6, 1)$의 3개

(ii) $z=2$일 때,

     $x+2y=5$이므로 순서쌍 (x, y)는

     $(1, 2)$, $(3, 1)$의 2개

(iii) $z=3$일 때,

     $x+2y=2$이므로 순서쌍 (x, y)는 없다.

(i)~(iii)에서 구하는 순서쌍의 개수는

$3+2=\mathbf{5}$

KEY Point

• 방정식, 부등식을 만족시키는 자연수 또는 정수의 순서쌍의 개수

   ⇨ 방정식이나 부등식에서 계수가 가장 큰 항을 기준으로 수를 대입하여 생각한다.

확인 체크

242 방정식 $3x+y+2z=12$를 만족시키는 자연수 x, y, z의 순서쌍 (x, y, z)의 개수를 구하시오.

243 500원, 1000원, 2000원짜리 3종류의 우표를 합하여 10000원이 되게 사는 방법의 수를 구하시오. (단, 3종류의 우표가 적어도 한 장씩은 포함되어야 한다.)

244 부등식 $3x+y \leq 10$을 만족시키는 자연수 x, y의 순서쌍 (x, y)의 개수를 구하시오.

필수 예제 03 곱의 법칙

🔄 더 다양한 문제는 **RPM** 수학(하) 113쪽

다항식 $(a+b+c)(x+y+z)$의 전개식에서 항의 개수를 구하시오.

설명

$(a+b+c)(x+y+z)$의 전개식의 각 항은 식 $a+b+c$의 항 하나와 식 $x+y+z$의 항 하나의 곱의 꼴이다.
즉, a, b, c 각각에 대하여 x, y, z를 택하는 것과 같으므로 곱의 법칙을 이용하여 항의 개수를 구한다. 이때 곱해지는
각 항이 모두 서로 다른 문자이므로 동류항이 생기지 않는다.

풀이

$(a+b+c)(x+y+z)$를 전개하면 a, b, c에 x, y, z를 각각 곱하여 항이 만들어지므로
구하는 항의 개수는 곱의 법칙에 의하여
$3 \times 3 = \mathbf{9}$

KEY Point

• 두 사건 A, B에 대하여 사건 A가 일어나는 경우의 수가 m이고, 그 각각에 대하여 사건 B가 일어나는 경우의 수가 n일 때, 두 사건 A, B가 동시에 일어나는 경우의 수는
⇨ $m \times n$

245 다항식 $(a+b)(c+d)-(x+y+z)(p-q)$를 전개하였을 때, 항의 개수를 구하시오.

246 십의 자리의 숫자는 홀수이고, 일의 자리의 숫자는 소수인 두 자리의 자연수의 개수를 구하시오.

247 서로 다른 주사위 3개를 동시에 던졌을 때, 나오는 세 눈의 수의 곱이 홀수인 경우의 수를 구하시오.

더 다양한 문제는 **RPM** 수학(하) 113쪽

다음을 구하시오.

(1) 360의 양의 약수의 개수

(2) 360과 540의 양의 공약수의 개수

(3) 360의 양의 약수 중 2의 배수의 개수

설명 (2) **공약수는 최대공약수의 약수이다.**

풀이 (1) 360을 소인수분해하면 $360 = 2^3 \times 3^2 \times 5$

2^3의 양의 약수는 1, 2, 2^2, 2^3의 4개, 3^2의 양의 약수는 1, 3, 3^2의 3개, 5의 양의 약수는 1, 5의 2개

이때 2^3의 양의 약수, 3^2의 양의 약수, 5의 양의 약수에서 각각 하나씩 택하여 곱한 것이 모두 360의 양의 약수이므로 360의 양의 약수의 개수는 곱의 법칙에 의하여

$4 \times 3 \times 2 = \mathbf{24}$

(2) 360과 540의 양의 공약수의 개수는 360과 540의 최대공약수의 양의 약수의 개수와 같다.

360과 540의 최대공약수는 180이고 180을 소인수분해하면 $180 = 2^2 \times 3^2 \times 5$

2^2의 양의 약수는 1, 2, 2^2의 3개, 3^2의 양의 약수는 1, 3, 3^2의 3개, 5의 양의 약수는 1, 5의 2개

따라서 구하는 양의 공약수의 개수는 곱의 법칙에 의하여

$3 \times 3 \times 2 = \mathbf{18}$

(3) $360 = 2^3 \times 3^2 \times 5$의 양의 약수 중 2의 배수는 2를 소인수로 가지므로 360의 양의 약수 중 2의 배수의 개수는 $2^2 \times 3^2 \times 5$의 양의 약수의 개수와 같다.

2^2의 양의 약수는 1, 2, 2^2의 3개, 3^2의 양의 약수는 1, 3, 3^2의 3개, 5의 양의 약수는 1, 5의 2개

따라서 구하는 약수의 개수는 곱의 법칙에 의하여

$3 \times 3 \times 2 = \mathbf{18}$

다른풀이 (1) 공식을 직접 이용하면 360의 양의 약수의 개수는 $(3+1)(2+1)(1+1) = 24$

KEY Point

• 자연수 N이 $N = p^\alpha q^\beta r^\gamma$ (p, q, r는 서로 다른 소수, α, β, γ는 자연수)의 꼴로 소인수분해될 때, N의 양의 약수의 개수는

⇨ $(\alpha+1)(\beta+1)(\gamma+1)$

 확인 체크

248 다음을 구하시오.

(1) 144의 양의 약수의 개수   (2) 144와 504의 양의 공약수의 개수

249 270의 양의 약수 중 홀수의 개수를 구하시오.

250 600의 양의 약수 중 3의 배수의 개수를 구하시오.

오른쪽 그림과 같이 네 도시 A, B, C, D를 연결하는 도로가
있다. 다음 물음에 답하시오.

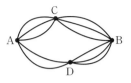

(1) A도시에서 출발하여 B도시로 가는 경우의 수를 구하시오.
            (단, 한 번 지나간 도시는 다시 지나지 않는다.)

(2) 동건이와 수진이가 A도시에서 출발하여 B도시로 가는 경우의 수를 구하시오.
            (단, 한 사람이 지나간 중간 도시는 다른 사람이 지나갈 수 없다.)

풀이

(1) A도시에서 출발하여 B도시로 가는 경우는 A → C → B, A → D → B의 2가지가 있다.

(ⅰ) A → C → B로 가는 경우의 수는 곱의 법칙에 의하여 $3 \times 3 = 9$

(ⅱ) A → D → B로 가는 경우의 수는 곱의 법칙에 의하여 $2 \times 3 = 6$

(ⅰ), (ⅱ)는 동시에 일어날 수 없으므로 구하는 경우의 수는 합의 법칙에 의하여

$9 + 6 = \mathbf{15}$

(2) (ⅰ) 동건이가 A → C → B로 가는 경우의 수는 9이고, 수진이가 A → D → B로 가는 경우의 수는
6이므로 곱의 법칙에 의하여 $9 \times 6 = 54$

(ⅱ) 동건이가 A → D → B로 가는 경우의 수는 6이고, 수진이가 A → C → B로 가는 경우의 수는
9이므로 곱의 법칙에 의하여 $6 \times 9 = 54$

(ⅰ), (ⅱ)는 동시에 일어날 수 없으므로 구하는 경우의 수는 합의 법칙에 의하여

$54 + 54 = \mathbf{108}$

KEY Point

• 도로망에서 $\begin{cases} \text{동시에 갈 수 없는 길이면} \Rightarrow \text{합의 법칙} \\ \text{동시에 갈 수 있는 길이거나 연이어 갈 수 있는 길이면} \Rightarrow \text{곱의 법칙} \end{cases}$

확인 체크

251 오른쪽 그림과 같이 네 도시 A, B, C, D를 연결하는 도로가
있다. 같은 도시를 두 번 이상 지나지 않고 A도시에서 출발하
여 D도시로 가는 경우의 수를 구하시오.

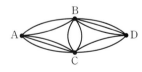

252 오른쪽 그림과 같이 세 지점 A, B, C를 연결하는 도로가 있다. 같은
도로를 두 번 이상 지나지 않으면서 A지점에서 출발하여 C지점으로
이동한 후 다시 A지점으로 돌아오는 경우의 수를 구하시오.
     (단, C지점은 한 번만 지나고, 이동 중에는 A지점은 지나지 않는다.)

더 다양한 문제는 **RPM** 수학(하) 115쪽

오른쪽 그림의 A, B, C, D, E 5개의 영역을 서로 다른 5가지 색으로 칠하려고 한다. 같은 색을 중복하여 사용해도 좋으나 인접한 영역은 서로 다른 색으로 칠할 때, 칠하는 방법의 수를 구하시오.

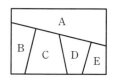

설명 가장 많은 영역과 인접하고 있는 영역에 색칠하는 방법의 수를 먼저 구한 후 인접한 영역에 같은 색을 칠하지 않도록 색의 개수를 하나씩 줄여가며 곱한다.

풀이 가장 많은 영역과 인접하고 있는 영역 A부터 시작하여 A → B → C → D → E의 순서로 색칠한다.
A에 칠할 수 있는 색은 5가지
B에 칠할 수 있는 색은 A에 칠한 색을 제외한 4가지
C에 칠할 수 있는 색은 A와 B에 칠한 색을 제외한 3가지
D에 칠할 수 있는 색은 A와 C에 칠한 색을 제외한 3가지
E에 칠할 수 있는 색은 A와 D에 칠한 색을 제외한 3가지
따라서 구하는 방법의 수는 곱의 법칙에 의하여
$5 \times 4 \times 3 \times 3 \times 3 = \mathbf{540}$

KEY Point • 색칠하는 방법의 수는 ⇨ 곱의 법칙을 이용한다.

확인 체크

253 오른쪽 그림의 A, B, C, D, E 5개의 영역을 서로 다른 5가지 색으로 칠하려고 한다. 같은 색을 중복하여 사용해도 좋으나 인접한 영역은 서로 다른 색으로 칠할 때, 칠하는 방법의 수를 구하시오.

254 오른쪽 그림의 A, B, C, D 4개의 영역을 서로 다른 4가지 색으로 칠하려고 한다. 같은 색을 중복하여 사용해도 좋으나 인접한 영역은 서로 다른 색으로 칠할 때, 칠하는 방법의 수를 구하시오.

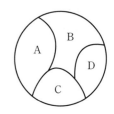

255 오른쪽 그림의 A, B, C, D, E 5개의 영역을 서로 다른 4가지 색으로 칠하려고 한다. 같은 색을 중복하여 사용해도 좋으나 인접한 영역은 서로 다른 색으로 칠할 때, 칠하는 방법의 수를 구하시오.

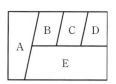

100원짜리 동전 1개, 50원짜리 동전 2개, 10원짜리 동전 3개의 일부 또는 전부를 사용하여 거스름돈 없이 지불할 때, 다음을 구하시오. (단, 0원을 지불하는 것은 제외한다.)

(1) 지불할 수 있는 방법의 수　　　　　(2) 지불할 수 있는 금액의 수

설명 (1) 단위가 다른 화폐의 개수가 각각 l, m, n일 때 지불할 수 있는 방법의 수는

$\Rightarrow (l+1)(m+1)(n+1)-1$　← 모두 0개씩 지불하는 경우인 1가지 경우를 빼야 한다.

(2) 만들 수 있는 금액이 중복되는 경우, 큰 단위의 화폐를 작은 단위의 화폐로 바꾸어 지불할 수 있는 금액을 계산한다.

풀이 (1) 100원짜리 동전으로 지불할 수 있는 방법 ⇨ 0개, 1개의 2가지

50원짜리 동전으로 지불할 수 있는 방법 ⇨ 0개, 1개, 2개의 3가지

10원짜리 동전으로 지불할 수 있는 방법 ⇨ 0개, 1개, 2개, 3개의 4가지

이때 0원을 지불하는 것은 제외해야 하므로 지불할 수 있는 방법의 수는

$2 \times 3 \times 4 - 1 = \mathbf{23}$

(2) 100원짜리 동전으로 지불할 수 있는 금액 ⇨ 0원, 100원의 2가지　……㉠

50원짜리 동전으로 지불할 수 있는 금액 ⇨ 0원, 50원, 100원의 3가지　……㉡

10원짜리 동전으로 지불할 수 있는 금액 ⇨ 0원, 10원, 20원, 30원의 4가지

그런데 ㉠, ㉡에서 100원을 만들 수 있는 경우가 중복되므로 100원짜리 동전 1개를 50원짜리 동전 2개로 바꾸어 생각하면 지불할 수 있는 금액의 수는 50원짜리 동전 4개, 10원짜리 동전 3개로 지불할 수 있는 금액의 수와 같다.

50원짜리 동전으로 지불할 수 있는 금액 ⇨ 0원, 50원, 100원, 150원, 200원의 5가지

10원짜리 동전으로 지불할 수 있는 금액 ⇨ 0원, 10원, 20원, 30원의 4가지

이때 0원을 지불하는 것은 제외해야 하므로 지불할 수 있는 금액의 수는

$5 \times 4 - 1 = \mathbf{19}$

다른풀이 (1) 공식을 직접 이용하면 $(1+1)(2+1)(3+1)-1=23$

256 100원짜리 동전 2개, 50원짜리 동전 4개, 10원짜리 동전 3개의 일부 또는 전부를 사용하여 거스름돈 없이 지불할 때, 다음을 구하시오. (단, 0원을 지불하는 것은 제외한다.)

(1) 지불할 수 있는 방법의 수　　　　　(2) 지불할 수 있는 금액의 수

257 500원짜리 동전 1개, 100원짜리 동전 7개, 10원짜리 동전 3개의 일부 또는 전부를 사용하여 거스름돈 없이 지불할 수 있는 방법의 수를 a, 지불할 수 있는 금액의 수를 b라 할 때, $a+b$의 값을 구하시오. (단, 0원을 지불하는 것은 제외한다.)

연습문제

정답과 풀이 **94**쪽

STEP **1**

생각해 봅시다!

174 부등식 $2x+3y \leq 9$를 만족시키는 음이 아닌 정수 x, y의 순서쌍 (x, y)의 개수를 구하시오.

175 다항식 $(a+b+c)^2(x+y)$를 전개하였을 때, 항의 개수를 구하시오.

176 300과 420의 양의 공약수 중에서 5의 배수의 개수는?

① 6   ② 7   ③ 8   ④ 9   ⑤ 10

5의 배수는 5를 반드시 소인수로 가져야 한다.

177 오른쪽 그림과 같은 도로망이 있다. 강남에서 청량리로 가는 경우의 수를 구하시오.

(단, 같은 지점은 한 번만 지난다.)

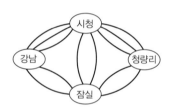

178 오른쪽 그림의 A, B, C, D 4개의 영역을 서로 다른 4가지 색으로 칠하려고 한다. 같은 색을 중복하여 사용해도 좋으나 인접한 영역은 서로 다른 색으로 칠할 때, 칠하는 방법의 수를 구하시오.

(단, 한 점만을 공유하는 두 영역은 인접하지 않는 것으로 본다.)

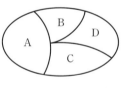

B와 C에 같은 색을 칠하는 경우와 다른 색을 칠하는 경우로 나누어 생각한다.

179 10000원짜리 지폐 2장, 5000원짜리 지폐 3장, 1000원짜리 지폐 4장의 일부 또는 전부를 사용하여 거스름돈 없이 지불할 수 있는 방법의 수를 a, 지불할 수 있는 금액의 수를 b라 할 때, $a-b$의 값을 구하시오.

(단, 0원을 지불하는 경우는 제외한다.)

지불할 수 있는 금액의 수를 구할 때는 큰 단위의 화폐를 작은 단위의 화폐로 바꾸어 계산한다.

180 1부터 100까지의 자연수 중에서 3과 5로 모두 나누어떨어지지 않는 자연수의 개수를 구하시오.

181 서로 다른 두 개의 주사위를 동시에 던져서 나오는 눈의 수를 각각 a, b라 할 때, x에 대한 이차방정식 $x^2+2ax+b=0$이 실근을 갖도록 하는 a, b의 순서쌍 (a, b)의 개수를 구하시오.

이차방정식
$ax^2+bx+c=0$이 실근을 가질 조건
⇨ 판별식 $D \geq 0$

[평가원기출]
182 그림과 같이 중심이 같고 반지름의 길이가 각각 1, 2, 3, 4, 5인 다섯 개의 원이 있다. 이 다섯 개의 원을 경계로 하여 안에서부터 다섯 개의 영역 A, B, C, D, E로 나누고, 서로 다른 3가지 색의 물감을 칠하여 색칠된 문양을 만들려고 한다. 각 영역은 1가지 색으로만 칠하고, 이웃한 영역은 서로 다른 색을 칠한다. 3가지 색의 물감은 각각 10통 이하만 사용할 수 있고 물감 1통으로는 영역 A의 넓이만큼만 칠할 수 있을 때, 만들 수 있는 서로 다르게 색칠된 문양의 개수는?

3가지 색의 물감을 각각 10통 이하만 사용할 수 있음에 유의한다.

① 9 　　　　② 12 　　　　③ 15 　　　　④ 18 　　　　⑤ 21

실력UP
183 오른쪽 그림과 같은 도로망에서 A지점과 C지점을 연결하는 도로를 추가하여 A지점에서 출발하여 D지점으로 가는 방법의 수가 53이 되도록 하려고 한다. 이때 추가해야 하는 도로의 개수를 구하시오. (단, 한 번 지나간 지점은 다시 지나지 않고, 도로끼리는 서로 만나지 않는다.)

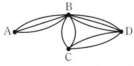

실력UP
184 오른쪽 그림과 같은 정육면체의 꼭짓점 A에서 출발하여 모서리를 따라 움직여 꼭짓점 G에 도착하는 경우의 수를 구하시오.
　　　　(단, 한 번 지나간 꼭짓점은 다시 지나지 않는다.)

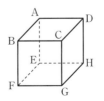

수형도를 이용한다.

1. 순열 ▷ 필수예제 **9**

(1) **순열**

서로 다른 n개에서 $r\,(0<r\le n)$개를 택하여 일렬로 나열하는 것을 **n개에서 r개를 택하는 순열**이라 하고, 이 순열의 수를 기호로 $_n\mathrm{P}_r$와 같이 나타낸다.

$$_n\mathbf{P}_{\boxed{r}}$$
서로 다른┐ └택하는
것의 개수   것의 개수

(2) **순열의 수**

서로 다른 n개에서 r개를 택하는 순열의 수는

$$\overbrace{_n\mathbf{P}_r=n(n-1)(n-2)\times\cdots\times(n-r+1)}^{r개}\;(단,\,0<r\le n)$$
← n부터 시작하여 1씩 작아지는 자연수 r개의 곱

▶ ① $_n\mathrm{P}_r$에서 P는 순열을 뜻하는 Permutation의 첫 글자이다.
② $_n\mathrm{P}_r$를 읽을 때는 '엔피알'로 읽는다.

설명 A, B, C, D, E의 5개의 문자에서 3개를 택하여 일렬로 나열한다고 하자.
첫 번째에 올 수 있는 문자는 A, B, C, D, E 중 어느 것이 와도 되므로 5가지,
두 번째에 올 수 있는 문자는 첫 번째에 놓인 문자를 제외한 4가지,
세 번째에 올 수 있는 문자는 첫 번째와 두 번째에 놓인 문자를 제외한 3가지
이므로 나열하는 방법의 수는 곱의 법칙에 의하여 $5\times4\times3=60$
이와 같이 A, B, C, D, E의 5개에서 3개를 택하여 일렬로 나열하는 것을 서로 다른 5개에서 3개를 택하는 순열이라 하고, 이 순열의 수를 기호로 $_5\mathrm{P}_3$과 같이 나타낸다.
$\qquad _5\mathrm{P}_3=5\times4\times3$ ← 5부터 시작하여 1씩 작아지는 자연수 3개의 곱
일반적으로 서로 다른 n개에서 $r\,(0<r\le n)$개를 택하여 일렬로 나열할 때
첫 번째 자리에 올 수 있는 것은 n가지
두 번째 자리에 올 수 있는 것은 첫 번째 자리에 놓인 것을 제외한 $(n-1)$가지
세 번째 자리에 올 수 있는 것은 앞의 두 자리에 놓인 것을 제외한 $(n-2)$가지
$\qquad\qquad\qquad\vdots$
r번째 자리에 올 수 있는 것은 앞의 $(r-1)$자리에 놓인 것을 제외한 $n-(r-1)$, 즉 $(n-r+1)$가지

첫 번째	두 번째	세 번째	...	r번째
⇑	⇑	⇑	...	⇑
n가지	$(n-1)$가지	$(n-2)$가지	...	$(n-r+1)$가지

따라서 곱의 법칙에 의하여 서로 다른 n개에서 r개를 택하는 순열의 수 $_n\mathrm{P}_r$는
$$\underbrace{_n\mathbf{P}_r=n(n-1)(n-2)\times\cdots\times(n-r+1)}_{r개}\;(단,\,0<r\le n)$$

예 서로 다른 6개에서 3개를 택하는 순열의 수는 $_6\mathrm{P}_3=6\times5\times4=120$

2. $_n\mathrm{P}_r$의 계산   ▷ 필수예제 **8**

(1) **n의 계승**: 1부터 n까지의 자연수를 차례대로 곱한 것을 n의 **계승**이라 하며, 이것을 기호로
$n!$과 같이 나타낸다. 즉,
$$n! = n(n-1)(n-2) \times \cdots \times 3 \times 2 \times 1$$

(2) **$n!$을 이용한 순열의 수**

① $_n\mathrm{P}_n = n!$, $_n\mathrm{P}_0 = 1$, $0! = 1$ ② $_n\mathrm{P}_r = \dfrac{n!}{(n-r)!}$ (단, $0 \le r \le n$)

▶ $n!$을 'n 팩토리얼(factorial)' 또는 'n의 계승'이라 읽는다.

설명 $r = n$일 때의 순열의 수 $_n\mathrm{P}_n$은 서로 다른 n개에서 n개를 모두 택하는 것이므로
$$_n\mathrm{P}_n = n(n-1)(n-2) \times \cdots \times 3 \times 2 \times 1 = n!$$
또한
$$_n\mathrm{P}_r = n(n-1)(n-2) \times \cdots \times (n-r+1)$$
$$= \frac{n(n-1)(n-2) \times \cdots \times (n-r+1)(n-r)(n-r-1) \times \cdots \times 3 \times 2 \times 1}{(n-r)(n-r-1) \times \cdots \times 3 \times 2 \times 1}$$
위의 식의 우변의 분자는 1부터 n까지의 자연수를 차례대로 곱한 것이므로 $n!$이고 분모는 1에서 $(n-r)$까지의 자연
수를 차례대로 곱한 것이므로 $(n-r)!$이다.

$$\therefore {_n\mathrm{P}_r} = \frac{n!}{(n-r)!} \quad \cdots\cdots \text{㉠}$$

이때 $_n\mathrm{P}_0 = 1$로 정의하면 $_n\mathrm{P}_0 = \dfrac{n!}{n!} = 1$이므로 $r = 0$일 때도 ㉠이 성립한다.

또, $0! = 1$로 정의하면 $_n\mathrm{P}_n = \dfrac{n!}{0!} = n!$이므로 $r = n$일 때도 ㉠이 성립한다.

예 $_5\mathrm{P}_5 = 5! = 5 \times 4 \times 3 \times 2 \times 1 = 120$, $_7\mathrm{P}_0 = 1$, $_5\mathrm{P}_3 = \dfrac{5!}{(5-3)!} = \dfrac{5!}{2!} = 5 \times 4 \times 3 = 60$

보충학습   ▷ 필수예제 **10, 11**

특정한 조건이 있는 순열

(1) 이웃하게 나열하는 순열의 수
   (i) 이웃하는 것을 하나로 묶어서 일렬로 나열한다.
   (ii) (i)의 결과와 한 묶음 안에서 자리를 바꾸는 방법의 수를 곱한다.

(2) 이웃하지 않게 나열하는 순열의 수
   (i) 이웃해도 되는 것을 먼저 나열한다.
   (ii) (i)에서 나열한 것의 사이사이와 양 끝에 이웃하지 않아야 할 것을 나열한다.

(3) '적어도 ~'의 조건이 있는 순열의 수
   ('적어도 ~'인 경우의 수) = (전체 경우의 수) − (모두 ~가 아닌 경우의 수)

(4) 교대로 나열하는 순열의 수
   (i) 두 개의 대상 중 하나를 일렬로 나열한다.
   (ii) (i)에서 나열한 것의 사이사이와 양 끝(한쪽 끝)에 나머지 대상들을 일렬로 나열한다.

개념원리 익히기

258 다음 값을 구하시오.

(1) $_5\mathrm{P}_2$

(2) $_4\mathrm{P}_0$

(3) $4!$

(4) $_6\mathrm{P}_2 \times 3!$

259 다음 □ 안에 알맞은 수를 구하시오.

(1) $_6\mathrm{P}_3 = \dfrac{6!}{\square!}$

(2) $_9\mathrm{P}_\square = \dfrac{9!}{4!}$

260 다음 등식을 만족시키는 n 또는 r의 값을 구하시오.

(1) $_n\mathrm{P}_3 = 60$

(2) $_n\mathrm{P}_n = 720$

(3) $_8\mathrm{P}_r = 56$

(4) $_{10}\mathrm{P}_r = 1$

261 다음을 구하시오.

(1) 7명의 학생을 일렬로 세우는 방법의 수

(2) 1, 2, 3, 4, 5의 숫자가 각각 하나씩 적힌 5장의 카드 중에서 3장을 뽑아 만들 수 있는 세 자리 자연수의 개수

💡 **생각해 봅시다!**

$_n\mathrm{P}_r$
$= n(n-1)(n-2)$
$\qquad \times \cdots \times (n-r+1)$
$= \dfrac{n!}{(n-r)!}$

(단, $0 \le r \le n$)

$_n\mathrm{P}_n = n!, \ _n\mathrm{P}_0 = 1$

(1) n명을 일렬로 세우는 방법의 수

⇨ $_n\mathrm{P}_n = n!$

(2) n명 중 r명을 뽑아 일렬로 세우는 방법의 수

⇨ $_n\mathrm{P}_r$

다음 등식을 만족시키는 n 또는 r의 값을 구하시오.

(1) $_n\mathrm{P}_2 = 5n$ (2) $_5\mathrm{P}_r \times 6! = 43200$ (3) $_n\mathrm{P}_3 : {}_{n+2}\mathrm{P}_3 = 5 : 12$

풀이

(1) $_n\mathrm{P}_2 = n(n-1)$이므로 $_n\mathrm{P}_2 = 5n$에서 $n(n-1) = 5n$

$n \geq 2$이므로 양변을 n으로 나누면

$n-1 = 5$ $\therefore n = \mathbf{6}$

(2) $_5\mathrm{P}_r \times 6! = 43200$에서 $_5\mathrm{P}_r \times 720 = 43200$

$\therefore {}_5\mathrm{P}_r = 60$

$60 = 5 \times 4 \times 3$이므로 $r = \mathbf{3}$

(3) $_n\mathrm{P}_3 : {}_{n+2}\mathrm{P}_3 = 5 : 12$에서 $12 {}_n\mathrm{P}_3 = 5 {}_{n+2}\mathrm{P}_3$

$12n(n-1)(n-2) = 5(n+2)(n+1)n$

이때 $n \geq 3$, $n+2 \geq 3$에서 $n \geq 3$이므로 양변을 n으로 나누면

$12(n-1)(n-2) = 5(n+2)(n+1)$

$7n^2 - 51n + 14 = 0$, $(7n-2)(n-7) = 0$

$\therefore n = \mathbf{7}$ $(\because n \geq 3)$

KEY Point

- $_n\mathrm{P}_r = n(n-1)(n-2) \times \cdots \times (n-r+1) = \dfrac{n!}{(n-r)!}$ (단, $0 \leq r \leq n$)
- $n! = n(n-1)(n-2) \times \cdots \times 3 \times 2 \times 1$
- $_n\mathrm{P}_n = n!$, $_n\mathrm{P}_0 = 1$, $0! = 1$

262 다음 등식을 만족시키는 n의 값을 구하시오.

(1) $_{n+2}\mathrm{P}_3 = 10 {}_n\mathrm{P}_2$ (2) $4 {}_n\mathrm{P}_3 = 5 {}_{n-1}\mathrm{P}_3$ (3) $_n\mathrm{P}_3 + 3 {}_n\mathrm{P}_2 = 5 {}_{n+1}\mathrm{P}_2$

263 다음 등식이 성립함을 증명하시오.

(1) $_n\mathrm{P}_r = n \times {}_{n-1}\mathrm{P}_{r-1}$ (단, $1 \leq r \leq n$)

(2) $_n\mathrm{P}_r = {}_{n-1}\mathrm{P}_r + r \times {}_{n-1}\mathrm{P}_{r-1}$ (단, $1 \leq r < n$)

다음을 구하시오.

(1) 5명의 학생을 일렬로 세우는 방법의 수

(2) 5명의 학생 중 3명을 뽑아 일렬로 세우는 방법의 수

(3) 5명의 학생 중 대표 1명, 부대표 1명을 뽑는 방법의 수

설명 　 n명의 학생 중 r명을 뽑아 일렬로 세우는 방법의 수는 서로 다른 n개에서 r개를 택하는 순열의 수와 같다.

　　　 ⇨ $_n\mathrm{P}_r$

풀이 　 (1) 서로 다른 5개에서 5개를 택하는 순열의 수와 같으므로

　　　　　 $_5\mathrm{P}_5 = 5! = \mathbf{120}$

　　　 (2) 서로 다른 5개에서 3개를 택하는 순열의 수와 같으므로

　　　　　 $_5\mathrm{P}_3 = 5 \times 4 \times 3 = \mathbf{60}$

　　　 (3) 서로 다른 5개에서 2개를 택하는 순열의 수와 같으므로

　　　　　 $_5\mathrm{P}_2 = 5 \times 4 = \mathbf{20}$

KEY Point

• 서로 다른 n개에서 r개를 택하는 순열의 수

　 ⇨ $_n\mathrm{P}_r$ (단, $0 < r \le n$)

264 서로 다른 7가지 색을 사용하여 지도 위의 세 나라 A, B, C를 모두 다른 색으로 칠하는 방법의 수를 구하시오.

265 서로 다른 6개의 좌석에 3명을 앉히는 방법의 수를 구하시오.

266 학생 10명 중 n명을 뽑아 일렬로 세우는 방법의 수가 90일 때, n의 값을 구하시오.

🔄 더 다양한 문제는 **RPM** 수학(하) 116쪽

남자 4명과 여자 3명을 일렬로 세울 때, 다음을 구하시오.

(1) 여자 3명이 서로 이웃하도록 세우는 방법의 수

(2) 여자끼리 이웃하지 않도록 세우는 방법의 수

(3) 남자와 여자가 교대로 서는 방법의 수

설명

(1) 이웃하는 경우 ⇨ 이웃하는 것을 하나로 묶어서 생각한다.

(2) 이웃하지 않는 경우 ⇨ 이웃해도 되는 것을 먼저 나열한다.

(3) 교대로 나열하는 경우 ⇨ 두 개의 대상 중 하나를 먼저 일렬로 나열하고 그 사이사이와 양 끝에 나머지 대상들을 일렬로 나열한다.

풀이

(1) 여자 3명을 한 사람으로 생각하여 5명을 일렬로 세우는 방법의 수는 $5! = 120$

그 각각에 대하여 여자 3명이 자리를 바꾸는 방법의 수는 $3! = 6$

따라서 구하는 방법의 수는

$120 \times 6 = \mathbf{720}$

(2) 남자 4명을 일렬로 세우는 방법의 수는 $4! = 24$

남자 사이사이와 양 끝의 5개의 자리 중 3개의 자리에 여자 3명을 세우는 방법의 수는 $_5P_3 = 60$

따라서 구하는 방법의 수는

$24 \times 60 = \mathbf{1440}$

(3) 여자 3명을 일렬로 세우는 방법의 수는 $3! = 6$

여자 3명의 사이사이와 양 끝의 4개의 자리에 남자 4명을 일렬로 세우는 방법의 수는 $4! = 24$

따라서 구하는 방법의 수는

$6 \times 24 = \mathbf{144}$

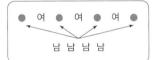

267 6개의 문자 a, b, c, d, e, f를 일렬로 나열할 때, 다음을 구하시오.

(1) a와 b가 이웃하도록 나열하는 방법의 수

(2) a와 b가 이웃하지 않도록 나열하는 방법의 수

268 남학생 5명과 여학생 4명이 한 줄로 서서 등산을 할 때, 남녀 학생이 교대로 서는 방법의 수를 구하시오.

269 남학생 3명과 여학생 n명을 일렬로 세울 때, 남학생끼리 이웃하도록 세우는 방법의 수는 36이다. 이때 n의 값을 구하시오.

제한 조건이 있는 경우의 순열

⟳ 더 다양한 문제는 **RPM** 수학(하) 117쪽

triangle의 8개의 문자를 일렬로 나열할 때, 다음을 구하시오.

(1) t가 맨 처음에, l이 맨 마지막에 오는 경우의 수

(2) t와 a 사이에 2개의 문자가 들어 있는 경우의 수

(3) 적어도 한쪽 끝에 자음이 오는 경우의 수

설명   (3) (적어도 한쪽 끝에 자음이 오는 경우의 수)=(전체 경우의 수)−(양 끝에 모음이 오는 경우의 수)

풀이   (1) t를 맨 처음에, l을 맨 마지막에 고정시키고, 나머지 r, i, a, n, g, e의 6개의 문자를 일렬로 나열하면
되므로 구하는 경우의 수는

$$6! = \mathbf{720}$$

(2) t와 a 사이에 나머지 6개의 문자 중 2개를 택하여 나열하는 경우의 수는 $_6P_2 = 30$

t○○a를 한 묶음으로 생각하여 5개의 문자를 일렬로 나열하는 경우의 수는 $5! = 120$

t와 a가 자리를 바꾸는 경우의 수는 $2! = 2$

따라서 구하는 경우의 수는

$$30 \times 120 \times 2 = \mathbf{7200}$$

(3) 8개의 문자를 일렬로 나열하는 경우의 수는 $8! = 40320$

이때 양 끝에 모음인 i, a, e의 3개의 문자 중 2개를 택하여 나열하는 경
우의 수는 $_3P_2 = 6$, 가운데에 나머지 6개의 문자를 일렬로 나열하는 경우
의 수는 $6! = 720$이므로 양 끝에 모음이 오는 경우의 수는

$$6 \times 720 = 4320$$

따라서 구하는 경우의 수는

$$40320 - 4320 = \mathbf{36000}$$

KEY Point

• 위치가 고정되어 있는 경우에는 ⇨ 고정시켜야 하는 것을 먼저 나열한 후 나머지를 나열한다.

• ('적어도 ~'인 경우의 수)=(전체 경우의 수)−(모두 ~가 아닌 경우의 수)

확인 체크

270 6개의 문자 a, b, c, d, e, f를 일렬로 나열할 때, 다음을 구하시오.

(1) a가 맨 처음에, b가 맨 마지막에 오는 경우의 수

(2) a와 b 사이에 3개의 문자가 들어 있는 경우의 수

271 남학생 5명, 여학생 4명을 일렬로 세울 때, 남학생을 양 끝에 세우는 방법의 수를 구하시오.

272 promise의 7개의 문자를 일렬로 나열할 때, 적어도 2개의 모음이 이웃하도록 나열하는
경우의 수를 구하시오.

필수예제 12 자연수의 개수

더 다양한 문제는 **RPM** 수학(하) 118쪽

6개의 숫자 0, 1, 2, 3, 4, 5에서 서로 다른 4개의 숫자를 택하여 네 자리 자연수를 만들 때, 다음을 구하시오.

(1) 네 자리 자연수의 개수　　(2) 짝수의 개수　　　　(3) 4의 배수의 개수

풀이

(1) 천의 자리에는 0이 올 수 없으므로 천의 자리에 올 수 있는 숫자는 1, 2, 3, 4, 5의 5가지이다.
이 각각에 대하여 백의 자리, 십의 자리, 일의 자리에는 천의 자리에 온 숫자를 제외한 5개의 숫자 중 3개를 택하여 나열하면 되므로 $_5\mathrm{P}_3=60$
따라서 구하는 네 자리 자연수의 개수는 $5\times60=\textbf{300}$

(2) 짝수는 일의 자리의 숫자가 0 또는 짝수이어야 하므로 □□□0, □□□2, □□□4의 꼴이다.
(i) □□□0의 꼴
천의 자리, 백의 자리, 십의 자리에는 1, 2, 3, 4, 5의 5개의 숫자 중 3개를 택하여 나열하면 되므로 $_5\mathrm{P}_3=60$
(ii) □□□2, □□□4의 꼴
천의 자리에 올 수 있는 숫자는 0과 일의 자리에 온 숫자를 제외한 4가지 이고, 백의 자리, 십의 자리에는 천의 자리와 일의 자리에 온 숫자를 제외한 4개의 숫자 중 2개를 택하여 나열하면 되므로 $2\times(4\times{}_4\mathrm{P}_2)=96$
(i), (ii)에서 구하는 짝수의 개수는 $60+96=\textbf{156}$

(3) 4의 배수는 끝의 두 자리의 수가 4의 배수이어야 하므로 □□04, □□12, □□20, □□24, □□32, □□40, □□52의 꼴이다.
(i) □□04, □□20, □□40의 꼴
천의 자리와 백의 자리에는 끝의 두 자리에 온 숫자를 제외한 4개의 숫자 중 2개를 택하여 나열하면 되므로 $3\times{}_4\mathrm{P}_2=36$
(ii) □□12, □□24, □□32, □□52의 꼴
천의 자리에 올 수 있는 숫자는 0과 끝의 두 자리에 온 숫자를 제외한 3가지이고, 백의 자리에는 천의 자리와 끝의 두 자리에 온 숫자를 제외한 3가지가 올 수 있으므로 $4\times(3\times3)=36$
(i), (ii)에서 구하는 4의 배수의 개수는 $36+36=\textbf{72}$

KEY Point

• 자연수를 만드는 문제에서 최고 자리에는 **0**이 올 수 없음에 주의한다.

확인체크

273 5개의 숫자 0, 1, 2, 3, 4에서 서로 다른 3개의 숫자를 택하여 세 자리 자연수를 만들 때, 다음을 구하시오.

(1) 세 자리 자연수의 개수　　(2) 홀수의 개수　　　　(3) 3의 배수의 개수

274 7개의 숫자 1, 2, 3, 4, 5, 6, 7에서 서로 다른 4개의 숫자를 택하여 네 자리 자연수를 만들 때, 양 끝이 홀수인 자연수의 개수를 구하시오.

5개의 문자 a, b, c, d, e를 한 번씩만 사용하여 사전식으로 배열할 때, 다음 물음에 답하시오.

(1) $cebda$는 몇 번째에 오는지 구하시오.

(2) 100번째에 오는 문자열을 구하시오.

설명

숫자 1, 2, 3, 4, ⋯ 또는 영문자 A, B, C, D, ⋯를 한 번씩 모두 사용하여 나열할 때, 수를 크기순으로 나열하거나 문자를 사전식으로 나열한 것을 사전식 배열이라 한다.

a, b, c, d, e를 사전식으로 배열할 때, 첫 번째 문자열은 $abcde$이고 마지막 문자열은 $edcba$이다.

풀이

(1) $a\square\square\square\square$의 꼴의 문자열의 개수는 $4!=24$

　$b\square\square\square\square$의 꼴의 문자열의 개수는 $4!=24$

　$ca\square\square\square$의 꼴의 문자열의 개수는 $3!=6$

　$cb\square\square\square$의 꼴의 문자열의 개수는 $3!=6$

　$cd\square\square\square$의 꼴의 문자열의 개수는 $3!=6$

　$cea\square\square$의 꼴의 문자열의 개수는 $2!=2$

이때 $cebda$는 $ceb\square\square$의 꼴에서 두 번째에 오는 문자열이므로

$24+24+6+6+6+2+2=$**70(번째)**

(2) $a\square\square\square\square$, $b\square\square\square\square$, $c\square\square\square\square$, $d\square\square\square\square$의 꼴의 문자열의 개수는 $4\times4!=96$

　$eab\square\square$의 꼴의 문자열의 개수는 $2!=2$

　$eac\square\square$의 꼴의 문자열의 개수는 $2!=2$

이때 $96+2+2=100$이므로 100번째에 오는 문자열은 $eac\square\square$의 꼴의 마지막 문자열인 **$eacdb$**이다.

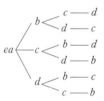

• 숫자 1, 2, 3, 4, ⋯ 또는 영문자 A, B, C, D, ⋯를 한 번씩 모두 사용하여 나열할 때

　⇨ 수를 크기순으로 나열하거나 문자를 사전식으로 나열한다.

확인
체크

275 FRIEND의 6개의 문자를 한 번씩만 사용하여 사전식으로 배열할 때, FDIENR는 몇 번째에 오는지 구하시오.

276 5개의 숫자 0, 1, 2, 3, 4를 한 번씩만 사용하여 만든 다섯 자리 자연수를 크기가 작은 수부터 차례대로 나열할 때, 50번째에 오는 수를 구하시오.

277 5개의 숫자 1, 2, 3, 4, 5를 한 번씩만 사용하여 다섯 자리 자연수를 만들 때, 34000보다 큰 자연수의 개수를 구하시오.

STEP **1**

생각해 봅시다!

$$_n\mathrm{P}_r = \frac{n!}{(n-r)!}$$
(단, $0 \le r \le n$)

185 부등식 $_6\mathrm{P}_{2r+1} \le 4\,_6\mathrm{P}_{2r}$를 만족시키는 자연수 r의 개수를 구하시오.

[수능기출]

186 두 인형 A, B에게 색이 정해지지 않은 셔츠와 바지를 모두 입힌 후, 입힌 옷의 색을 정하는 컴퓨터 게임이 있다. 서로 다른 모양의 셔츠와 바지가 각각 3개씩 있고, 각 옷의 색은 빨강과 초록 중 하나를 정한다. 한 인형에게 입힌 셔츠와 바지는 다른 인형에게 입히지 않는다. A 인형의 셔츠와 바지의 색은 서로 다르게 정하고, B 인형의 셔츠와 바지의 색도 서로 다르게 정한다. 이 게임에서 두 인형 A, B에게 셔츠와 바지를 입히고 색을 정할 때, 그 결과로 나타날 수 있는 경우의 수는?

① 252   ② 216   ③ 180   ④ 144   ⑤ 108

187 남학생 3명, 여학생 5명, 선생님 2명을 일렬로 세울 때, 남학생은 남학생끼리, 여학생은 여학생끼리 이웃하게 세우는 방법의 수를 구하시오.

남학생 3명을 한 사람, 여학생 5명을 한 사람으로 생각한다.

188 rainbow의 7개의 문자를 일렬로 나열할 때, 양 끝에 모두 모음이 오는 경우의 수를 구하시오.

189 6개의 문자 a, b, c, d, e, f를 일렬로 나열할 때, b와 e 사이에 적어도 1개의 문자가 들어가는 경우의 수를 구하시오.

('적어도 ~'인 경우의 수)
=(전체 경우의 수)
    −(모두 ~가 아닌
      경우의 수)

190 5개의 문자 A, B, C, D, E를 한 번씩만 사용하여 사전식으로 배열할 때, 86번째에 오는 문자열의 마지막 문자를 구하시오.

A□□□□의 꼴부터 문자열의 개수를 세어 본다.

연습문제
STEP **2**

[평가원기출]

191 그림과 같이 경계가 구분된 6개 지역의 인구조사를 조사원 5명이 담당하려고 한다. 5명 중에서 1명은 서로 이웃한 2개 지역을, 나머지 4명은 남은 4개 지역을 각각 1개씩 담당한다. 이 조사원 5명의 담당 지역을 정하는 경우의 수는?

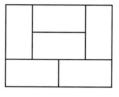

(단, 경계가 일부라도 닿은 두 지역은 서로 이웃한 지역으로 본다.)

① 720   ② 840   ③ 960   ④ 1080   ⑤ 1200

> 이웃한 2개의 지역을 먼저 찾고 조사원 5명의 담당 지역을 정한다.

192 A, B, C, D, E, F의 6명을 일렬로 세울 때, A를 맨 앞에 세우고 B는 A와 이웃하지 않게 세우는 방법의 수를 구하시오.

> A는 맨 앞에 고정시키고 B의 위치를 생각한다.

193 7개의 숫자 1, 2, 3, 4, 5, 6, 7에서 서로 다른 5개의 숫자를 택하여 다섯 자리 자연수를 만들 때, 각 자리의 숫자를 짝수와 홀수를 교대로 사용하여 만드는 방법의 수를 구하시오.

194 서로 다른 한 자리 자연수 6개를 일렬로 나열할 때, 적어도 한쪽 끝에 홀수가 오는 경우의 수는 432이다. 이때 홀수의 개수를 구하시오.

> 짝수의 개수를 n으로 놓는다.

195 5개의 숫자 2, 3, 4, 5, 6을 한 번씩만 사용하여 다섯 자리 자연수를 만들 때, 54000보다 작은 짝수의 개수를 구하시오.

196 GERMANY의 7개의 문자를 한 번씩만 사용하여 사전식으로 배열할 때, GYRNMEA와 NGEAMRY 사이에 있는 문자열의 개수를 구하시오.

> GYRNMEA는 G로 시작하는 문자열 중 마지막 문자열이다.

실력 UP

정답과 풀이 **99**쪽

197 ㄱ, ㄴ, ㄷ, ㄹ, ㅁ의 5개의 자음을 일렬로 나열할 때, ㄴ과 ㄹ 또는 ㄹ과 ㅁ이 서로 이웃하는 경우의 수를 구하시오.

 생각해 봅시다!

ㄴ과 ㄹ, ㄹ과 ㅁ이 서로 이웃하는 경우에서 중복하는 경우를 제외한다.

[교육청기출]

198 A, B, C, D, E 5명이 3인용 소파에 3명, 2인용 소파에 2명으로 나누어 앉으려고 한다. 이때 A와 B가 같은 소파에 이웃하여 앉는 방법의 수를 구하시오.

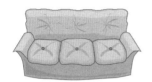 

199 오른쪽 그림과 같이 8칸으로 나누어진 직사각형의 각 칸에 8개의 자연수 1, 3, 5, 7, 8, 10, 12, 14를 한 개씩 써넣을 때, 각 세로줄에 있는 네 수의 합이 서로 같은 경우의 수를 구하시오.

8개의 자연수를 네 개씩 합이 같은 두 묶음으로 나눈다.

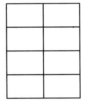

[교육청기출]

200 1부터 9까지 9개의 자연수 중에서 서로 다른 세 수를 일렬로 나열하여 세 자리의 자연수를 만들 때, 그 중 각 자리의 수의 곱이 10의 배수인 자연수의 개수는?

① 60　　　② 88　　　③ 100　　　④ 132　　　⑤ 144

 201 1, 2, 2, 3, 3, 3, 4, 5가 각각 적힌 8개의 카드 중에서 4장을 뽑아 나열하여 네 자리 자연수를 만들 때, 같은 숫자끼리는 이웃하지 않는 자연수의 개수를 구하시오.

같은 숫자가 없는 경우, 한 쌍 있는 경우, 두 쌍 있는 경우로 나누어 생각한다.

꺾을 수 없는 용기를 지녀라.

꺾을 수 없는 용기를 지녀라. 죽은 사자의 갈기는 토끼도 뜯을 수 있다.

용기의 문제는 익살을 부릴 일이 아니다. 그대가 한번 굴복하면 또 다시 굴복하고 계속 굴복하게 된다.

이기기 위해 나중에 들인 노력을 처음부터 쓴다면 더 많은 것을 이룰 것이다.

정신의 용기는 육체의 힘을 능가한다. 그것은 인격을 비호하는 것이다.

정신의 약함은 육체의 약함보다 많은 것을 그르친다.

비범한 재능을 가진 많은 이들도 용기가 없기에 죽은 이처럼 살며 활동 한번 제대로 못하고 삶을 마감한다.

육체는 근육과 뼈를 가지고 있다. 그처럼 정신도 한갓 무른 마음만은 아닌 것이다.

경우의 수

1. 조합 ▷ 필수예제 2

(1) 조합

서로 다른 n개에서 **순서를 생각하지 않고** $r\,(0<r\leq n)$개를 택하는 것을 n개에서 r개를 택하는 조합이라 하고, 이 조합의 수를 기호로 $_nC_r$와 같이 나타낸다.

$$_nC_r$$
서로 다른└ ┘택하는
것의 개수　　것의 개수

(2) 조합의 수

① 서로 다른 n개에서 r개를 택하는 조합의 수는

$$_nC_r=\frac{_nP_r}{r!}=\frac{n!}{r!(n-r)!}\ (단,\ 0\leq r\leq n)$$

② $_nC_0=1$, $_nC_n=1$

▶ ① $_nC_r$의 C는 조합을 뜻하는 Combination의 첫 글자이고, 읽을 때는 '엔씨알'로 읽는다.
② $_nP_r=\ _nC_r\times r!$, 즉 (순열의 수)=(조합의 수)×(일렬로 나열하는 방법의 수)
③ 순열은 순서를 생각하여 일렬로 나열한 것이고, 조합은 순서를 생각하지 않고 그 일부를 뽑은 것이다.
예를 들어 어떤 모임의 회장과 부회장을 각각 1명씩 뽑는 방법은 순열이고, 대표 2명을 뽑는 방법은 조합이다.

설명 3개의 문자 a, b, c에서 2개를 택하는 경우는

$$\{a, b\},\ \{b, c\},\ \{a, c\}$$

의 3가지이며 조합의 수는 $_3C_2$이고, 그 각각에 대하여 다음과 같이 2!가지의 순열을 만들 수 있다.

조합		순열
$\{a, b\}$	일렬로 나열 →	ab, ba
$\{b, c\}$	일렬로 나열 →	bc, cb
$\{a, c\}$	일렬로 나열 →	ac, ca

그런데 서로 다른 3개에서 2개를 택하는 순열의 수는 $_3P_2$이므로

$$_3C_2\times 2!=\ _3P_2$$

따라서 조합의 수 $_3C_2$는 다음과 같이 구할 수 있다.

$$_3C_2=\frac{_3P_2}{2!}=\frac{3\times 2}{2\times 1}=3$$

일반적으로 서로 다른 n개에서 $r\,(0<r\leq n)$개를 택하는 조합의 수는 $_nC_r$이고, 그 각각에 대하여 r개를 일렬로 나열하는 경우의 수는 $r!$이다. 그런데 서로 다른 n개에서 r개를 택하는 순열의 수는 $_nP_r$이므로

$$_nC_r\times r!=\ _nP_r$$

따라서 다음 등식이 성립함을 알 수 있다.

$$_nC_r=\frac{_nP_r}{r!}=\frac{n!}{r!(n-r)!}\quad \cdots\cdots\ \bigcirc$$

이때 $_nP_0=1$, $0!=1$이므로 $_nC_0=1$로 정의하면 $r=0$일 때도 ㉠이 성립한다.

예 서로 다른 6개에서 3개를 택하는 조합의 수는 $_6C_3=\dfrac{_6P_3}{3!}=\dfrac{6\times 5\times 4}{3\times 2\times 1}=20$

2. 조합의 수의 성질 ▷ 필수예제 **1**

(1) $_n\mathrm{C}_r=_n\mathrm{C}_{n-r}$ (단, $0\le r\le n$)

(2) $_n\mathrm{C}_r=_{n-1}\mathrm{C}_r+_{n-1}\mathrm{C}_{r-1}$ (단, $1\le r<n$)

▶ ① 서로 다른 n개에서 r개를 택하는 조합의 수는 선택되지 않고 남아 있는
$(n-r)$개를 택하는 조합의 수와 같으므로 $_n\mathrm{C}_r=_n\mathrm{C}_{n-r}$가 성립한다.
즉, $r>n-r$인 경우 $_n\mathrm{C}_r=_n\mathrm{C}_{n-r}$를 이용하면 $_n\mathrm{C}_r$의 값을 간단히 구할 수
있다.

r개를 택한다. $(n-r)$개를 택한다.

② $_n\mathrm{C}_r=$(특정한 한 개를 제외하고 나머지 $(n-1)$개 중에서 r개를 택하는 조합의 수)
$+$(특정한 한 개를 택하고 나머지 $(n-1)$개 중에서 $(r-1)$개를 택하는 조합의 수)
$=_{n-1}\mathrm{C}_r+_{n-1}\mathrm{C}_{r-1}$

설명 (1) $_n\mathrm{C}_r=\dfrac{n!}{r!(n-r)!}$이므로

$$_n\mathrm{C}_{n-r}=\frac{n!}{(n-r)!\{n-(n-r)\}!}=\frac{n!}{(n-r)!\,r!}=_n\mathrm{C}_r$$

$$\therefore {}_n\mathrm{C}_r=_n\mathrm{C}_{n-r}$$

(2) $_{n-1}\mathrm{C}_r=\dfrac{(n-1)!}{r!\{(n-1)-r\}!}=\dfrac{(n-1)!}{r!(n-r-1)!}$

$_{n-1}\mathrm{C}_{r-1}=\dfrac{(n-1)!}{(r-1)!\{(n-1)-(r-1)\}!}=\dfrac{(n-1)!}{(r-1)!(n-r)!}$

$$\therefore {}_{n-1}\mathrm{C}_r+_{n-1}\mathrm{C}_{r-1}=\frac{(n-1)!}{r!(n-r-1)!}+\frac{(n-1)!}{(r-1)!(n-r)!}$$

$$=\frac{(n-1)!\times(n-r)}{r!(n-r)!}+\frac{(n-1)!\times r}{r!(n-r)!}$$

$$=\frac{(n-1)!\times n}{r!(n-r)!}=\frac{n!}{r!(n-r)!}=_n\mathrm{C}_r$$

$$\therefore {}_n\mathrm{C}_r=_{n-1}\mathrm{C}_r+_{n-1}\mathrm{C}_{r-1}$$

예 (1) $_7\mathrm{C}_5=_7\mathrm{C}_{7-5}=_7\mathrm{C}_2=\dfrac{7\times6}{2\times1}=21$

(2) $_6\mathrm{C}_3+_6\mathrm{C}_2=_7\mathrm{C}_3=\dfrac{7\times6\times5}{3\times2\times1}=35$

보충학습 ▷ 필수예제 **3**

특정한 조건이 있는 조합

(1) 특정한 것을 반드시 포함하는 조합의 수

서로 다른 n개에서 특정한 k개를 포함하여 r개를 뽑는 방법의 수

⇨ $(n-k)$개에서 $(r-k)$개를 뽑는 방법의 수 ⇨ $_{n-k}\mathrm{C}_{r-k}$

(2) 특정한 것을 제외하는 조합의 수

서로 다른 n개에서 특정한 k개를 제외하고 r개를 뽑는 방법의 수

⇨ $(n-k)$개에서 r개를 뽑는 방법의 수 ⇨ $_{n-k}\mathrm{C}_r$

(3) '적어도 ~'의 조건이 있는 조합의 수

('적어도 ~'인 경우의 수)$=$(전체 경우의 수)$-$(모두 ~가 아닌 경우의 수)

개념원리 익히기

278 다음 값을 구하시오.

(1) $_4C_2$

(2) $_5C_0$

(3) $_8C_8$

(4) $_{15}C_{13}$

생각해 봅시다!

$_nC_r = \dfrac{_nP_r}{r!}$ (단, $0 \le r \le n$)

$_nC_0 = 1$, $_nC_n = 1$

$_nC_r = _nC_{n-r}$

279 다음 등식을 만족시키는 n 또는 r의 값을 구하시오.

(1) $_nC_3 = 35$

(2) $_6C_r = 20$

(3) $_{2n}C_2 = 45$

280 서로 다른 10개의 모자 중에서 7개의 모자를 고르는 방법의 수를 구하시오.

서로 다른 n개에서 r개를 택하는 방법의 수
⇨ $_nC_r$

281 9개의 축구팀이 다른 팀과 모두 한 번씩 경기를 할 때, 총 경기 수를 구하시오.

282 4명의 남학생과 7명의 여학생 중에서 3명의 학생을 뽑는 방법의 수를 구하시오.

283 집합 $A = \{a, b, c, d, e\}$의 부분집합 중에서 원소가 3개인 부분집합의 개수를 구하시오.

다음 등식을 만족시키는 n 또는 r의 값을 구하시오.

(1) $_n\text{C}_3 = {_n\text{C}_5}$

(2) $_8\text{C}_r = {_8\text{C}_{r-4}}$

(3) $_{13}\text{C}_{11} + {_{13}\text{C}_1} = {_{14}\text{C}_r}$

(4) $_{n-1}\text{C}_2 + {_n\text{C}_2} = {_{n+2}\text{C}_2}$

풀이

(1) $_n\text{C}_3 = {_n\text{C}_{n-3}}$이므로 $_n\text{C}_{n-3} = {_n\text{C}_5}$에서

$n-3=5$ ∴ $n=8$

(2) (i) $_8\text{C}_r = {_8\text{C}_{r-4}}$에서 $r=r-4$

이 식을 만족시키는 r의 값은 존재하지 않는다.

(ii) $_8\text{C}_r = {_8\text{C}_{8-r}}$이므로 $_8\text{C}_{8-r} = {_8\text{C}_{r-4}}$에서

$8-r=r-4$, $2r=12$ ∴ $r=6$

(i), (ii)에서 $r=6$

(3) $_{13}\text{C}_{11} + {_{13}\text{C}_1} = {_{13}\text{C}_2} + {_{13}\text{C}_1} = {_{14}\text{C}_2}$이고 $_{14}\text{C}_2 = {_{14}\text{C}_{12}}$이므로

$r=2$ 또는 $r=12$

(4) $_{n-1}\text{C}_2 + {_n\text{C}_2} = {_{n+2}\text{C}_2}$에서

$$\frac{(n-1)(n-2)}{2 \times 1} + \frac{n(n-1)}{2 \times 1} = \frac{(n+2)(n+1)}{2 \times 1}$$

$(n-1)(n-2) + n(n-1) = (n+2)(n+1)$, $n^2-3n+2+n^2-n = n^2+3n+2$

$n^2-7n=0$, $n(n-7)=0$

그런데 $n \geq 3$이므로 $n=7$ ← $n-1 \geq 2$, $n \geq 2$, $n+2 \geq 2$에서 $n \geq 3$

KEY Point

• $_n\text{C}_r = \dfrac{_n\text{P}_r}{r!}$ (단, $0 \leq r \leq n$)

• $_n\text{C}_0 = 1$, $_n\text{C}_1 = n$, $_n\text{C}_n = 1$

• $_n\text{C}_r = {_n\text{C}_{n-r}}$ (단, $0 \leq r \leq n$)

• $_n\text{C}_r = {_{n-1}\text{C}_r} + {_{n-1}\text{C}_{r-1}}$ (단, $1 \leq r < n$)

확인
체크

284 다음 등식을 만족시키는 n 또는 r의 값을 구하시오.

(1) $_n\text{C}_5 = {_n\text{C}_4}$

(2) $_{10}\text{C}_r = {_{10}\text{C}_{2r+1}}$

(3) $_{10}\text{C}_2 + {_{10}\text{C}_7} = {_{11}\text{C}_r}$

(4) $_{n+2}\text{C}_3 = 2{_n\text{C}_2} + {_{n+1}\text{C}_{n-1}}$

285 등식 $_n\text{P}_2 + 4{_n\text{C}_2} = 9{_{n-1}\text{C}_3}$을 만족시키는 자연수 n의 값을 구하시오.

286 $1 \leq r \leq n$일 때, 등식 $r \times {_n\text{C}_r} = n \times {_{n-1}\text{C}_{r-1}}$이 성립함을 증명하시오.

1학년 학생 7명과 2학년 학생 5명 중에서 4명을 뽑을 때, 다음을 구하시오.

(1) 4명의 학생을 뽑는 방법의 수

(2) 1학년 학생 2명과 2학년 학생 2명을 뽑는 방법의 수

(3) 4명의 학생을 모두 같은 학년에서 뽑는 방법의 수

설명   (2) 1학년 학생을 뽑고 그리고 2학년 학생을 뽑으므로 ▷ 곱의 법칙을 이용한다.

(3) 모두 1학년에서 뽑거나 또는 모두 2학년에서 뽑으므로 ▷ 합의 법칙을 이용한다.

풀이   (1) 12명의 학생 중에서 4명을 뽑는 방법의 수는

$$_{12}C_4 = \frac{12 \times 11 \times 10 \times 9}{4 \times 3 \times 2 \times 1} = \mathbf{495}$$

(2) 1학년 학생 7명 중에서 2명을 뽑는 방법의 수는 $_7C_2 = \dfrac{7 \times 6}{2 \times 1} = 21$

2학년 학생 5명 중에서 2명을 뽑는 방법의 수는 $_5C_2 = \dfrac{5 \times 4}{2 \times 1} = 10$

따라서 구하는 방법의 수는

$21 \times 10 = \mathbf{210}$

(3) 1학년 학생 7명 중에서 4명을 뽑는 방법의 수는 $_7C_4 = {}_7C_3 = \dfrac{7 \times 6 \times 5}{3 \times 2 \times 1} = 35$

2학년 학생 5명 중에서 4명을 뽑는 방법의 수는 $_5C_4 = {}_5C_1 = 5$

따라서 구하는 방법의 수는

$35 + 5 = \mathbf{40}$

KEY Point

• 서로 다른 n개에서 r개를 택하는 조합의 수

▷ $_nC_r$ (단, $0 < r \leq n$)

확인 체크

287 남학생 5명과 여학생 n명으로 이루어진 농구 동아리에서 남학생 2명, 여학생 3명을 대표로 뽑는 방법의 수가 560일 때, n의 값을 구하시오.

288 서로 다른 수학책 5권, 서로 다른 영어책 5권, 서로 다른 국어책 4권 중에서 3권의 책을 선택할 때, 모두 같은 과목의 책을 선택하는 방법의 수를 구하시오.

289 어떤 동아리에서 각 회원이 나머지 회원들과 모두 한 번씩 악수를 하였더니 회원들끼리 전부 105회의 악수가 이루어졌다. 참석한 회원의 수를 구하시오.

> 경찰관 5명과 소방관 6명 중에서 4명을 뽑을 때, 다음을 구하시오.
>
> (1) 경찰관 중 특정한 2명을 포함하여 뽑는 방법의 수
>
> (2) 경찰관과 소방관을 각각 적어도 1명씩 포함하여 뽑는 방법의 수

설명 (1) 특정한 것이 반드시 포함되는 경우 ⇨ 특정한 것은 이미 뽑았다고 생각하고 나머지에서 필요한 것을 뽑는다.

  (2) '적어도 ~'라는 조건이 있는 경우 ⇨ 전체 경우에서 '~가 아닌' 경우를 제외한다.

풀이 (1) 경찰관 중 특정한 2명을 이미 뽑았다고 생각하고 나머지 9명 중에서 2명을 뽑으면 되므로 구하는 방법의 수는

$$_9C_2 = \frac{9 \times 8}{2 \times 1} = \mathbf{36}$$

(2) 구하는 방법의 수는 11명 중 4명을 뽑는 방법의 수에서 경찰관만 4명을 뽑는 방법의 수와 소방관만 4명을 뽑는 방법의 수를 뺀 것과 같다.

전체 11명 중에서 4명을 뽑는 방법의 수는 $_{11}C_4 = \frac{11 \times 10 \times 9 \times 8}{4 \times 3 \times 2 \times 1} = 330$

경찰관만 4명을 뽑는 방법의 수는 $_5C_4 = {_5}C_1 = 5$

소방관만 4명을 뽑는 방법의 수는 $_6C_4 = {_6}C_2 = \frac{6 \times 5}{2 \times 1} = 15$

따라서 구하는 방법의 수는

$$330 - (5 + 15) = \mathbf{310}$$

KEY Point

- 서로 다른 n개에서 r개를 뽑을 때
  ① 특정한 k개를 포함하여 뽑는 방법의 수 ⇨ $_{n-k}C_{r-k}$ ⟵ $(n-k)$개에서 $(r-k)$개를 뽑는 방법의 수
  ② 특정한 k개를 제외하고 뽑는 방법의 수 ⇨ $_{n-k}C_r$ ⟵ $(n-k)$개에서 r개를 뽑는 방법의 수
- ('적어도 ~'인 경우의 수)=(전체 경우의 수)−(모두 ~가 아닌 경우의 수)

**확인
체크**

290 어느 학교에서 A, B, C를 포함한 12명의 학생 중에서 5명의 핸드볼 선수를 선발할 때, 다음을 구하시오.

  (1) A, B, C가 모두 선발되는 방법의 수

  (2) A, B는 선발되고 C는 선발되지 않는 방법의 수

  (3) A, B, C 중 적어도 1명이 선발되는 방법의 수

291 1부터 10까지의 자연수가 각각 하나씩 적혀 있는 10장의 카드 중에서 동시에 두 장의 카드를 뽑을 때, 적어도 한 장은 짝수가 적혀 있는 카드를 뽑는 방법의 수를 구하시오.

남자 6명과 여자 4명이 있을 때, 다음을 구하시오.

(1) 남자 3명과 여자 2명을 뽑아 일렬로 세우는 방법의 수

(2) 남자 2명과 여자 2명을 뽑아 여자 2명이 서로 이웃하도록 일렬로 세우는 방법의 수

설명   '뽑을 때'는 조합이고, 뽑은 다음 '일렬로 세울 때'는 순열이다.

풀이   (1) 남자 6명 중에서 3명, 여자 4명 중에서 2명을 뽑는 방법의 수는

$$_6C_3 \times {}_4C_2 = \frac{6 \times 5 \times 4}{3 \times 2 \times 1} \times \frac{4 \times 3}{2 \times 1} = 20 \times 6 = 120$$

뽑힌 5명을 일렬로 세우는 방법의 수는 $5! = 120$

따라서 구하는 방법의 수는

$120 \times 120 = \mathbf{14400}$

(2) 남자 6명 중에서 2명, 여자 4명 중에서 2명을 뽑는 방법의 수는

$$_6C_2 \times {}_4C_2 = \frac{6 \times 5}{2 \times 1} \times \frac{4 \times 3}{2 \times 1} = 15 \times 6 = 90$$

여자 2명을 한 사람으로 생각하여 3명을 일렬로 세우는 방법의 수는 $3! = 6$

그 각각에 대하여 여자 2명이 자리를 바꾸는 방법의 수는 $2! = 2$

따라서 구하는 방법의 수는

$90 \times 6 \times 2 = \mathbf{1080}$

KEY Point
- (뽑아서 나열하는 방법의 수)=(뽑는 방법의 수)×(나열하는 방법의 수)
                         =(조합의 수)×(순열의 수)

292 1부터 9까지의 자연수 중에서 서로 다른 홀수 2개, 서로 다른 짝수 2개를 택하여 만들 수 있는 네 자리 자연수의 개수를 구하시오.

293 수연이와 재헌이를 포함한 7명 중에서 4명을 뽑아 일렬로 세울 때, 수연이는 포함되고 재헌이는 포함되지 않는 방법의 수를 구하시오.

294 A, B를 포함한 8명 중에서 A, B를 포함하여 4명을 뽑아 일렬로 세울 때, A, B가 서로 이웃하도록 세우는 방법의 수를 구하시오.

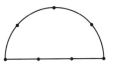

오른쪽 그림과 같이 반원 위에 7개의 점이 있을 때, 다음을 구하시오.

(1) 두 점을 이어서 만들 수 있는 서로 다른 직선의 개수
(2) 세 점을 꼭짓점으로 하는 삼각형의 개수

풀이

(1) 7개의 점 중에서 2개를 택하는 방법의 수는 $_7C_2 = \dfrac{7 \times 6}{2 \times 1} = 21$

일직선 위에 있는 4개의 점 중에서 2개를 택하는 방법의 수는 $_4C_2 = \dfrac{4 \times 3}{2 \times 1} = 6$

그런데 일직선 위에 있는 점으로 만들 수 있는 직선은 1개이므로 구하는 직선의 개수는
$21 - 6 + 1 = \mathbf{16}$

(2) 7개의 점 중에서 3개를 택하는 방법의 수는 $_7C_3 = \dfrac{7 \times 6 \times 5}{3 \times 2 \times 1} = 35$

일직선 위에 있는 4개의 점 중에서 3개를 택하는 방법의 수는 $_4C_3 = {_4C_1} = 4$

그런데 일직선 위에 있는 점으로는 삼각형을 만들 수 없으므로 구하는 삼각형의 개수는
$35 - 4 = \mathbf{31}$

KEY Point

• 어느 세 점도 일직선 위에 있지 않은 서로 다른 n개의 점에서
① 두 점을 이어서 만들 수 있는 직선의 개수 ⇨ $_nC_2$
② 세 점을 꼭짓점으로 하는 삼각형의 개수 ⇨ $_nC_3$

확인체크

295 오른쪽 그림과 같이 평행한 두 직선 위에 9개의 점이 있다. 이들 점을 이어서 만들 수 있는 서로 다른 직선의 개수를 m, 서로 다른 삼각형의 개수를 n이라 할 때, $m+n$의 값을 구하시오.

296 오른쪽 그림과 같이 정삼각형 위에 9개의 점이 있다. 이 중 세 점을 꼭짓점으로 하는 삼각형의 개수를 구하시오.

297 오른쪽 그림과 같은 육각형에서 대각선의 개수를 구하시오.

오른쪽 그림과 같이 5개의 평행선과 4개의 평행선이 서로 만날 때, 이 평행선으로 만들어지는 평행사변형의 개수를 구하시오.

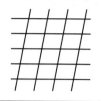

풀이   가로 방향의 5개의 평행선 중에서 2개를 택하는 경우의 수는

$$_5C_2 = \frac{5 \times 4}{2 \times 1} = 10$$

세로 방향의 4개의 평행선 중에서 2개를 택하는 경우의 수는

$$_4C_2 = \frac{4 \times 3}{2 \times 1} = 6$$

가로 방향의 평행선 2개와 세로 방향의 평행선 2개를 택하면 한 개의 평행사변형이 만들어지므로 구하는 평행사변형의 개수는

$$10 \times 6 = \textbf{60}$$

KEY Point
- m개의 평행선과 이와 평행하지 않은 n개의 평행선이 만날 때 생기는 사각형의 개수는
  ⇨ $_mC_2 \times {_nC_2}$

확인 체크 **298** 오른쪽 그림은 정사각형의 각 변을 4등분하여 얻은 도형이다. 이 도형의 선들로 만들 수 있는 사각형 중에서 다음을 구하시오.

(1) 정사각형의 개수
(2) 정사각형이 아닌 직사각형의 개수

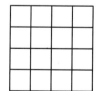

299 오른쪽 그림과 같이 원 위에 10개의 점이 같은 간격으로 놓여 있다. 이 중에서 4개의 점을 이어서 만들 수 있는 직사각형의 개수를 구하시오.

조합을 이용하여 조 나누기

1. 조합을 이용하여 조를 나누는 방법의 수

(1) 서로 다른 n개의 물건을 p개, q개, r개 $(p+q+r=n)$의 세 묶음으로 나누는 방법의 수

① p, q, r가 모두 다른 수이면 ⇨ $_nC_p \times _{n-p}C_q \times _rC_r$

② p, q, r 중 어느 두 수가 같으면 ⇨ $_nC_p \times _{n-p}C_q \times _rC_r \times \dfrac{1}{2!}$

③ p, q, r의 세 수가 모두 같으면 ⇨ $_nC_p \times _{n-p}C_q \times _rC_r \times \dfrac{1}{3!}$

(2) n묶음으로 나누어 n명에게 나누어 주는 방법의 수는

⇨ (n묶음으로 나누는 방법의 수) $\times n!$

설명   네 개의 물건 A, B, C, D를 1개, 3개의 두 묶음으로 나누어 2명에게 나누어 주는 방법의 수와 2개, 2개의 두 묶음으로 나누어 2명에게 나누어 주는 방법의 수를 구해 보자.

	1개, 3개로 나누는 경우	2개, 2개로 나누는 경우
묶음으로 나누기	A−BCD B−ACD C−ABD D−ABC	AB−CD AC−BD AD−BC BC−AD 같다. BD−AC CD−AB
방법의 수	A, B, C, D 4개 중에서 1개를 뽑고, 나머지 3개 중에서 3개를 뽑으면 되므로 $_4C_1 \times _3C_3 = 4$ 이 두 묶음을 2명에게 나누어 주는 방법의 수는 $2! = 2$ 따라서 구하는 방법의 수는 $4 \times 2 = 8$	A, B, C, D 4개 중에서 2개를 뽑고, 나머지 2개 중에서 2개를 뽑으면 되므로 $_4C_2 \times _2C_2$ 이때 같은 것이 2!가지씩 있으므로 $_4C_2 \times _2C_2 \times \dfrac{1}{2!} = 3$ 이 두 묶음을 2명에게 나누어 주는 방법의 수는 $2! = 2$ 따라서 구하는 방법의 수는 $3 \times 2 = 6$

예제   9명의 학생을 다음과 같이 3개의 조로 나누는 방법의 수를 구하시오.

    (1) 2명, 3명, 4명   (2) 4명, 4명, 1명   (3) 3명, 3명, 3명

풀이   (1) 9명을 2명, 3명, 4명으로 나누는 방법의 수는 $_9C_2 \times _7C_3 \times _4C_4 = 1260$

       (2) 9명을 4명, 4명, 1명으로 나누는 방법의 수는 $_9C_4 \times _5C_4 \times _1C_1 \times \dfrac{1}{2!} = 315$

       (3) 9명을 3명, 3명, 3명으로 나누는 방법의 수는 $_9C_3 \times _6C_3 \times _3C_3 \times \dfrac{1}{3!} = 280$

서로 다른 8종류의 꽃이 있을 때, 다음을 구하시오.

(1) 2종류, 2종류, 4종류씩 세 묶음으로 나누는 방법의 수

(2) 2종류, 3종류, 3종류씩 세 묶음으로 나누어 3명에게 나누어 주는 방법의 수

풀이

(1) 서로 다른 8종류의 꽃을 2종류, 2종류, 4종류씩 세 묶음으로 나누는 방법의 수는

$$_8C_2 \times _6C_2 \times _4C_4 \times \frac{1}{2!} = 28 \times 15 \times 1 \times \frac{1}{2} = \mathbf{210}$$

(2) 서로 다른 8종류의 꽃을 2종류, 3종류, 3종류씩 세 묶음으로 나누는 방법의 수는

$$_8C_2 \times _6C_3 \times _3C_3 \times \frac{1}{2!} = 28 \times 20 \times 1 \times \frac{1}{2} = 280$$

세 묶음을 3명에게 나누어 주는 방법의 수는 $3! = 6$

따라서 구하는 방법의 수는

$$280 \times 6 = \mathbf{1680}$$

KEY Point

• n묶음으로 나누어 n명에게 나누어 주는 방법의 수

⇨ (n묶음으로 나누는 방법의 수)$\times n!$

확인 체크

300 서로 다른 소설책 7권과 서로 다른 수필집 3권을 5권씩 두 묶음으로 나누려고 한다. 이때 각 묶음에 적어도 한 권의 수필집이 포함되도록 나누는 방법의 수를 구하시오.

301 6명의 학생이 2명씩 짝을 이루어 서로 다른 세 곳으로 봉사활동을 가는 방법의 수를 구하시오.

302 8개의 학급이 참가한 축구 대회의 대진표가 오른쪽 그림과 같을 때, 대진표를 작성하는 방법의 수를 구하시오.

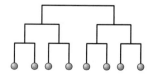

STEP **1**

생각해 봅시다!

$${}_n\mathrm{P}_r = \frac{n!}{(n-r)!}$$
(단, $0 \leq r \leq n$)

$${}_n\mathrm{C}_r = \frac{n!}{r!(n-r)!}$$
(단, $0 \leq r \leq n$)

202 등식 ${}_n\mathrm{C}_3 + {}_n\mathrm{P}_2 = 5\,{}_{n-1}\mathrm{C}_2$를 만족시키는 모든 자연수 n의 값의 합을 구하시오.

[평가원기출]

203 어느 학교 동아리 회원은 1학년이 6명, 2학년이 4명이다. 이 동아리에서 7명을 뽑을 때, 1학년에서 4명, 2학년에서 3명을 뽑는 경우의 수를 구하시오.

204 1부터 15까지의 자연수 중에서 서로 다른 세 수를 택할 때, 택한 세 수의 합이 홀수가 되는 경우의 수를 구하시오.

205 남자 6명과 여자 4명 중에서 4명의 대표를 뽑으려고 할 때, 남녀 대표가 적어도 한 명씩 뽑히는 방법의 수를 구하시오.

('적어도 ~'인 경우의 수)
=(전체 경우의 수)
 −(모두 ~가 아닌
   경우의 수)

206 1부터 8까지의 자연수 중에서 3개를 택하여 세 자리 자연수를 만들 때, 5를 포함하는 자연수의 개수를 구하시오.

207 오른쪽 그림과 같이 원 위에 6개의 점이 같은 간격으로 놓여 있다. 이 중에서 3개의 점을 이어서 만들 수 있는 직각삼각형의 개수를 a, 정삼각형의 개수를 b라 할 때, $a-b$의 값을 구하시오.

원의 지름에 대한 원주각의 크기는 90°이다.

STEP **2**

208 x에 대한 이차방정식 $_nC_4x^2-_nC_5x+_nC_3=0$의 두 근을 α, β라 하자. $\alpha\beta=1$ 일 때, $\alpha+\beta$의 값을 구하시오.

이차방정식
$ax^2+bx+c=0$에서
(두 근의 합)$=-\dfrac{b}{a}$
(두 근의 곱)$=\dfrac{c}{a}$

209 남녀 학생 15명으로 구성된 모임에서 3명의 대표를 뽑을 때, 여학생이 적어도 한 명 포함되도록 뽑는 방법의 수는 445이다. 이때 남학생 수를 구하시오.

210 어느 파티에 참석한 13쌍의 부부가 있다. 남편들은 자신의 부인을 제외한 모든 사람과 악수를 하였고, 부인들끼리는 악수를 하지 않았을 때, 참석한 모든 사람이 나눈 악수는 총 몇 회인지 구하시오.

211 집합 $X=\{1,\ 2,\ 3,\ 4,\ 5\}$에서 집합 $Y=\{1,\ 2,\ 3,\ 4,\ 5,\ 6,\ 7,\ 8\}$로의 함수 f가 $x_1<x_2$이면 $f(x_1)<f(x_2)$이고 $f(4)=6$을 만족시킬 때, 함수 f의 개수를 구하시오. (단, $x_1\in X$, $x_2\in X$)

212 오른쪽 그림과 같이 10개의 점이 있다. 이들 점을 이어서 만들 수 있는 서로 다른 직선의 개수를 m, 서로 다른 삼각형의 개수를 n이라 할 때, $m+n$의 값을 구하시오.

일직선 위에 있는 점으로 만들 수 있는
⇨ 직선은 1개
⇨ 삼각형은 없다.

213 1층에서 5명이 함께 엘리베이터를 타고 올라가는 동안 2층, 3층, 4층, 5층의 4개의 층 중 2개의 층에서 각각 2명, 3명이 내리는 방법의 수를 구하시오.
(단, 엘리베이터에 새로 타는 사람은 없다.)

214 다음 조건을 만족시키도록 서로 다른 5개의 바구니에 빨간색 공 3개와 파란색 공 6개를 모두 넣는 경우의 수를 구하시오.

(단, 같은 색의 공은 서로 구별하지 않는다.)

> ㈎ 각 바구니에 공은 1개 이상, 3개 이하로 넣는다.
> ㈏ 빨간색 공은 한 바구니에 2개 이상 넣을 수 없다.

🔍 **생각해 봅시다!**

215 오른쪽 그림과 같이 12개의 점이 가로, 세로 같은 간격으로 놓여 있을 때, 이들 점을 이어서 만들 수 있는 서로 다른 직선의 개수를 구하시오.

일직선 위에 4개의 점이 있는 경우와 3개의 점이 있는 경우로 나누어 생각한다.

216 오른쪽 그림과 같이 평행한 직선들이 서로 만나고 있다. 이들 평행한 직선들로 만들어지는 평행사변형이 아닌 사다리꼴의 개수를 구하시오.

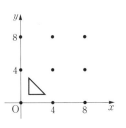

두 쌍의 평행한 직선은 평행사변형을 만든다.

217 좌표평면 위에 9개의 점 (i, j) $(i=0, 4, 8, j=0, 4, 8)$이 있다. 이 9개의 점 중 네 점을 꼭짓점으로 하는 사각형 중에서 내부에 세 점 $(1, 1)$, $(3, 1)$, $(1, 3)$을 꼭짓점으로 하는 삼각형을 포함하는 사각형의 개수는?

① 13   ② 15   ③ 17
④ 19   ⑤ 21

218 두 집합 $A=\{1, 2, 3, 4, 5, 6\}$, $B=\{1, 2, 3\}$에 대하여 A에서 B로의 함수 중 치역과 공역이 같은 함수의 개수를 구하시오.

1 집합: (1), (4)
  (1) 1, 3, 5, 15   (4) −1, 2

2 (1) ∈   (2) ∈   (3) ∉   (4) ∈

3 (1) $A=\{2, 3, 5, 7\}$
  (2) $A=\{x \mid x$는 10 이하의 소수$\}$
  (3) 풀이 참조

4 (1) A, C, D (2) B (3) D

5 (1) 10   (2) 0   (3) 3

6 ④, ⑤

7 ④

8 ③

9 $B=\{4, 10, 16, 22\}$

10 ②

11 ㄴ, ㄷ

12 5

13 (1) $\varnothing$, $\{2\}$, $\{4\}$, $\{2, 4\}$
   (2) $\varnothing$, $\{1\}$, $\{3\}$, $\{9\}$, $\{1, 3\}$, $\{1, 9\}$, $\{3, 9\}$,
      $\{1, 3, 9\}$

14 (1) ⊂   (2) ⊄   (3) ⊂

15 (1) ≠   (2) ≠   (3) =

16 $\varnothing$, $\{2\}$, $\{3\}$, $\{5\}$, $\{2, 3\}$, $\{2, 5\}$, $\{3, 5\}$

17 (1) 16   (2) 15   (3) 4   (4) 8

18 ⑤

19 ㄷ

20 ④

21 1

22 1

23 4

24 8

25 14

26 ④

27 16

28 30

29 (1) $A \cup B=\{a, b, c, d, e\}$, $A \cap B=\{a, c, e\}$
   (2) $A \cup B=\{1, 2, 3, 6, 9\}$, $A \cap B=\{3, 6\}$
   (3) $A \cup B=\{-2, 1, 2, 3, 4\}$, $A \cap B=\{1\}$

30 ㄱ, ㄹ

31 (1) $\{3, 7, 13, 19\}$ (2) $\{2, 3, 11, 13\}$ (3) $\{2, 11\}$
   (4) $\{7, 19\}$ (5) $\{3, 13\}$ (6) $\{2, 3, 7, 11, 13, 19\}$

32 ⑤

33 ③

34 23

35 ②

36 4

37 2

38 $\{b, d, g\}$

39 $\{2, 6\}$

40 17

41 2

42 $\{-2, 1, 5\}$

43 11

44 ②

45 ④

46 ㄴ, ㄹ, ㅁ, ㅂ

47 8

48 4

49 16

50 (1) U (2) $\varnothing$ (3) B

51 풀이 참조

52 ㄴ, ㄷ

53 ①

54 (1) 12   (2) 12

55 ②

56 (1) 14   (2) 3   (3) 9

57 23

58 (1) 12   (2) 5

59 (1) 12   (2) 19   (3) 24   (4) 7

60 25

61 11

62 17

63 28

64 10

65 60

66 21

67 ④, ⑤

68 (1) $2+6 \leq 8$ (2) 17은 소수가 아니다.

  (3) $\varnothing \subset \{a, b, c, d\}$

69 (1) $\{1, 2, 4, 8\}$ (2) $\{6\}$

70 (1) $x=-7$ 또는 $x=5$ (2) $x \leq -4$ 또는 $x \geq 6$

  (3) $-2 < x \leq 3$

71 (1) $\{2\}$ (2) $\{1, 3, 4, 5\}$

  (3) $\{1, 2\}$ (4) $\{3, 4, 5\}$

72 (1) 참인 명제 (2) 명제가 아니다.

  (3) 참인 명제 (4) 거짓인 명제

73 ㄱ, ㄴ, ㄹ

74 ②

75 (1) $\{1, 4, 5, 6\}$ (2) $\{2, 3, 4, 6\}$ (3) $\{3\}$

76 $\{x \mid -1 < x < 2\}$

77 ①

78 (1) 거짓 (2) 거짓 (3) 참

79 32

80 ③

81 ㄷ, ㅁ

82 ⑤

83 3

84 $a > 2$

85 ④

86 (1) 모든 실수 x에 대하여 $x^2 > 0$이다. (거짓)

  (2) 어떤 실수 x에 대하여 $x^2 - x + 4 \leq 0$이다. (거짓)

87 ③

88 ㄴ, ㄷ

89 8

90 ③

91 ⑤

92 ㄴ

93 $4 \leq k \leq 6$

94 -12

95 -6

96 (1) 충분 (2) 필요 (3) 충분

97 필요충분조건

98 (1) 풀이 참조 (2) 풀이 참조 (3) 풀이 참조

99 (1) 풀이 참조 (2) 풀이 참조 (3) 풀이 참조

100 (1) 풀이 참조 (2) 풀이 참조

101 풀이 참조

102 $\dfrac{31}{2}$

103 6

104 2

105 25

106 5

107 (1) $10\sqrt{2}$ (2) 29

108 13

109 40 cm^2, 10 cm

110 $8\sqrt{2}$

111 함수: (3), (4)

  (3) 정의역: $\{1, 2, 3\}$, 공역: $\{a, b, c\}$,

    치역: $\{a, b, c\}$

  (4) 정의역: $\{1, 2, 3, 4\}$, 공역: $\{a, b, c\}$,

    치역: $\{a, b\}$

112 (1) $\{0, 1, 2\}$ (2) $\{-1, 1, 3\}$ (3) $\{-1, 0\}$

113 ㄷ

114 ㄱ, ㄴ

115 ②

116 $\sqrt{3}$

117 $\{0, 1, 2, 3\}$

118 $\{0, 1, 4\}$

119 ㄱ

120 3

121 $\{1\}, \{2\}, \{3\}, \{1, 2\}, \{1, 3\}, \{2, 3\}, \{1, 2, 3\}$

122 (3), (4)

123 (1) ㄱ, ㄹ (2) ㄴ (3) ㄹ

124 -2

125 -5

126 $a < -1$

127 12

128 190

129 (1) 4 (2) 7 (3) 4 (4) c (5) a (6) a

130 (1) $(g \circ f)(x) = -4x^2 - 12x - 9$

  (2) $(f \circ g)(x) = -2x^2 + 3$

(3) $(f \circ f)(x) = 4x + 9$

(4) $(g \circ g)(x) = -x^4$

131 (1) $((f \circ g) \circ h)(x) = 4x^2 - 24x + 34$

(2) $(f \circ (g \circ h))(x) = 4x^2 - 24x + 34$

(3) $((g \circ f) \circ h)(x) = -4x^2 + 4x + 6$

(4) $(f \circ (h \circ g))(x) = 4x^2 - 36x + 79$

132 -1

133 6

134 4

135 -4

136 -2

137 6

138 (1) $h(x) = -\dfrac{3}{2}x + \dfrac{5}{2}$ (2) $h(x) = -\dfrac{3}{2}x + \dfrac{5}{2}$

(3) $h(x) = \dfrac{1}{2}x + \dfrac{1}{2}$

139 $f\left(\dfrac{1-2x}{3}\right) = -4x + 1$

140 4039

141 6

142 8

143 풀이 참조

144 (1) 역함수가 존재한다.

(2) 역함수가 존재하지 않는다.

(3) 역함수가 존재한다.

(4) 역함수가 존재하지 않는다.

145 (1) $y = \dfrac{1}{4}x + \dfrac{1}{2}$ (2) $y = -2x + 3$

146 (1) 1 (2) c (3) 4 (4) a

147 (1) -1 (2) 7

148 -1

149 1

150 3

151 1

152 3

153 $a < -1$ 또는 $a > 1$

154 -18

155 $h^{-1}(x) = -\dfrac{1}{3}x - \dfrac{1}{3}$

156 $a = \dfrac{1}{2},\ b = -\dfrac{5}{2}$

157 12

158 $a = -2,\ b = -3$

159 1

160 x_5

161 b

162 4

163 $2\sqrt{2}$

164 $\dfrac{1}{6}$

165 (1) $2 : 1 : 3$ (2) $\dfrac{5}{14}$

166 (1) ㄷ, ㄹ (2) ㄱ, ㄴ, ㅁ, ㅂ

167 (1) $\dfrac{1}{x(x-3)},\ \dfrac{x}{x(x-3)}$

(2) $\dfrac{2(x+3)}{(x-1)(x+1)(x+3)},\ \dfrac{3(x-1)}{(x-1)(x+1)(x+3)}$

168 (1) $\dfrac{x-2}{x-4}$ (2) $\dfrac{x^2+y^2}{x^2+xy+y^2}$

169 (1) $\dfrac{5x+12}{(x+2)(x+3)}$ (2) $\dfrac{2x-5}{2x+1}$

(3) $\dfrac{x+2}{2x^2}$ (4) $\dfrac{x(x-1)}{x+2}$

170 (1) $\dfrac{2x+3}{(x+2)(x-1)}$ (2) 1

171 -1

172 -4

173 (1) $\dfrac{-2x}{(x+1)(x-1)}$

(2) $\dfrac{4(x^2+10x+28)}{(x+2)(x+4)(x+6)(x+8)}$

174 (1) 0 (2) $\dfrac{5}{11}$

175 20

176 (1) $\dfrac{x+4}{x+2}$ (2) $\dfrac{x-2y}{x}$ (3) $\dfrac{x+1}{x(x-4)}$

177 12

178 152

179 52

180 0

181 (1) $\{x \,|\, x \neq 0$인 실수$\}$ (2) $\{x \,|\, x \neq -3$인 실수$\}$

(3) $\left\{x \,\middle|\, x \neq \dfrac{5}{3}$인 실수$\right\}$ (4) $\{x \,|\, x \neq \pm 2$인 실수$\}$

182 그래프: 풀이 참조

    (1) 점근선의 방정식: $x=0$, $y=0$

    (2) 점근선의 방정식: $x=0$, $y=0$

    (3) 점근선의 방정식: $x=1$, $y=0$

    (4) 점근선의 방정식: $x=0$, $y=2$

183 (1) $y=-\dfrac{3}{x-3}+4$ (2) $y=\dfrac{3}{x+2}-5$

184 그래프: 풀이 참조

    (1) 정의역: $\{x\,|\,x\neq-2$인 실수$\}$

      치역: $\{y\,|\,y\neq1$인 실수$\}$

      점근선의 방정식: $x=-2$, $y=1$

    (2) 정의역: $\{x\,|\,x\neq-3$인 실수$\}$

      치역: $\{y\,|\,y\neq-2$인 실수$\}$

      점근선의 방정식: $x=-3$, $y=-2$

    (3) 정의역: $\{x\,|\,x\neq3$인 실수$\}$

      치역: $\{y\,|\,y\neq-1$인 실수$\}$

      점근선의 방정식: $x=3$, $y=-1$

185 -18

186 ㄱ, ㄷ

187 -1

188 $\{x\,|-3\leq x<-2$ 또는 $-2<x\leq0\}$

189 최댓값: $\dfrac{1}{3}$, 최솟값: -3

190 12

191 1

192 1

193 8

194 1

195 $a=-2$, $b=3$, $c=-8$

196 8

197 $m\geq0$

198 6

199 $m>0$

200 $f^{200}(x)=-\dfrac{1}{x-1}$

201 5

202 1

203 $a=1$, $b=3$, $c=1$

204 3

205 $a=-2$, $b=15$

206 (1) $x\geq-1$ (2) $x\geq2$

    (3) $-3\leq x<2$ (4) $\dfrac{1}{2}\leq x<4$

207 1

208 (1) $\sqrt{x+4}+2$ (2) $\sqrt{x+3}+\sqrt{x-3}$

    (3) $\dfrac{x-1-2\sqrt{x-2}}{x-3}$

209 (1) 1   (2) $\dfrac{-2\sqrt{y}}{x-y}$ (3) $\dfrac{8x}{3-x}$

210 (1) $2x$ (2) $-2x\sqrt{x-1}$

211 $\sqrt{2}+1$

212 2

213 9

214 ㄱ, ㄹ, ㅁ

215 (1) $\{x\,|\,x\leq-3\}$ (2) $\{x\,|\,x\geq-2\}$

    (3) $\{x\,|\,x\geq2\}$ (4) $\{x\,|-1\leq x\leq1\}$

216 그래프: 풀이 참조

    (1) 정의역: $\{x\,|\,x\geq0\}$, 치역: $\{y\,|\,y\geq0\}$

    (2) 정의역: $\{x\,|\,x\geq0\}$, 치역: $\{y\,|\,y\leq0\}$

    (3) 정의역: $\{x\,|\,x\leq3\}$, 치역: $\{y\,|\,y\geq0\}$

    (4) 정의역: $\{x\,|\,x\geq2\}$, 치역: $\{y\,|\,y\leq1\}$

217 그래프: 풀이 참조

    (1) 정의역: $\left\{x\,\middle|\,x\geq\dfrac{2}{3}\right\}$, 치역: $\{y\,|\,y\geq-1\}$

    (2) 정의역: $\{x\,|\,x\leq3\}$, 치역: $\{y\,|\,y\geq2\}$

    (3) 정의역: $\{x\,|\,x\leq1\}$, 치역: $\{y\,|\,y\leq-2\}$

218 ㄱ, ㄷ

219 7

220 2

221 $\{x\,|\,2\leq x\leq5\}$

222 3

223 4

224 4

225 -3

226 6

227 $\dfrac{7}{2}$

228 $-\dfrac{7}{2}<k\leq-3$

229	30	266	2
230	4	267	(1) 240 (2) 480
231	13	268	2880
232	-4	269	2
233	(1, 1)	270	(1) 24 (2) 96
234	-1	271	100800
235	10	272	3600
236	(1) 3 (2) 16	273	(1) 48 (2) 18 (3) 20
237	60	274	240
238	12	275	247번째
239	19	276	30142
240	19	277	60
241	32	278	(1) 6 (2) 1 (3) 1 (4) 105
242	7	279	(1) 7 (2) 3 (3) 5
243	16	280	120
244	12	281	36
245	10	282	165
246	20	283	10
247	27	284	(1) 9 (2) 3 (3) 3 또는 8 (4) 5
248	(1) 15 (2) 12	285	6
249	8	286	풀이 참조
250	12	287	8
251	38	288	24
252	34	289	15
253	540	290	(1) 36 (2) 84 (3) 666
254	48	291	35
255	96	292	1440
256	(1) 59 (2) 35	293	240
257	114	294	180
258	(1) 20 (2) 1 (3) 24 (4) 180	295	92
259	(1) 3 (2) 5	296	72
260	(1) 5 (2) 6 (3) 2 (4) 0	297	9
261	(1) 5040 (2) 60	298	(1) 30 (2) 70
262	(1) 3 또는 4 (2) 15 (3) 6	299	10
263	(1) 풀이 참조 (2) 풀이 참조	300	105
264	210	301	90
265	120	302	315

1 ㄱ, ㄷ, ㄹ		**37** 30	
2 ③		**38** 16	
3 ①		**39** ㄱ, ㄴ, ㄷ	
4 7		**40** 13	
5 13		**41** 12	
6 7		**42** 39	
7 ③		**43** 9	
8 ㄹ, ㅂ		**44** 8	
9 -1		**45** 4	
10 ④		**46** 48	
11 ④		**47** 5	
12 96		**48** ㄱ, ㄷ	
13 3		**49** ①	
14 ③		**50** ⑤	
15 -51		**51** ③	
16 8		**52** ④	
17 ③		**53** ⑤	
18 41		**54** ①, ④	
19 -3		**55** 2	
20 $\{a, f\}$		**56** 3	
21 ②		**57** ④	
22 2		**58** -2	
23 ④		**59** ㄴ	
24 4		**60** ③	
25 $\{-3\}$		**61** ③, ⑤	
26 432		**62** ③	
27 ⑤		**63** -8	
28 4		**64** 2	
29 $\{2, 3, 7\}$		**65** ⑤	
30 14		**66** ③	
31 ㄱ, ㄴ, ㄷ		**67** 7	
32 ③		**68** ㄱ, ㄴ	
33 ②		**69** 3	
34 13		**70** 9	
35 10		**71** ⑤	
36 5		**72** ㈎ 홀수 ㈏ 홀수 ㈐ 짝수 ㈑ 홀수	

73 $A>B$

74 6

75 $m\geq1$

76 23

77 $6\sqrt{6}$

78 ㄴ, ㄷ

79 $4\sqrt{2}$

80 8

81 8

82 $-2\sqrt{7}$

83 ①

84 ③, ⑤

85 $-1-\sqrt{3}$

86 $\{1, 2\}$

87 -6

88 ③

89 $-\dfrac{3}{2}$

90 ③

91 -8

92 3

93 29

94 127

95 ㄴ

96 ④

97 ①

98 36

99 16

100 7

101 $\dfrac{5}{2}$

102 7

103 6

104 -2

105 125

106 10

107 4

108 2

109 -4

110 ①

111 3

112 7

113 1

114 2

115 풀이 참조

116 1

117 풀이 참조

118 26

119 7

120 -1

121 -1

122 4

123 $\sqrt{2}$

124 129

125 ④

126 1

127 5

128 a

129 $a\leq\dfrac{1}{2}$

130 16

131 $-\sqrt{2}$

132 ④

133 $\dfrac{7}{4}$

134 12

135 $\dfrac{1024}{256-x^8}$

136 34

137 $\dfrac{60}{41}$

138 ⑤

139 $\dfrac{-10}{(2x+1)(2x-1)}$

140 0

141 ④

142 1

143 $-\dfrac{9}{2}$

144 -9

145 ①

146 -5

147 ③

148 ㄱ, ㄷ

149 $5-2\sqrt{6}<k<5+2\sqrt{6}$

150 $8\sqrt{2}$

151 2

152 6

153 $\sqrt{7}$

154 11

155 ⑤

156 ⑤

157 9

158 0

159 3

160 ㄱ, ㄴ

161 -8

162 ②

163 5

164 $3+\sqrt{5}$

165 -1

166 $a\leq-2$ 또는 $a>0$

167 -1

168 5

169 ①

170 ④

171 ②

172 $-1<k<-\dfrac{3}{4}$

173 4

174 12

175 12

176 ①

177 37

178 84

179 20

180 53

181 29

182 ②

183 4

184 18

185 2

186 ④

187 17280

188 720

189 480

190 B

191 ⑤

192 96

193 216

194 2

195 52

196 984

197 84

198 36

199 4608

200 ④

201 194

202 11

203 60

204 224

205 194

206 126

207 10

208 $\dfrac{3}{5}$

209 5

210 234회

211 20

212 120

213 120

214 450

215 35

216 72

217 ②

218 540

서 울

강경옥
강미란
고유경
고형문
구해준
길정균
김광희
김국환
김규철
김기훈
김대주
김동식
김미애
김민경
김민회
김보미
김승환
김승희
김준철
김준학
김진규
김진미
김하연
김회영
김희찬
문소정
문재웅
박근한
박기홍
박미라
박성웅
박유숙
박윤재
박종수
박준석
박희영
배재형
배종성
백은화
변만섭
서억수
서일갑
선 철
송낙천
신대용
심영연
안민지
안성자
양보원
양해영
엄은정
오선화

유승우
유은정
유재현
유태성
윤영숙
은 현
이건우
이경환
이두레
이민경
이민호
이병도
이보형
이상일
이상훈
이선주
이성용
이소연
이승지
이시헌
이용준
이윤배
이재민
이 혁
이희주
임규철
임다혜
전유영
전제근
전지홍
정상수
정화진
정효석
조윤정
조정환
최명옥
최정욱
한은선
허성호

경 기

강민지
강봉희
김경아
김금화
김덕락
김도완
김동규
김미정
김민정
김바른
김상윤
김수아

김수영
김승호
김영만
김유성
김윤헌
김은경
김은선
김정진
김정태
김정홍
김종화
김중현
김지윤
김지철
김태민
김태완
김태임
김태학
김현경
김혜숙
나상오
문기수
민동건
박민정
박민주
박상보
박승국
박신태
박영주
박용웅
박재우
박정은
박정희
박진규
박 철
박하늘
박홍영
배영민
서혜원
서희원
성진석
손영민
손영훈
손지영
송광석
송우찬
송은혜
송지숙
신금종
신수연
신주환
안혜림
여희정

오승빈
오창호
오현진
유지영
유현진
윤재중
윤준서
윤희용
이건희
이다영
이상혁
이서준
이성민
이슬기
이 영
이윤정
이재홍
이정현
이화실
임은정
장미래
전승환
전애진
전영권
전원중
정경조
정광현
정명순
정승용
정해도
조강석
조성욱
조 욱
차영범
채연희
최경희
최기호
최다혜
최연진
최영성
최용재
최재원
최현균
추명성
한원석
허예림

인 천

강도희
강원우
기미나
김국련
김기덕

김나영
김윤경
박종필
박해석
석동방
송대익
윤재훈
이동욱
이동율
이수동
이지선
이필규
이현지
이혜경
장복경
장효근
전우진
정민욱
정은영
정한수
조민관
조성철
조은비
조형상
최수빈
최유락
함관식

대 전

권상수
김귀식
김 령
김승환
김주성
민석호
박경린
배지후
송경희
안이근
양상규
윤석주
이상원
이인로
장윤희
최유리
허경훈
홍성욱

광 주

김경남
김국철
김선아
김영진

김은경
김은석
김재현
김환철
나혜경
반기웅
신성호
오성진
이고운
임태관
장광현
장민경
정다원
정 석
최병삼
최지웅
한 용
황수연

대 구

권기현
권보경
권용빈
김경숙
김상운
김영배
김정남
노경균
문정빈
박기양
박복희
백태민
윤선하
이재근
장세완
전지영
정호현

울 산

김경문
남상우

부 산

김민수
김수현
김은진
김치욱
김현영
김효삼
노하영
노희경
류동준
류미진

문서현
박정호
안찬종
오영미
오창희
우희찬
윤서현
이경덕
이대범
이선영
이정동
이정화
이지은
이창원
이형석
임복희
임소정
임종화
장정화
조민근
주민정
허영재

세 종

서호석
전알찬

충 북

우병우

충 남

강희용
김미경
김태윤
소우성
송명준
우명식
유예슬
이견실
이아람
이하진
임진선
현승민

전 북

강대웅
성준우
양형준
정아름
진성은

전 남

강춘기

박미옥
박민철
박영선
양대승
위홍식
유성채
한지선
홍영상

경 북

곽호동
김대훈
김미란
김석재
김수연
김해성
김희수
박산성
소효진
신동광
이인영
이준현
추형식
황가영

경 남

김민채
김양준
박임수
서영덕
안휘욱
우하람
윤영진
이성만
정성훈
정진희
최정운
황민정

강 원

노명훈
정인혁
최재현

제 주

고상훈
고창돈
양 진
이경섭
조경희

개념원리
교재 소개

문제 난이도

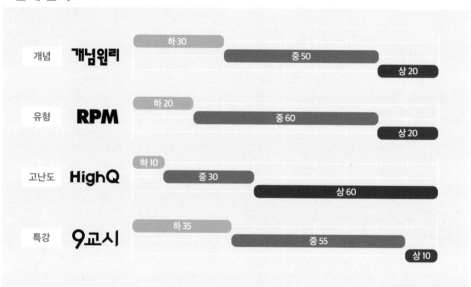

		하 30	중 50	상 20
개념	**개념원리**			
유형	**RPM**	하 20	중 60	상 20
고난도	**HighQ**	하 10	중 30	상 60
특강	**9교시**	하 35	중 55	상 10

고등

개념원리 | 수학의 시작　　　　　　　`개념`

하나를 알면 10개, 20개를 풀 수 있는 개념원리 수학
수학(상), 수학(하), 수학Ⅰ, 수학Ⅱ, 확률과 통계, 미적분, 기하

RPM | 유형의 완성　　　　　　　`유형`

다양한 유형의 문제를 통해 수학의 문제 해결력을 높일 수 있는 RPM
수학(상), 수학(하), 수학Ⅰ, 수학Ⅱ, 확률과 통계, 미적분, 기하

High Q | 고난도 정복 (고1 내신 대비)　　`고난도`

최고를 향한 핵심 고난도 문제서 High Q
수학(상), 수학(하)

9교시 | 학교 안 개념원리　　　　　　`특강`

쉽고 빠르게 정리하는 9종 교과서 시크릿
수학(상), 수학(하), 수학Ⅰ

중등

개념원리 | 수학의 시작　　　　　　　`개념`

하나를 알면 10개, 20개를 풀 수 있는 개념원리 수학
중학수학 1-1, 1-2, 2-1, 2-2, 3-1, 3-2

RPM | 유형의 완성　　　　　　　`유형`

다양한 유형의 문제를 통해 수학의 문제 해결력을 높일 수 있는 RPM
중학수학 1-1, 1-2, 2-1, 2-2, 3-1, 3-2

개념원리

수학(하)

개념원리

수학(하)

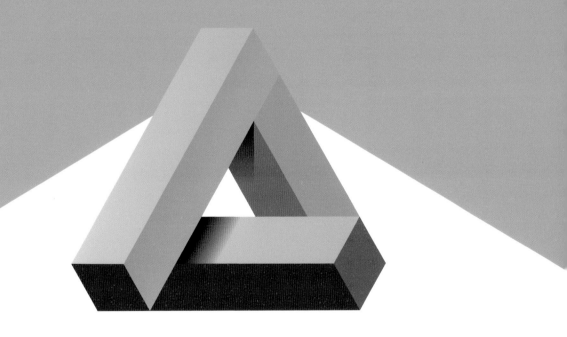

정답과 풀이

개념원리 수학연구소

개념원리 수학(하)

정답과 풀이

친절한 풀이	정확하고 이해하기 쉬운 친절한 풀이
다른 풀이	수학적 사고력을 키우는 다양한 해결 방법 제시
key point	문제 해결을 돕는 보충 설명 제공

개념원리

수학(하)

정답과 풀이

I. 집합과 명제

1

(2), (3) '큰', '가까운'은 기준이 명확하지 않아 그 대상을 분명하게 정할 수 없으므로 집합이 아니다.

답 **집합: (1), (4)**

(1) **1, 3, 5, 15**　　(4) **−1, 2**

2

답 (1) $\in$　(2) $\in$　(3) $\notin$　(4) $\in$

3

답 (1) $A=\{2, 3, 5, 7\}$

(2) $A=\{x \mid x$는 10 이하의 소수$\}$

(3)

4

$A=\{1, 2, 3, 6\}$, $B=\{9, 18, 27, \cdots\}$,
$C=\{2, 3, 4\}$, $D=\varnothing$이므로 A, C, D는 유한집합, B는 무한집합이다. 이때 D는 공집합이다.

답 (1) A, C, D　(2) B　(3) D

5

(2) $x^2+1=0$, 즉 $x^2=-1$을 만족시키는 실수 x는 존재하지 않으므로 $A=\varnothing$

$\therefore n(A)=0$

(3) $|x|<2$에서 $-2<x<2$
따라서 정수 x는 $-1, 0, 1$의 3개이므로
$n(A)=3$

답 (1) **10**　(2) **0**　(3) **3**

6

'작은', '맛있게', '잘하는'은 기준이 명확하지 않아 그 대상을 분명하게 정할 수 없으므로 집합이 아니다.

답 ④, ⑤

7

집합 A의 원소는 4, 8, 12, 16, $\cdots$,
집합 B의 원소는 1, 2, 4, 8이므로
① $1\notin A$　　② $2\in B$
③ $5\notin B$　　⑤ $8\in B$
따라서 옳은 것은 ④이다.

답 ④

8

① $\{3, 5, 7, 9\}$　　② $\{3, 5, 7, 9\}$
③ $\{3, 5, 7\}$　　④ $\{2, 3, 5, 7\}$
⑤ $\{1, 3, 5, 7\}$

답 ③

9

$A=\{2, 4, 6, 8\}$이므로
$x=2$일 때, $3x-2=3\times2-2=4$
$x=4$일 때, $3x-2=3\times4-2=10$
$x=6$일 때, $3x-2=3\times6-2=16$
$x=8$일 때, $3x-2=3\times8-2=22$
$\therefore B=\{4, 10, 16, 22\}$　　답 $B=\{4, 10, 16, 22\}$

10

① $10=2^1\times5^1$
② $60=2^2\times3^1\times5^1$
③ $100=2^2\times5^2$
④ $250=2^1\times5^3$
⑤ $400=2^4\times5^2$
따라서 집합 A의 원소가 아닌 것은 ②이다.　　답 ②

11

ㄱ. $\{11, 13, 15, 17, \cdots\}$이므로 무한집합이다.

ㄴ. ∅을 원소로 갖는 집합이므로 유한집합이다.

ㄷ. $1 < x < 3$인 홀수 x는 없다.

따라서 공집합이므로 유한집합이다.

ㄹ. $n=1$일 때, $x=2 \times 1=2$

$n=2$일 때, $x=2 \times 2=4$

$n=3$일 때, $x=2 \times 3=6$

$\vdots$

즉, $\{2, 4, 6, \cdots\}$이므로 무한집합이다.

따라서 유한집합인 것은 ㄴ, ㄷ이다.　　　🗒 ㄴ, ㄷ

12

$A=\{7, 14, 21, 28, 35, 42, 49\}$

$x^2=-4$를 만족시키는 실수 x는 존재하지 않으므로

$B=\varnothing$

$|x|=4$에서 $x=\pm 4$　　∴ $C=\{-4, 4\}$

∴ $n(A)+n(B)-n(C)=7+0-2=5$　　🗒 **5**

13

🗒 (1) $\varnothing$, $\{2\}$, $\{4\}$, $\{2, 4\}$

(2) $\varnothing$, $\{1\}$, $\{3\}$, $\{9\}$, $\{1, 3\}$, $\{1, 9\}$, $\{3, 9\}$, $\{1, 3, 9\}$

14

🗒 (1) $\subset$　　(2) $\not\subset$　　(3) $\subset$

15

(1) $\{-1, 1\}$ $\boxed{\neq}$ $\{x \mid x^2-2x+1=0\}=\{1\}$

(2) $\varnothing$ $\boxed{\neq}$ $\{x \mid x$는 $2 < x < 4$인 자연수$\}=\{3\}$

(3) $\{x \mid x=2^n, n=1, 2, 3\}$에서

$n=1$일 때, $x=2^1=2$

$n=2$일 때, $x=2^2=4$

$n=3$일 때, $x=2^3=8$

즉, $\{2, 4, 8\}$이므로

$\{2, 4, 8\}$ $\boxed{=}$ $\{x \mid x=2^n, n=1, 2, 3\}$

🗒 (1) $\neq$　　(2) $\neq$　　(3) $=$

16

$\{x \mid x$는 5 이하의 소수$\}=\{2, 3, 5\}$

이므로 주어진 집합의 진부분집합은

$\varnothing$, $\{2\}$, $\{3\}$, $\{5\}$, $\{2, 3\}$, $\{2, 5\}$, $\{3, 5\}$

🗒 **풀이 참조**

17

$A=\{1, 2, 3, 6\}$

(1) $n(A)=4$이므로 집합 A의 부분집합의 개수는

$2^4=16$

(2) 진부분집합의 개수는 집합 A의 부분집합의 개수에서 자기 자신을 제외한 집합의 개수이므로 구하는 진부분집합의 개수는

$2^4-1=15$

(3) 집합 A에서 원소 1, 6을 제외한 집합 $\{2, 3\}$의 부분집합에 원소 1, 6을 넣은 집합과 같으므로 구하는 부분집합의 개수는

$2^{4-2}=2^2=4$

(4) 집합 A에서 원소 3을 제외한 집합 $\{1, 2, 6\}$의 부분집합과 같으므로 구하는 부분집합의 개수는

$2^{4-1}=2^3=8$

🗒 (1) **16**　(2) **15**　(3) **4**　(4) **8**

18

① 공집합은 모든 집합의 부분집합이므로 $\varnothing \subset A$

② 1은 집합 B의 원소이므로 $1 \in B$

③ 3은 집합 A의 원소가 아니므로 $3 \not\in A$

④ 2는 집합 A의 원소이므로 $\{2\} \subset A$

⑤ 1, 3, 5는 집합 B의 원소이므로 $\{1, 3, 5\} \subset B$

따라서 옳지 않은 것은 ⑤이다.　　🗒 ⑤

19

$A=\{2, 4, 6, 8, 10\}$

ㄱ. 5는 집합 A의 원소가 아니므로 $5 \not\in A$

ㄴ. 6은 집합 A의 원소이므로 $6 \in A$

ㄷ. 4, 10은 집합 A의 원소이므로 $\{4, 10\} \subset A$

ㄹ. 집합 A의 원소 10에 대하여

    $10\notin\{2, 4, 6, 8\}$이므로 $A\not\subset\{2, 4, 6, 8\}$

따라서 옳은 것은 ㄷ뿐이다.   **답** ㄷ

20

집합 S의 원소는 $\varnothing$, 0, $\{0\}$, 1이다.

① $\varnothing$은 집합 S의 원소이므로 $\varnothing\in S$

② 공집합은 모든 집합의 부분집합이므로 $\varnothing\subset S$

③ 1은 집합 S의 원소이므로 $1\in S$

④ $\{0\}$은 집합 S의 원소이므로 $\{\{0\}\}\subset S$

⑤ 0, $\{0\}$은 집합 S의 원소이므로 $\{0, \{0\}\}\subset S$

따라서 옳지 않은 것은 ④이다.   **답** ④

21

$-1\in A$에서 $-1\in B$이어야 하므로

$a-2=-1$ 또는 $1-a=-1$

$\therefore a=1$ 또는 $a=2$

(i) $a=1$일 때,

    $A=\{-1, 0\}$, $B=\{-1, 0, 2\}$이므로 $A\subset B$

(ii) $a=2$일 때,

    $A=\{-1, 3\}$, $B=\{-1, 0, 2\}$이므로 $A\not\subset B$

(i), (ii)에서 $A\subset B$를 만족시키는 a의 값은 1이다.

        답 1

22

두 집합 A, B에 대하여 $A\subset B$가 성립하도록 수직선 위에 나타내면 다음 그림과 같다.

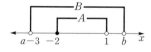

즉, $a-3<-2$, $b\geq1$이므로

$a<1$, $b\geq1$

따라서 정수 a의 최댓값은 0, 정수 b의 최솟값은 1이므로 구하는 합은

$0+1=1$ **답** 1

23

$A\subset B$이고 $B\subset A$이므로 $A=B$

$4\in A$에서 $4\in B$이어야 하므로

$a^2-3a=4$, $a^2-3a-4=0$

$(a+1)(a-4)=0$

$\therefore a=-1$ 또는 $a=4$

(i) $a=-1$일 때,

    $A=\{-3, 0, 4\}$, $B=\{2, 4, 5\}$이므로 $A\neq B$

(ii) $a=4$일 때,

    $A=\{2, 4, 5\}$, $B=\{2, 4, 5\}$이므로 $A=B$

(i), (ii)에서 $A=B$를 만족시키는 a의 값은 4이다.

        답 4

다른풀이 $2\in B$, $5\in B$에서 $2\in A$, $5\in A$이어야 하므로

(i) $a+1=2$, $a-2=5$일 때,

    이를 동시에 만족시키는 a의 값은 존재하지 않는다.

(ii) $a+1=5$, $a-2=2$, 즉 $a=4$일 때,

    $A=\{2, 4, 5\}$, $B=\{2, 4, 5\}$이므로 $A=B$

(i), (ii)에서 $A=B$를 만족시키는 a의 값은 4이다.

24

집합 X는 집합 A의 부분집합 중 3, 5는 반드시 원소로 갖고 9는 원소로 갖지 않는 부분집합이므로 집합 A에서 원소 3, 5, 9를 제외한 집합 $\{1, 7, 11\}$의 부분집합에 원소 3, 5를 넣은 집합과 같다.

따라서 구하는 집합 X의 개수는

$2^{6-2-1}=2^3=8$ **답** 8

25

집합 A의 부분집합의 개수는

$2^4=16$

집합 A의 부분집합 중 소수 2, 3, 5를 원소로 갖지 않는 부분집합의 개수는

$2^{4-3}=2$

따라서 적어도 한 개의 소수를 원소로 갖는 부분집합의 개수는

$16-2=14$ **답** 14

26

집합 X는 집합 B의 부분집합 중 0, 1을 반드시 원소로 갖는 부분집합이므로

$\{0, 1\}, \{0, 1, 2\}, \{0, 1, 3\}, \{0, 1, 2, 3\}$

따라서 집합 X가 될 수 없는 것은 ④이다.　　　답 ④

27

$x^2-11x+18=0$에서

$(x-2)(x-9)=0$　　　∴ $x=2$ 또는 $x=9$

∴ $A=\{2, 9\}$

$B=\{x \,|\, x$는 18의 양의 약수$\}$이므로

$B=\{1, 2, 3, 6, 9, 18\}$

따라서 집합 X는 집합 B의 부분집합 중 2, 9를 반드시 원소로 갖는 부분집합이므로 집합 X의 개수는

$2^{6-2}=2^4=16$　　　답 16

28

$A=\{-3, -2, -1, 0, 1, 2, 3\}$, $B=\{-2, 2\}$이므로 집합 X는 집합 A의 부분집합 중 -2, 2를 반드시 원소로 갖는 부분집합에서 두 집합 A, B를 제외한 것과 같다.

따라서 구하는 집합 X의 개수는

$2^{7-2}-2=32-2=30$　　　답 30

29

(1) $A \cup B=\{a, b, c, d, e\}$

$A \cap B=\{a, c, e\}$

(2) $A=\{3, 6, 9\}$, $B=\{1, 2, 3, 6\}$이므로

$A \cup B=\{1, 2, 3, 6, 9\}$

$A \cap B=\{3, 6\}$

(3) $A=\{1, 2, 3, 4\}$, $B=\{-2, 1\}$이므로

$A \cup B=\{-2, 1, 2, 3, 4\}$

$A \cap B=\{1\}$

답 풀이 참조

30

ㄱ. $A \cap B=\varnothing$이므로 두 집합 A, B는 서로소이다.

ㄴ. $A=\{0, 1, 2\}$, $B=\{2\}$이므로

$A \cap B=\{2\}$

따라서 두 집합 A, B는 서로소가 아니다.

ㄷ. $A=\{1, 2, 4\}$, $B=\{1, 3, 9\}$이므로

$A \cap B=\{1\}$

따라서 두 집합 A, B는 서로소가 아니다.

ㄹ. 음의 정수이면서 양의 정수인 정수는 없으므로

$A \cap B=\varnothing$

따라서 두 집합 A, B는 서로소이다.

따라서 두 집합 A, B가 서로소인 것은 ㄱ, ㄹ이다.

답 ㄱ, ㄹ

31

전체집합 $U=\{2, 3, 5, 7, 11, 13, 17, 19\}$의 두 부분집합 A, B를 벤다이어그램으로 나타내면 오른쪽 그림과 같다.

(1) $A^C=\{3, 7, 13, 19\}$

(2) $B^C=\{2, 3, 11, 13\}$

(3) $A-B=\{2, 11\}$

(4) $B-A=\{7, 19\}$

(5) $(A \cup B)^C=\{3, 13\}$

(6) $(A \cap B)^C=\{2, 3, 7, 11, 13, 19\}$

답 풀이 참조

32

② $U-A^C=(A^C)^C=A$

③ $(A^C)^C \cap U=A \cap U=A$

⑤ $(A \cap B) \subset A$이므로 $A \cup (A \cap B)=A$

따라서 옳지 않은 것은 ⑤이다.　　　답 ⑤

33

$A=\{1, 2, 3\}$, $B=\{1, 2, 4\}$, $C=\{1, 3, 5, 7\}$

③ $A \cup B=\{1, 2, 3, 4\}$이므로

$(A \cup B) \cap C=\{1, 3\}$

④ $B \cap C=\{1\}$이므로

$A \cup (B \cap C)=\{1, 2, 3\}$

⑤ $B \cup C = \{1, 2, 3, 4, 5, 7\}$이므로
  $A \cap (B \cup C) = \{1, 2, 3\}$
따라서 옳지 않은 것은 ③이다. 　　　　　답 ③

집합 B의 원소의 개수를 n이라 하면
$2^{5-n} = 8 = 2^3$에서
$5 - n = 3$　　∴ $n = 2$　　　　답 2

34
전체집합 $U = \{1, 2, 3, \cdots, 8\}$의 두 부분집합이
$A = \{1, 2, 4, 8\}$, $B = \{2, 3, 5, 7\}$이므로
$A - B = \{1, 4, 8\}$
∴ $(A-B)^C = \{2, 3, 5, 6, 7\}$
따라서 집합 $(A-B)^C$의 모든 원소의 합은
$2+3+5+6+7 = 23$　　　　　답 23

35
① $A = \{1\}$, $B = \{-1, 1\}$이므로
  $A \cap B = \{1\}$
② $A = \{-4, 4\}$, $B = \{x \mid x < -8\}$이므로
  $A \cap B = \varnothing$
③ $A = \{0, 1, 2, \cdots\}$, $B = \{1, 2, 3, \cdots\}$이므로
  $A \cap B = \{1, 2, 3, \cdots\}$
④ $A = \{2, 4, 6, 8, \cdots\}$, $B = \{4, 7, 10, 13, \cdots\}$이
  므로
  $A \cap B = \{4, 10, 16, 22, \cdots\}$
⑤ $A = \{3, 6, 9, \cdots\}$, $B = \{8, 16, 24, \cdots\}$이므로
  $A \cap B = \{24, 48, 72, \cdots\}$
따라서 두 집합 A, B가 서로소인 것은 ②이다.
　　　　　답 ②

36
구하는 집합의 개수는 집합 A의 부분집합 중 a, c를
원소로 갖지 않는 집합의 개수, 즉 집합 $\{b, d\}$의 부분
집합의 개수와 같으므로
$2^{4-2} = 2^2 = 4$　　　　　답 4

37
집합 B와 서로소인 집합은 집합 A의 부분집합 중 집
합 B의 원소를 갖지 않는 집합이다.

38
주어진 조건을 만족시키는 두 집
합 A, B를 벤다이어그램으로 나
타내면 오른쪽 그림과 같으므로
$A = \{b, d, g\}$

　　　　　답 $\{b, d, g\}$

39
전체집합 $U = \{1, 2, 3, 4, 5, 6, 7\}$과 주어진 조건을
만족시키는 두 부분집합 A,
B를 벤다이어그램으로 나타
내면 오른쪽 그림과 같으므로
$A \cap B^C = A - B = \{2, 6\}$
　　　　　답 $\{2, 6\}$

40
전체집합 $U = \{1, 3, 5, 7, 9, 11\}$과 주어진 조건을 만
족시키는 두 부분집합 A, B
를 벤다이어그램으로 나타내
면 오른쪽 그림과 같으므로
$B = \{3, 5, 9\}$
따라서 집합 B의 모든 원소의
합은
$3+5+9 = 17$　　　　　답 17

41
$A \cap B = \{1, 5\}$에서 $5 \in A$이므로
$a^2 + 1 = 5$, $a^2 = 4$　　∴ $a = -2$ 또는 $a = 2$
(i) $a = -2$일 때,
  $A = \{1, 4, 5\}$, $B = \{-11, -3, 3\}$이므로
  $A \cap B = \varnothing$
따라서 주어진 조건을 만족시키지 않는다.

(ii) $a=2$일 때,

   $A=\{1, 4, 5\}$, $B=\{1, 3, 5\}$이므로

   $A \cap B=\{1, 5\}$

(i), (ii)에서 $a=2$ 답 **2**

42

$A-B=\{2, 3\}$에서 $2 \in A$이므로

$a^2+1=2$, $a^2=1$ ∴ $a=-1$ 또는 $a=1$

(i) $a=-1$일 때,

   $A=\{1, 2, 3, 5\}$, $B=\{-2, 1, 5\}$이므로

   $A-B=\{2, 3\}$

(ii) $a=1$일 때,

   $A=\{1, 2, 3, 5\}$, $B=\{0, 1, 7\}$이므로

   $A-B=\{2, 3, 5\}$

   따라서 주어진 조건을 만족시키지 않는다.

(i), (ii)에서 $B=\{-2, 1, 5\}$ 답 $\{-2, 1, 5\}$

43

$A \cup B=\{2, 4, 5, 7\}$에서 $4 \in A$ 또는 $7 \in A$이므로

$a-1=4$ 또는 $a-1=7$

∴ $a=5$ 또는 $a=8$

(i) $a=5$일 때,

   $A=\{2, 4, 5\}$, $B=\{4, 7\}$이므로

   $A \cup B=\{2, 4, 5, 7\}$

(ii) $a=8$일 때,

   $A=\{2, 5, 7\}$, $B=\{4, 13\}$이므로

   $A \cup B=\{2, 4, 5, 7, 13\}$

   따라서 주어진 조건을 만족시키지 않는다.

(i), (ii)에서 $B=\{4, 7\}$

따라서 집합 B의 모든 원소의 합은

$4+7=11$ 답 **11**

44

① $A-B^C=A \cap (B^C)^C=A \cap B$

② $(A \cup A^C) \cup B=U \cup B=U$

③ $(U-A^C) \cap B=(A^C)^C \cap B=A \cap B$

④ $(A^C)^C \cap (U-B^C)=A \cap (B^C)^C=A \cap B$

⑤ $(A \cap B) \cup (B \cap B^C)=(A \cap B) \cup \varnothing=A \cap B$

따라서 나머지 넷과 다른 하나는 ②이다. 답 ②

45

$B^C \subset A^C$에서 $A \subset B$

이를 벤다이어그램으로 나타내면 오른쪽 그림과 같으므로

$A \subset B \Rightarrow A \cup B=B$

$\qquad \Rightarrow A-B=\varnothing$

$\qquad \Rightarrow A^C \cup B=U$

$\qquad \Rightarrow A \cap B=A$

따라서 항상 성립한다고 할 수 없는 것은 ④이다.

답 ④

46

전체집합 U의 두 부분집합 A, B가 서로소이므로

$A \cap B=\varnothing$

이를 벤다이어그램으로 나타내면 오른쪽 그림과 같다.

ㄱ. $A-B=A$

ㄴ. $A \subset B^C$

ㄷ. $A \cup B^C=B^C$

ㄹ. $B \cap A^C=B-A=B$

ㅁ. $A \cap (B-A)=A \cap B=\varnothing$

ㅂ. $A-(U-B)=A-B^C=A \cap (B^C)^C$

$\qquad\qquad\qquad =A \cap B=\varnothing$

따라서 항상 옳은 것은 ㄴ, ㄹ, ㅁ, ㅂ이다.

답 ㄴ, ㄹ, ㅁ, ㅂ

47

$A \cap X=X$에서 $X \subset A$

$(A \cap B) \cup X=X$에서 $(A \cap B) \subset X$

∴ $(A \cap B) \subset X \subset A$

이때 $A \cap B=\{4, 5, 6\}$이므로

$\{4, 5, 6\} \subset X \subset \{1, 2, 3, 4, 5, 6\}$

따라서 집합 X는 집합 A의 부분집합 중 4, 5, 6을 반드시 원소로 갖는 부분집합이므로 구하는 집합 X의 개수는
$$2^{6-3}=2^3=8$$
답 8

48

$A-X=\varnothing$에서 $A\subset X$

$B-X=B$에서 $B\cap X=\varnothing$

즉, 집합 X는 전체집합 $U=\{2,\ 3,\ 5,\ 7,\ 11,\ 13\}$의 부분집합 중 집합 A의 원소 2, 7을 반드시 원소로 갖고 집합 B의 원소 3, 13을 원소로 갖지 않는 부분집합이다.

따라서 구하는 집합 X의 개수는
$$2^{6-2-2}=2^2=4$$
답 4

49

$(A\cup X)\subset(B\cup X)$를 만족시키는 집합 U의 부분집합 X는 두 집합 A, B의 공통인 원소 9를 제외한 집합 A의 나머지 원소 1, 5, 13을 반드시 원소로 가져야 한다.

즉, $\{1,\ 5,\ 13\}\subset X\subset\{1,\ 3,\ 5,\ 7,\ 9,\ 11,\ 13\}$

따라서 구하는 집합 X의 개수는
$$2^{7-3}=2^4=16$$
답 16

50

(1) $(A-B)^c\cup A=(A\cap B^c)^c\cup A$
$=(A^c\cup B)\cup A$
$=(B\cup A^c)\cup A$
$=B\cup(A^c\cup A)$
$=B\cup U$
$=U$

(2) $(A-B)\cap(B-A)=(A\cap B^c)\cap(B\cap A^c)$
$=A\cap(B^c\cap B)\cap A^c$
$=A\cap\varnothing\cap A^c$
$=\varnothing\cap A^c$
$=\varnothing$

(3) $\{A\cap(A^c\cup B)\}\cup\{B\cap(B\cup C)\}$
$=\{(A\cap A^c)\cup(A\cap B)\}\cup B$ ← $B\subset(B\cup C)$
$=\{\varnothing\cup(A\cap B)\}\cup B$
$=(A\cap B)\cup B$
$=B$ ← $(A\cap B)\subset B$
답 (1) U (2) $\varnothing$ (3) B

51

$A-(B\cup C)=A\cap(B\cup C)^c$
$=A\cap(B^c\cap C^c)$
$=(A\cap B^c)\cap C^c$
$=(A\cap B^c)-C$
$=(A-B)-C$
답 풀이 참조

52

주어진 등식의 좌변을 간단히 하면
$(A\cup B)\cap A^c=(A\cap A^c)\cup(B\cap A^c)$
$=\varnothing\cup(B\cap A^c)$
$=B\cap A^c=B-A$

이므로 $B-A=\varnothing$에서 $B\subset A$이다.

ㄱ. $A\cap B=B$

ㄴ. $A\cup B=A$

ㄷ. $A\cup B^c=U$

따라서 옳은 것은 ㄴ, ㄷ이다.
답 ㄴ, ㄷ

53

주어진 등식의 좌변을 간단히 하면
$(A\cup B)\cap(B-A)^c=(A\cup B)\cap(B\cap A^c)^c$
$=(A\cup B)\cap(B^c\cup A)$
$=(A\cup B)\cap(A\cup B^c)$
$=A\cup(B\cap B^c)$
$=A\cup\varnothing=A$

이므로 $A=A\cap B$에서 $A\subset B$이다.

이때 $A\subset B$이면

② $B^c\subset A^c$ ③ $A\cap B^c=\varnothing$

④ $A\cup B=B$ ⑤ $A\cap B=A$

따라서 항상 옳은 것은 ①이다.
답 ①

54

(1) 8의 배수는 모두 4의 배수이므로 $A_8 \subset A_4$

9의 배수는 모두 3의 배수이므로 $A_9 \subset A_3$

$\therefore (A_4 \cup A_8) \cap (A_3 \cup A_9) = A_4 \cap A_3$

이때 $A_4 \cap A_3$은 4와 3의 공배수의 집합, 즉 12의

배수의 집합이므로

$(A_4 \cup A_8) \cap (A_3 \cup A_9) = A_{12}$

$\therefore m = 12$

(2) $A_6 \cap A_8$은 6과 8의 공배수의 집합, 즉 24의 배수의

집합이므로

$(A_6 \cap A_8) \cup A_{12} = A_{24} \cup A_{12}$

이때 24의 배수는 모두 12의 배수이므로 $A_{24} \subset A_{12}$

$\therefore (A_6 \cap A_8) \cup A_{12} = A_{12}$

따라서 $A_n \subset A_{12}$를 만족시키는 자연수 n은 12의

배수이므로 n의 최솟값은 12이다.

답 (1) **12** (2) **12**

55

$(A \circledcirc B) \circledcirc A = (B \circledcirc A) \circledcirc A$

$= B \circledcirc (A \circledcirc A)$

$= B \circledcirc \{(A-A) \cup (A-A)\}$

$= B \circledcirc (\varnothing \cup \varnothing) = B \circledcirc \varnothing$

$= (B - \varnothing) \cup (\varnothing - B)$

$= B \cup \varnothing$

$= B$

답 ②

56

(1) $n(A \cup B) = n(A) + n(B) - n(A \cap B)$

$= 10 + 8 - 4 = 14$

(2) $n(A \cup B) = n(A) + n(B) - n(A \cap B)$에서

$10 = 8 + 5 - n(A \cap B)$

$\therefore n(A \cap B) = 3$

(3) $n(A \cup B) = n(A) + n(B) - n(A \cap B)$에서

$13 = 6 + n(B) - 2$ $\therefore n(B) = 9$

답 (1) **14** (2) **3** (3) **9**

57

$n(A \cup B \cup C)$

$= n(A) + n(B) + n(C) - n(A \cap B)$

$\quad - n(B \cap C) - n(C \cap A) + n(A \cap B \cap C)$

$= 12 + 16 + 17 - 8 - 12 - 7 + 5$

$= 23$

답 **23**

58

(1) $n(A-B) = n(A) - n(A \cap B)$

$= 20 - 8 = 12$

(2) $n(B-A) = n(B) - n(A \cap B)$

$= 13 - 8 = 5$

답 (1) **12** (2) **5**

59

(1) $n(A^C) = n(U) - n(A) = 33 - 21 = 12$

(2) $n(B^C) = n(U) - n(B) = 33 - 14 = 19$

(3) $n((A \cap B)^C) = n(U) - n(A \cap B)$

$= 33 - 9 = 24$

(4) $n(A^C \cap B^C) = n((A \cup B)^C)$

$= n(U) - n(A \cup B)$

이때

$n(A \cup B) = n(A) + n(B) - n(A \cap B)$

$= 21 + 14 - 9 = 26$

이므로

$n(A^C \cap B^C) = n(U) - n(A \cup B)$

$= 33 - 26 = 7$

답 (1) **12** (2) **19** (3) **24** (4) **7**

60

$n(A^C \cap B^C) = n((A \cup B)^C)$

$= n(U) - n(A \cup B)$

에서

$11 = 32 - n(A \cup B)$ $\therefore n(A \cup B) = 21$

$n(A \cup B) = n(A) + n(B) - n(A \cap B)$에서

$21 = n(A) + n(B) - 4$

$\therefore n(A) + n(B) = 25$

답 **25**

61

$n(A \cup B) = n(A) + n(B) - n(A \cap B)$에서

$18 = 12 + 10 - n(A \cap B)$

$\therefore n(A \cap B) = 4$

따라서 각 집합의 원소의 개수를 벤다이어그램으로 나타내면 오른쪽 그림과 같으므로 색칠한 부분이 나타내는 집합의 원소의 개수는

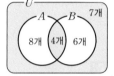

$4 + 7 = 11$

답 **11**

62

$n(A \cup B) = n(A) + n(B) - n(A \cap B)$에서

$15 = 10 + 9 - n(A \cap B)$　　$\therefore n(A \cap B) = 4$

$n(B \cup C) = n(B) + n(C) - n(B \cap C)$에서

$11 = 9 + 6 - n(B \cap C)$　　$\therefore n(B \cap C) = 4$

또, $A \cap C = \varnothing$이므로 $A \cap B \cap C = \varnothing$

$\therefore n(A \cup B \cup C)$

$\quad = n(A) + n(B) + n(C) - n(A \cap B)$

$\qquad - n(B \cap C) - n(C \cap A) + n(A \cap B \cap C)$

$\quad = 10 + 9 + 6 - 4 - 4 - 0 + 0$

$\quad = 17$

답 **17**

63

중국어를 신청한 학생의 집합을 A, 일본어를 신청한 학생의 집합을 B라 하면

$n(A) = 52$, $n(B) = 45$

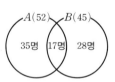

80명의 학생이 두 과목 중 적어도 한 과목을 신청하였으므로

$n(A \cup B) = 80$

$n(A \cup B) = n(A) + n(B) - n(A \cap B)$에서

$80 = 52 + 45 - n(A \cap B)$　　$\therefore n(A \cap B) = 17$

일본어만 신청한 학생의 집합은 $B - A$이므로

$n(B - A) = n(B) - n(A \cap B)$

$\qquad\qquad = 45 - 17 = 28$

답 **28**

64

학급 전체 학생의 집합을 U, A포털사이트의 이메일을 이용하는 학생의 집합을 A, B포털사이트의 이메일을 이용하는 학생의 집합을 B라 하면

$n(U) = 40$, $n(A) = 25$, $n(B) = 20$,

$n(A^C \cap B^C) = 5$

이때

$n(A^C \cap B^C) = n((A \cup B)^C)$

$\qquad\qquad\qquad = n(U) - n(A \cup B)$

에서

$5 = 40 - n(A \cup B)$

$\therefore n(A \cup B) = 35$

두 포털사이트의 이메일을 모두 이용하는 학생의 집합은 $A \cap B$이므로

$n(A \cup B) = n(A) + n(B) - n(A \cap B)$에서

$35 = 25 + 20 - n(A \cap B)$

$\therefore n(A \cap B) = 10$

답 **10**

65

$n(A \cup B) = n(A) + n(B) - n(A \cap B)$

$\qquad\qquad = 15 + 26 - n(A \cap B)$

$\qquad\qquad = 41 - n(A \cap B)$

(i) $n(A \cup B)$가 최대인 경우는 $n(A \cap B)$가 최소일 때이므로 $n(A \cap B) \geq 7$에서 $n(A \cap B) = 7$일 때이다.

　따라서 $n(A \cup B)$의 최댓값은 $41 - 7 = 34$이다.

(ii) $n(A \cup B)$가 최소인 경우는 $n(A \cap B)$가 최대일 때이므로 $A \subset B$일 때이다.

　즉, $n(A \cap B) \leq n(A)$에서 $n(A \cap B) = 15$일 때이다.

　따라서 $n(A \cup B)$의 최솟값은 $41 - 15 = 26$이다.

(i), (ii)에서 $n(A \cup B)$의 최댓값과 최솟값의 합은

$34 + 26 = 60$

답 **60**

다른풀이／ $(A \cap B) \subset A$, $(A \cap B) \subset B$이므로

$n(A \cap B) \leq n(A)$, $n(A \cap B) \leq n(B)$

$\therefore n(A \cap B) \leq 15$

또, $n(A \cap B) \geq 7$이므로

$7 \leq n(A \cap B) \leq 15$

이때 $n(A \cup B) = n(A) + n(B) - n(A \cap B)$에서
$n(A \cap B) = n(A) + n(B) - n(A \cup B)$
$\qquad\qquad = 15 + 26 - n(A \cup B)$
이므로
$7 \le 41 - n(A \cup B) \le 15$
$-34 \le -n(A \cup B) \le -26$
$\therefore 26 \le n(A \cup B) \le 34$
따라서 $n(A \cup B)$의 최댓값은 34, 최솟값은 26이므로 그 합은
$34 + 26 = 60$

66

학급 전체 학생의 집합을 U, 설악산에 가 본 학생의 집합을 A, 지리산에 가 본 학생의 집합을 B라 하면
$n(U) = 40$, $n(A) = 25$, $n(B) = 18$
이때 설악산과 지리산에 모두 가 본 학생의 집합은 $A \cap B$이다.
(i) $n(A \cap B)$가 최대일 때는 $B \subset A$일 때이므로
$\quad M = n(B) = 18$
(ii) $n(A \cap B)$가 최소일 때는 $A \cup B = U$일 때이므로
$\quad n(A \cup B) = n(A) + n(B) - n(A \cap B)$에서
$\quad 40 = 25 + 18 - m$
$\quad \therefore m = 3$
(i), (ii)에서 $M + m = 21$ 답 **21**

67

①, ② '아름답다', '크다'의 기준이 명확하지 않으므로 명제가 아니다.
③ x의 값에 따라 참, 거짓이 달라지므로 명제가 아니다.
④ $7 - x = 2 - x$에서 $7 = 2$이므로 거짓인 명제이다.
⑤ 맞꼭지각의 크기는 서로 같으므로 참인 명제이다.
따라서 명제인 것은 ④, ⑤이다.   답 **④, ⑤**

68

답 (1) $2 + 6 \le 8$
   (2) **17은 소수가 아니다.**
   (3) $\varnothing \subset \{a, b, c, d\}$

69

(1) 자연수 전체의 집합에서 8의 약수는 1, 2, 4, 8이므로 조건 p의 진리집합은 $\{1, 2, 4, 8\}$이다.
(2) $x^2 - 5x - 6 = 0$에서 $(x+1)(x-6) = 0$
$\quad \therefore x = -1$ 또는 $x = 6$
그런데 $-1 \notin U$이므로 조건 q의 진리집합은 $\{6\}$이다.
     답 (1) $\{1, 2, 4, 8\}$ (2) $\{6\}$

70

답 (1) $x = -7$ 또는 $x = 5$
   (2) $x \le -4$ 또는 $x \ge 6$
   (3) $-2 < x \le 3$

71

전체집합 $U = \{1, 2, 3, 4, 5\}$에 대하여 두 조건 p, q의 진리집합을 각각 P, Q라 하면
(1) p: $4x - 8 = 0$에서 $x = 2$이므로 조건 p의 진리집합은 $P = \{2\}$
(2) 조건 $\sim p$의 진리집합은 P^C이므로 $P^C = \{1, 3, 4, 5\}$
(3) q: $x^2 + 1 < 10$, 즉 $x^2 < 9$에서 $-3 < x < 3$이므로 조건 q의 진리집합은 $Q = \{1, 2\}$
(4) 조건 $\sim q$의 진리집합은 Q^C이므로 $Q^C = \{3, 4, 5\}$
   답 (1) $\{2\}$ (2) $\{1, 3, 4, 5\}$
       (3) $\{1, 2\}$ (4) $\{3, 4, 5\}$

72

(1) $\sqrt{4} = 2$는 유리수이므로 **참인 명제**이다.
(2) x의 값에 따라 참, 거짓이 달라지므로 **명제가 아니다.**
(3) 직각삼각형은 한 내각의 크기가 $90°$이고 나머지 두 내각의 크기는 $90°$보다 작으므로 **참인 명제**이다.
(4) 6과 8의 최소공배수는 24이므로 **거짓인 명제**이다.
       답 **풀이 참조**

73

ㄱ. $2^3 < 3^2$에서 $8 < 9$이므로 참인 명제이다.

ㄷ.

위의 두 삼각형의 넓이는 6으로 같지만 합동은 아니므로 거짓인 명제이다.

ㄴ, ㄹ. 참인 명제

따라서 참인 명제는 ㄱ, ㄴ, ㄹ이다.　　**답** ㄱ, ㄴ, ㄹ

74

①, ③, ④, ⑤ 주어진 명제가 참이므로 그 부정은 거짓이다.

② 주어진 명제가 거짓이므로 그 부정은 참이다.

　　답 ②

75

두 조건 p, q의 진리집합을 각각 P, Q라 하면

$P=\{2, 4, 6\}$

q: $x^2-5x+6=0$에서 $(x-2)(x-3)=0$

$\therefore x=2$ 또는 $x=3$

$\therefore Q=\{2, 3\}$

(1) 조건 $\sim q$의 진리집합은 Q^C이므로

$Q^C=\{1, 4, 5, 6\}$

(2) 조건 'p 또는 q'의 진리집합은 $P\cup Q$이므로

$P\cup Q=\{2, 3, 4, 6\}$

(3) 조건 '$\sim p$ 그리고 q'의 진리집합은 $P^C\cap Q$이므로

$P^C\cap Q=\{1, 3, 5\}\cap\{2, 3\}=\{3\}$

답 (1) $\{1, 4, 5, 6\}$　(2) $\{2, 3, 4, 6\}$　(3) $\{3\}$

76

두 조건 p, q의 진리집합을 각각 P, Q라 하면

$P=\{x|-2\leq x<2\}$, $Q=\{x|x\leq-1$ 또는 $x\geq4\}$

조건 $\sim q$의 진리집합은 Q^C이므로

$Q^C=\{x|-1<x<4\}$

따라서 조건
'p 그리고 $\sim q$'의 진리
집합은 $P\cap Q^C$이므로

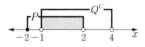

$P\cap Q^C=\{x|-1<x<2\}$　　**답** $\{x|-1<x<2\}$

77

$-2\leq x<3$에서 $x\geq-2$이고 $x<3$

p: $x\geq3$에서 $\sim p$: $x<3$이므로

$P^C=\{x|x<3\}$

q: $x<-2$에서 $\sim q$: $x\geq-2$이므로

$Q^C=\{x|x\geq-2\}$

따라서 조건 '$-2\leq x<3$'의 진리집합은

$P^C\cap Q^C=(P\cup Q)^C$　　**답** ①

78

(1) p: $x^2=9$, q: $x^3=27$이라 하고, 두 조건 p, q의 진리집합을 각각 P, Q라 하면

$P=\{-3, 3\}$, $Q=\{3\}$

따라서 $P\not\subset Q$이므로 주어진 명제는 거짓이다.

(2) [반례] $x=0$, $y=2$이면 $xy=0$이지만 $x=0$이고 $y\neq0$이다.

따라서 주어진 명제는 거짓이다.

(3) p: $|x|<1$, q: $x<1$이라 하고, 두 조건 p, q의 진리집합을 각각 P, Q라 하면

$P=\{x|-1<x<1\}$, $Q=\{x|x<1\}$

따라서 $P\subset Q$이므로 주어진 명제는 참이다.

답 (1) **거짓**　(2) **거짓**　(3) **참**

79

$P=\{4, 8, 12, 16, 20\}$, $Q=\{1, 2, 4, 8, 16\}$

명제 $p\longrightarrow q$가 거짓임을 보이는 원소는 P에 속하고 Q에 속하지 않아야 하므로

$P-Q=\{12, 20\}$

따라서 구하는 모든 원소의 합은

$12+20=32$　　**답** 32

80

명제 $p\longrightarrow \sim q$가 참이므로

$P\subset Q^C$

이것을 벤다이어그램으로 나타내면 오른쪽 그림과 같다.

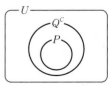

$\therefore Q\subset P^C$　　**답** ③

81

$P \cap Q = \varnothing$을 만족시키는 두
집합 P, Q를 벤다이어그램으
로 나타내면 오른쪽 그림과
같다.

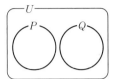

이때 $P \subset Q^C$이고 $Q \subset P^C$이므
로 명제 $p \longrightarrow \sim q$와 $q \longrightarrow \sim p$가 참이다.
따라서 참인 명제는 ㄷ, ㅁ이다. **답 ㄷ, ㅁ**

82

$P \cup Q = P$에서 $Q \subset P$
$Q \cap R = R$에서 $R \subset Q$
$\therefore R \subset Q \subset P$

① $R \subset Q$이므로 명제 $r \longrightarrow q$는 참이다.
② $Q^C \subset R^C$이므로 명제 $\sim q \longrightarrow \sim r$는 참이다.
③ $P^C \subset Q^C$이므로 명제 $\sim p \longrightarrow \sim q$는 참이다.
④ $Q \subset P$이므로 명제 $q \longrightarrow p$는 참이다.
⑤ $R^C \not\subset P^C$이므로 명제 $\sim r \longrightarrow \sim p$는 거짓이다.
따라서 항상 참이라고 할 수 없는 것은 ⑤이다. **답 ⑤**

83

두 조건 p, q의 진리집합을 각각 P, Q라 하면
$P = \{x \mid 2a-1 \le x \le a+2\}$, $Q = \{x \mid 0 \le x \le 5\}$
명제 $p \longrightarrow q$가 참이 되려
면 $P \subset Q$이어야 하므로
오른쪽 그림에서
$2a-1 \ge 0$, $a+2 \le 5$ $\therefore \dfrac{1}{2} \le a \le 3$

따라서 구하는 정수 a는 1, 2, 3의 3개이다. **답 3**

84

$p : x < -2$ 또는 $x > 3$에서 $\sim p : -2 \le x \le 3$
두 조건 p, q의 진리집합을 각각 P, Q라 하면
$P^C = \{x \mid -2 \le x \le 3\}$, $Q = \{x \mid -a < x < a+6\}$
명제 $\sim p \longrightarrow q$가 참이
되려면 $P^C \subset Q$이어야
하므로 오른쪽 그림에서
$-a < -2$, $a+6 > 3$ $\therefore a > 2$ **답 $a > 2$**

85

① $p : x-2 = 4$라 하고 조건 p의 진리집합을 P라 하면
$x-2 = 4$에서 $x = 6$ $\therefore P = \{6\}$
따라서 $P \ne \varnothing$이므로 주어진 명제는 참이다.
② $p : \sqrt{2} + x = 0$이라 하고 조건 p의 진리집합을 P라
하면 $\sqrt{2} + x = 0$에서
$x = -\sqrt{2}$ $\therefore P = \{-\sqrt{2}\}$
따라서 $P \ne \varnothing$이므로 주어진 명제는 참이다.
③ 모든 실수 x에 대하여 $x^2 \ge 0$이므로 주어진 명제는
참이다.
④ [반례] $x = 0$, $y = 0$이면 $x^2 + y^2 = 0$이다.
따라서 주어진 명제는 거짓이다.
⑤ 모든 자연수 x, y에 대하여 $x \ge 1$, $y \ge 1$이므로
$x + y \ge 2$이다. 따라서 주어진 명제는 참이다.
따라서 거짓인 명제는 ④이다. **답 ④**

86

(1) 주어진 명제의 부정은
  '**모든 실수 x에 대하여 $x^2 > 0$이다.**'
  $x = 0$이면 $x^2 = 0$이므로 주어진 명제의 부정은 **거짓**
  이다.
(2) 주어진 명제의 부정은
  '**어떤 실수 x에 대하여 $x^2 - x + 4 \le 0$이다.**'
  이때 모든 실수 x에 대하여
  $x^2 - x + 4 = \left(x - \dfrac{1}{2}\right)^2 + \dfrac{15}{4} > 0$이므로 주어진 명
  제의 부정은 **거짓**이다.

  답 풀이 참조

87

① $x^3 = x$에서 $x^3 - x = 0$, $x(x+1)(x-1) = 0$
  $\therefore x = -1$ 또는 $x = 0$ 또는 $x = 1$
  역: $x = 0$ 또는 $x = 1$이면 $x^3 = x$이다. (참)
  대우: $x \ne 0$이고 $x \ne 1$이면 $x^3 \ne x$이다. (거짓)
  [반례] $x = -1$이면 $x \ne 0$이고 $x \ne 1$이지만
  $x^3 = (-1)^3 = -1 = x$이다.

② 역: $x>1$이고 $y>1$이면 $xy>1$이다. (참)

　대우: $x\le 1$ 또는 $y\le 1$이면 $xy\le 1$이다. (거짓)

　[반례] $x=-2$, $y=-1$이면 $x\le 1$ 또는 $y\le 1$이지만 $xy=2>1$이다.

③ 역: $x=0$이고 $y=0$이면 $|x|+|y|=0$이다. (참)

　대우: $x\ne 0$ 또는 $y\ne 0$이면 $|x|+|y|\ne 0$이다. (참)

④ 역: $x^2+y^2>0$이면 $xy<0$이다. (거짓)

　[반례] $x=1$, $y=1$이면 $x^2+y^2>0$이지만 $xy>0$이다.

　대우: $x^2+y^2\le 0$이면 $xy\ge 0$이다. (참)

⑤ 역: 두 삼각형의 넓이가 같으면 두 삼각형은 합동이다. (거짓)

　[반례] 밑변의 길이가 5, 높이가 4인 삼각형과 밑변의 길이가 10, 높이가 2인 삼각형의 넓이는 10으로 같지만 합동은 아니다.

　대우: 두 삼각형의 넓이가 같지 않으면 두 삼각형은 합동이 아니다. (참)

따라서 역과 대우가 모두 참인 명제는 ③이다.

답 ③

88

ㄱ. 역: xy가 홀수이면 x 또는 y는 홀수이다. (참)

ㄴ. 역: $x+y$가 짝수이면 x, y는 짝수이다. (거짓)

　[반례] $x=3$, $y=1$이면 $x+y$가 짝수이지만 x, y는 홀수이다.

ㄷ. 역: $x^2-4x+3=0$이면 $x-3=0$이다. (거짓)

　[반례] $x=1$이면 $x^2-4x+3=0$이지만 $x-3\ne 0$이다.

따라서 역이 거짓인 명제인 것은 ㄴ, ㄷ이다.

답 ㄴ, ㄷ

89

주어진 명제가 참이므로 그 대우 '$x-1=0$이면 $x^2-ax+7=0$이다.'도 참이다.

$x=1$을 $x^2-ax+7=0$에 대입하면

$1-a+7=0$ $\therefore a=8$

답 8

90

① 명제 $p\longrightarrow q$가 참이므로 그 대우 $\sim q\longrightarrow\sim p$도 참이다.

② 명제 $s\longrightarrow\sim q$가 참이므로 그 대우 $q\longrightarrow\sim s$도 참이다. 따라서 두 명제 $p\longrightarrow q$, $q\longrightarrow\sim s$가 참이므로 명제 $p\longrightarrow\sim s$가 참이다.

④ 명제 $\sim q\longrightarrow\sim r$가 참이므로 그 대우 $r\longrightarrow q$도 참이다. 따라서 두 명제 $r\longrightarrow q$, $q\longrightarrow\sim s$가 참이므로 명제 $r\longrightarrow\sim s$가 참이다.

⑤ 명제 $p\longrightarrow\sim s$가 참이므로 그 대우 $s\longrightarrow\sim p$도 참이다.

따라서 항상 참이라고 할 수 없는 것은 ③이다.

답 ③

91

① 두 조건 p, q의 진리집합을 각각 P, Q라 하면

　$P=\{1,2,3,6\}$, $Q=\{1,2,3,6,9,18\}$

　$P\subset Q$이고 $Q\not\subset P$이므로 $p\Longrightarrow q$, $q\not\Longrightarrow p$

　따라서 p는 q이기 위한 충분조건이다.

② $p\Longrightarrow q$, $q\not\Longrightarrow p$이므로 p는 q이기 위한 충분조건이다.

　[$q\longrightarrow p$의 반례] $x=-1$, $y=-2$이면 $xy>1$이지만 $x<1$, $y<1$이다.

③ $p\Longrightarrow q$, $q\not\Longrightarrow p$이므로 p는 q이기 위한 충분조건이다.

　[$q\longrightarrow p$의 반례] $x=\sqrt{2}$, $y=\sqrt{2}$이면 $xy=2$는 유리수이지만 x, y는 유리수가 아니다.

④ $p\Longrightarrow q$, $q\not\Longrightarrow p$이므로 p는 q이기 위한 충분조건이다.

　[$q\longrightarrow p$의 반례] 등변사다리꼴은 두 대각선의 길이가 같은 사각형이지만 직사각형이 아니다.

⑤ $p\not\Longrightarrow q$, $q\Longrightarrow p$이므로 p는 q이기 위한 필요조건이다.

　[$p\longrightarrow q$의 반례] $A=\{1,2\}$, $B=\{3\}$이면

　$A\cap B=\varnothing$, $A\cup B=\{1,2,3\}$이므로

　$(A\cap B)\subset(A\cup B)$이지만 $A\ne B$이다.

따라서 필요조건이지만 충분조건이 아닌 것은 ⑤이다.

답 ⑤

92

ㄱ. $p \not\Longrightarrow q$, $q \Longrightarrow p$이므로 p는 q이기 위한 필요조
건이다.

　　[$p \longrightarrow q$의 반례] $x=1$, $y=3$이면 $x+y$는 짝수
이지만 x, y는 모두 짝수가 아니다.

ㄴ. $|x|=|y| \Longleftrightarrow |x|^2=|y|^2 \Longleftrightarrow x^2=y^2$

　　즉, $p \Longleftrightarrow q$이므로 p는 q이기 위한 필요충분조건
이다.

ㄷ. $p \not\Longrightarrow q$, $q \Longrightarrow p$이므로 p는 q이기 위한 필요조
건이다.

　　[$p \longrightarrow q$의 반례] $x=2$, $y=2$, $z=3$이면
$(x-y)(y-z)=0$이지만 $x=y\neq z$이다.

따라서 필요충분조건인 것은 ㄴ뿐이다.　　　답 ㄴ

93

두 조건 p, q의 진리집합을 각각 P, Q라 하면

$P=\{x \mid -1 \leq x \leq k\}$, $Q=\left\{x \mid -\dfrac{k}{6} \leq x \leq 4\right\}$

p가 q이기 위한 필요조건이므로 $q \Longrightarrow p$, 즉 $Q \subset P$이
고 이를 만족시키도록 두 집합 P, Q를 수직선 위에 나
타내면 다음 그림과 같다.

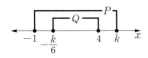

따라서 $-\dfrac{k}{6} \geq -1$, $k \geq 4$이므로

$4 \leq k \leq 6$　　　　　　　　　　답 $4 \leq k \leq 6$

94

q: $(x+3)(x-4)^2=0$에서 $x=-3$ 또는 $x=4$

p가 q이기 위한 필요충분조건이려면 방정식
$x^2-x+a=0$의 해가 $x=-3$ 또는 $x=4$이어야 하므
로 근과 계수의 관계에 의하여

$a=-3 \times 4=-12$　　　　　　　　답 -12

95

세 조건 p, q, r의 진리집합을 각각 P, Q, R라 하면
$P=\{x \mid -2 < x < 1$ 또는 $x > 3\}$, $Q=\{x \mid x > a\}$,
$R=\{x \mid x > b\}$

q는 p이기 위한 필요조건이므로 $p \Longrightarrow q$, 즉 $P \subset Q$
r는 p이기 위한 충분조건이므로 $r \Longrightarrow p$, 즉 $R \subset P$

$\therefore R \subset P \subset Q$

이를 만족시키도록 세 집합 P, Q, R를 수직선 위에
나타내면 다음 그림과 같다.

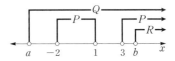

$\therefore a \leq -2$, $b \geq 3$

따라서 a의 최댓값은 -2, b의 최솟값은 3이므로 구하
는 곱은

$-2 \times 3 = -6$　　　　　　　　　　답 -6

96

$P \cap Q = \varnothing$이고 $Q \cup R = Q$
에서 $R \subset Q$이므로 세 집합
P, Q, R를 벤다이어그램으
로 나타내면 오른쪽 그림과
같다.

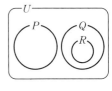

(1) $Q \subset P^C$이므로 $q \Longrightarrow \sim p$

　　따라서 q는 $\sim p$이기 위한 $\boxed{충분}$조건이다.

(2) $R \subset Q$에서 $Q^C \subset R^C$이므로 $\sim q \Longrightarrow \sim r$

　　따라서 $\sim r$는 $\sim q$이기 위한 $\boxed{필요}$조건이다.

(3) $P \subset R^C$이므로 $p \Longrightarrow \sim r$

　　따라서 p는 $\sim r$이기 위한 $\boxed{충분}$조건이다.

답 (1) 충분　(2) 필요　(3) 충분

97

(가) $p \Longrightarrow r$

(나) $\sim q \Longrightarrow \sim r$에서 $r \Longrightarrow q$

(다) $q \Longrightarrow p$

따라서 $q \Longrightarrow r$, $r \Longrightarrow q$이므로 q는 r이
기 위한 필요충분조건이다.

답 필요충분조건

98

(1) 주어진 명제의 대우 '실수 x, y에 대하여 $x=0$ 또는 $y=0$이면 $xy=0$이다.'가 참임을 보이면 된다.

$x=0$ 또는 $y=0$이면 $xy=0$이므로 주어진 명제의 대우가 참이다.

따라서 주어진 명제도 참이다.

(2) 주어진 명제의 대우 '실수 x, y에 대하여 $x<1$이고 $y<1$이면 $x+y<2$이다.'가 참임을 보이면 된다.

$x<1$이고 $y<1$이면 $x+y<2$이므로 주어진 명제의 대우가 참이다.

따라서 주어진 명제도 참이다.

(3) 주어진 명제의 대우 '자연수 m에 대하여 m이 짝수이면 m^2도 짝수이다.'가 참임을 보이면 된다.

m이 짝수이면 $m=2k$ (k는 자연수)로 나타낼 수 있다. 이때

$$m^2=(2k)^2=4k^2=2\times 2k^2$$

이므로 m^2은 짝수이다.

따라서 주어진 명제의 대우가 참이므로 주어진 명제도 참이다.

目 (1) 풀이 참조 (2) 풀이 참조 (3) 풀이 참조

99

(1) $2-\sqrt{3}$이 유리수라 가정하면

$2-\sqrt{3}$과 2는 모두 유리수이므로

$2-(2-\sqrt{3})=\sqrt{3}$도 유리수이다.

그런데 $\sqrt{3}$은 유리수가 아니므로 모순이다.

따라서 $2-\sqrt{3}$은 유리수가 아니다.

(2) n^2이 3의 배수일 때, n이 3의 배수가 아니라고 가정하면

$n=3k-1$ 또는 $n=3k-2$ (k는 자연수)

로 나타낼 수 있다.

(i) $n=3k-1$일 때,

$$n^2=(3k-1)^2=9k^2-6k+1$$
$$=3(3k^2-2k)+1$$

(ii) $n=3k-2$일 때,

$$n^2=(3k-2)^2=9k^2-12k+4$$
$$=3(3k^2-4k+1)+1$$

(i), (ii)에서 n^2은 3으로 나누면 나머지가 1이므로 n^2이 3의 배수라는 가정에 모순이다.

따라서 자연수 n에 대하여 n^2이 3의 배수이면 n도 3의 배수이다.

(3) $a^2+b^2=0$일 때, $a\neq 0$ 또는 $b\neq 0$이라 가정하자.

(i) $a\neq 0$일 때,

$a^2>0$, $b^2\geq 0$이므로 $a^2+b^2>0$, 즉 $a^2+b^2\neq 0$이다.

(ii) $b\neq 0$일 때,

$a^2\geq 0$, $b^2>0$이므로 $a^2+b^2>0$, 즉 $a^2+b^2\neq 0$이다.

(i), (ii)에서 $a^2+b^2\neq 0$이므로 $a^2+b^2=0$이라는 가정에 모순이다.

따라서 실수 a, b에 대하여 $a^2+b^2=0$이면 $a=0$이고 $b=0$이다.

目 (1) 풀이 참조 (2) 풀이 참조 (3) 풀이 참조

100

(1) $a^2+b^2+1-(ab+a+b)$

$$=\frac{1}{2}(2a^2+2b^2+2-2ab-2a-2b)$$
$$=\frac{1}{2}\{(a^2-2ab+b^2)+(a^2-2a+1)$$
$$+(b^2-2b+1)\}$$
$$=\frac{1}{2}\{(a-b)^2+(a-1)^2+(b-1)^2\}$$

a, b가 실수이므로

$(a-b)^2\geq 0$, $(a-1)^2\geq 0$, $(b-1)^2\geq 0$

따라서 $a^2+b^2+1-(ab+a+b)\geq 0$이므로

$a^2+b^2+1\geq ab+a+b$

여기서 등호는 $a-b=0$, $a-1=0$, $b-1=0$, 즉 $a=b=1$일 때 성립한다.

(2) (i) $|a|\geq|b|$일 때,

$|a|-|b|\geq 0$, $|a-b|\geq 0$이므로

$(|a|-|b|)^2\leq|a-b|^2$임을 보이면 된다.

$$(|a|-|b|)^2-|a-b|^2$$
$$=a^2-2|ab|+b^2-(a^2-2ab+b^2)$$
$$=-2(|ab|-ab)$$

그런데 $|ab|\geq ab$이므로

$-2(|ab|-ab)\leq 0$

$\therefore |a|-|b|\leq |a-b|$

(ii) $|a|<|b|$일 때,

$|a|-|b|<0$, $|a-b|>0$이므로

$|a|-|b|<|a-b|$

(i), (ii)에서 $|a|-|b|\leq |a-b|$

여기서 등호는 $|ab|=ab$, 즉 $ab\geq 0$이고 $|a|\geq |b|$일 때 성립한다.

답 (1) **풀이 참조** (2) **풀이 참조**

101

$\{\sqrt{2(a+b)}\}^2-(\sqrt{a}+\sqrt{b})^2$

$=2(a+b)-(a+2\sqrt{ab}+b)$

$=a-2\sqrt{ab}+b=(\sqrt{a}-\sqrt{b})^2$

a, b가 실수이므로 $(\sqrt{a}-\sqrt{b})^2\geq 0$

$\therefore \{\sqrt{2(a+b)}\}^2\geq (\sqrt{a}+\sqrt{b})^2$

이때 $\sqrt{2(a+b)}>0$, $\sqrt{a}+\sqrt{b}>0$이므로

$\sqrt{2(a+b)}\geq \sqrt{a}+\sqrt{b}$

여기서 등호는 $\sqrt{a}=\sqrt{b}$, 즉 $a=b$일 때 성립한다.

답 **풀이 참조**

102

$3a>0$, $4b>0$이므로 산술평균과 기하평균의 관계에 의하여

$3a+4b\geq 2\sqrt{3a\times 4b}=4\sqrt{3ab}$

그런데 $ab=3$이므로

$3a+4b\geq 4\sqrt{3\times 3}=12$

여기서 등호는 $3a=4b$일 때 성립하므로 $3a=4b$를 $3a+4b=12$에 대입하면

$3a+3a=12$, $6a=12$ $\quad\therefore a=2$

$a=2$를 $3a=4b$에 대입하면 $b=\dfrac{3}{2}$

따라서 $3a+4b$는 $a=2$, $b=\dfrac{3}{2}$일 때 최솟값 12를 가지므로

$m=12$, $a=2$, $\beta=\dfrac{3}{2}$

$\therefore m+a+\beta=\dfrac{31}{2}$

답 $\dfrac{31}{2}$

103

$9a^2>0$, $b^2>0$이므로 산술평균과 기하평균의 관계에 의하여

$9a^2+b^2\geq 2\sqrt{9a^2\times b^2}=6ab$ $(\because a>0, b>0)$

그런데 $9a^2+b^2=36$이므로 $36\geq 6ab$

$\therefore ab\leq 6$ (단, 등호는 $9a^2=b^2$, 즉 $3a=b$일 때 성립)

따라서 ab의 최댓값은 6이다.

답 **6**

104

$\dfrac{1}{x}+\dfrac{3}{y}=\dfrac{3x+y}{xy}=\dfrac{6}{xy}$

$3x>0$, $y>0$이므로 산술평균과 기하평균의 관계에 의하여

$3x+y\geq 2\sqrt{3xy}$

그런데 $3x+y=6$이므로 $6\geq 2\sqrt{3xy}$

$3\geq \sqrt{3xy}$, $9\geq 3xy$

$\therefore xy\leq 3$ (단, 등호는 $3x=y$일 때 성립)

$\therefore \dfrac{1}{x}+\dfrac{3}{y}=\dfrac{6}{xy}\geq \dfrac{6}{3}=2$

따라서 $\dfrac{1}{x}+\dfrac{3}{y}$의 최솟값은 2이다.

답 **2**

105

$(3a+4b)\left(\dfrac{3}{a}+\dfrac{1}{b}\right)=9+\dfrac{3a}{b}+\dfrac{12b}{a}+4$

$\qquad\qquad\qquad\qquad =\dfrac{3a}{b}+\dfrac{12b}{a}+13$

$\dfrac{3a}{b}>0$, $\dfrac{12b}{a}>0$이므로 산술평균과 기하평균의 관계에 의하여

$\dfrac{3a}{b}+\dfrac{12b}{a}+13\geq 2\sqrt{\dfrac{3a}{b}\times \dfrac{12b}{a}}+13$

$\qquad\qquad\qquad\quad =2\times 6+13$

$\qquad\qquad\qquad\quad =25$

$\left(\text{단, 등호는 }\dfrac{3a}{b}=\dfrac{12b}{a}, \text{즉 } a=2b\text{일 때 성립}\right)$

따라서 구하는 최솟값은 25이다.

답 **25**

106

$3x+5+\dfrac{3}{x+2}=3(x+2)+\dfrac{3}{x+2}-1$

$x>-2$에서 $x+2>0$이므로 산술평균과 기하평균의 관계에 의하여

$$3(x+2)+\frac{3}{x+2}-1 \geq 2\sqrt{3(x+2)\times\frac{3}{x+2}}-1$$
$$=2\times3-1$$
$$=5$$

$\left(\text{단, 등호는 } 3(x+2)=\dfrac{3}{x+2}, \text{ 즉 } x=-1 \text{일 때 성립}\right)$

따라서 구하는 최솟값은 5이다. **답 5**

107

(1) a, b가 실수이므로 코시−슈바르츠의 부등식에 의하여
$$(2^2+4^2)(a^2+b^2) \geq (2a+4b)^2$$
그런데 $a^2+b^2=10$이므로 $20\times10 \geq (2a+4b)^2$
$$\therefore -10\sqrt{2} \leq 2a+4b \leq 10\sqrt{2}$$
$\left(\text{단, 등호는 } \dfrac{a}{2}=\dfrac{b}{4} \text{일 때 성립}\right)$

따라서 $2a+4b$의 최댓값은 $10\sqrt{2}$이다.

(2) a, b가 실수이므로 코시−슈바르츠의 부등식에 의하여
$$(2^2+5^2)(a^2+b^2) \geq (2a+5b)^2$$
그런데 $2a+5b=29$이므로 $29(a^2+b^2) \geq 29^2$
$$\therefore a^2+b^2 \geq 29 \left(\text{단, 등호는 } \dfrac{a}{2}=\dfrac{b}{5} \text{일 때 성립}\right)$$

따라서 a^2+b^2의 최솟값은 29이다.

답 (1) $10\sqrt{2}$ (2) 29

108

x, y가 실수이므로 코시−슈바르츠의 부등식에 의하여
$$(3^2+2^2)(x^2+y^2) \geq (3x+2y)^2$$
그런데 $x^2+y^2=a$이므로 $13a \geq (3x+2y)^2$
$$\therefore -\sqrt{13a} \leq 3x+2y \leq \sqrt{13a}$$
$\left(\text{단, 등호는 } \dfrac{x}{3}=\dfrac{y}{2} \text{일 때 성립}\right)$

이때 최댓값 $\sqrt{13a}$와 최솟값 $-\sqrt{13a}$의 차가 26이므로
$$\sqrt{13a}-(-\sqrt{13a})=26, \ 2\sqrt{13a}=26$$
$$\sqrt{13a}=13$$
양변을 제곱하면
$$13a=13^2 \quad \therefore a=13$$

답 13

109

오른쪽 그림과 같이 바깥쪽 직사각형의 가로의 길이를 x cm, 세로의 길이를 y cm 라 하면 철사의 전체 길이가 40 cm이므로

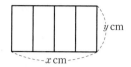

$$2x+5y=40$$

$x>0$, $y>0$에서 $2x>0$, $5y>0$이므로 산술평균과 기하평균의 관계에 의하여
$$2x+5y \geq 2\sqrt{2x\times5y}=2\sqrt{10xy}$$
그런데 $2x+5y=40$이므로 $40 \geq 2\sqrt{10xy}$
$$\therefore \sqrt{10xy} \leq 20 \text{ (단, 등호는 } 2x=5y \text{일 때 성립)}$$
이때 구역 전체의 넓이는 xy cm^{2}이므로
$$10xy \leq 400$$
$$\therefore xy \leq 40$$
따라서 넓이의 최댓값은 40 cm^{2}이다.

또, $2x=5y$일 때 넓이가 최대가 되므로 $2x=5y$를 $2x+5y=40$에 대입하면
$$2x+2x=40$$
$$\therefore x=10$$
따라서 구하는 가로의 길이는 10 cm이다.

답 40 cm^2, 10 cm

110

직사각형의 가로, 세로의 길이를 각각 x, y라 하면 원의 지름이 직사각형의 대각선이므로
$$x^2+y^2=4^2=16$$
x, y가 실수이므로 코시−슈바르츠의 부등식에 의하여
$$(1^2+1^2)(x^2+y^2) \geq (x+y)^2$$
그런데 $x^2+y^2=16$이므로
$$2\times16 \geq (x+y)^2, \ (x+y)^2 \leq 32$$
이때 $x+y>0$이므로
$$0<x+y \leq 4\sqrt{2} \text{ (단, 등호는 } x=y \text{일 때 성립)}$$
직사각형의 둘레의 길이는 $2(x+y)$이므로
$$0<2(x+y) \leq 8\sqrt{2}$$
따라서 구하는 최댓값은 $8\sqrt{2}$이다. **답 $8\sqrt{2}$**

Ⅱ. 함수

111

(1) 집합 X의 원소 1에 대응하는 집합 Y의 원소가 a, b의 2개이므로 함수가 아니다.

(2) 집합 X의 원소 4에 대응하는 집합 Y의 원소가 없으므로 함수가 아니다.

(3), (4) 집합 X의 각 원소에 집합 Y의 원소가 오직 하나씩 대응하므로 함수이다.

> **탑 함수: (3), (4)**
> (3) **정의역: $\{1, 2, 3\}$, 공역: $\{a, b, c\}$,**
> **치역: $\{a, b, c\}$**
> (4) **정의역: $\{1, 2, 3, 4\}$, 공역: $\{a, b, c\}$,**
> **치역: $\{a, b\}$**

112

(1) 함수 $f(x)=-x+1$에 대하여 집합 X의 각 원소의 함숫값을 구하면
$f(-1)=2, f(0)=1, f(1)=0$
따라서 함수 f의 치역은 $\{0, 1, 2\}$이다.

(2) 함수 $f(x)=x^3+x+1$에 대하여 집합 X의 각 원소의 함숫값을 구하면
$f(-1)=-1, f(0)=1, f(1)=3$
따라서 함수 f의 치역은 $\{-1, 1, 3\}$이다.

(3) 함수 $f(x)=|x|-1$에 대하여 집합 X의 각 원소의 함숫값을 구하면
$f(-1)=0, f(0)=-1, f(1)=0$
따라서 함수 f의 치역은 $\{-1, 0\}$이다.

> **탑 (1) $\{0, 1, 2\}$ (2) $\{-1, 1, 3\}$ (3) $\{-1, 0\}$**

113

두 함수 f, g의 정의역과 공역은 각각 같으므로 두 함수가 서로 같으려면 정의역의 모든 원소에 대하여 f와 g의 함숫값이 서로 같아야 한다.

ㄱ. $f(-1)=0, g(-1)=-2$이므로
$f(-1)\neq g(-1)$
$\therefore f\neq g$

ㄴ. $f(-1)=1, g(-1)=-1$이므로
$f(-1)\neq g(-1)$
$\therefore f\neq g$

ㄷ. $f(-1)=g(-1)=-1, f(1)=g(1)=1$이므로
$f=g$

따라서 두 함수 f와 g가 서로 같은 함수인 것은 ㄷ뿐이다.

> **탑 ㄷ**

114

주어진 집합 X에서 집합 Y로의 대응을 그림으로 나타낸 후, 집합 X의 각 원소에 집합 Y의 원소가 오직 하나씩 대응하는 것을 찾는다.

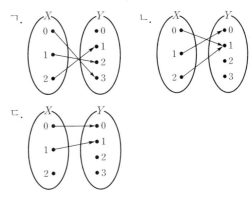

ㄱ, ㄴ. 집합 X의 각 원소에 집합 Y의 원소가 오직 하나씩 대응하므로 함수이다.

ㄷ. 집합 X의 원소 2에 대응하는 집합 Y의 원소가 없으므로 함수가 아니다.

따라서 함수인 것은 ㄱ, ㄴ이다.

> **탑 ㄱ, ㄴ**

115

주어진 집합 X에서 집합 X로의 대응을 그림으로 나타낸 후, 집합 X의 각 원소에 집합 X의 원소가 오직 하나씩 대응하지 않는 것을 찾는다.

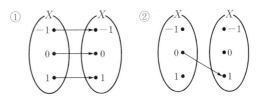

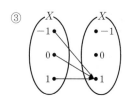

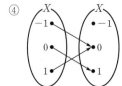

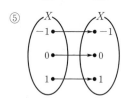

①, ③, ④, ⑤ 집합 X의 각 원소에 집합 X의 원소가
오직 하나씩 대응하므로 함수이다.
② 집합 X의 원소 -1, 1에 대응하는 집합 X의 원소
가 없으므로 함수가 아니다.
따라서 함수가 아닌 것은 ②이다.　　　　　답 ②

116

3은 유리수이므로
$f(3)=3-2=1$
$\sqrt{3}-1$은 무리수이므로
$f(\sqrt{3}-1)=-(\sqrt{3}-1)=1-\sqrt{3}$
$\therefore f(3)-f(\sqrt{3}-1)=1-(1-\sqrt{3})$
$\qquad\qquad\qquad\qquad =\sqrt{3}$　　　답 $\sqrt{3}$

117

정의역이 $X=\{-2,\ -1,\ 0,\ 1,\ 2\}$이므로
$f(-2)=|-2+1|=1$
$f(-1)=|-1+1|=0$
$f(0)=|0+1|=1$
$f(1)=|1+1|=2$
$f(2)=|2+1|=3$
따라서 함수 f의 치역은
$\{0,\ 1,\ 2,\ 3\}$　　　　　답 $\{0,\ 1,\ 2,\ 3\}$

118

정의역이 $X=\{0,\ 1,\ 2,\ 3,\ 4,\ 5\}$이므로
$f(0)=0,\ f(1)=1,\ f(2)=4,$
$f(3)=4,\ f(4)=1,\ f(5)=0$

따라서 함수 f의 치역은
$\{0,\ 1,\ 4\}$　　　　　답 $\{0,\ 1,\ 4\}$

119

ㄱ. $f(-1)=g(-1)=-1$, $f(0)=g(0)=0$,
　$f(1)=g(1)=1$이므로
　$f=g$
ㄴ. $f(-1)=-1$, $h(-1)=1$이므로
　$f(-1)\neq h(-1)$
　$\therefore f\neq h$
ㄷ. $f(-1)=-1$, $p(-1)=\sqrt{(-1)^2}=1$이므로
　$f(-1)\neq p(-1)$
　$\therefore f\neq p$
따라서 함수 f와 서로 같은 함수인 것은 ㄱ뿐이다.

답 ㄱ

120

$f(0)=g(0)$에서 $b=-3$
$f(1)=g(1)$에서
$2+a-3=1+b$　　　　　$\cdots\cdots$ ㉠
$b=-3$을 ㉠에 대입하면
$a-1=-2$　　$\therefore a=-1$
$\therefore ab=(-1)\times(-3)=3$　　　답 3

121

$f(x)=g(x)$를 만족시키는 모든 x의 값은 방정식
$x^3+3x=6x^2-8x+6$의 해와 같으므로
$x^3-6x^2+11x-6=0$, $(x-1)(x-2)(x-3)=0$
$\therefore x=1$ 또는 $x=2$ 또는 $x=3$
따라서 구하는 집합 X는 $\{1,\ 2,\ 3\}$의 부분집합 중 공
집합이 아닌 것이므로
$\{1\}$, $\{2\}$, $\{3\}$, $\{1,\ 2\}$, $\{1,\ 3\}$, $\{2,\ 3\}$,
$\{1,\ 2,\ 3\}$　　　　　답 풀이 참조

122

주어진 그래프에 정의역의 각 원소 a에 대하여 직선
$x=a$를 그려서 교점이 1개인 것을 찾는다.

(1) 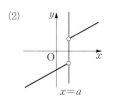 (2)

(3) (4)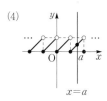

(1), (2) 직선 $x=a$와 만나지 않거나 무수히 많은 점에서 만나기도 하므로 함수의 그래프가 아니다.

(3), (4) 직선 $x=a$와 오직 한 점에서 만나므로 함수의 그래프이다.

따라서 함수의 그래프인 것은 (3), (4)이다.

답 (3), (4)

123

보기의 함수의 그래프를 각각 좌표평면에 나타낸 후, 치역의 각 원소 k에 대하여 직선 $y=k$를 그려 교점을 나타내면 다음 그림과 같다.

ㄱ. 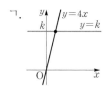 ㄴ.

ㄷ. 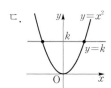 ㄹ.

(1) 일대일대응은 그 그래프가 직선 $y=k$와 오직 한 점에서 만나고 치역과 공역이 같은 함수이므로 ㄱ, ㄹ이다.

(2) 상수함수는 그 그래프가 x축에 평행한 직선이므로 ㄴ이다.

(3) 항등함수는 그 그래프가 직선 $y=x$인 함수이므로 ㄹ이다.

답 (1) ㄱ, ㄹ   (2) ㄴ   (3) ㄹ

124

함수 f가 일대일대응이므로 $f(x)=-2x+b$의 그래프는 오른쪽 그림과 같아야 한다.

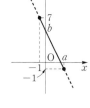

이때 (치역)=(공역)이려면 그래프는 두 점 $(-1, 7)$, $(a, -1)$을 지나야 하므로

$f(-1)=7$, $f(a)=-1$

$f(-1)=7$에서 $2+b=7$ ······ ㉠

$f(a)=-1$에서 $-2a+b=-1$ ······ ㉡

㉠, ㉡을 연립하여 풀면 $a=3$, $b=5$

$\therefore a-b=-2$

답 -2

125

$f(x)=x^2+2x+a$
$=(x+1)^2+a-1$

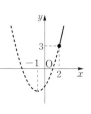

이므로 $x \geq 2$일 때 함수 f가 일대일대응이 되려면 $y=f(x)$의 그래프는 오른쪽 그림과 같아야 한다.

이때 (치역)=(공역)이려면 그래프는 점 $(2, 3)$을 지나야 하므로 $f(2)=3$

즉, $4+4+a=3$에서 $a=-5$

답 -5

126

함수 f가 일대일대응이고 $x \geq 0$에서 직선 $y=-x+3$의 기울기가 음수이므로 $y=f(x)$의 그래프는 오른쪽 그림과 같아야 한다.

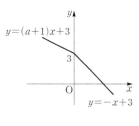

즉, $x<0$에서 직선 $y=(a+1)x+3$의 기울기도 음수이어야 하므로

$a+1<0$ $\therefore a<-1$

답 $a<-1$

127

함수 f는 항등함수이므로 $f(x)=x$

$\therefore f(5)=5, f(7)=7$

함수 g는 상수함수이고 $g(5)=f(5)=5$이므로
$g(x)=5$
$\therefore g(7)=5$
$\therefore f(7)+g(7)=7+5=12$ **답 12**

128

(ⅰ) 집합 X의 각 원소에 대응할 수 있는 집합 Y의 원소는 -2, -1, 0, 1, 2의 5개씩이므로 함수의 개수는
$5\times5\times5=5^3=125$ $\therefore a=125$

(ⅱ) -1에 대응할 수 있는 원소는 -2, -1, 0, 1, 2 중 하나이므로 5개
0에 대응할 수 있는 원소는 -1에 대응한 것을 제외한 4개
1에 대응할 수 있는 원소는 -1, 0에 대응한 것을 제외한 3개
따라서 일대일함수의 개수는
$5\times4\times3=60$ $\therefore b=60$

(ⅲ) 집합 X의 원소 -1, 0, 1 모두에 대응할 수 있는 집합 Y의 원소는 -2, -1, 0, 1, 2의 5개이므로 상수함수의 개수는 5이다.
$\therefore c=5$
$\therefore a+b+c=125+60+5=190$ **답 190**

129

(1) $(g \circ f)(5)=g(f(5))=g(c)=4$
(2) $(g \circ f)(6)=g(f(6))=g(d)=7$
(3) $(g \circ f)(7)=g(f(7))=g(b)=4$
(4) $(f \circ g)(a)=f(g(a))=f(5)=c$
(5) $(f \circ g)(b)=f(g(b))=f(4)=a$
(6) $(f \circ g)(c)=f(g(c))=f(4)=a$

답 (1) **4** (2) **7** (3) **4** (4) **c** (5) **a** (6) **a**

130

(1) $(g \circ f)(x)=g(f(x))=g(2x+3)$
$\qquad =-(2x+3)^2$
$\qquad =-4x^2-12x-9$

(2) $(f \circ g)(x)=f(g(x))=f(-x^2)$
$\qquad =2\times(-x^2)+3$
$\qquad =-2x^2+3$

(3) $(f \circ f)(x)=f(f(x))=f(2x+3)$
$\qquad =2(2x+3)+3=4x+9$

(4) $(g \circ g)(x)=g(g(x))=g(-x^2)$
$\qquad =-(-x^2)^2=-x^4$

답 (1) $(g \circ f)(x)=-4x^2-12x-9$
(2) $(f \circ g)(x)=-2x^2+3$
(3) $(f \circ f)(x)=4x+9$
(4) $(g \circ g)(x)=-x^4$

131

(1) $(f \circ g)(x)=f(g(x))=f(-x+5)$
$\qquad =(-x+5)^2-2$
$\qquad =x^2-10x+23$
이므로
$((f \circ g) \circ h)(x)=(f \circ g)(h(x))$
$\qquad =(f \circ g)(2x-1)$
$\qquad =(2x-1)^2-10(2x-1)+23$
$\qquad =4x^2-24x+34$

(2) $(g \circ h)(x)=g(h(x))=g(2x-1)$
$\qquad =-(2x-1)+5$
$\qquad =-2x+6$
이므로
$(f \circ (g \circ h))(x)=f((g \circ h)(x))$
$\qquad =f(-2x+6)$
$\qquad =(-2x+6)^2-2$
$\qquad =4x^2-24x+34$

(3) $(g \circ f)(x)=g(f(x))=g(x^2-2)$
$\qquad =-(x^2-2)+5$
$\qquad =-x^2+7$
이므로
$((g \circ f) \circ h)(x)=(g \circ f)(h(x))$
$\qquad =(g \circ f)(2x-1)$
$\qquad =-(2x-1)^2+7$
$\qquad =-4x^2+4x+6$

(4) $(h \circ g)(x) = h(g(x)) = h(-x+5)$
$$= 2(-x+5)-1 = -2x+9$$
이므로
$(f \circ (h \circ g))(x) = f((h \circ g)(x))$
$$= f(-2x+9)$$
$$= (-2x+9)^2 - 2$$
$$= 4x^2 - 36x + 79$$

답 (1) $((f \circ g) \circ h)(x) = 4x^2 - 24x + 34$
(2) $(f \circ (g \circ h))(x) = 4x^2 - 24x + 34$
(3) $((g \circ f) \circ h)(x) = -4x^2 + 4x + 6$
(4) $(f \circ (h \circ g))(x) = 4x^2 - 36x + 79$

132
$(g \circ f)(x) = g(f(x)) = 3$에서
$g(b) = 3$이므로 $f(x) = b$
또한, $f(-1) = b$이므로 $x = -1$
따라서 구하는 x의 값은 -1이다.   답 -1

133
$g(2) = -2+3 = 1$, $f(-1) = 2 \times (-1) - 1 = -3$
이므로
$(f \circ g)(2) + (g \circ f)(-1) = f(g(2)) + g(f(-1))$
$$= f(1) + g(-3)$$
$$= (2 \times 1 - 1) + 5$$
$$= 6 \qquad \text{답 } 6$$

134
$(g \circ f)(2) = g(f(2)) = 1$이고 $f(2) = 3$이므로
$g(3) = 1$
$(f \circ g)(1) = f(g(1)) = 1$이고 $g(1) = 3$이므로
$f(3) = 1$
두 함수 f, g는 모두 일대일대응이므로
$f(1) = 2$, $g(2) = 2$
$\therefore f(1) + (g \circ f)(1) = 2 + g(f(1))$
$$= 2 + g(2)$$
$$= 2 + 2 = 4 \qquad \text{답 } 4$$

135
$(f \circ g)(x) = f(g(x)) = f(-x+k)$
$$= 2(-x+k)+3 = -2x+2k+3$$
$(g \circ f)(x) = g(f(x)) = g(2x+3)$
$$= -(2x+3)+k$$
$$= -2x-3+k$$
$f \circ g = g \circ f$이므로
$-2x+2k+3 = -2x-3+k$
$2k+3 = -3+k \qquad \therefore k = -6$
따라서 $g(x) = -x-6$이므로
$g(-2) = -(-2)-6 = -4 \qquad \text{답 } -4$

136
$g(3) = -1$에서
$3b+2 = -1 \qquad \therefore b = -1$
따라서 $f(x) = ax-1$, $g(x) = -x+2$에서
$(f \circ g)(x) = f(g(x)) = f(-x+2)$
$$= a(-x+2)-1$$
$$= -ax+2a-1$$
$(g \circ f)(x) = g(f(x)) = g(ax-1)$
$$= -(ax-1)+2$$
$$= -ax+3$$
$f \circ g = g \circ f$이므로
$-ax+2a-1 = -ax+3$
$2a-1 = 3 \qquad \therefore a = 2$
$\therefore ab = 2 \times (-1) = -2 \qquad \text{답 } -2$

137
주어진 대응에 의하여
$f(1) = 2$, $f(2) = 3$, $f(3) = 4$, $f(4) = 1$
$f \circ g = g \circ f$이므로 $f(g(x)) = g(f(x))$
$x = 1$일 때, $f(g(1)) = g(f(1))$이고 $g(1) = 3$이므로
$f(3) = g(2) \qquad \therefore g(2) = 4$
$x = 2$일 때, $f(g(2)) = g(f(2))$
$f(4) = g(3) \qquad \therefore g(3) = 1$
$x = 3$일 때, $f(g(3)) = g(f(3))$
$f(1) = g(4) \qquad \therefore g(4) = 2$
$\therefore g(2) + g(4) = 4 + 2 = 6 \qquad \text{답 } 6$

138

(1) $(f \circ h)(x) = f(h(x)) = 2h(x) - 1$이고,

$(f \circ h)(x) = g(x)$이므로

$2h(x) - 1 = -3x + 4$, $2h(x) = -3x + 5$

$\therefore \boldsymbol{h(x) = -\dfrac{3}{2}x + \dfrac{5}{2}}$

(2) $(h \circ f)(x) = h(f(x)) = h(2x - 1)$이고,

$(h \circ f)(x) = g(x)$이므로

$h(2x - 1) = -3x + 4$ ...... ㉠

$2x - 1 = t$라 하면 $x = \dfrac{1}{2}t + \dfrac{1}{2}$이므로

㉠에 대입하면

$h(t) = -3\left(\dfrac{1}{2}t + \dfrac{1}{2}\right) + 4 = -\dfrac{3}{2}t + \dfrac{5}{2}$

$\therefore \boldsymbol{h(x) = -\dfrac{3}{2}x + \dfrac{5}{2}}$

(3) $(h \circ g \circ f)(x)$

$= h(g(f(x)))$

$= h(g(2x - 1))$ $g(2x-1) = -3(2x-1)+4$

$= h(-6x + 7)$ ◄─┘ $= -6x + 7$

이고, $(h \circ g \circ f)(x) = g(x)$이므로

$h(-6x + 7) = -3x + 4$ ...... ㉠

$-6x + 7 = t$라 하면 $x = -\dfrac{1}{6}t + \dfrac{7}{6}$이므로

㉠에 대입하면

$h(t) = -3\left(-\dfrac{1}{6}t + \dfrac{7}{6}\right) + 4 = \dfrac{1}{2}t + \dfrac{1}{2}$

$\therefore \boldsymbol{h(x) = \dfrac{1}{2}x + \dfrac{1}{2}}$

🔑 **풀이 참조**

139

$f\left(\dfrac{x+1}{2}\right) = 3x + 2$에서 $\dfrac{x+1}{2} = t$라 하면

$x = 2t - 1$

$\therefore f(t) = 3(2t - 1) + 2 = 6t - 1$

$\therefore f\left(\dfrac{1-2x}{3}\right) = 6 \times \dfrac{1-2x}{3} - 1$

$\qquad\qquad = -4x + 1$

🔑 $f\left(\dfrac{1-2x}{3}\right) = -4x + 1$

140

$f^1(x) = f(x) = x + 2$

$f^2(x) = (f \circ f^1)(x) = f(f(x)) = f(x+2) = x + 4$

$f^3(x) = (f \circ f^2)(x) = f(f^2(x)) = f(x+4) = x + 6$

$f^4(x) = (f \circ f^3)(x) = f(f^3(x)) = f(x+6) = x + 8$

$\qquad \vdots$

$\therefore f^n(x) = x + 2n$

따라서 $f^{2019}(x) = x + 2 \times 2019 = x + 4038$이므로

$f^{2019}(1) = 1 + 4038 = 4039$ 🔑 **4039**

141

$f^1(x) = f(x) = \dfrac{x}{3}$

$f^2(x) = (f \circ f)(x) = f(f(x)) = f\left(\dfrac{x}{3}\right) = \dfrac{x}{3^2}$

$f^3(x) = (f \circ f^2)(x) = f(f^2(x)) = f\left(\dfrac{x}{3^2}\right) = \dfrac{x}{3^3}$

$f^4(x) = (f \circ f^3)(x) = f(f^3(x)) = f\left(\dfrac{x}{3^3}\right) = \dfrac{x}{3^4}$

$\qquad \vdots$

$\therefore f^n(x) = \dfrac{x}{3^n}$

$\therefore f^5(729) + f^4(243) = \dfrac{729}{3^5} + \dfrac{243}{3^4}$

$\qquad\qquad\qquad\qquad = \dfrac{3^6}{3^5} + \dfrac{3^5}{3^4} = 6$ 🔑 **6**

142

$f(1) = 5$, $f(5) = 1$이므로

$f^2(1) = (f \circ f^1)(1) = f(f(1)) = f(5) = 1$

$f^3(1) = (f \circ f^2)(1) = f(f^2(1)) = f(1) = 5$

$f^4(1) = (f \circ f^3)(1) = f(f^3(1)) = f(5) = 1$

$\qquad \vdots$

즉, $n = 1, 2, 3, \cdots$일 때, $f^n(1)$의 값은 5, 1이 이 순서대로 반복된다.

$\therefore f^{100}(1) = 1$

$f(3) = 7$, $f(7) = 3$이므로

$f^2(3) = (f \circ f^1)(3) = f(f(3)) = f(7) = 3$

$f^3(3) = (f \circ f^2)(3) = f(f^2(3)) = f(3) = 7$

$f^4(3) = (f \circ f^3)(3) = f(f^3(3)) = f(7) = 3$

$\qquad \vdots$

즉, $n=1, 2, 3, \cdots$일 때, $f^n(3)$의 값은 7, 3이 이 순서대로 반복된다.

$\therefore f^{101}(3)=7$

$\therefore f^{100}(1)+f^{101}(3)=1+7=8$ **답 8**

143

함수 $y=f(x)$의 그래프는 $0 \le x \le 2$에서 두 점 $(0, -1)$, $(1, 0)$을 지나는 직선이므로

$f(x)=x-1 \ (0 \le x \le 2)$

또, 함수 $y=g(x)$의 그래프는 $-1 \le x \le 0$에서는 두 점 $(-1, 1)$, $(0, 0)$을 지나는 직선이고, $0 \le x \le 1$에서는 두 점 $(0, 0)$, $(1, 1)$을 지나는 직선이므로

$g(x)=\begin{cases} -x \ (-1 \le x \le 0) \\ x \ \ (0 \le x \le 1) \end{cases}$

$\therefore (g \circ f)(x)=g(f(x))$

$=\begin{cases} -f(x) \ (-1 \le f(x) \le 0) \\ f(x) \ \ (0 \le f(x) \le 1) \end{cases}$

$=\begin{cases} -(x-1) \ (-1 \le x-1 \le 0) \\ x-1 \ \ \ \ (0 \le x-1 \le 1) \end{cases}$

$=\begin{cases} -x+1 \ (0 \le x \le 1) \\ x-1 \ \ \ (1 \le x \le 2) \end{cases}$

따라서 함수 $y=(g \circ f)(x)$의 그래프는 오른쪽 그림과 같다.

답 풀이 참조

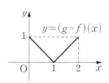

144

(1), (3) 일대일대응이므로 역함수가 존재한다.

(2) 집합 X의 원소 1, 2가 모두 집합 Y의 원소 b에 대응하므로 일대일대응이 아니다.

따라서 역함수가 존재하지 않는다.

(4) 집합 X의 원소 1, 3이 모두 집합 Y의 원소 a에 대응하므로 일대일대응이 아니다.

따라서 역함수가 존재하지 않는다.

답 (1) **역함수가 존재한다.**

(2) **역함수가 존재하지 않는다.**

(3) **역함수가 존재한다.**

(4) **역함수가 존재하지 않는다.**

145

(1) 함수 $y=4x-2$는 일대일대응이므로 역함수가 존재한다.

$y=4x-2$를 x에 대하여 풀면

$4x=y+2$ $\therefore x=\dfrac{1}{4}y+\dfrac{1}{2}$

x와 y를 서로 바꾸면 구하는 역함수는

$y=\dfrac{1}{4}x+\dfrac{1}{2}$

(2) 함수 $y=-\dfrac{1}{2}x+\dfrac{3}{2}$은 일대일대응이므로 역함수가 존재한다.

$y=-\dfrac{1}{2}x+\dfrac{3}{2}$을 x에 대하여 풀면

$\dfrac{1}{2}x=-y+\dfrac{3}{2}$ $\therefore x=-2y+3$

x와 y를 서로 바꾸면 구하는 역함수는

$y=-2x+3$

답 (1) $y=\dfrac{1}{4}x+\dfrac{1}{2}$ (2) $y=-2x+3$

146

(1) $f^{-1}(b)=1$

(2) $(f^{-1})^{-1}(2)=f(2)=c$

(3) $(f^{-1} \circ f)(4)=f^{-1}(f(4))=f^{-1}(d)=4$

(4) $(f \circ f^{-1})(a)=f(f^{-1}(a))=f(3)=a$

답 (1) **1**   (2) c (3) **4**   (4) a

147

(1) $f^{-1}(5)=a$에서 $f(a)=5$이므로

$-2a+3=5$ $\therefore a=-1$

(2) $f^{-1}(a)=-2$에서 $f(-2)=a$이므로

$f(-2)=-2 \times (-2)+3=7$ $\therefore a=7$

답 (1) -1 (2) **7**

148

함수 $f(x)$의 역함수가 $g(x)$이므로

$f^{-1}(x)=g(x)$

$g(8)=k$라 하면 $f(k)=8$이므로

$-2k+6=8$ $\therefore k=-1$

$\therefore g(8)=-1$

한편, $f^{-1}(x)=g(x)$이므로 $g^{-1}(x)=f(x)$

$\therefore g^{-1}(3)=f(3)=-2\times3+6=0$

$\therefore g(8)+g^{-1}(3)=-1+0=-1$ **답 -1**

149

$f^{-1}(3)=2$에서 $f(2)=3$이므로

$2\times2+a=3$　　$\therefore a=-1$

$g^{-1}(4)=-2$에서 $g(-2)=4$이므로

$(-2)\times(-2)+b=4$　　$\therefore b=0$

$\therefore b-a=0-(-1)=1$ **답 1**

150

$(f^{-1}\circ g)(a)=f^{-1}(g(a))=1$에서

$g(a)=f(1)$이므로

$a-1=2$　　$\therefore a=3$ **답 3**

151

함수 $f(x)$의 역함수가 존재하려면 $f(x)$가 일대일대응
이어야 하므로 $y=f(x)$의 그래프는 다음 그림과 같아
야 한다.

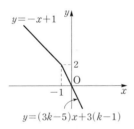

즉, $x\geq-1$에서 $f(x)=(3k-5)x+3(k-1)$의 그
래프의 기울기가 음수이어야 하므로

$3k-5<0$　　$\therefore k<\dfrac{5}{3}$

따라서 정수 k의 최댓값은 1이다. **답 1**

152

함수 $f(x)=3x+2$의 역함수가 존재하려면 $f(x)$는
일대일대응이어야 한다.

직선 $y=f(x)$의 기울기가 양수이므로

$f(0)=b$, $f(a)=5$

$f(0)=b$에서 $b=2$

$f(a)=5$에서 $3a+2=5$　　$\therefore a=1$

$\therefore a+b=1+2=3$ **답 3**

153

$f(x)=ax+|x-2|+3-2a$에서

(ⅰ) $x\geq2$일 때,

　　$f(x)=ax+(x-2)+3-2a$

　　　　$=(a+1)x+1-2a$

(ⅱ) $x<2$일 때,

　　$f(x)=ax-(x-2)+3-2a$

　　　　$=(a-1)x+5-2a$

(ⅰ), (ⅱ)에서 함수 $f(x)$의 역함수가 존재하려면 $f(x)$
가 일대일대응이어야 하므로 두 직선

$y=(a+1)x+1-2a$와 $y=(a-1)x+5-2a$의 기
울기의 부호가 서로 같아야 한다.

따라서 $(a+1)(a-1)>0$이므로

$a<-1$ 또는 $a>1$ **답 $a<-1$ 또는 $a>1$**

154

$y=\dfrac{1}{3}x+2$를 x에 대하여 풀면

$\dfrac{1}{3}x=y-2$　　$\therefore x=3y-6$

x와 y를 서로 바꾸면 $y=3x-6$

따라서 $3x-6=ax+b$이므로

$a=3$, $b=-6$

$\therefore ab=-18$ **답 -18**

155

$h(x)=(g\circ f)(x)=g(f(x))$

　　　$=g(-3x+1)$

　　　$=(-3x+1)-2$

　　　$=-3x-1$

$y=-3x-1$로 놓고 x에 대하여 풀면

$3x=-y-1$　　$\therefore x=-\dfrac{1}{3}y-\dfrac{1}{3}$

x와 y를 서로 바꾸면 $y=-\dfrac{1}{3}x-\dfrac{1}{3}$

$\therefore h^{-1}(x)=-\dfrac{1}{3}x-\dfrac{1}{3}$ 답 $h^{-1}(x)=-\dfrac{1}{3}x-\dfrac{1}{3}$

156

$f(3x-2)=6x+1$에서 $3x-2=t$라 하면

$3x=t+2$ $\therefore x=\dfrac{1}{3}t+\dfrac{2}{3}$

이것을 $f(3x-2)=6x+1$에 대입하면

$f(t)=6\left(\dfrac{1}{3}t+\dfrac{2}{3}\right)+1=2t+5$

$\therefore f(x)=2x+5$ ← t를 x로 바꾼다.

$y=2x+5$로 놓고 x에 대하여 풀면

$2x=y-5$ $\therefore x=\dfrac{1}{2}y-\dfrac{5}{2}$

x와 y를 서로 바꾸면 $y=\dfrac{1}{2}x-\dfrac{5}{2}$

$\therefore f^{-1}(x)=\dfrac{1}{2}x-\dfrac{5}{2}$

따라서 $\dfrac{1}{2}x-\dfrac{5}{2}=ax+b$이므로

$a=\dfrac{1}{2}$, $b=-\dfrac{5}{2}$ 답 $a=\dfrac{1}{2}$, $b=-\dfrac{5}{2}$

157

$(f^{-1}\circ g)^{-1}(3)=(g^{-1}\circ f)(3)=g^{-1}(f(3))$
$\qquad\qquad\qquad\quad =g^{-1}(5)$ ← $f(3)=2\times 3-1=5$

$g^{-1}(5)=k$라 하면 $g(k)=5$이므로

$\dfrac{1}{2}k-1=5$ $\therefore k=12$

$\therefore (f^{-1}\circ g)^{-1}(3)=g^{-1}(5)=12$ 답 **12**

158

$(f\circ (g\circ f)^{-1}\circ f)(x)$
$=(f\circ f^{-1}\circ g^{-1}\circ f)(x)$ ← $(g\circ f)^{-1}=f^{-1}\circ g^{-1}$
$=(g^{-1}\circ f)(x)$ ← $f\circ f^{-1}=I$

$g(x)=x+4$에서 $y=x+4$로 놓고 x에 대하여 풀면

$x=y-4$

x와 y를 서로 바꾸면 $y=x-4$

$\therefore g^{-1}(x)=x-4$

$\therefore (g^{-1}\circ f)(x)=g^{-1}(f(x))=g^{-1}(-2x+1)$
$\qquad\qquad\qquad\qquad\quad =(-2x+1)-4$
$\qquad\qquad\qquad\qquad\quad =-2x-3$

따라서 $-2x-3=ax+b$이므로

$a=-2$, $b=-3$ 답 $a=-2$, $b=-3$

159

$((f^{-1}\circ g^{-1})\circ f)(a)=(f^{-1}\circ g^{-1})(f(a))$
$\qquad\qquad\qquad\qquad =(g\circ f)^{-1}(f(a))$
$\qquad\qquad\qquad\qquad =(g\circ f)^{-1}(2a+1)=1$

에서 $(g\circ f)(1)=2a+1$

즉, $g(f(1))=g(3)=2a+1$이므로

$-\dfrac{1}{3}\times 3+4=2a+1$

$\therefore a=1$ 답 **1**

160

직선 $y=x$를 이용하여 y축과 점선이 만나는 점의 y좌표를 구하면 오른쪽 그림과 같다.

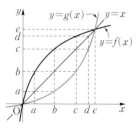

$f^{-1}(x_3)=k$라 하면
$f(k)=x_3$이므로 $k=x_4$

$\therefore f^{-1}(x_3)=x_4$

$f^{-1}(x_4)=l$이라 하면 $f(l)=x_4$이므로 $l=x_5$

$\therefore f^{-1}(x_4)=x_5$

$\therefore (f\circ f)^{-1}(x_3)=(f^{-1}\circ f^{-1})(x_3)$
$\qquad\qquad\qquad =f^{-1}(f^{-1}(x_3))$
$\qquad\qquad\qquad =f^{-1}(x_4)=x_5$ 답 x_5

161

직선 $y=x$를 이용하여 y축과 점선이 만나는 점의 y좌표를 구하면 오른쪽 그림과 같다.

$f^{-1}(c)=k$라 하면
$f(k)=c$이므로 $k=b$

$\therefore f^{-1}(c)=b$

$f^{-1}(b)=l$이라 하면 $f(l)=b$이므로 $l=a$

$\therefore f^{-1}(b)=a$

$g^{-1}(a)=m$이라 하면 $g(m)=a$이므로 $m=b$

$\therefore g^{-1}(a)=b$

$$\therefore (f \circ f \circ g)^{-1}(c)=(g^{-1} \circ f^{-1} \circ f^{-1})(c)$$
$$=g^{-1}(f^{-1}(f^{-1}(c)))$$
$$=g^{-1}(f^{-1}(b))$$
$$=g^{-1}(a)=b \qquad \text{답 } b$$

162

함수 $y=f(x)$의 그래프 와 그 역함수 $y=f^{-1}(x)$ 의 그래프는 직선 $y=x$에 대하여 대칭이므로 오른 쪽 그림과 같다.

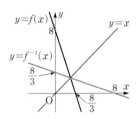

이때 함수 $y=f(x)$의 그 래프와 그 역함수 $y=f^{-1}(x)$의 그래프의 교점은 함수 $y=f(x)$의 그래프와 직선 $y=x$의 교점과 같으므로 $-3x+8=x$에서 $-4x=-8$

$\therefore x=2$

따라서 교점의 좌표는 $(2, 2)$이므로

$p=2, q=2$

$\therefore pq=4 \qquad \text{답 } 4$

163

함수 $y=f(x)$의 그래프와 그 역함수 $y=f^{-1}(x)$의 그 래프는 직선 $y=x$에 대하여 대칭이므로 오른쪽 그림과 같다.

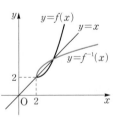

이때 함수 $y=f(x)$의 그래 프와 그 역함수 $y=f^{-1}(x)$의 그래프의 교점은 함수 $y=f(x)$의 그래프와 직선 $y=x$의 교점과 같으므로

$\frac{1}{2}(x-2)^2+2=x$에서 $x^2-6x+8=0$

$(x-2)(x-4)=0$

$\therefore x=2$ 또는 $x=4$

따라서 두 교점의 좌표는 $(2, 2)$, $(4, 4)$이므로 두 점 사이의 거리는

$\sqrt{(4-2)^2+(4-2)^2}=2\sqrt{2} \qquad \text{답 } 2\sqrt{2}$

164

$\dfrac{2x+y}{5}=\dfrac{x+2y}{7}=k \ (k \neq 0)$로 놓으면

$2x+y=5k$, $x+2y=7k$

두 식을 연립하여 풀면 $x=k$, $y=3k$

$\therefore \dfrac{xy-x^2}{xy+y^2}=\dfrac{k \times 3k-k^2}{k \times 3k+(3k)^2}=\dfrac{2k^2}{12k^2}=\dfrac{1}{6} \qquad \text{답 } \dfrac{1}{6}$

다른풀이 $\dfrac{2x+y}{5}=\dfrac{x+2y}{7}$에서

$7(2x+y)=5(x+2y)$, $14x+7y=5x+10y$

$3y=9x \qquad \therefore y=3x$

$xy \neq 0$이므로 $y=3x$를 주어진 식에 대입하면

$\dfrac{xy-x^2}{xy+y^2}=\dfrac{x \times 3x-x^2}{x \times 3x+(3x)^2}=\dfrac{2x^2}{12x^2}=\dfrac{1}{6}$

165

(1) $(x+y):(y+z):(z+x)=3:4:5$이므로

$\dfrac{x+y}{3}=\dfrac{y+z}{4}=\dfrac{z+x}{5}=k \ (k \neq 0)$로 놓으면

$x+y=3k$ $\qquad\cdots\cdots$ ㉠

$y+z=4k$ $\qquad\cdots\cdots$ ㉡

$z+x=5k$ $\qquad\cdots\cdots$ ㉢

㉠+㉡+㉢을 하면

$2(x+y+z)=12k$

$\therefore x+y+z=6k$ $\qquad\cdots\cdots$ ㉣

㉣-㉠을 하면 $z=3k$

㉣-㉡을 하면 $x=2k$

㉣-㉢을 하면 $y=k$

$\therefore x:y:z=2k:k:3k$
$\qquad\quad =2:1:3$

(2) $\dfrac{xy-yz+zx}{x^2+y^2+z^2}=\dfrac{2k \times k-k \times 3k+3k \times 2k}{(2k)^2+k^2+(3k)^2}$
$\qquad\qquad\qquad\quad =\dfrac{5k^2}{14k^2}=\dfrac{5}{14}$

답 (1) $2:1:3$ (2) $\dfrac{5}{14}$

166

답 (1) ㄷ, ㄹ (2) ㄱ, ㄴ, ㅁ, ㅂ

167

(1) $\dfrac{1}{x^2-3x}=\dfrac{1}{x(x-3)}$ 이므로

두 식 $\dfrac{1}{x^2-3x}$, $\dfrac{1}{x-3}$ 을 통분하면

$$\dfrac{1}{x(x-3)},\ \dfrac{x}{x(x-3)}$$

(2) $\dfrac{2}{x^2-1}=\dfrac{2}{(x-1)(x+1)}$,

$\dfrac{3}{x^2+4x+3}=\dfrac{3}{(x+1)(x+3)}$ 이므로

두 식 $\dfrac{2}{x^2-1}$, $\dfrac{3}{x^2+4x+3}$ 을 통분하면

$$\dfrac{2(x+3)}{(x-1)(x+1)(x+3)},$$

$$\dfrac{3(x-1)}{(x-1)(x+1)(x+3)}$$

답 풀이 참조

168

(1) $\dfrac{x^2-5x+6}{x^2-7x+12}=\dfrac{(x-2)(x-3)}{(x-3)(x-4)}$

$\qquad\qquad\qquad =\dfrac{x-2}{x-4}$

(2) $\dfrac{x^4-y^4}{(x+y)(x^3-y^3)}$

$=\dfrac{(x^2+y^2)(x+y)(x-y)}{(x+y)(x-y)(x^2+xy+y^2)}$

$=\dfrac{x^2+y^2}{x^2+xy+y^2}$

답 (1) $\dfrac{x-2}{x-4}$ (2) $\dfrac{x^2+y^2}{x^2+xy+y^2}$

169

(1) $\dfrac{2}{x+2}+\dfrac{3}{x+3}=\dfrac{2(x+3)+3(x+2)}{(x+2)(x+3)}$

$\qquad\qquad\qquad =\dfrac{5x+12}{(x+2)(x+3)}$

(2) $1-\dfrac{6}{2x+1}=\dfrac{2x+1-6}{2x+1}=\dfrac{2x-5}{2x+1}$

(3) $\dfrac{x+2}{x^2+3x}\times\dfrac{x+3}{2x}=\dfrac{x+2}{x(x+3)}\times\dfrac{x+3}{2x}$

$\qquad\qquad\qquad =\dfrac{x+2}{2x^2}$

(4) $\dfrac{x^2-1}{x+2}\div\dfrac{x+1}{x}=\dfrac{(x-1)(x+1)}{x+2}\times\dfrac{x}{x+1}$

$\qquad\qquad\qquad =\dfrac{x(x-1)}{x+2}$

답 (1) $\dfrac{5x+12}{(x+2)(x+3)}$ (2) $\dfrac{2x-5}{2x+1}$

$\quad$ (3) $\dfrac{x+2}{2x^2}$ (4) $\dfrac{x(x-1)}{x+2}$

170

(1) $\dfrac{3x+1}{x^2-1}-\dfrac{2x+3}{x^2+3x+2}+\dfrac{x-2}{x^2+x-2}$

$=\dfrac{3x+1}{(x+1)(x-1)}-\dfrac{2x+3}{(x+2)(x+1)}$

$\qquad\qquad\qquad +\dfrac{x-2}{(x+2)(x-1)}$

$=\dfrac{(3x+1)(x+2)-(2x+3)(x-1)+(x-2)(x+1)}{(x+2)(x+1)(x-1)}$

$=\dfrac{3x^2+7x+2-(2x^2+x-3)+x^2-x-2}{(x+2)(x+1)(x-1)}$

$=\dfrac{2x^2+5x+3}{(x+2)(x+1)(x-1)}$

$=\dfrac{(2x+3)(x+1)}{(x+2)(x+1)(x-1)}$

$=\dfrac{2x+3}{(x+2)(x-1)}$

(2) $\dfrac{6x^2-x-1}{x^2-9}\times\dfrac{x^2-x-6}{3x^2-2x-1}\div\dfrac{2x^2+3x-2}{x^2+2x-3}$

$=\dfrac{(2x-1)(3x+1)}{(x-3)(x+3)}\times\dfrac{(x-3)(x+2)}{(x-1)(3x+1)}$

$\qquad\qquad\qquad \div\dfrac{(2x-1)(x+2)}{(x-1)(x+3)}$

$=\dfrac{(2x-1)(3x+1)}{(x-3)(x+3)}\times\dfrac{(x-3)(x+2)}{(x-1)(3x+1)}$

$\qquad\qquad\qquad \times\dfrac{(x-1)(x+3)}{(2x-1)(x+2)}$

$=1$

답 (1) $\dfrac{2x+3}{(x+2)(x-1)}$ (2) **1**

171

주어진 식의 우변을 통분하여 정리하면

$\dfrac{a}{x-1}+\dfrac{bx+a}{x^2+x+1}$

$=\dfrac{a(x^2+x+1)+(bx+a)(x-1)}{(x-1)(x^2+x+1)}$

$=\dfrac{(a+b)x^2+(2a-b)x}{x^3-1}$

즉, $\dfrac{3x}{x^3-1}=\dfrac{(a+b)x^2+(2a-b)x}{x^3-1}$ 가 x에 대한 항

등식이므로

$a+b=0,\ 2a-b=3$

두 식을 연립하여 풀면

$a=1,\ b=-1$

$\therefore\ ab=-1$　　　　　　　　　　　**답** -1

다른풀이 $x^3-1=(x-1)(x^2+x+1)$이므로 주어진

식의 양변에 $(x-1)(x^2+x+1)$을 곱하면

$3x=a(x^2+x+1)+(bx+a)(x-1)$

$\therefore\ 3x=(a+b)x^2+(2a-b)x$

이 식이 x에 대한 항등식이므로

$a+b=0,\ 2a-b=3$

두 식을 연립하여 풀면

$a=1,\ b=-1$

$\therefore\ ab=-1$

172

주어진 식의 좌변을 통분하여 정리하면

$\dfrac{2}{x}+\dfrac{a}{x-1}+\dfrac{b}{x-2}$

$=\dfrac{2(x-1)(x-2)+ax(x-2)+bx(x-1)}{x(x-1)(x-2)}$

$=\dfrac{(2+a+b)x^2+(-6-2a-b)x+4}{x(x-1)(x-2)}$

즉,

$\dfrac{(2+a+b)x^2+(-6-2a-b)x+4}{x(x-1)(x-2)}$

$=\dfrac{-x+4}{x(x-1)(x-2)}$

가 x에 대한 항등식이므로

$2+a+b=0,\ -6-2a-b=-1$

두 식을 연립하여 풀면

$a=-3,\ b=1$

$\therefore\ a-b=-4$　　　　　　　　　　**답** -4

173

(1) $\dfrac{x^2-x-3}{x+1}-\dfrac{x^2-3x+3}{x-1}$

$=\dfrac{(x+1)(x-2)-1}{x+1}-\dfrac{(x-1)(x-2)+1}{x-1}$

$=\left(x-2-\dfrac{1}{x+1}\right)-\left(x-2+\dfrac{1}{x-1}\right)$

$=-\dfrac{1}{x+1}-\dfrac{1}{x-1}$

$=\dfrac{-(x-1)-(x+1)}{(x+1)(x-1)}$

$=\dfrac{-2x}{(x+1)(x-1)}$

(2) $\dfrac{x+3}{x+4}+\dfrac{x+7}{x+8}-\dfrac{x+1}{x+2}-\dfrac{x+5}{x+6}$

$=\dfrac{(x+4)-1}{x+4}+\dfrac{(x+8)-1}{x+8}$

$\qquad\qquad-\dfrac{(x+2)-1}{x+2}-\dfrac{(x+6)-1}{x+6}$

$=\left(1-\dfrac{1}{x+4}\right)+\left(1-\dfrac{1}{x+8}\right)$

$\qquad\qquad-\left(1-\dfrac{1}{x+2}\right)-\left(1-\dfrac{1}{x+6}\right)$

$=-\dfrac{1}{x+4}-\dfrac{1}{x+8}+\dfrac{1}{x+2}+\dfrac{1}{x+6}$

$=\left(\dfrac{1}{x+2}-\dfrac{1}{x+4}\right)+\left(\dfrac{1}{x+6}-\dfrac{1}{x+8}\right)$

$=\dfrac{x+4-(x+2)}{(x+2)(x+4)}+\dfrac{x+8-(x+6)}{(x+6)(x+8)}$

$=\dfrac{2}{(x+2)(x+4)}+\dfrac{2}{(x+6)(x+8)}$

$=\dfrac{2(x+6)(x+8)+2(x+2)(x+4)}{(x+2)(x+4)(x+6)(x+8)}$

$=\dfrac{4(x^2+10x+28)}{(x+2)(x+4)(x+6)(x+8)}$

답 풀이 참조

다른풀이 (1) 분자를 분모로 직접 나누어서 다항식과

분수식의 합으로 나타내어 계산할 수도 있다.

$$\begin{array}{r} x-2 \\ x+1\overline{)x^2-\ x-3} \\ \underline{x^2+\ x} \\ -2x-3 \\ \underline{-2x-2} \\ -1 \end{array}$$

$$\begin{array}{r} x-2 \\ x-1\overline{)x^2-3x+3} \\ \underline{x^2-\ x} \\ -2x+3 \\ \underline{-2x+2} \\ 1 \end{array}$$

$$\therefore\ \frac{x^2-x-3}{x+1}$$
$$=x-2-\frac{1}{x+1}$$

$$\therefore\ \frac{x^2-3x+3}{x-1}$$
$$=x-2+\frac{1}{x-1}$$

즉, $\dfrac{12}{(x-2)(x+10)}=\dfrac{a}{(x+b)(x+c)}$ 가 x에 대한

항등식이므로

$a=12,\ b=-2,\ c=10$ 또는 $a=12,\ b=10,\ c=-2$

$\therefore\ a+b+c=20$　　　　　　　　　　　　　🄰 **20**

174

(1) $\dfrac{1}{x^2+x}+\dfrac{2}{x^2+4x+3}+\dfrac{3}{x^2+9x+18}-\dfrac{6}{x^2+6x}$

$=\dfrac{1}{x(x+1)}+\dfrac{2}{(x+1)(x+3)}$
$\qquad\qquad+\dfrac{3}{(x+3)(x+6)}-\dfrac{6}{x(x+6)}$

$=\left(\dfrac{1}{x}-\dfrac{1}{x+1}\right)+\left(\dfrac{1}{x+1}-\dfrac{1}{x+3}\right)$
$\qquad\qquad+\left(\dfrac{1}{x+3}-\dfrac{1}{x+6}\right)-\left(\dfrac{1}{x}-\dfrac{1}{x+6}\right)$

$=0$

(2) $\dfrac{1}{1\times3}+\dfrac{1}{3\times5}+\dfrac{1}{5\times7}+\dfrac{1}{7\times9}+\dfrac{1}{9\times11}$

$=\dfrac{1}{2}\left(1-\dfrac{1}{3}\right)+\dfrac{1}{2}\left(\dfrac{1}{3}-\dfrac{1}{5}\right)+\dfrac{1}{2}\left(\dfrac{1}{5}-\dfrac{1}{7}\right)$
$\qquad\qquad+\dfrac{1}{2}\left(\dfrac{1}{7}-\dfrac{1}{9}\right)+\dfrac{1}{2}\left(\dfrac{1}{9}-\dfrac{1}{11}\right)$

$=\dfrac{1}{2}\Big\{\left(1-\dfrac{1}{3}\right)+\left(\dfrac{1}{3}-\dfrac{1}{5}\right)+\left(\dfrac{1}{5}-\dfrac{1}{7}\right)$
$\qquad\qquad+\left(\dfrac{1}{7}-\dfrac{1}{9}\right)+\left(\dfrac{1}{9}-\dfrac{1}{11}\right)\Big\}$

$=\dfrac{1}{2}\left(1-\dfrac{1}{11}\right)=\dfrac{5}{11}$

🄰 (1) **0**　(2) $\dfrac{\mathbf{5}}{\mathbf{11}}$

175

주어진 식의 좌변을 간단히 하면

$\left(\dfrac{1}{x-2}-\dfrac{1}{x}\right)+\left(\dfrac{1}{x}-\dfrac{1}{x+4}\right)+\left(\dfrac{1}{x+4}-\dfrac{1}{x+10}\right)$

$=\dfrac{1}{x-2}-\dfrac{1}{x+10}$

$=\dfrac{x+10-(x-2)}{(x-2)(x+10)}=\dfrac{12}{(x-2)(x+10)}$

176

(1) $\dfrac{\dfrac{1}{x+2}-\dfrac{1}{x+3}}{\dfrac{1}{x+3}-\dfrac{1}{x+4}}=\dfrac{\dfrac{x+3-(x+2)}{(x+2)(x+3)}}{\dfrac{x+4-(x+3)}{(x+3)(x+4)}}$

$=\dfrac{\dfrac{1}{(x+2)(x+3)}}{\dfrac{1}{(x+3)(x+4)}}$

$=\dfrac{(x+3)(x+4)}{(x+2)(x+3)}$

$=\dfrac{x+4}{x+2}$

(2) $\dfrac{1-\dfrac{2x-y}{x+y}}{\dfrac{y}{x+y}-1}=\dfrac{\dfrac{x+y-(2x-y)}{x+y}}{\dfrac{y-(x+y)}{x+y}}$

$=\dfrac{\dfrac{-x+2y}{x+y}}{\dfrac{-x}{x+y}}$

$=\dfrac{(-x+2y)(x+y)}{-x(x+y)}$

$=\dfrac{x-2y}{x}$

(3) $\dfrac{1+\dfrac{2}{x}}{x-3-\dfrac{5}{x+1}}=\dfrac{\dfrac{x+2}{x}}{\dfrac{(x-3)(x+1)-5}{x+1}}$

$=\dfrac{\dfrac{x+2}{x}}{\dfrac{x^2-2x-8}{x+1}}$

$=\dfrac{(x+2)(x+1)}{x(x+2)(x-4)}$

$=\dfrac{x+1}{x(x-4)}$

🄰 (1) $\dfrac{\boldsymbol{x+4}}{\boldsymbol{x+2}}$　(2) $\dfrac{\boldsymbol{x-2y}}{\boldsymbol{x}}$　(3) $\dfrac{\boldsymbol{x+1}}{\boldsymbol{x(x-4)}}$

177

$$\frac{17}{72}=\frac{1}{\dfrac{72}{17}}=\frac{1}{4+\dfrac{4}{17}}=\frac{1}{4+\dfrac{1}{\dfrac{17}{4}}}$$

$$=\frac{1}{4+\dfrac{1}{4+\dfrac{1}{4}}}$$

$\therefore a=4,\ b=4,\ c=4$

$\therefore a+b+c=12$

답 **12**

178

$2x^2-5x-2=0$에서 $x\neq0$이므로 양변을 x로 나누면

$2x-5-\dfrac{2}{x}=0,\ 2x-\dfrac{2}{x}=5$　$\therefore x-\dfrac{1}{x}=\dfrac{5}{2}$

$x^2+\dfrac{1}{x^2}=\left(x-\dfrac{1}{x}\right)^2+2=\left(\dfrac{5}{2}\right)^2+2=\dfrac{33}{4}$

$x^3-\dfrac{1}{x^3}=\left(x-\dfrac{1}{x}\right)^3+3\left(x-\dfrac{1}{x}\right)$

$\qquad\quad=\left(\dfrac{5}{2}\right)^3+3\times\dfrac{5}{2}=\dfrac{185}{8}$

$\therefore 8x^3-4x^2-\dfrac{4}{x^2}-\dfrac{8}{x^3}$

$\quad=8\left(x^3-\dfrac{1}{x^3}\right)-4\left(x^2+\dfrac{1}{x^2}\right)$

$\quad=8\times\dfrac{185}{8}-4\times\dfrac{33}{4}$

$\quad=152$

답 **152**

179

$x^2+\dfrac{1}{x^2}=14$에서

$\left(x+\dfrac{1}{x}\right)^2-2=14,\ \left(x+\dfrac{1}{x}\right)^2=16$

$\therefore x+\dfrac{1}{x}=4\ (\because x>0)$

$\therefore x^3+\dfrac{1}{x^3}=\left(x+\dfrac{1}{x}\right)^3-3\left(x+\dfrac{1}{x}\right)$

$\qquad\qquad=4^3-3\times4$

$\qquad\qquad=52$

답 **52**

180

(주어진 식)

$$=\frac{x+y}{(1+x)(1+y)(x+y)}+\frac{x(1+y)}{(x+1)(x+y)(1+y)}$$

$$\qquad\qquad+\frac{y(1+x)}{(y+1)(y+x)(1+x)}$$

$$=\frac{x+y+x(1+y)+y(1+x)}{(1+x)(1+y)(x+y)}$$

$$=\frac{2x+2y+2xy}{(1+x)(1+y)(x+y)}$$

$$=\frac{2(x+y+xy)}{(1+x)(1+y)(x+y)}=0$$

답 **0**

181

(1) $\{x\,|\,x\neq0$인 실수$\}$

(2) $x+3=0$에서 $x=-3$

　따라서 주어진 함수의 정의역은

　$\{x\,|\,x\neq-3$인 실수$\}$

(3) $3x-5=0$에서 $x=\dfrac{5}{3}$

　따라서 주어진 함수의 정의역은

　$\left\{x\,\middle|\,x\neq\dfrac{5}{3}$인 실수$\right\}$

(4) $x^2-4=0$에서 $x=\pm2$

　따라서 주어진 함수의 정의역은

　$\{x\,|\,x\neq\pm2$인 실수$\}$

답 **풀이 참조**

182

(1) $y=\dfrac{2}{x}$의 그래프는 오른쪽

　그림과 같고, **점근선의 방정**

　식은 $x=0$, $y=0$이다.

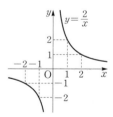

(2) $y=-\dfrac{3}{x}$의 그래프는 오른

　쪽 그림과 같고, **점근선의 방**

　정식은 $x=0$, $y=0$이다.

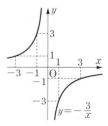

(3) $y=\dfrac{1}{x-1}$의 그래프는

$y=\dfrac{1}{x}$의 그래프를 x축

의 방향으로 1만큼 평행

이동한 것이다.

따라서 주어진 함수의

그래프는 오른쪽 그림과 같고 **점근선의 방정식은**

$x=1,\ y=0$이다.

(4) $y=-\dfrac{1}{x}+2$의 그래프

는 $y=-\dfrac{1}{x}$의 그래프를

y축의 방향으로 2만큼

평행이동한 것이다.

따라서 주어진 함수의 그

래프는 오른쪽 그림과 같고 **점근선의 방정식은**

$x=0,\ y=2$이다.

🔲 풀이 참조

183

(1) $y=\dfrac{4x-15}{x-3}=\dfrac{4(x-3)-3}{x-3}=-\dfrac{3}{x-3}+4$

(2) $y=\dfrac{-5x-7}{x+2}=\dfrac{-5(x+2)+3}{x+2}=\dfrac{3}{x+2}-5$

🔲 (1) $y=-\dfrac{3}{x-3}+4$ (2) $y=\dfrac{3}{x+2}-5$

184

(1) $y=-\dfrac{2}{x+2}+1$의 그래프는 $y=-\dfrac{2}{x}$의 그래프를

x축의 방향으로 -2만큼, y축의 방향으로 1만큼

평행이동한 것이다.

따라서 그래프는 오

른쪽 그림과 같고,

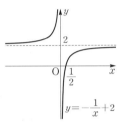

정의역은

$\{x\,|\,x\neq-2$인 실수$\}$,

치역은

$\{y\,|\,y\neq1$인 실수$\}$,

점근선의 방정식은 $x=-2,\ y=1$이다.

(2) $y=\dfrac{-2x+1}{x+3}=\dfrac{-2(x+3)+7}{x+3}=\dfrac{7}{x+3}-2$

이므로 주어진 유리함수의 그래프는 $y=\dfrac{7}{x}$의 그래

프를 x축의 방향으로 -3만큼, y축의 방향으로 -2

만큼 평행이동한 것이다.

따라서 그래프는 오른쪽

그림과 같고,

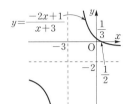

정의역은

$\{x\,|\,x\neq-3$인 실수$\}$,

치역은

$\{y\,|\,y\neq-2$인 실수$\}$,

점근선의 방정식은 $x=-3,\ y=-2$이다.

(3) $y=\dfrac{6-x}{x-3}=\dfrac{-(x-3)+3}{x-3}=\dfrac{3}{x-3}-1$

이므로 주어진 유리함수의 그래프는 $y=\dfrac{3}{x}$의 그래

프를 x축의 방향으로 3만큼, y축의 방향으로 -1만

큼 평행이동한 것이다.

따라서 그래프는 오른

쪽 그림과 같고,

정의역은

$\{x\,|\,x\neq3$인 실수$\}$,

치역은

$\{y\,|\,y\neq-1$인 실수$\}$,

점근선의 방정식은 $x=3,\ y=-1$이다.

🔲 풀이 참조

185

$y=-\dfrac{3}{x}$의 그래프를 x축의 방향으로 3만큼, y축의

방향으로 -2만큼 평행이동한 그래프의 식은

$y=-\dfrac{3}{x-3}-2=\dfrac{-2x+3}{x-3}$

이 식이 $y=\dfrac{ax+b}{x-c}$와 같아야 하므로

$a=-2,\ b=3,\ c=3$

$\therefore abc=-18$ 🔲 -18

186

ㄱ. $y = \dfrac{x-1}{x-3} = \dfrac{(x-3)+2}{x-3} = \dfrac{2}{x-3} + 1$

이므로 $y = \dfrac{x-1}{x-3}$의 그래프는 $y = \dfrac{2}{x}$의 그래프를 x축의 방향으로 3만큼, y축의 방향으로 1만큼 평행이동한 것이다.

ㄴ. $y = \dfrac{2x+2}{x+2} = \dfrac{2(x+2)-2}{x+2} = -\dfrac{2}{x+2} + 2$

이므로 $y = \dfrac{2x+2}{x+2}$의 그래프는 $y = -\dfrac{2}{x}$의 그래프를 x축의 방향으로 -2만큼, y축의 방향으로 2만큼 평행이동한 것이다.

ㄷ. $y = \dfrac{-4x-2}{x+1} = \dfrac{-4(x+1)+2}{x+1} = \dfrac{2}{x+1} - 4$

이므로 $y = \dfrac{-4x-2}{x+1}$의 그래프는 $y = \dfrac{2}{x}$의 그래프를 x축의 방향으로 -1만큼, y축의 방향으로 -4만큼 평행이동한 것이다.

따라서 평행이동에 의해 그 그래프가 $y = \dfrac{2}{x}$의 그래프와 겹쳐지는 것은 ㄱ, ㄷ이다.　　　　답 **ㄱ, ㄷ**

187

$y = \dfrac{ax+3}{x+1} = \dfrac{a(x+1)-a+3}{x+1} = \dfrac{-a+3}{x+1} + a$

이므로 $y = \dfrac{ax+3}{x+1}$의 그래프는 $y = \dfrac{-a+3}{x}$의 그래프를 x축의 방향으로 -1만큼, y축의 방향으로 a만큼 평행이동한 것이다.

이 그래프를 평행이동하면 $y = \dfrac{4}{x}$의 그래프와 겹쳐지므로

$-a+3 = 4$　　$\therefore a = -1$　　답 **-1**

188

$y = \dfrac{2x+3}{x+2} = \dfrac{2(x+2)-1}{x+2} = -\dfrac{1}{x+2} + 2$

이므로 $y = \dfrac{2x+3}{x+2}$의 그래프는 $y = -\dfrac{1}{x}$의 그래프를 x축의 방향으로 -2만큼, y축의 방향으로 2만큼 평행이동한 것이다.

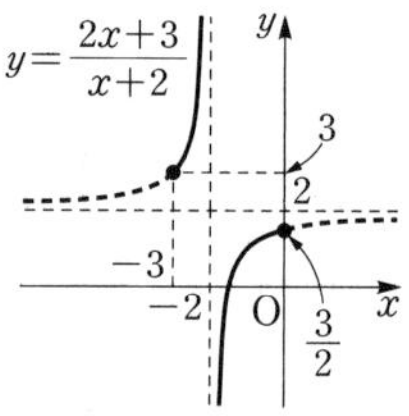

$y = \dfrac{3}{2}$일 때 $x = 0$이고, $y = 3$일 때 $x = -3$이므로 오른쪽 그림에서 치역이

$\left\{ y \,\middle|\, y \le \dfrac{3}{2} \text{ 또는 } y \ge 3 \right\}$일 때,

정의역은

$\{ x \,|\, -3 \le x < -2 \text{ 또는 } -2 < x \le 0 \}$

답 **$\{ x \,|\, -3 \le x < -2 \text{ 또는 } -2 < x \le 0 \}$**

189

$y = \dfrac{2x-3}{x+1} = \dfrac{2(x+1)-5}{x+1} = -\dfrac{5}{x+1} + 2$

이므로 $y = \dfrac{2x-3}{x+1}$의 그래프는 $y = -\dfrac{5}{x}$의 그래프를 x축의 방향으로 -1만큼, y축의 방향으로 2만큼 평행이동한 것이다.

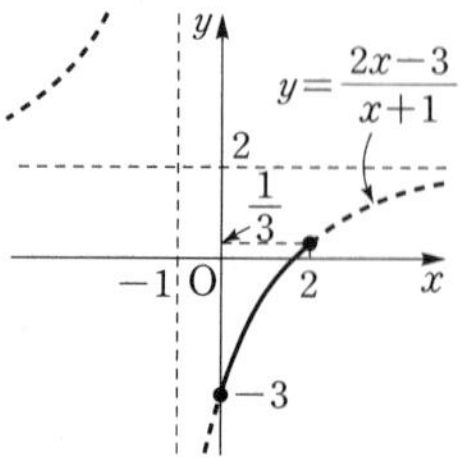

따라서 $0 \le x \le 2$에서 $y = \dfrac{2x-3}{x+1}$의 그래프는 오른쪽 그림과 같으므로 $x = 2$일 때 최댓값

$\dfrac{4-3}{2+1} = \dfrac{1}{3}$, $x = 0$일 때 최솟값 $\dfrac{0-3}{0+1} = -3$을 갖는다.

답 **최댓값: $\dfrac{1}{3}$, 최솟값: -3**

190

$y = \dfrac{3x+k}{x+2} = \dfrac{3(x+2)+k-6}{x+2} = \dfrac{k-6}{x+2} + 3$

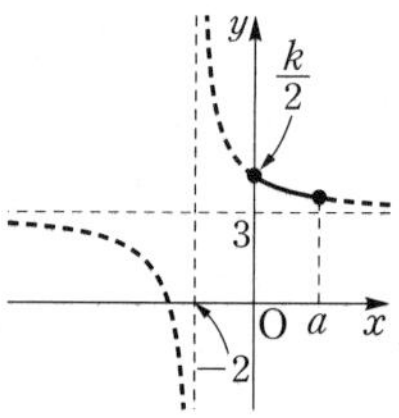

이때 $k > 6$에서 $k-6 > 0$이므로 $0 \le x \le a$에서 주어진 유리함수의 그래프는 오른쪽 그림과 같다.

$x = 0$일 때 최댓값이 5이므로

$5 = \dfrac{k}{2}$　　$\therefore k = 10$

$x = a$일 때 최솟값이 4이므로

$4 = \dfrac{3a+10}{a+2}$　　$\therefore a = 2$

$\therefore a + k = 2 + 10 = 12$　　답 **12**

191

$y=\dfrac{5x+6}{2x+3}=\dfrac{\frac{5}{2}(2x+3)-\frac{3}{2}}{2x+3}=\dfrac{-\frac{3}{2}}{2x+3}+\dfrac{5}{2}$

이므로 점근선의 방정식은

$x=-\dfrac{3}{2},\ y=\dfrac{5}{2}$

따라서 주어진 유리함수의 그래프는 두 점근선의 교점

$\left(-\dfrac{3}{2},\ \dfrac{5}{2}\right)$에 대하여 대칭이므로

$a=-\dfrac{3}{2},\ b=\dfrac{5}{2}$

$\therefore a+b=1$ **답** **1**

192

$y=\dfrac{3x+4}{x+2}=\dfrac{3(x+2)-2}{x+2}=-\dfrac{2}{x+2}+3$

이므로 점근선의 방정식은 $x=-2,\ y=3$

이때 주어진 유리함수의 그래프가 직선 $y=-x+k$에

대하여 대칭이므로 직선 $y=-x+k$는 두 점근선의

교점 $(-2,\ 3)$을 지난다. 즉,

$3=-(-2)+k$ $\therefore k=1$ **답** **1**

193

$y=\dfrac{bx+3}{x+a}=\dfrac{b(x+a)-ab+3}{x+a}=\dfrac{-ab+3}{x+a}+b$

이므로 점근선의 방정식은 $x=-a,\ y=b$

이때 주어진 유리함수의 그래프가 두 직선 $y=x+6$,

$y=-x-2$에 대하여 대칭이므로 두 직선은 각각 두

점근선의 교점 $(-a,\ b)$를 지난다. 즉,

$b=-a+6,\ b=a-2$

두 식을 연립하여 풀면

$a=4,\ b=2$

$\therefore ab=8$ **답** **8**

다른풀이1 $y=\dfrac{bx+3}{x+a}$의 그래프는 두 직선

$y=x+6$, $y=-x-2$에 대하여 대칭이므로 두 직선

의 교점인 $(-4,\ 2)$에 대하여 대칭이다.

즉, 점근선의 방정식은 $x=-4,\ y=2$이므로 $k\ne0$인

상수 k에 대하여

$y=\dfrac{k}{x+4}+2=\dfrac{2x+8+k}{x+4}=\dfrac{bx+3}{x+a}$

따라서 $a=4,\ b=2,\ k=-5$이므로

$ab=8$

다른풀이2 $y=\dfrac{bx+3}{x+a}$의 그래프의 점근선의 방정식

은 $x=-a,\ y=b$이고, 두 점근선의 교점 $(-a,\ b)$는

두 직선 $y=x+6$, $y=-x-2$의 교점과 같다.

두 직선 $y=x+6$, $y=-x-2$의 교점이 $(-4,\ 2)$이

므로

$-a=-4,\ b=2$

$\therefore a=4,\ b=2$

$\therefore ab=8$

194

주어진 유리함수의 그래프의 점근선의 방정식이

$x=3,\ y=2$이므로 함수의 식을

$y=\dfrac{k}{x-3}+2\ (k>0)$ $\cdots\cdots$ ㉠

로 놓을 수 있다.

㉠의 그래프가 점 $(2,\ 0)$을 지나므로

$0=\dfrac{k}{2-3}+2$ $\therefore k=2$

$k=2$를 ㉠에 대입하면

$y=\dfrac{2}{x-3}+2$

$\therefore a=-3,\ b=2,\ k=2$

$\therefore a+b+k=1$ **답** **1**

195

점근선의 방정식이 $x=2,\ y=3$이므로 함수의 식을

$y=\dfrac{k}{x-2}+3\ (k\ne0)$ $\cdots\cdots$ ㉠

으로 놓을 수 있다.

㉠의 그래프가 점 $(3,\ 1)$을 지나므로

$1=\dfrac{k}{3-2}+3$ $\therefore k=-2$

$k=-2$를 ㉠에 대입하면
$$y=\frac{-2}{x-2}+3=\frac{-2+3(x-2)}{x-2}=\frac{3x-8}{x-2}$$
$$\therefore a=-2,\ b=3,\ c=-8$$
답 $a=-2,\ b=3,\ c=-8$

196

주어진 유리함수 $y=\dfrac{bx-7}{x+a}$의 정의역이

$\{x\,|\,x\neq-2$인 실수$\}$, 치역이 $\{y\,|\,y\neq4$인 실수$\}$이므
로 점근선의 방정식은

$x=-2,\ y=4$

함수의 식을 $y=\dfrac{k}{x+2}+4\ (k\neq0)$로 놓으면

$$y=\frac{k}{x+2}+4=\frac{k+4(x+2)}{x+2}=\frac{4x+8+k}{x+2}$$

즉, $\dfrac{bx-7}{x+a}=\dfrac{4x+8+k}{x+2}$이므로

$a=2,\ b=4,\ k=-15$

$\therefore ab=8$
답 8

197

$$y=\frac{x-2}{x+1}=\frac{(x+1)-3}{x+1}=-\frac{3}{x+1}+1 \quad\cdots\cdots ㉠$$

이므로 $y=\dfrac{x-2}{x+1}$의 그래프는 $y=-\dfrac{3}{x}$의 그래프를 x
축의 방향으로 -1만큼, y축의 방향으로 1만큼 평행이
동한 것이다.

또, 직선 $y=mx+m+1=m(x+1)+1$은 m의 값
에 관계없이 항상 점 $(-1,\ 1)$을 지난다.

이때 ㉠의 그래프와 직선 $y=mx+m+1$이 만나지
않으려면 다음 그림과 같아야 한다.

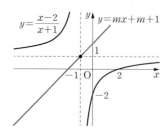

$\therefore m\geq0$
답 $m\geq0$

198

유리함수 $y=-\dfrac{3}{x}+3$의 그래프와 직선 $y=3x+a$가

한 점에서 만나려면 $-\dfrac{3}{x}+3=3x+a$에서

$3x^2+(a-3)x+3=0$

이 이차방정식이 중근을 가져야 하므로 판별식을 D라
하면

$D=(a-3)^2-4\times3\times3=0$

$a^2-6a-27=0,\ (a+3)(a-9)=0$

$\therefore a=-3$ 또는 $a=9$

따라서 모든 실수 a의 값의 합은

$(-3)+9=6$
답 6

199

$y=\dfrac{3}{x-1}+2$의 그래프는 $y=\dfrac{3}{x}$의 그래프를 x축의

방향으로 1만큼, y축의 방향으로 2만큼 평행이동한 것
이다.

또, $mx-y-m+2=0$에서

$m(x-1)-y+2=0 \quad\cdots\cdots ㉠$

이므로 직선 ㉠은 m의 값에 관계없이 항상 점 $(1,\ 2)$를
지난다.

따라서 오른쪽 그림에서
직선 ㉠의 기울기가 음수
이거나 0인 경우에는 교
점이 생기지 않으므로 주
어진 유리함수의 그래프
와 직선 ㉠이 만나려면
직선 ㉠의 기울기가 양수이어야 한다.

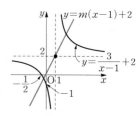

$\therefore m>0$
답 $m>0$

200

$f(x)=1-\dfrac{1}{x}=\dfrac{x-1}{x}$에 대하여

$$f^2(x)=(f\circ f)(x)=f(f(x))$$
$$=1-\frac{1}{\dfrac{x-1}{x}}=1-\frac{x}{x-1}=-\frac{1}{x-1}$$

$$f^3(x)=(f\circ f^2)(x)=f(f^2(x))$$
$$=1-\cfrac{1}{-\cfrac{1}{x-1}}=1+x-1=x$$

$$f^4(x)=(f\circ f^3)(x)=f(f^3(x))=f(x)=1-\frac{1}{x}$$

$$f^5(x)=(f\circ f^4)(x)=f(f^4(x))=f(f(x))$$
$$=-\frac{1}{x-1}$$

$$f^6(x)=(f\circ f^5)(x)=f(f^5(x))=f(f^2(x))=x$$
$$\vdots$$

따라서 자연수 n에 대하여
$$f^1(x)=f^4(x)=f^7(x)=\cdots=f^{3n-2}(x)=1-\frac{1}{x}$$
$$f^2(x)=f^5(x)=f^8(x)=\cdots=f^{3n-1}(x)=-\frac{1}{x-1}$$
$$f^3(x)=f^6(x)=f^9(x)=\cdots=f^{3n}(x)=x$$
$$\therefore f^{200}(x)=f^{3\times 67-1}(x)=-\frac{1}{x-1}$$

답 $f^{200}(x)=-\dfrac{1}{x-1}$

201

$$f^2(x)=(f\circ f^1)(x)=f(f(x))$$
$$=\cfrac{3\times\cfrac{3x-3}{x-3}-3}{\cfrac{3x-3}{x-3}-3}$$
$$=\cfrac{\cfrac{3(3x-3)-3(x-3)}{x-3}}{\cfrac{(3x-3)-3(x-3)}{x-3}}$$
$$=\frac{6x}{6}=x$$

$$f^3(x)=(f\circ f^2)(x)=f(f^2(x))$$
$$=f(x)=\frac{3x-3}{x-3}$$

$$f^4(x)=(f\circ f^3)(x)=f(f^3(x))=f(f(x))=x$$
$$\vdots$$

따라서 자연수 n에 대하여
$$f^1(x)=f^3(x)=f^5(x)=\cdots=f^{2n-1}(x)=\frac{3x-3}{x-3}$$
$$f^2(x)=f^4(x)=f^6(x)=\cdots=f^{2n}(x)=x$$

즉, $f^{2019}(x)=f(x)=\dfrac{3x-3}{x-3}$이므로
$$f^{2019}(6)=\frac{3\times 6-3}{6-3}=5$$

답 5

202

주어진 그래프에서 $f^1(1)=f(1)=0,\ f(0)=1$이므로
$$f^2(1)=(f\circ f^1)(1)=f(f(1))=f(0)=1$$
$$f^3(1)=(f\circ f^2)(1)=f(f^2(1))=f(1)=0$$
$$f^4(1)=(f\circ f^3)(1)=f(f^3(1))=f(0)=1$$
$$\vdots$$

따라서 자연수 n에 대하여
$$f^1(1)=f^3(1)=f^5(1)=\cdots=f^{2n-1}(1)=0$$
$$f^2(1)=f^4(1)=f^6(1)=\cdots=f^{2n}(1)=1$$
$$\therefore f^{500}(1)=f^{2\times 250}(1)=1$$

답 1

다른풀이 / 주어진 유리함수의 그래프의 점근선의 방정식이 $x=-1,\ y=-1$이므로
$$f(x)=\frac{k}{x+1}-1\ (k>0) \qquad \cdots\cdots \ \bigcirc$$
로 놓을 수 있다.

$\bigcirc$의 그래프가 점 $(1,\ 0)$을 지나므로
$$0=\frac{k}{2}-1 \qquad \therefore k=2$$

$k=2$를 $\bigcirc$에 대입하면
$$f(x)=\frac{2}{x+1}-1=\frac{-x+1}{x+1}$$
$$f^2(x)=(f\circ f^1)(x)=f(f(x))$$
$$=\cfrac{-\cfrac{-x+1}{x+1}+1}{\cfrac{-x+1}{x+1}+1}=\cfrac{\cfrac{x-1+x+1}{x+1}}{\cfrac{-x+1+x+1}{x+1}}=x$$

$$f^3(x)=(f\circ f^2)(x)=f(f^2(x))=f(x)=\frac{-x+1}{x+1}$$
$$f^4(x)=(f\circ f^3)(x)=f(f^3(x))=f(f(x))=x$$
$$\vdots$$

따라서 자연수 n에 대하여
$$f^1(x)=f^3(x)=f^5(x)=\cdots=f^{2n-1}(x)=\frac{-x+1}{x+1}$$
$$f^2(x)=f^4(x)=f^6(x)=\cdots=f^{2n}(x)=x$$

즉, $f^{500}(x)=f^{2\times 500}(x)=x$이므로
$$f^{500}(1)=1$$

203

$(f^{-1})^{-1}=f$이므로 $f^{-1}(x)$의 역함수를 구하면 $f(x)$이다.

$y=\dfrac{-x+3}{2x-1}$으로 놓고 x에 대하여 풀면

$y(2x-1)=-x+3$

$(2y+1)x=y+3$

$\therefore x=\dfrac{y+3}{2y+1}$

x와 y를 서로 바꾸면

$y=\dfrac{x+3}{2x+1}$

따라서 $f(x)=\dfrac{x+3}{2x+1}$이므로

$a=1,\,b=3,\,c=1$ 답 $a=1,\,b=3,\,c=1$

204

$(f\circ g)(x)=x$이므로 $g(x)$는 $f(x)$의 역함수이다.

$g(3)=k$, 즉 $f^{-1}(3)=k$라 하면 $f(k)=3$이므로

$\dfrac{2k+1}{k-2}=3,\ 2k+1=3k-6$

$\therefore k=7 \quad \therefore g(3)=7$

$g(7)=l$, 즉 $f^{-1}(7)=l$이라 하면 $f(l)=7$이므로

$\dfrac{2l+1}{l-2}=7,\ 2l+1=7l-14$

$\therefore l=3 \quad \therefore g(7)=3$

$\therefore (g\circ g)(3)=g(g(3))=g(7)=3$ 답 3

다른풀이 $y=\dfrac{2x+1}{x-2}$로 놓고 x에 대하여 풀면

$y(x-2)=2x+1$

$(y-2)x=2y+1$

$\therefore x=\dfrac{2y+1}{y-2}$

x와 y를 서로 바꾸면

$y=\dfrac{2x+1}{x-2}$

$\therefore g(x)=\dfrac{2x+1}{x-2}$

따라서 $g(3)=\dfrac{6+1}{3-2}=7,\ g(7)=\dfrac{14+1}{7-2}=3$이므로

$(g\circ g)(3)=g(g(3))=g(7)=3$

205

$f(x)=\dfrac{ax+b}{-x+2}$의 그래프가 점 $(3,\,-9)$를 지나므로

$-9=\dfrac{3a+b}{-3+2}$

$\therefore 3a+b=9$ $\cdots\cdots$ ㉠

또, $y=f(x)$의 역함수의 그래프가 점 $(3,\,-9)$를 지나면 $y=f(x)$의 그래프는 점 $(-9,\,3)$을 지나므로

$3=\dfrac{-9a+b}{9+2}$

$\therefore -9a+b=33$ $\cdots\cdots$ ㉡

㉠, ㉡을 연립하여 풀면

$a=-2,\,b=15$ 답 $a=-2,\,b=15$

206

(1) $\sqrt{x+1}$에서 $x+1\geq0$ $\therefore x\geq-1$

(2) $\sqrt{x-1}$에서 $x-1\geq0$ $\therefore x\geq1$ $\cdots\cdots$ ㉠

    $\sqrt{2x-4}$에서 $2x-4\geq0$ $\therefore x\geq2$ $\cdots\cdots$ ㉡

    ㉠, ㉡을 모두 만족시키는 x의 값의 범위는

    $x\geq2$

(3) $\sqrt{x+3}$에서 $x+3\geq0$ $\therefore x\geq-3$ $\cdots\cdots$ ㉠

    $\dfrac{1}{\sqrt{2-x}}$에서 $2-x>0$ $\therefore x<2$ $\cdots\cdots$ ㉡

    ㉠, ㉡을 모두 만족시키는 x의 값의 범위는

    $-3\leq x<2$

(4) $\sqrt{2x-1}$에서 $2x-1\geq0$ $\therefore x\geq\dfrac{1}{2}$ $\cdots\cdots$ ㉠

    $\sqrt{4-x}$에서 $4-x>0$ $\therefore x<4$ $\cdots\cdots$ ㉡

    ㉠, ㉡을 모두 만족시키는 x의 값의 범위는

    $\dfrac{1}{2}\leq x<4$

답 (1) $x\geq-1$ (2) $x\geq2$

(3) $-3\leq x<2$ (4) $\dfrac{1}{2}\leq x<4$

207

$\sqrt{x^2-4x+4}+\sqrt{x^2-6x+9}$

$=\sqrt{(x-2)^2}+\sqrt{(x-3)^2}$

$=|x-2|+|x-3|$

이때 $2<x<3$이므로 $x-2>0,\ x-3<0$

$$\therefore \sqrt{x^2-4x+4}+\sqrt{x^2-6x+9}$$
$$=|x-2|+|x-3|$$
$$=(x-2)-(x-3)$$
$$=1$$

답 **1**

208

(1) $\dfrac{x}{\sqrt{x+4}-2}=\dfrac{x(\sqrt{x+4}+2)}{(\sqrt{x+4}-2)(\sqrt{x+4}+2)}$
$$=\dfrac{x(\sqrt{x+4}+2)}{x+4-4}$$
$$=\sqrt{x+4}+2$$

(2) $\dfrac{6}{\sqrt{x+3}-\sqrt{x-3}}$
$$=\dfrac{6(\sqrt{x+3}+\sqrt{x-3})}{(\sqrt{x+3}-\sqrt{x-3})(\sqrt{x+3}+\sqrt{x-3})}$$
$$=\dfrac{6(\sqrt{x+3}+\sqrt{x-3})}{(x+3)-(x-3)}$$
$$=\sqrt{x+3}+\sqrt{x-3}$$

(3) $\dfrac{\sqrt{x-2}-1}{\sqrt{x-2}+1}$
$$=\dfrac{(\sqrt{x-2}-1)^2}{(\sqrt{x-2}+1)(\sqrt{x-2}-1)}$$
$$=\dfrac{x-2-2\sqrt{x-2}+1}{x-2-1}$$
$$=\dfrac{x-1-2\sqrt{x-2}}{x-3}$$

답 (1) $\sqrt{x+4}+2$ (2) $\sqrt{x+3}+\sqrt{x-3}$
(3) $\dfrac{x-1-2\sqrt{x-2}}{x-3}$

209

(1) $(\sqrt{x+1}+\sqrt{x})(\sqrt{x+1}-\sqrt{x})$
$$=(\sqrt{x+1})^2-(\sqrt{x})^2$$
$$=x+1-x=1$$

(2) $\dfrac{1}{\sqrt{x}+\sqrt{y}}-\dfrac{1}{\sqrt{x}-\sqrt{y}}$
$$=\dfrac{(\sqrt{x}-\sqrt{y})-(\sqrt{x}+\sqrt{y})}{(\sqrt{x}+\sqrt{y})(\sqrt{x}-\sqrt{y})}$$
$$=\dfrac{-2\sqrt{y}}{x-y}$$

(3) $\dfrac{2x}{2-\sqrt{x+1}}+\dfrac{2x}{2+\sqrt{x+1}}$
$$=\dfrac{2x(2+\sqrt{x+1})+2x(2-\sqrt{x+1})}{(2-\sqrt{x+1})(2+\sqrt{x+1})}$$
$$=\dfrac{4x+2x\sqrt{x+1}+4x-2x\sqrt{x+1}}{4-(x+1)}$$
$$=\dfrac{8x}{3-x}$$

답 (1) **1** (2) $\dfrac{-2\sqrt{y}}{x-y}$ (3) $\dfrac{8x}{3-x}$

210

(1) $\dfrac{1}{x+\sqrt{x^2-1}}+\dfrac{1}{x-\sqrt{x^2-1}}$
$$=\dfrac{(x-\sqrt{x^2-1})+(x+\sqrt{x^2-1})}{(x+\sqrt{x^2-1})(x-\sqrt{x^2-1})}$$
$$=\dfrac{2x}{x^2-(x^2-1)}=2x$$

(2) $\dfrac{x}{\sqrt{x}+\sqrt{x-1}}-\dfrac{x}{\sqrt{x}-\sqrt{x-1}}$
$$=\dfrac{x(\sqrt{x}-\sqrt{x-1})-x(\sqrt{x}+\sqrt{x-1})}{(\sqrt{x}+\sqrt{x-1})(\sqrt{x}-\sqrt{x-1})}$$
$$=\dfrac{x\sqrt{x}-x\sqrt{x-1}-x\sqrt{x}-x\sqrt{x-1}}{x-(x-1)}$$
$$=-2x\sqrt{x-1}$$

답 (1) $2x$ (2) $-2x\sqrt{x-1}$

211

$x=\dfrac{1}{\sqrt{2}-1}=\sqrt{2}+1$, $y=\dfrac{1}{\sqrt{2}+1}=\sqrt{2}-1$에서
$x+y=2\sqrt{2}$, $xy=1$, $x-y=2$이므로
$$\dfrac{\sqrt{x}+\sqrt{y}}{\sqrt{x}-\sqrt{y}}=\dfrac{(\sqrt{x}+\sqrt{y})^2}{(\sqrt{x}-\sqrt{y})(\sqrt{x}+\sqrt{y})}$$
$$=\dfrac{x+y+2\sqrt{xy}}{x-y} \quad \leftarrow x>0, y>0\text{이므로}$$
$$\qquad\qquad\qquad \sqrt{x}\sqrt{y}=\sqrt{xy}$$
$$=\dfrac{2\sqrt{2}+2\sqrt{1}}{2}$$
$$=\sqrt{2}+1$$

답 $\sqrt{2}+1$

212

$x=2+\sqrt{3}$에서 $x-2=\sqrt{3}$
양변을 제곱하면 $x^2-4x+4=3$

$$\therefore x^2-4x+1=0$$
$$\therefore x^3-4x^2+x+2=x(x^2-4x+1)+2$$
$$=x\times 0+2=2 \qquad \text{답 } 2$$

213

$$f(x)=\frac{\sqrt{x}-\sqrt{x+1}}{(\sqrt{x}+\sqrt{x+1})(\sqrt{x}-\sqrt{x+1})}$$
$$=\sqrt{x+1}-\sqrt{x}$$
$$\therefore f(1)+f(2)+f(3)+\cdots+f(99)$$
$$=(\sqrt{2}-\sqrt{1})+(\sqrt{3}-\sqrt{2})+(\sqrt{4}-\sqrt{3})$$
$$\quad+\cdots+(\sqrt{99}-\sqrt{98})+(\sqrt{100}-\sqrt{99})$$
$$=-\sqrt{1}+\sqrt{100}$$
$$=9 \qquad \text{답 } 9$$

214

ㄴ. $y=-\sqrt{5}x$는 다항함수이다.

ㄷ. $y=\sqrt{(2-x)^2}$은 $x\le 2$일 때 $y=2-x$, $x>2$일 때
$y=-2+x$이므로 무리함수가 아니다.

따라서 무리함수는 ㄱ, ㄹ, ㅁ이다. 　　답 ㄱ, ㄹ, ㅁ

215

(1) $-3-x\ge 0$에서 $x\le -3$이므로
정의역은 $\{x\,|\,x\le -3\}$

(2) $x+2\ge 0$에서 $x\ge -2$이므로
정의역은 $\{x\,|\,x\ge -2\}$

(3) $2x-4\ge 0$에서 $x\ge 2$이므로
정의역은 $\{x\,|\,x\ge 2\}$

(4) $1-x^2\ge 0$에서 $x^2-1\le 0$
$(x+1)(x-1)\le 0$ 　　$\therefore -1\le x\le 1$
따라서 정의역은 $\{x\,|\,-1\le x\le 1\}$

답 (1) $\{x\,|\,x\le -3\}$ 　(2) $\{x\,|\,x\ge -2\}$
(3) $\{x\,|\,x\ge 2\}$ 　　(4) $\{x\,|\,-1\le x\le 1\}$

216

(1) $y=\sqrt{9x}$의 그래프는
오른쪽 그림과 같다.
$\therefore$ **정의역**: $\{x\,|\,x\ge 0\}$,
치역: $\{y\,|\,y\ge 0\}$

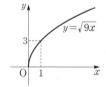

(2) $y=-\sqrt{16x}$의 그래프는
오른쪽 그림과 같다.
$\therefore$ **정의역**: $\{x\,|\,x\ge 0\}$,
치역: $\{y\,|\,y\le 0\}$

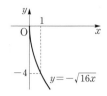

(3) $y=\sqrt{-(x-3)}$의 그래
프는 $y=\sqrt{-x}$의 그래
프를 x축의 방향으로 3
만큼 평행이동한 것이므
로 오른쪽 그림과 같다.
$\therefore$ **정의역**: $\{x\,|\,x\le 3\}$, **치역**: $\{y\,|\,y\ge 0\}$

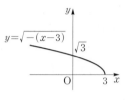

(4) $y=-\sqrt{x-2}+1$의 그래프
는 $y=-\sqrt{x}$의 그래프를 x
축의 방향으로 2만큼, y축의
방향으로 1만큼 평행이동한
것이므로 오른쪽 그림과 같다.
$\therefore$ **정의역**: $\{x\,|\,x\ge 2\}$, **치역**: $\{y\,|\,y\le 1\}$

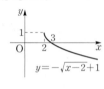

답 풀이 참조

217

(1) $y=\sqrt{3x-2}-1=\sqrt{3\left(x-\dfrac{2}{3}\right)}-1$의 그래프는
$y=\sqrt{3x}$의 그래프를 x축의
방향으로 $\dfrac{2}{3}$만큼, y축의 방
향으로 -1만큼 평행이동한
것이므로 오른쪽 그림과 같
다.

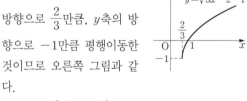

$\therefore$ **정의역**: $\left\{x\,\middle|\,x\ge\dfrac{2}{3}\right\}$, **치역**: $\{y\,|\,y\ge -1\}$

(2) $y=\sqrt{6-2x}+2=\sqrt{-2(x-3)}+2$의 그래프는
$y=\sqrt{-2x}$의 그래프를 x축
의 방향으로 3만큼, y축의
방향으로 2만큼 평행이동한
것이므로 오른쪽 그림과 같
다.

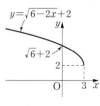

$\therefore$ **정의역**: $\{x\,|\,x\le 3\}$, **치역**: $\{y\,|\,y\ge 2\}$

(3) $y=-\sqrt{-x+1}-2=-\sqrt{-(x-1)}-2$의 그래프는 $y=-\sqrt{-x}$의 그래프를 x축의 방향으로 1만큼, y축의 방향으로 -2만큼 평행이동한 것이므로 오른쪽 그림과 같다.

∴ **정의역: $\{x\,|\,x\le 1\}$, 치역: $\{y\,|\,y\le -2\}$**

📋 **풀이 참조**

218

ㄱ. $y=-\sqrt{-x}$의 그래프는 $y=\sqrt{-x}$의 그래프를 x축에 대하여 대칭이동한 것이다.

ㄴ. $y=\sqrt{-2x+6}=\sqrt{-2(x-3)}$이므로 $y=\sqrt{-2x+6}$의 그래프는 $y=\sqrt{-2x}$의 그래프를 x축의 방향으로 3만큼 평행이동한 것이다.

ㄷ. $y=-\sqrt{4-x}+7=-\sqrt{-(x-4)}+7$이므로 $y=-\sqrt{4-x}+7$의 그래프는 $y=-\sqrt{-x}$의 그래프를 x축에 대하여 대칭이동한 후 x축의 방향으로 4만큼, y축의 방향으로 7만큼 평행이동한 것이다.

따라서 $y=-\sqrt{-x}$의 그래프와 겹쳐지는 것은 ㄱ, ㄷ이다.

📋 **ㄱ, ㄷ**

219

$y=\sqrt{ax-3}+2$의 그래프를 x축의 방향으로 b만큼, y축의 방향으로 c만큼 평행이동하면
$y=\sqrt{a(x-b)-3}+2+c$
∴ $y=\sqrt{ax-ab-3}+2+c$
이 함수의 그래프가 $y=\sqrt{5x+2}$의 그래프와 일치하므로
$a=5$, $-ab-3=2$, $2+c=0$
따라서 $a=5$, $b=-1$, $c=-2$이므로
$a+bc=5+(-1)\times(-2)=7$

📋 **7**

220

$y=\sqrt{-x+2}$의 그래프를 x축의 방향으로 1만큼, y축의 방향으로 -2만큼 평행이동하면
$y=\sqrt{-(x-1)+2}-2$
∴ $y=\sqrt{-x+3}-2$

$y=\sqrt{-x+3}-2$의 그래프를 y축에 대하여 대칭이동하면
$y=\sqrt{-(-x)+3}-2$
∴ $y=\sqrt{x+3}-2$
따라서 $a=1$, $b=3$, $c=-2$이므로
$a+b+c=2$

📋 **2**

221

$y=-\sqrt{4x-4}+3=-\sqrt{4(x-1)}+3$
이므로 주어진 함수의 그래프는 $y=-\sqrt{4x}$의 그래프를 x축의 방향으로 1만큼, y축의 방향으로 3만큼 평행이동한 것이다.
$y=-1$일 때, $-1=-\sqrt{4x-4}+3$
$\sqrt{4x-4}=4$, $4x-4=16$
∴ $x=5$
$y=1$일 때, $1=-\sqrt{4x-4}+3$
$\sqrt{4x-4}=2$, $4x-4=4$
∴ $x=2$

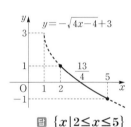

따라서 오른쪽 그림에서 치역이 $\{y\,|-1\le y\le 1\}$일 때, 정의역은 $\{x\,|\,2\le x\le 5\}$이다.

📋 **$\{x\,|\,2\le x\le 5\}$**

222

$y=-\sqrt{-3x+3}-1=-\sqrt{-3(x-1)}-1$
이므로 주어진 함수의 그래프는 $y=-\sqrt{-3x}$의 그래프를 x축의 방향으로 1만큼, y축의 방향으로 -1만큼 평행이동한 것이다.
따라서 $-2\le x\le 1$에서 $y=-\sqrt{-3x+3}-1$의 그래프는 오른쪽 그림과 같으므로
$x=1$일 때 최댓값
$a=-\sqrt{-3+3}-1=-1$,
$x=-2$일 때 최솟값 $b=-\sqrt{6+3}-1=-4$를 갖는다.
∴ $a-b=-1-(-4)=3$

📋 **3**

223

$y=\sqrt{3-2x}+2=\sqrt{-2\left(x-\dfrac{3}{2}\right)}+2$

이므로 주어진 함수의 그래프는 $y=\sqrt{-2x}$의 그래프를 x축의 방향으로 $\dfrac{3}{2}$만큼, y축의 방향으로 2만큼 평행이동한 것이다.

따라서 $-3\leq x\leq a$에서
$y=\sqrt{3-2x}+2$의 그래프
는 오른쪽 그림과 같으므로
$x=-3$일 때 최댓값

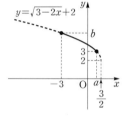

$b=\sqrt{3+6}+2=5$,
$x=a$일 때 최솟값
$\sqrt{3-2a}+2$를 갖는다.
즉, $\sqrt{3-2a}+2=3$이므로
$\sqrt{3-2a}=1$, $3-2a=1$ $\qquad \therefore a=1$
$\therefore b-a=5-1=4$ **답 4**

224

주어진 함수의 그래프는 $y=\sqrt{-ax}\,(a>0)$의 그래프를 x축의 방향으로 4만큼, y축의 방향으로 -1만큼 평행이동한 것이므로 함수의 식을
$y=\sqrt{-a(x-4)}-1$ $\qquad$ ...... ㉠
로 놓을 수 있다.
㉠의 그래프가 점 $(0, 1)$을 지나므로
$1=\sqrt{4a}-1$, $\sqrt{4a}=2$
$4a=4$ $\qquad \therefore a=1$
$a=1$을 ㉠에 대입하면
$y=\sqrt{-(x-4)}-1=\sqrt{-x+4}-1$
따라서 $a=1$, $b=4$, $c=-1$이므로
$a+b+c=4$ **답 4**

225

주어진 함수의 그래프는 $y=-\sqrt{ax}\,(a<0)$의 그래프를 x축의 방향으로 1만큼, y축의 방향으로 1만큼 평행이동한 것이므로 함수의 식을
$y=-\sqrt{a(x-1)}+1$ $\qquad$ ...... ㉠
로 놓을 수 있다.

㉠의 그래프가 점 $(0, 0)$을 지나므로
$0=-\sqrt{-a}+1$, $\sqrt{-a}=1$
$-a=1$ $\qquad \therefore a=-1$
$a=-1$을 ㉠에 대입하면
$y=-\sqrt{-(x-1)}+1$
$\therefore f(x)=-\sqrt{-x+1}+1$
이때 $f(k)=-1$을 만족시키는 상수 k의 값은
$-1=-\sqrt{-k+1}+1$에서
$\sqrt{-k+1}=2$, $-k+1=4$
$\therefore k=-3$ **답 -3**

226

$ax+9\geq0$에서 $ax\geq-9$
이때 주어진 함수의 정의역이 $\{x\,|\,x\geq-3\}$이므로
$a>0$
또, $x\geq-\dfrac{9}{a}$에서 $-\dfrac{9}{a}=-3$
$\therefore a=3$
한편, 함수 $y=-\sqrt{3x+9}+b$에서 $\sqrt{3x+9}=b-y$이므로
$b-y\geq0$ $\qquad \therefore y\leq b$
즉, 치역이 $\{y\,|\,y\leq b\}$이므로 $b=2$
$\therefore ab=3\times2=6$ **답 6**

227

$y=\sqrt{4x-8}=\sqrt{4(x-2)}$
이므로 주어진 무리함수의 그
래프는 $y=\sqrt{4x}$의 그래프를
x축의 방향으로 2만큼 평행
이동한 것이고, $y=2x-k$는

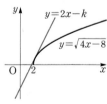

기울기가 2이고 y절편이 $-k$인 직선이다.
$y=\sqrt{4x-8}$의 그래프와 직선 $y=2x-k$가 접하려면
$\sqrt{4x-8}=2x-k$에서 양변을 제곱하면
$4x-8=(2x-k)^2$, $4x-8=4x^2-4kx+k^2$
$\therefore 4x^2-4(k+1)x+k^2+8=0$

이 이차방정식의 판별식을 D라 하면
$$\frac{D}{4}=4(k+1)^2-4(k^2+8)=0$$
$$8k-28=0 \qquad \therefore k=\frac{7}{2}$$
답 $\dfrac{7}{2}$

228

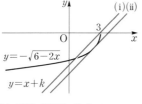

$y=-\sqrt{6-2x}$
$\quad =-\sqrt{-2(x-3)}$
이므로 주어진 무리함
수의 그래프는
$y=-\sqrt{-2x}$의 그래

프를 x축의 방향으로 3만큼 평행이동한 것이고,
$y=x+k$는 기울기가 1이고 y절편이 k인 직선이다.

(ⅰ) 직선 $y=x+k$가 점 $(3,\,0)$을 지날 때,
$\quad 0=3+k \qquad \therefore k=-3$

(ⅱ) $y=-\sqrt{6-2x}$의 그래프와 직선 $y=x+k$가 접할
때,
$\quad -\sqrt{6-2x}=x+k$의 양변을 제곱하면
$\quad 6-2x=(x+k)^2,\ 6-2x=x^2+2kx+k^2$
$\quad \therefore x^2+2(k+1)x+k^2-6=0$
이 이차방정식의 판별식을 D라 하면
$$\frac{D}{4}=(k+1)^2-(k^2-6)=0$$
$$2k+7=0 \qquad \therefore k=-\frac{7}{2}$$

따라서 주어진 무리함수의 그래프와 직선이 서로 다른
두 점에서 만나려면 직선이 (ⅰ)이거나 (ⅰ)과 (ⅱ) 사이에
있어야 하므로
$$-\frac{7}{2}<k\leq-3$$
답 $-\dfrac{7}{2}<k\leq-3$

229

$y=x^2-8x+10$이라 하면
$y=(x-4)^2-6\ (x\leq4)$에서 치역이 $\{y\,|\,y\geq-6\}$이
므로 역함수의 정의역은 $\{x\,|\,x\geq-6\}$이다.
$y=(x-4)^2-6$에서
$y+6=(x-4)^2,\ x-4=\pm\sqrt{y+6}$
그런데 $x\leq4$이므로
$x-4=-\sqrt{y+6} \qquad \therefore x=-\sqrt{y+6}+4$

x와 y를 서로 바꾸면
$y=-\sqrt{x+6}+4$
$\therefore f^{-1}(x)=-\sqrt{x+6}+4\ (x\geq-6)$
따라서 $a=1,\ b=6,\ c=4,\ d=-6$이므로
$ab-cd=1\times6-4\times(-6)=30$
답 30

230

함수 $f(x)=\sqrt{-x+a}+1$의 치역이 $\{y\,|\,y\geq1\}$이므로
역함수의 정의역은 $\{x\,|\,x\geq1\}$이다.
$y=\sqrt{-x+a}+1$이라 하면 $y-1=\sqrt{-x+a}$
양변을 제곱하면
$(y-1)^2=-x+a$
$\therefore x=-(y-1)^2+a$
x와 y를 서로 바꾸면 $y=-(x-1)^2+a$
$\therefore g(x)=-(x-1)^2+a\ (x\geq1)$
$g(2)=3$이므로
$-(2-1)^2+a=3 \qquad \therefore a=4$
$\therefore g(1)=-(1-1)^2+4=4$
답 4

다른풀이 / 함수 $f(x)$의 역함수가 $g(x)$이고
$g(2)=3$이므로 $f(3)=2$
즉, $f(3)=\sqrt{-3+a}+1=2$이므로
$\sqrt{-3+a}=1,\ -3+a=1 \qquad \therefore a=4$
$\therefore f(x)=\sqrt{-x+4}+1$
$g(1)=k$라 하면 $f(k)=1$
$f(k)=\sqrt{-k+4}+1=1$
$\sqrt{-k+4}=0,\ -k+4=0 \qquad \therefore k=4$
$\therefore g(1)=4$

231

$(g^{-1}\circ f)^{-1}(2)=(f^{-1}\circ g)(2)$
$\qquad\qquad\qquad\ =f^{-1}(g(2))$
$\qquad\qquad\qquad\ =f^{-1}(4)\quad \leftarrow g(2)=\sqrt{4+5}+1=4$
$f^{-1}(4)=k$라 하면 $f(k)=4$이므로
$\sqrt{k+3}=4,\ k+3=16 \qquad \therefore k=13$
$\therefore (g^{-1}\circ f)^{-1}(2)=f^{-1}(4)=13$
답 13

232

함수 $y=f(x)$의 그래프와 그
역함수 $y=f^{-1}(x)$의 그래프
는 오른쪽 그림과 같이 직선
$y=x$에 대하여 대칭이므로 두
함수 $y=f(x)$, $y=f^{-1}(x)$의
그래프의 교점은 함수
$y=f(x)$의 그래프와 직선 $y=x$의 교점과 같다.

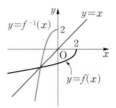

$-\sqrt{2-x}=x$에서 양변을 제곱하면
$2-x=x^2$
$x^2+x-2=0$, $(x+2)(x-1)=0$
$\therefore x=-2$ 또는 $x=1$
그런데 $x \leq 0$이므로 $x=-2$
따라서 교점의 좌표는 $(-2, -2)$이므로
$a=-2$, $b=-2$
$\therefore a+b=-4$　　　　　　　　　　　　**답** -4

233

함수 $y=\sqrt{2x+7}-2$에서 x와 y를 서로 바꾸면
$x=\sqrt{2y+7}-2$이므로 두 함수는 서로 역함수이다.
따라서 두 함수 $y=\sqrt{2x+7}-2$와
$x=\sqrt{2y+7}-2$의 그래프는 다음 그림과 같이 직선
$y=x$에 대하여 대칭이므로 두 함수의 그래프의 교점
은 함수 $y=\sqrt{2x+7}-2$의 그래프와 직선 $y=x$의 교
점과 같다.

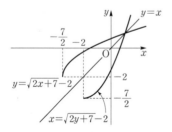

$\sqrt{2x+7}-2=x$에서 $\sqrt{2x+7}=x+2$
양변을 제곱하면
$2x+7=x^2+4x+4$
$x^2+2x-3=0$, $(x+3)(x-1)=0$
$\therefore x=-3$ 또는 $x=1$

그런데 $x \geq -2$이므로 $x=1$
따라서 구하는 교점의 좌표는 $(1, 1)$이다.　**답** $(1, 1)$

234

함수 $y=2\sqrt{x-2}$의 그래프를 x축의 방향으로 a만큼
평행이동한 그래프의 식은
$y=2\sqrt{x-a-2}$
이때 함수 $y=f(x)$의
그래프와 그 역함수
$y=f^{-1}(x)$의 그래프는
오른쪽 그림과 같이 직
선 $y=x$에 대하여 대칭
이므로 함수 $y=f(x)$의

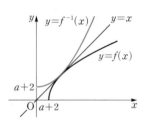

그래프와 함수 $y=f^{-1}(x)$의 그래프가 접하면 함수
$y=f(x)$의 그래프와 직선 $y=x$도 접한다.
$2\sqrt{x-a-2}=x$에서 양변을 제곱하면
$4(x-a-2)=x^2$
$\therefore x^2-4x+4a+8=0$
이 이차방정식의 판별식을 D라 하면
$\dfrac{D}{4}=(-2)^2-(4a+8)=0$
$-4a-4=0$
$\therefore a=-1$　　　　　　　　　　　　　**답** -1

Ⅲ. 경우의 수

235
김밥 4종류 중 한 가지를 택하는 경우는 4가지,
라면 3종류 중 한 가지를 택하는 경우는 3가지,
볶음밥 3종류 중 한 가지를 택하는 경우는 3가지이다.
따라서 구하는 방법의 수는 합의 법칙에 의하여
$4+3+3=10$ 　　　　　　　　　답 **10**

236
⑴ 합이 11 이상인 경우는 합이 11, 12인 경우이다. 이
　때 두 주사위에서 나오는 눈의 수를 순서쌍으로 나
　타내면
　(i) 합이 11인 경우는
　　$(5, 6)$, $(6, 5)$의 2가지
　(ii) 합이 12인 경우는
　　$(6, 6)$의 1가지
　(i), (ii)는 동시에 일어날 수 없으므로 구하는 경우
　의 수는 합의 법칙에 의하여
　$2+1=3$
⑵ 차가 1 이하인 경우는 차가 0, 1인 경우이다. 이때
　두 주사위에서 나오는 눈의 수를 순서쌍으로 나타
　내면
　(i) 차가 0인 경우는
　　$(1, 1)$, $(2, 2)$, $(3, 3)$, $(4, 4)$, $(5, 5)$, $(6, 6)$
　　의 6가지
　(ii) 차가 1인 경우는
　　$(1, 2)$, $(2, 3)$, $(3, 4)$, $(4, 5)$, $(5, 6)$, $(6, 5)$,
　　$(5, 4)$, $(4, 3)$, $(3, 2)$, $(2, 1)$의 10가지
　(i), (ii)는 동시에 일어날 수 없으므로 구하는 경우
　의 수는 합의 법칙에 의하여
　$6+10=16$ 　　　　　답 ⑴ **3** ⑵ **16**

237
모자를 고르는 방법은 4가지이고, 그 각각에 대하여 티
셔츠를 고르는 방법은 3가지, 이들 각각에 대하여 바지
를 고르는 방법은 5가지이다.

따라서 구하는 방법의 수는 곱의 법칙에 의하여
$4\times3\times5=60$ 　　　　　　　　　답 **60**

238
집에서 도서관까지 가는 방법은 3가지이고, 그 각각에
대하여 도서관에서 학교까지 가는 방법은 4가지이다.
따라서 구하는 방법의 수는 곱의 법칙에 의하여
$3\times4=12$ 　　　　　　　　　답 **12**

239
두 주사위에서 나오는 눈의 수를 순서쌍으로 나타내면
(i) 나오는 두 눈의 수의 합이 3의 배수일 때,
　합이 3인 경우는 $(1, 2)$, $(2, 1)$의 2가지
　합이 6인 경우는 $(1, 5)$, $(2, 4)$, $(3, 3)$, $(4, 2)$,
　$(5, 1)$의 5가지
　합이 9인 경우는 $(3, 6)$, $(4, 5)$, $(5, 4)$, $(6, 3)$
　의 4가지
　합이 12인 경우는 $(6, 6)$의 1가지
　따라서 합이 3의 배수인 경우의 수는
　$2+5+4+1=12$
(ii) 나오는 두 눈의 수의 합이 5의 배수일 때,
　합이 5인 경우는 $(1, 4)$, $(2, 3)$, $(3, 2)$, $(4, 1)$
　의 4가지
　합이 10인 경우는 $(4, 6)$, $(5, 5)$, $(6, 4)$의 3가지
　따라서 합이 5의 배수인 경우의 수는
　$4+3=7$
(i), (ii)는 동시에 일어날 수 없으므로 구하는 경우의
수는 합의 법칙에 의하여
$12+7=19$ 　　　　　　　　　답 **19**

240
차가 2 이하인 경우는 차가 0, 1, 2인 경우이다. 이때
두 개의 상자에서 꺼낸 공에 적힌 수를 순서쌍으로 나
타내면
(i) 차가 0인 경우는
　$(1, 1)$, $(2, 2)$, $(3, 3)$, $(4, 4)$, $(5, 5)$의 5가지

(ii) 차가 1인 경우는

$(1, 2), (2, 3), (3, 4), (4, 5), (5, 4), (4, 3),$
$(3, 2), (2, 1)$의 8가지

(iii) 차가 2인 경우는

$(1, 3), (2, 4), (3, 5), (5, 3), (4, 2), (3, 1)$
의 6가지

(i)~(iii)은 동시에 일어날 수 없으므로 구하는 경우의
수는 합의 법칙에 의하여

$5+8+6=19$　　　　　　　　　　　답 **19**

241

(i) 5로 나누어떨어지는 수, 즉 5의 배수는

5, 10, 15, ⋯, 100의 20개

(ii) 7로 나누어떨어지는 수, 즉 7의 배수는

7, 14, 21, ⋯, 98의 14개

(iii) 5와 7로 나누어떨어지는 수, 즉 35의 배수는

35, 70의 2개

따라서 구하는 수의 개수는

$20+14-2=32$　　　　　　　　　　답 **32**

242

x, y, z가 자연수이므로 $x \geq 1, y \geq 1, z \geq 1$
$3x+y+2z=12$에서 $3x<12$, 즉 $x<4$이므로
$x=1$ 또는 $x=2$ 또는 $x=3$

(i) $x=1$일 때, $y+2z=9$이므로 순서쌍 (y, z)는

$(1, 4), (3, 3), (5, 2), (7, 1)$의 4개

(ii) $x=2$일 때, $y+2z=6$이므로 순서쌍 (y, z)는

$(2, 2), (4, 1)$의 2개

(iii) $x=3$일 때, $y+2z=3$이므로 순서쌍 (y, z)는

$(1, 1)$의 1개

(i)~(iii)에서 구하는 순서쌍의 개수는

$4+2+1=7$　　　　　　　　　　　답 **7**

243

500원짜리 x장, 1000원짜리 y장, 2000원짜리 z장을
합하여 10000원이 되게 산다고 하면

$500x+1000y+2000z=10000$

$\therefore x+2y+4z=20$

그런데 3종류의 우표가 적어도 한 장씩은 포함되어야
하므로 x, y, z는 $x \geq 1, y \geq 1, z \geq 1$인 자연수이다.
$x+2y+4z=20$에서 $4z<20$, 즉 $z<5$이므로
$z=1$ 또는 $z=2$ 또는 $z=3$ 또는 $z=4$

(i) $z=1$일 때, $x+2y=16$이므로 순서쌍 (x, y)는

$(2, 7), (4, 6), (6, 5), (8, 4), (10, 3),$
$(12, 2), (14, 1)$의 7개

(ii) $z=2$일 때, $x+2y=12$이므로 순서쌍 (x, y)는

$(2, 5), (4, 4), (6, 3), (8, 2), (10, 1)$의 5개

(iii) $z=3$일 때, $x+2y=8$이므로 순서쌍 (x, y)는

$(2, 3), (4, 2), (6, 1)$의 3개

(iv) $z=4$일 때, $x+2y=4$이므로 순서쌍 (x, y)는

$(2, 1)$의 1개

(i)~(iv)에서 구하는 방법의 수는

$7+5+3+1=16$　　　　　　　　答 **16**

244

x, y가 자연수이므로 $x \geq 1, y \geq 1$

$3x+y \leq 10$에서 $3x<10$, 즉 $x<\dfrac{10}{3}$이므로

$x=1$ 또는 $x=2$ 또는 $x=3$

(i) $x=1$일 때, $y \leq 7$이므로 순서쌍 (x, y)는

$(1, 1), (1, 2), (1, 3), \cdots, (1, 7)$의 7개

(ii) $x=2$일 때, $y \leq 4$이므로 순서쌍 (x, y)는

$(2, 1), (2, 2), (2, 3), (2, 4)$의 4개

(iii) $x=3$일 때, $y \leq 1$이므로 순서쌍 (x, y)는

$(3, 1)$의 1개

(i)~(iii)에서 구하는 순서쌍의 개수는

$7+4+1=12$　　　　　　　　　答 **12**

245

$(a+b)(c+d)$를 전개하면 a, b에 c, d를 각각 곱하
여 항이 만들어지므로 항의 개수는 곱의 법칙에 의하여

$2 \times 2=4$

$(x+y+z)(p-q)$를 전개하면 x, y, z에 $p, -q$를
각각 곱하여 항이 만들어지므로 항의 개수는 곱의 법
칙에 의하여

$3 \times 2=6$

이때 곱해지는 각 항이 모두 서로 다른 문자이므로 동류항이 생기지 않는다.
따라서 구하는 항의 개수는 합의 법칙에 의하여
$4+6=10$ **답 10**

246
십의 자리의 숫자는 홀수이므로 십의 자리의 숫자가 될 수 있는 것은
1, 3, 5, 7, 9의 5개
일의 자리의 숫자는 소수이므로 일의 자리의 숫자가 될 수 있는 것은
2, 3, 5, 7의 4개
따라서 구하는 자연수의 개수는 곱의 법칙에 의하여
$5×4=20$ **답 20**

247
서로 다른 주사위 3개를 동시에 던졌을 때 나오는 세 눈의 수의 곱이 홀수이려면 (홀수)×(홀수)×(홀수), 즉 세 눈의 수가 모두 홀수이어야 한다.
주사위에서 홀수인 눈의 수는 1, 3, 5의 3개이므로 구하는 경우의 수는 곱의 법칙에 의하여
$3×3×3=27$ **답 27**

248
(1) 144를 소인수분해하면 $144=2^4×3^2$
    2^4의 양의 약수는 1, 2, 2^2, 2^3, 2^4의 5개
    3^2의 양의 약수는 1, 3, 3^2의 3개
    이때 2^4의 양의 약수와 3^2의 양의 약수에서 각각 하나씩 택하여 곱한 것이 모두 144의 양의 약수이므로 144의 양의 약수의 개수는 곱의 법칙에 의하여
    $5×3=15$
(2) 144와 504의 양의 공약수의 개수는 144와 504의 최대공약수의 양의 약수의 개수와 같다.
    144와 504의 최대공약수는 72이고 72를 소인수분해하면
    $72=2^3×3^2$
    2^3의 양의 약수는 1, 2, 2^2, 2^3의 4개
    3^2의 양의 약수는 1, 3, 3^2의 3개

따라서 구하는 양의 공약수의 개수는 곱의 법칙에 의하여
$4×3=12$
     답 (1) 15 (2) 12

249
$270=2×3^3×5$의 양의 약수 중 홀수인 약수는 3^3과 5의 양의 약수의 곱으로 만들어진다.
3^3의 양의 약수는 1, 3, 3^2, 3^3의 4개
5의 양의 약수는 1, 5의 2개
따라서 구하는 약수의 개수는 곱의 법칙에 의하여
$4×2=8$ **답 8**

다른풀이 $270=2×3^3×5$에서
2의 양의 약수 중 홀수는 1의 1개
3^3의 양의 약수 중 홀수는 1, 3, 3^2, 3^3의 4개
5의 양의 약수 중 홀수는 1, 5의 2개
따라서 구하는 약수의 개수는 곱의 법칙에 의하여
$1×4×2=8$

250
$600=2^3×3×5^2$의 양의 약수 중 3의 배수는 3을 소인수로 가지므로 600의 양의 약수 중 3의 배수의 개수는 $2^3×5^2$의 양의 약수의 개수와 같다.
2^3의 양의 약수는 1, 2, 2^2, 2^3의 4개
5^2의 양의 약수는 1, 5, 5^2의 3개
따라서 구하는 약수의 개수는 곱의 법칙에 의하여
$4×3=12$ **답 12**

251
같은 도시를 두 번 이상 지나지 않고 A도시에서 출발하여 D도시로 가는 경우는 다음 네 가지 경우가 있다.
(i) A → B → D로 가는 경우의 수는
    $2×3=6$
(ii) A → C → D로 가는 경우의 수는
    $3×2=6$
(iii) A → B → C → D로 가는 경우의 수는
    $2×2×2=8$

(iv) A → C → B → D로 가는 경우의 수는

  $3 \times 2 \times 3 = 18$

(i)~(iv)는 동시에 일어날 수 없으므로 구하는 경우의 수는 합의 법칙에 의하여

$6 + 6 + 8 + 18 = 38$ 　　　　　　　　　　**目 38**

252

같은 도로를 두 번 이상 지나지 않으면서 A지점에서 출발하여 C지점으로 이동한 후 다시 A지점으로 돌아오는 경우는 다음 네 가지 경우가 있다.

(i) A → C → A로 가는 경우의 수는

  $3 \times 2 = 6$

(ii) A → B → C → A로 가는 경우의 수는

  $2 \times 2 \times 3 = 12$

(iii) A → C → B → A로 가는 경우의 수는

  $3 \times 2 \times 2 = 12$

(iv) A → B → C → B → A로 가는 경우의 수는

  $2 \times 2 \times 1 \times 1 = 4$

(i)~(iv)는 동시에 일어날 수 없으므로 구하는 경우의 수는 합의 법칙에 의하여

$6 + 12 + 12 + 4 = 34$ 　　　　　　　　**目 34**

참고 (iv)의 경우, 같은 도로를 두 번 이상 지나지 않으려면 A에서 B로 갈 때 지나간 도로는 B에서 A로 올 때 다시 지날 수 없으므로 A → B로 가는 경우의 수는 2, B → A로 오는 경우의 수는 1이다. 마찬가지로 B → C로 가는 경우의 수는 2, C → B로 오는 경우의 수는 1이다.

253

가장 많은 영역과 인접하고 있는 영역 D부터 시작하여 D → A → B → E → C의 순서로 색칠한다.

D에 칠할 수 있는 색은 5가지

A에 칠할 수 있는 색은 D에 칠한 색을 제외한 4가지

B에 칠할 수 있는 색은 A와 D에 칠한 색을 제외한 3가지

E에 칠할 수 있는 색은 B와 D에 칠한 색을 제외한 3가지

C에 칠할 수 있는 색은 A와 D에 칠한 색을 제외한 3가지

따라서 구하는 방법의 수는 곱의 법칙에 의하여

$5 \times 4 \times 3 \times 3 \times 3 = 540$ 　　　　　　**目 540**

다른풀이 (i) A, E에 같은 색을 칠하는 경우

  A, E, D, C, B에 칠할 수 있는 색은 각각 5, 1, 4, 3, 3가지이므로 칠하는 방법의 수는

  $5 \times 1 \times 4 \times 3 \times 3 = 180$

(ii) A, E에 다른 색을 칠하는 경우

  A, E, D, C, B에 칠할 수 있는 색은 각각 5, 4, 3, 3, 2가지이므로 칠하는 방법의 수는

  $5 \times 4 \times 3 \times 3 \times 2 = 360$

(i), (ii)에서 구하는 방법의 수는

$180 + 360 = 540$

254

가장 많은 영역과 인접하고 있는 영역 B부터 시작하여 B → A → C → D의 순서로 색칠한다.

B에 칠할 수 있는 색은 4가지

A에 칠할 수 있는 색은 B에 칠한 색을 제외한 3가지

C에 칠할 수 있는 색은 A와 B에 칠한 색을 제외한 2가지

D에 칠할 수 있는 색은 B와 C에 칠한 색을 제외한 2가지

따라서 구하는 방법의 수는 곱의 법칙에 의하여

$4 \times 3 \times 2 \times 2 = 48$ 　　　　　　　　**目 48**

255

가장 많은 영역과 인접하고 있는 영역 E부터 시작하여 E → B → C → D → A의 순서로 색칠한다.

E에 칠할 수 있는 색은 4가지

B에 칠할 수 있는 색은 E에 칠한 색을 제외한 3가지

C에 칠할 수 있는 색은 B와 E에 칠한 색을 제외한 2가지

D에 칠할 수 있는 색은 C와 E에 칠한 색을 제외한 2가지

A에 칠할 수 있는 색은 B와 E에 칠한 색을 제외한 2가지

따라서 구하는 방법의 수는 곱의 법칙에 의하여

$4 \times 3 \times 2 \times 2 \times 2 = 96$ 　　　　　　**目 96**

256

(1) 100원짜리 동전으로 지불할 수 있는 방법은
0개, 1개, 2개의 3가지
50원짜리 동전으로 지불할 수 있는 방법은
0개, 1개, 2개, 3개, 4개의 5가지
10원짜리 동전으로 지불할 수 있는 방법은
0개, 1개, 2개, 3개의 4가지
이때 0원을 지불하는 것은 제외해야 하므로 지불할
수 있는 방법의 수는
$3 \times 5 \times 4 - 1 = 59$

(2) 100원짜리 동전으로 지불할 수 있는 금액은
0원, <u>100원</u>, <u>200원</u>의 3가지 ······ ㉠
50원짜리 동전으로 지불할 수 있는 금액은
0원, 50원, <u>100원</u>, 150원, <u>200원</u>의 5가지 ······ ㉡
10원짜리 동전으로 지불할 수 있는 금액은
0원, 10원, 20원, 30원의 4가지
그런데 ㉠, ㉡에서 100원, 200원을 만들 수 있는
경우가 중복되므로 100원짜리 동전 2개를 50원짜
리 동전 4개로 바꾸어 생각하면 지불할 수 있는 금
액의 수는 50원짜리 동전 8개, 10원짜리 동전 3개
로 지불할 수 있는 금액의 수와 같다.
50원짜리 동전으로 지불할 수 있는 금액은
0원, 50원, 100원, ⋯, 400원의 9가지
10원짜리 동전으로 지불할 수 있는 금액은
0원, 10원, 20원, 30원의 4가지
이때 0원을 지불하는 것은 제외해야 하므로 지불할
수 있는 금액의 수는
$9 \times 4 - 1 = 35$

🖺 (1) **59** (2) **35**

[다른풀이] (1) 공식을 직접 이용하면
$(2+1)(4+1)(3+1) - 1 = 59$

257

(ⅰ) 지불할 수 있는 방법의 수
500원짜리 동전으로 지불할 수 있는 방법은
0개, 1개의 2가지

100원짜리 동전으로 지불할 수 있는 방법은
0개, 1개, 2개, 3개, 4개, 5개, 6개, 7개의 8가지
10원짜리 동전으로 지불할 수 있는 방법은
0개, 1개, 2개, 3개의 4가지
이때 0원을 지불하는 것은 제외해야 하므로 지불할
수 있는 방법의 수는
$2 \times 8 \times 4 - 1 = 63$ ∴ $a = 63$

(ⅱ) 지불할 수 있는 금액의 수
500원짜리 동전으로 지불할 수 있는 금액은
0원, <u>500원</u>의 2가지 ······ ㉠
100원짜리 동전으로 지불할 수 있는 금액은
0원, 100원, 200원, 300원, 400원, <u>500원</u>, 600원,
700원의 8가지 ······ ㉡
10원짜리 동전으로 지불할 수 있는 금액은
0원, 10원, 20원, 30원의 4가지
그런데 ㉠, ㉡에서 500원을 만들 수 있는 경우가
중복되므로 500원짜리 동전 1개를 100원짜리 동
전 5개로 바꾸어 생각하면 지불할 수 있는 금액의
수는 100원짜리 동전 12개, 10원짜리 동전 3개로
지불할 수 있는 금액의 수와 같다.
100원짜리 동전으로 지불할 수 있는 금액은
0원, 100원, 200원, ⋯, 1200원의 13가지
10원짜리 동전으로 지불할 수 있는 금액은
0원, 10원, 20원, 30원의 4가지
이때 0원을 지불하는 것은 제외해야 하므로 지불할
수 있는 금액의 수는
$13 \times 4 - 1 = 51$ ∴ $b = 51$
∴ $a + b = 63 + 51 = 114$ 🖺 **114**

258

(1) $_5\mathrm{P}_2 = 5 \times 4 = 20$

(2) $_4\mathrm{P}_0 = 1$

(3) $4! = 4 \times 3 \times 2 \times 1 = 24$

(4) $_6\mathrm{P}_2 \times 3! = (6 \times 5) \times (3 \times 2 \times 1) = 180$

🖺 (1) **20** (2) **1** (3) **24** (4) **180**

259

(1) $_6P_3 = \dfrac{6!}{(6-3)!} = \dfrac{6!}{3!}$ $\quad \therefore \square = 3$

(2) $_9P_\square = \dfrac{9!}{(9-\square)!} = \dfrac{9!}{4!}$

$9 - \square = 4$ $\quad \therefore \square = 5$

답 (1) 3 (2) 5

260

(1) $60 = 5 \times 4 \times 3$이므로 $_nP_3 = 60$에서

$n(n-1)(n-2) = 5 \times 4 \times 3$

$\therefore n = 5$

(2) $720 = 6 \times 5 \times 4 \times 3 \times 2 \times 1 = 6!$이므로

$_nP_n = n! = 6!$에서

$n = 6$

(3) $56 = 8 \times 7$이므로 $_8P_r = 56 = 8 \times 7$에서

$r = 2$

(4) $_{10}P_r = 1$에서 $r = 0$

답 (1) 5 (2) 6 (3) 2 (4) 0

261

(1) 7명의 학생을 일렬로 세우는 방법의 수는

$7! = 7 \times 6 \times 5 \times 4 \times 3 \times 2 \times 1 = 5040$

(2) 5장의 숫자 카드 중 3장을 뽑아 만들 수 있는 세 자리 자연수의 개수는 서로 다른 5개에서 3개를 택하는 순열의 수와 같으므로

$_5P_3 = 5 \times 4 \times 3 = 60$

답 (1) 5040 (2) 60

262

(1) $_{n+2}P_3 = 10 \,_nP_2$에서

$(n+2)(n+1)n = 10n(n-1)$

이때 $n+2 \geq 3$, $n \geq 2$에서 $n \geq 2$이므로 양변을 n으로 나누면

$(n+2)(n+1) = 10(n-1)$

$n^2 - 7n + 12 = 0$, $(n-3)(n-4) = 0$

$\therefore n = 3$ 또는 $n = 4$

(2) $4 \,_nP_3 = 5 \,_{n-1}P_3$에서

$4n(n-1)(n-2) = 5(n-1)(n-2)(n-3)$

이때 $n \geq 3$, $n-1 \geq 3$에서 $n \geq 4$이므로 양변을 $(n-1)(n-2)$로 나누면

$4n = 5(n-3)$

$4n = 5n - 15$

$\therefore n = 15$

(3) $_nP_3 + 3 \,_nP_2 = 5 \,_{n+1}P_2$에서

$n(n-1)(n-2) + 3n(n-1) = 5(n+1)n$

이때 $n \geq 3$, $n \geq 2$, $n+1 \geq 2$에서 $n \geq 3$이므로 양변을 n으로 나누면

$(n-1)(n-2) + 3(n-1) = 5(n+1)$

$n^2 - 5n - 6 = 0$, $(n+1)(n-6) = 0$

$\therefore n = 6 \ (\because n \geq 3)$

답 (1) 3 또는 4 (2) 15 (3) 6

263

(1) $n \times _{n-1}P_{r-1} = n \times \dfrac{(n-1)!}{\{(n-1)-(r-1)\}!}$

$\qquad\qquad = \dfrac{n!}{(n-r)!} = \,_nP_r$ $\quad \leftarrow n \times (n-1)! = n!$

$\therefore \,_nP_r = n \times _{n-1}P_{r-1}$

(2) $_{n-1}P_r + r \times _{n-1}P_{r-1}$

$= \dfrac{(n-1)!}{\{(n-1)-r\}!} + r \times \dfrac{(n-1)!}{\{(n-1)-(r-1)\}!}$

$= \dfrac{(n-1)!}{(n-r-1)!} + r \times \dfrac{(n-1)!}{(n-r)!}$

$= \dfrac{(n-r) \times (n-1)! + r \times (n-1)!}{(n-r)!}$

$= \dfrac{\{(n-r)+r\} \times (n-1)!}{(n-r)!}$

$= \dfrac{n!}{(n-r)!} = \,_nP_r$

$\therefore \,_nP_r = _{n-1}P_r + r \times _{n-1}P_{r-1}$

답 (1) 풀이 참조 (2) 풀이 참조

264

서로 다른 7개에서 3개를 택하는 순열의 수와 같으므로

$_7P_3 = 7 \times 6 \times 5 = 210$

답 210

265

서로 다른 6개에서 3개를 택하는 순열의 수와 같으므로

$_6\mathrm{P}_3=6\times5\times4=120$ 답 **120**

266

학생 10명 중 n명을 뽑아 일렬로 세우는 방법의 수는 서로 다른 10개에서 n개를 택하는 순열의 수와 같으므로

$_{10}\mathrm{P}_n=90=10\times9$

$\therefore n=2$ 답 **2**

267

(1) a와 b를 한 묶음으로 생각하여 5개의 문자를 일렬로 나열하는 방법의 수는 $5!=120$

그 각각에 대하여 a와 b가 자리를 바꾸는 방법의 수는 $2!=2$

따라서 구하는 방법의 수는

$120\times2=240$

(2) c, d, e, f를 일렬로 나열하는 방법의 수는 $4!=24$

그 사이사이와 양 끝의 5개의 자리 중 2개의 자리에 a, b를 나열하는 방법의 수는 $_5\mathrm{P}_2=20$

따라서 구하는 방법의 수는

$24\times20=480$

     답 (1) **240** (2) **480**

다른풀이 (2) 6개의 문자를 일렬로 나열하는 방법의 수에서 a, b가 이웃하도록 나열하는 방법의 수를 빼면 되므로 구하는 방법의 수는

$6!-240=720-240=480$

268

여학생 4명을 일렬로 세우는 방법의 수는

$4!=24$

여학생 4명의 사이사이와 양 끝의 5개의 자리에 남학생 5명을 일렬로 세우는 방법의 수는

$5!=120$

따라서 구하는 방법의 수는

$24\times120=2880$ 답 **2880**

269

남학생 3명을 한 사람으로 생각하여 $(n+1)$명을 일렬로 세우는 방법의 수는 $(n+1)!$

그 각각에 대하여 남학생 3명이 자리를 바꾸는 방법의 수는 $3!=6$

즉, $(n+1)!\times6=36$이므로

$(n+1)!=6=3!$

$n+1=3$ $\therefore n=2$ 답 **2**

270

(1) a를 맨 처음에, b를 맨 마지막에 고정시키고, 나머지 c, d, e, f의 4개의 문자를 일렬로 나열하면 되므로 구하는 경우의 수는

$4!=24$

(2) a와 b 사이에 나머지 4개의 문자 중 3개를 택하여 나열하는 경우의 수는 $_4\mathrm{P}_3=24$

$a\bigcirc\bigcirc\bigcirc b$를 한 묶음으로 생각하여 2개의 문자를 일렬로 나열하는 경우의 수는 $2!=2$

a와 b가 자리를 바꾸는 경우의 수는 $2!=2$

따라서 구하는 경우의 수는

$24\times2\times2=96$

     답 (1) **24** (2) **96**

271

5명의 남학생 중 2명을 택하여 양 끝에 세우는 방법의 수는 $_5\mathrm{P}_2=20$

양 끝에 세운 남학생 2명을 제외한 나머지 7명을 일렬로 세우는 방법의 수는 $7!=5040$

따라서 구하는 방법의 수는

$20\times5040=100800$ 답 **100800**

272

적어도 2개의 모음이 이웃하도록 나열하는 경우의 수는 전체 경우의 수에서 모음이 모두 이웃하지 않도록 나열하는 경우의 수를 빼면 된다.

promise의 7개의 문자를 일렬로 나열하는 경우의 수는 $7!=5040$

자음 p, r, m, s를 일렬로 나열한 다음 그 사이사이와
양 끝의 5개의 자리 중 3개의 자리에 모음 3개를 일렬
로 나열하는 경우의 수는

$4! \times {}_5P_3 = 1440$

따라서 구하는 경우의 수는

$5040 - 1440 = 3600$

답 **3600**

273

(1) 백의 자리에는 0이 올 수 없으므로 백의 자리에 올
수 있는 숫자는 1, 2, 3, 4의 4가지이다.
이 각각에 대하여 십의 자리, 일의 자리에는 백의
자리에 온 숫자를 제외한 4개의 숫자 중 2개를 택하
여 나열하면 되므로 ${}_4P_2 = 12$
따라서 구하는 세 자리 자연수의 개수는

$4 \times 12 = 48$

(2) 홀수는 일의 자리의 숫자가 홀수이어야 하므로
□□1, □□3의 꼴이다.
백의 자리에 올 수 있는 숫자는 0과 일의 자리에 온
숫자를 제외한 3가지이고, 십의 자리에는 백의 자
리와 일의 자리에 온 숫자를 제외한 3가지가 올 수
있으므로 구하는 홀수의 개수는

$2 \times (3 \times 3) = 18$

(3) 3의 배수는 각 자리의 숫자의 합이 3의 배수이어야
하므로 0, 1, 2, 3, 4에서 서로 다른 3개를 택하여 합
이 3의 배수가 되는 경우는 0, 1, 2 또는 0, 2, 4 또는
1, 2, 3 또는 2, 3, 4이다.

(i) 0, 1, 2 또는 0, 2, 4일 때,
백의 자리에는 0이 올 수 없으므로 만들 수 있는
세 자리 자연수의 개수는

$2 \times (2 \times 2!) = 8$

(ii) 1, 2, 3 또는 2, 3, 4일 때,
만들 수 있는 세 자리 자연수의 개수는

$2 \times 3! = 12$

(i), (ii)에서 구하는 3의 배수의 개수는

$8 + 12 = 20$

답 (1) **48** (2) **18** (3) **20**

274

홀수인 1, 3, 5, 7 중 2개를 택하여 양 끝에 나열하는
경우의 수는 ${}_4P_2 = 12$
백의 자리, 십의 자리에 나머지 5개의 숫자 중 2개를
택하여 나열하는 경우의 수는 ${}_5P_2 = 20$
따라서 구하는 자연수의 개수는

$12 \times 20 = 240$

답 **240**

275

D□□□□□의 꼴의 문자열의 개수는 $5! = 120$
E□□□□□의 꼴의 문자열의 개수는 $5! = 120$
FDE□□□의 꼴의 문자열의 개수는 $3! = 6$
이때 FDIENR는 FDI□□□의 꼴에서 첫 번째에 오
는 문자열이므로

$120 + 120 + 6 + 1 = 247(번째)$

답 **247번째**

276

1□□□□의 꼴의 자연수의 개수는 $4! = 24$
2□□□□의 꼴의 자연수의 개수는 $4! = 24$
따라서 50번째에 오는 수는 3□□□□의 꼴의 자연
수 중에서 두 번째 수이다.
3으로 시작하는 수를 크기가 작은 수부터 차례로 나열
하면 30124, 30142, …이므로 50번째에 오는 수는
30142이다.

답 **30142**

277

5□□□□의 꼴의 자연수의 개수는 $4! = 24$
4□□□□의 꼴의 자연수의 개수는 $4! = 24$
35□□□의 꼴의 자연수의 개수는 $3! = 6$
34□□□의 꼴의 자연수의 개수는 $3! = 6$
따라서 34000보다 큰 자연수의 개수는

$24 + 24 + 6 + 6 = 60$

답 **60**

278

(1) ${}_4C_2 = \dfrac{{}_4P_2}{2!} = \dfrac{4 \times 3}{2 \times 1} = 6$

(2) ${}_5C_0 = 1$

(3) $_8C_8=1$

(4) $_{15}C_{13}=_{15}C_{15-13}=_{15}C_2$

$\qquad =\dfrac{_{15}P_2}{2!}=\dfrac{15\times14}{2\times1}=105$

답 (1) **6**　(2) **1**　(3) **1**　(4) **105**

279

(1) $_nC_3=35$에서 $\dfrac{n(n-1)(n-2)}{3\times2\times1}=35$

$\quad n(n-1)(n-2)=7\times6\times5$

$\quad \therefore n=7$

(2) $_6C_r=20$에서 $\dfrac{6!}{r!(6-r)!}=20$

$\quad 6!=20\times r!(6-r)!$

$\quad 6\times5\times4\times3\times2\times1=5\times4\times r!(6-r)!$

$\quad 3\times2\times1\times3\times2\times1=r!(6-r)!$

$\quad 3!\times3!=r!(6-r)!$

$\quad \therefore r=3$

(3) $_{2n}C_2=45$에서 $\dfrac{2n(2n-1)}{2\times1}=45$

$\quad 2n^2-n-45=0,\ (2n+9)(n-5)=0$

$\quad \therefore n=-\dfrac{9}{2}$ 또는 $n=5$

이때 $2n\geq2$, 즉 $n\geq1$이므로 $n=5$

답 (1) **7**　(2) **3**　(3) **5**

280

$_{10}C_7=_{10}C_3=\dfrac{10\times9\times8}{3\times2\times1}=120$

답 **120**

281

서로 다른 9개에서 2개를 택하는 방법의 수와 같으므로

$_9C_2=\dfrac{9\times8}{2\times1}=36$

답 **36**

282

11명의 학생 중에서 3명을 뽑는 방법의 수는

$_{11}C_3=\dfrac{11\times10\times9}{3\times2\times1}=165$

답 **165**

283

5개의 원소 중에서 3개를 택하면 되므로 구하는 부분집합의 개수는

$_5C_3=_5C_2=\dfrac{5\times4}{2\times1}=10$

답 **10**

284

(1) $_nC_5=_nC_{n-5}$이므로 $_nC_{n-5}=_nC_4$에서

$\quad n-5=4$　　$\therefore n=9$

(2) (i) $_{10}C_r=_{10}C_{2r+1}$에서 $r=2r+1$

　　이때 $r\geq0$이므로 이 식을 만족시키는 r의 값은 존재하지 않는다.

　(ii) $_{10}C_r=_{10}C_{10-r}$이므로 $_{10}C_{10-r}=_{10}C_{2r+1}$에서

　　　$10-r=2r+1,\ 3r=9$　　$\therefore r=3$

　(i), (ii)에서 $r=3$

(3) $_{10}C_2+_{10}C_7=_{10}C_2+_{10}C_3=_{11}C_3$이고 $_{11}C_3=_{11}C_8$이므로

$\quad r=3$ 또는 $r=8$

(4) $_{n+1}C_{n-1}=_{n+1}C_{(n+1)-(n-1)}=_{n+1}C_2$이므로

$\quad _{n+2}C_3=2_nC_2+_{n+1}C_2$에서

$\quad \dfrac{(n+2)(n+1)n}{3\times2\times1}=2\times\dfrac{n(n-1)}{2\times1}+\dfrac{(n+1)n}{2\times1}$

$\quad (n+2)(n+1)n=6n(n-1)+3(n+1)n$

이때 $n\geq2$이므로 양변을 n으로 나누면

$\quad (n+2)(n+1)=6(n-1)+3(n+1)$

$\quad n^2+3n+2=6n-6+3n+3$

$\quad n^2-6n+5=0,\ (n-1)(n-5)=0$

$\quad \therefore n=5\ (\because n\geq2)$

답 (1) **9**　(2) **3**　(3) **3 또는 8**　(4) **5**

285

$_nP_2+4_nC_2=9_{n-1}C_3$에서

$n(n-1)+4\times\dfrac{n(n-1)}{2\times1}$

$=9\times\dfrac{(n-1)(n-2)(n-3)}{3\times2\times1}$

$3n(n-1)=\dfrac{3(n-1)(n-2)(n-3)}{2}$

이때 $n \geq 4$이므로 양변을 $3(n-1)$로 나누면

$$n = \frac{(n-2)(n-3)}{2}, \ 2n = n^2 - 5n + 6$$

$$n^2 - 7n + 6 = 0, \ (n-1)(n-6) = 0$$

$$\therefore n = 6 \ (\because n \geq 4)$$ 답 **6**

286

$$n \times {}_{n-1}C_{r-1} = n \times \frac{(n-1)!}{(r-1)!\{(n-1)-(r-1)\}!}$$

$$= \frac{n!}{(r-1)!(n-r)!}$$

$$= r \times \frac{n!}{r!(n-r)!}$$

$$= r \times {}_nC_r$$

$$\therefore r \times {}_nC_r = n \times {}_{n-1}C_{r-1}$$ 답 **풀이 참조**

287

남학생 5명 중에서 2명을 뽑는 방법의 수는

$${}_5C_2 = \frac{5 \times 4}{2 \times 1} = 10$$

여학생 n명 중에서 3명을 뽑는 방법의 수는 ${}_nC_3$

이때 남학생 2명, 여학생 3명을 뽑는 방법의 수가 560이므로

$$10 \times {}_nC_3 = 560, \ {}_nC_3 = 56$$

$$\frac{n(n-1)(n-2)}{3 \times 2 \times 1} = 56$$

$$n(n-1)(n-2) = 56 \times 6 = 8 \times 7 \times 6$$

$$\therefore n = 8$$ 답 **8**

288

수학책 5권 중에서 3권을 선택하는 방법의 수는

$${}_5C_3 = {}_5C_2 = \frac{5 \times 4}{2 \times 1} = 10$$

영어책 5권 중에서 3권을 선택하는 방법의 수는

$${}_5C_3 = {}_5C_2 = \frac{5 \times 4}{2 \times 1} = 10$$

국어책 4권 중에서 3권을 선택하는 방법의 수는

$${}_4C_3 = {}_4C_1 = 4$$

따라서 구하는 방법의 수는

$$10 + 10 + 4 = 24$$ 답 **24**

289

참석한 회원을 n명이라 하면 악수를 한 횟수는 n명 중에서 2명을 뽑는 방법의 수와 같으므로

$${}_nC_2 = \frac{n(n-1)}{2} = 105$$

$$n^2 - n - 210 = 0, \ (n+14)(n-15) = 0$$

$$\therefore n = 15 \ (\because n \geq 2)$$

따라서 참석한 회원의 수는 15이다. 답 **15**

290

(1) A, B, C가 이미 선발되었다고 생각하고 나머지 9명 중에서 2명을 선발하면 되므로 구하는 방법의 수는

$${}_9C_2 = \frac{9 \times 8}{2 \times 1} = 36$$

(2) C를 제외한 11명의 학생 중 A, B는 이미 선발되었다고 생각하고 나머지 9명 중에서 3명을 선발하면 되므로 구하는 방법의 수는

$${}_9C_3 = \frac{9 \times 8 \times 7}{3 \times 2 \times 1} = 84$$

(3) 구하는 방법의 수는 12명 중 5명을 선발하는 방법의 수에서 A, B, C가 모두 선발되지 않는 방법의 수를 뺀 것과 같다.

전체 12명 중에서 5명을 선발하는 방법의 수는

$${}_{12}C_5 = \frac{12 \times 11 \times 10 \times 9 \times 8}{5 \times 4 \times 3 \times 2 \times 1} = 792$$

A, B, C가 모두 선발되지 않는 방법의 수는 A, B, C를 제외한 9명의 학생 중 5명을 선발하면 되므로

$${}_9C_5 = {}_9C_4 = \frac{9 \times 8 \times 7 \times 6}{4 \times 3 \times 2 \times 1} = 126$$

따라서 구하는 방법의 수는

$$792 - 126 = 666$$

답 (1) **36** (2) **84** (3) **666**

291

구하는 방법의 수는 10장의 카드 중 두 장을 뽑는 방법의 수에서 홀수가 적혀 있는 카드만 두 장을 뽑는 방법의 수를 뺀 것과 같다.

10장의 카드 중에서 두 장을 뽑는 방법의 수는

$${}_{10}C_2 = \frac{10 \times 9}{2 \times 1} = 45$$

홀수가 적혀 있는 5장의 카드 중에서 두 장을 뽑는 방법의 수는

$$_5C_2=\frac{5\times 4}{2\times 1}=10$$

따라서 구하는 방법의 수는

$$45-10=35$$

답 **35**

292

1부터 9까지의 자연수 중에서 홀수는 1, 3, 5, 7, 9의 5개, 짝수는 2, 4, 6, 8의 4개이므로 홀수 2개, 짝수 2개를 택하는 방법의 수는

$$_5C_2\times _4C_2=\frac{5\times 4}{2\times 1}\times \frac{4\times 3}{2\times 1}=10\times 6=60$$

뽑힌 4개의 자연수를 일렬로 나열하는 방법의 수는

$$4!=24$$

따라서 구하는 자연수의 개수는

$$60\times 24=1440$$

답 **1440**

293

재헌이를 제외한 6명 중 수연이는 이미 뽑았다고 생각하고 나머지 5명 중에서 3명을 뽑는 방법의 수는

$$_5C_3=_5C_2=\frac{5\times 4}{2\times 1}=10$$

뽑힌 4명을 일렬로 세우는 방법의 수는 $4!=24$

따라서 구하는 방법의 수는

$$10\times 24=240$$

답 **240**

294

8명 중 A, B는 이미 뽑았다고 생각하고 나머지 6명 중에서 2명을 뽑는 방법의 수는

$$_6C_2=\frac{6\times 5}{2\times 1}=15$$

A, B를 포함한 4명에서 A, B를 한 사람으로 생각하여 3명을 일렬로 세우는 방법의 수는

$$3!=6$$

그 각각에 대하여 A, B가 자리를 바꾸는 방법의 수는

$$2!=2$$

따라서 구하는 방법의 수는

$$15\times 6\times 2=180$$

답 **180**

295

(i) 서로 다른 직선의 개수

9개의 점 중에서 2개를 택하는 방법의 수는

$$_9C_2=\frac{9\times 8}{2\times 1}=36$$

일직선 위에 있는 4개의 점 중에서 2개를 택하는 방법의 수는

$$_4C_2=\frac{4\times 3}{2\times 1}=6$$

일직선 위에 있는 5개의 점 중에서 2개를 택하는 방법의 수는

$$_5C_2=\frac{5\times 4}{2\times 1}=10$$

그런데 일직선 위에 있는 점으로 만들 수 있는 직선은 1개이므로 구하는 직선의 개수 m은

$$m=36-6-10+2=22$$

(ii) 서로 다른 삼각형의 개수

9개의 점 중에서 3개를 택하는 방법의 수는

$$_9C_3=\frac{9\times 8\times 7}{3\times 2\times 1}=84$$

일직선 위에 있는 4개의 점 중에서 3개를 택하는 방법의 수는

$$_4C_3=_4C_1=4$$

일직선 위에 있는 5개의 점 중에서 3개를 택하는 방법의 수는

$$_5C_3=_5C_2=\frac{5\times 4}{2\times 1}=10$$

그런데 일직선 위에 있는 점으로는 삼각형을 만들 수 없으므로 구하는 삼각형의 개수 n은

$$n=84-4-10=70$$

(i), (ii)에서 $m+n=92$

답 **92**

296

9개의 점 중에서 3개를 택하는 방법의 수는

$$_9C_3=\frac{9\times 8\times 7}{3\times 2\times 1}=84$$

일직선 위에 있는 4개의 점 중에서 3개를 택하는 방법의 수는

$$_4C_3=_4C_1=4$$

이고, 일직선 위에 4개의 점이 있는 직선이 3개이다.

그런데 일직선 위에 있는 점으로는 삼각형을 만들 수 없으므로 구하는 삼각형의 개수는

$84 - 4 \times 3 = 72$ **답 72**

297

구하는 대각선의 개수는 6개의 꼭짓점 중에서 2개를 택하는 방법의 수에서 변의 개수인 6을 뺀 것과 같으므로

$_6C_2 - 6 = \dfrac{6 \times 5}{2 \times 1} - 6 = 9$ **답 9**

KEY Point
n각형의 대각선의 개수는 n개의 꼭짓점 중에서 2개를 택하여 만들 수 있는 선분의 개수에서 변의 개수인 n을 뺀 것과 같으므로
$\Rightarrow {}_nC_2 - n$

298

(1) 처음 정사각형의 한 변의 길이를 4라 하면
한 변의 길이가 1인 정사각형의 개수는 $4 \times 4 = 16$
한 변의 길이가 2인 정사각형의 개수는 $3 \times 3 = 9$
한 변의 길이가 3인 정사각형의 개수는 $2 \times 2 = 4$
한 변의 길이가 4인 정사각형의 개수는 1
따라서 구하는 정사각형의 개수는
$16 + 9 + 4 + 1 = 30$

(2) 가로선 5개 중에서 2개, 세로선 5개 중에서 2개를 택하면 한 개의 직사각형이 만들어지므로 직사각형의 개수는
$_5C_2 \times _5C_2 = 10 \times 10 = 100$
따라서 정사각형이 아닌 직사각형의 개수는
$100 - 30 = 70$

답 (1) 30 (2) 70

299

지름에 대한 원주각의 크기는 90°이므로 오른쪽 그림과 같이 원의 서로 다른 지름 2개가 직사각형의 대각선이 되도록 하는 원 위의 4개의 점을 이으면 직사각형을 만들 수 있다.

따라서 원의 지름 5개 중에서 2개를 택하면 이들을 대각선으로 하는 직사각형이 만들어지므로 구하는 직사각형의 개수는

$_5C_2 = \dfrac{5 \times 4}{2 \times 1} = 10$ **답 10**

300

10권의 책을 5권, 5권씩 두 묶음으로 나누는 방법의 수는

$_{10}C_5 \times _5C_5 \times \dfrac{1}{2!} = 252 \times 1 \times \dfrac{1}{2} = 126$

소설책으로만 이루어진 묶음이 있도록 나누는 방법의 수는

$_7C_5 \times _2C_2 = 21 \times 1 = 21$

따라서 구하는 방법의 수는
$126 - 21 = 105$ **답 105**

301

6명의 학생을 2명, 2명, 2명씩 세 조로 나누는 방법의 수는

$_6C_2 \times _4C_2 \times _2C_2 \times \dfrac{1}{3!} = 15 \times 6 \times 1 \times \dfrac{1}{6} = 15$

서로 다른 세 곳으로 봉사활동을 가는 방법의 수는
$3! = 6$
따라서 구하는 방법의 수는
$15 \times 6 = 90$ **답 90**

302

8개의 학급을 4개의 학급, 4개의 학급씩 두 조로 나누는 방법의 수는

$_8C_4 \times _4C_4 \times \dfrac{1}{2!} = 70 \times 1 \times \dfrac{1}{2} = 35$

나누어진 두 조를 각각 2개의 학급, 2개의 학급으로 나누는 방법의 수는

$\left(_4C_2 \times _2C_2 \times \dfrac{1}{2!} \right) \times \left(_4C_2 \times _2C_2 \times \dfrac{1}{2!} \right) = 3 \times 3 = 9$

따라서 구하는 방법의 수는
$35 \times 9 = 315$ **답 315**

Ⅰ. 집합과 명제

1

'좋아하는', '가까운'은 기준이 명확하지 않아 그 대상을 분명하게 정할 수 없으므로 집합이 아니다.

ㄱ. $\{12, 14, 16, \cdots\}$

ㄷ. 1보다 작은 자연수는 없으므로 공집합이다.

ㄹ. {부산광역시, 대구광역시, 인천광역시, 광주광역시, 대전광역시, 울산광역시}

따라서 집합인 것은 ㄱ, ㄷ, ㄹ이다.　**답** ㄱ, ㄷ, ㄹ

2

$x^2-8x+12<0$에서 $(x-2)(x-6)<0$

$\therefore 2<x<6$

이를 만족시키는 정수 x는 3, 4, 5이므로

$A=\{3, 4, 5\}$

③ $2\notin A$　**답** ③

3

① $n(\{a, b, c\})=n(\{e, f, g\})=3$

② $n(A)=0$이면 $A=\varnothing$

③ $n(\{3, 5, 7\})-n(\{3, 7\})=3-2=1$

④ $n(\{\varnothing, 1\})=2$

⑤ $n(\{0\})=n(\{2\})=1$

따라서 옳은 것은 ①이다.　**답** ①

4

집합 B는 집합 A의 서로 다른 두 원소 x, y의 합 $x+y$를 원소로 갖는 집합이므로 오른쪽 표에서

x\y	a	b	c
a	✕	$a+b$	$a+c$
b	$a+b$	✕	$b+c$
c	$a+c$	$b+c$	✕

$B=\{a+b, a+c, b+c\}$

이때 $a<b<c$라 하면 $a+b<a+c<b+c$이므로

$a+b=6$　⋯⋯ ㉠

$a+c=9$　⋯⋯ ㉡

$b+c=11$　⋯⋯ ㉢

㉡-㉢을 하면 $a-b=-2$　⋯⋯ ㉣

㉠, ㉣을 연립하여 풀면 $a=2$, $b=4$

$b=4$를 ㉢에 대입하면 $c=7$

따라서 집합 A의 원소 중 가장 큰 수는 7이다.　**답** 7

5

$A=\{1, 2, 3\}$이므로

$a=1$일 때, $2a+1=2\times1+1=3$

$a=2$일 때, $2a+1=2\times2+1=5$

$a=3$일 때, $2a+1=2\times3+1=7$

$\therefore B=\{3, 5, 7\}$

집합 C는 집합 A의 원소 a, 집합 B의 원소 b에 대하여 $b-a$를 원소로 갖는 집합이므로 오른쪽 표에서

a\b	3	5	7
1	2	4	6
2	1	3	5
3	0	2	4

$C=\{0, 1, 2, 3, 4, 5, 6\}$

따라서 $n(A)=3$, $n(B)=3$, $n(C)=7$이므로

$n(A)+n(B)+n(C)=13$　**답** 13

6

집합 A의 두 원소 a와 $\dfrac{81}{a}$이 모두 자연수이므로 집합 A의 원소가 될 수 있는 자연수는 81의 양의 약수인 1, 3, 9, 27, 81이다.

이때 $a\in A$이면 $\dfrac{81}{a}\in A$이므로 1과 81, 3과 27은 동시에 집합 A의 원소이거나 원소가 아니다.

원소의 개수에 따라 집합 A를 구해 보면

(ⅰ) 원소가 1개일 때, $A=\{9\}$

(ⅱ) 원소가 2개일 때, $A=\{1, 81\}$, $A=\{3, 27\}$

(ⅲ) 원소가 3개일 때, $A=\{1, 9, 81\}$, $A=\{3, 9, 27\}$

(iv) 원소가 4개일 때, $A=\{1, 3, 27, 81\}$

(v) 원소가 5개일 때, $A=\{1, 3, 9, 27, 81\}$

따라서 조건을 만족시키는 집합 A의 개수는 7이다.

답 7

7

집합 $A=\{-1, 0, 1\}$의 두 원소 x, y에 대하여 $2x+y$, xy의 값을 구하면 각각 [표 1], [표 2]와 같다.

$2x$ \\ y	-1	0	1
-2	-3	-2	-1
0	-1	0	1
2	1	2	3

[표 1]

x \\ y	-1	0	1
-1	1	0	-1
0	0	0	0
1	-1	0	1

[표 2]

따라서 $B=\{-3, -2, -1, 0, 1, 2, 3\}$,

$C=\{-1, 0, 1\}$이므로

$A=C \subset B$

답 ③

8

집합 A의 원소는 $\varnothing$, a, b, $\{a, b\}$이다.

ㄱ. $n(A)=4$ ㄴ. $\{\varnothing\} \subset A$

ㄷ. $\{b\} \subset A$ ㄹ. $\{\{a, b\}\} \subset A$

따라서 옳은 것은 ㄹ, ㅂ이다.

답 ㄹ, ㅂ

9

$1 \in A$에서 $1 \in B$이어야 하므로

$-a^2+2=1$ 또는 $-a+8=1$

$\therefore a^2=1$ 또는 $a=7$

(i) $a^2=1$일 때, $a=1$ 또는 $a=-1$

$a=1$이면 $A=\{1, 5\}$, $B=\{1, 3, 7\}$

$a=-1$이면 $A=\{1, 3\}$, $B=\{1, 3, 9\}$

(ii) $a=7$일 때,

$A=\{1, 11\}$, $B=\{-47, 1, 3\}$

(i), (ii)에서 $A \subset B$를 만족시키는 a의 값은 -1이다.

답 -1

10

$A \subset B$이고 $B \subset A$이므로 $A=B$

$A=\{1, 3, 5, 15\}$에서 $3 \in A$, $5 \in A$이므로

$3 \in B$, $5 \in B$이어야 한다.

즉, $a-2=3$, $b-2=5$ 또는 $a-2=5$, $b-2=3$

$\therefore a=5$, $b=7$ 또는 $a=7$, $b=5$

$\therefore ab=35$

답 ④

11

집합 A의 부분집합의 개수는

$2^5=32$

집합 A의 부분집합 중 홀수 1, 3, 5를 원소로 갖지 않는 부분집합의 개수는

$2^{5-3}=2^2=4$

따라서 홀수가 한 개 이상 속해 있는 집합의 개수는

$32-4=28$

답 ④

12

집합 A의 부분집합 중 b 또는 f를 원소로 갖는 부분집합의 개수는 전체 부분집합의 개수에서 원소 b와 f를 제외한 집합 $\{a, c, d, e, g\}$의 부분집합의 개수를 뺀 것과 같다.

따라서 구하는 부분집합의 개수는

$2^7-2^5=128-32=96$

답 96

13

집합 X는 집합 A의 부분집합 중 a, b, c를 반드시 원소로 갖는 부분집합에서 집합 A를 제외한 것과 같다.

따라서 구하는 집합 X의 개수는

$2^{5-3}-1=2^2-1=3$

답 3

참고 집합 X는 $\{a, b, c\}$, $\{a, b, c, d\}$, $\{a, b, c, e\}$의 3개이다.

14

$1<x \leq 3$에서 $-1<x-2 \leq 1$이므로

$A=\{x \mid -1<x \leq 1\}$로 나타낼 수 있다.

$-1 \leq x<7$에서 $-1+a \leq x+a<7+a$이므로

$B=\{x \mid -1+a \leq x<7+a\}$로 나타낼 수 있다.

$A \subset B \subset C$를 만족시키도록 세 집합 A, B, C를 수직
선 위에 나타내면 다음 그림과 같다.

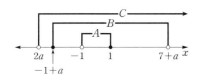

(i) $2a < -1 + a$에서 $a < -1$

(ii) $-1 + a \leq -1$에서 $a \leq 0$

(iii) $1 < 7 + a$에서 $a > -6$

(i)~(iii)에서 $-6 < a < -1$

따라서 정수 a는 -5, -4, -3, -2의 4개이다.

답 ③

KEY Point

수직선에서 $A \subset B$를 만족시키는 미지수의 범위를 구할 때,
등호의 포함 여부에 주의한다.

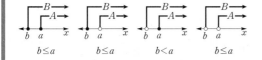

$b \leq a$ $b \leq a$ $b < a$ $b \leq a$

15

$A = B$이므로 집합 A의 모든 원소의 합과 집합 B의
모든 원소의 합이 같다.

즉, $a + b + c = ab + bc + ca$에서

$ab + bc + ca = -3$

또, $A = B$이므로 집합 A의 모든 원소의 곱과 집합 B
의 모든 원소의 곱이 같다.

즉, $abc = ab \times bc \times ca$에서

$abc = (abc)^2$, $abc(abc - 1) = 0$

$\therefore abc = 1$ ($\because abc \neq 0$)

$\therefore a^3 + b^3 + c^3$

$= (a + b + c)(a^2 + b^2 + c^2 - ab - bc - ca) + 3abc$

$= (a + b + c)\{(a + b + c)^2 - 3(ab + bc + ca)\}$

$\qquad\qquad\qquad\qquad\qquad\qquad + 3abc$

$= -3 \times \{(-3)^2 - 3 \times (-3)\} + 3 \times 1$

$= -3 \times 18 + 3$

$= -51$

답 -51

16

집합 A는 원소의 개수가 n인 집합이고, 집합 A의 부
분집합 중 1, 2는 반드시 원소로 갖고 3, 4는 원소로
갖지 않는 부분집합의 개수가 16이므로

$2^{n-2-2} = 16$, 즉 $2^{n-4} = 2^4$에서

$n - 4 = 4$

$\therefore n = 8$

답 8

17

$x^2 - 4x + 3 = 0$에서

$(x - 1)(x - 3) = 0$ $\therefore x = 1$ 또는 $x = 3$

$\therefore A = \{1, 3\}$

한편, $B = \{1, 3, 5, 7, 9\}$이므로 $A \subset X \subset B$를 만족
시키는 집합 X의 개수는

$2^{5-2} = 2^3 = 8$

이때 $n(X) \geq 3$이므로 $n(X) = 2$, 즉 $X = \{1, 3\}$인
경우를 제외하면 구하는 집합 X의 개수는

$8 - 1 = 7$

답 ③

18

집합 A의 공집합이 아닌 부분집합의 원소 중에서 최소
인 원소는 2, 3, 4, 5 중 하나이다.

(i) 최소인 원소가 2인 집합은 2를 반드시 원소로 갖는
부분집합이므로 그 개수는

$2^{4-1} = 2^3 = 8$

(ii) 최소인 원소가 3인 집합은 3을 반드시 원소로 갖고
2를 원소로 갖지 않는 부분집합이므로 그 개수는

$2^{4-1-1} = 2^2 = 4$

(iii) 최소인 원소가 4인 집합은 4를 반드시 원소로 갖고
2, 3을 원소로 갖지 않는 부분집합이므로 그 개수는

$2^{4-1-2} = 2^1 = 2$

(iv) 최소인 원소가 5인 집합은 $\{5\}$의 1개이다.

(i)~(iv)에서

$a_1 + a_2 + a_3 + \cdots + a_{15}$

$= 2 \times 8 + 3 \times 4 + 4 \times 2 + 5 \times 1$

$= 16 + 12 + 8 + 5 = 41$

답 41

19

두 집합 A, B가 서로소이
려면 오른쪽 그림과 같아야
하므로

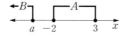

$a < -2$

따라서 정수 a의 최댓값은 -3이다.　　　　답 -3

20

전체집합 U의 두 부분집합 A,
B를 벤다이어그램으로 나타
내면 오른쪽 그림과 같으므로
$A \cap B = \{a, f\}$

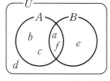

답 $\{a, f\}$

21

① $A \cup (B \cap C)$

② $A \cap (B \cup C)$

③ $B \cap (A \cup C)$

④ $A^C \cap (B \cup C)$

⑤ $B^C \cap (A \cup C)$

따라서 주어진 벤다이어그램에서 색칠한 부분을 나타
내는 집합은 ②이다.　　　　답 ②

22

$B - A = \varnothing$에서 $B \subset A$

$3 \in B$에서 $3 \in A$이므로

$2a - 3 = 3$ 또는 $a + 1 = 3$

∴ $a = 3$ 또는 $a = 2$

(i) $a = 3$일 때,

　$A = \{-2, 3, 4\}$, $B = \{-7, 3\}$이므로 $B \not\subset A$

　따라서 주어진 조건을 만족시키지 않는다.

(ii) $a = 2$일 때,

　$A = \{-2, 1, 3\}$, $B = \{-2, 3\}$이므로 $B \subset A$

(i), (ii)에서 $a = 2$　　　　답 2

23

$B - (A \cap B) = \varnothing$이면 $B \subset (A \cap B)$이므로 $B \subset A$

이를 벤다이어그램으로 나타내면
오른쪽 그림과 같으므로
$B \subset A \Rightarrow A \cap B = B$
　　　　$\Rightarrow A \cup B = A$
　　　　$\Rightarrow A - B \neq \varnothing$
　　　　$\Rightarrow A \cup B^C = U$

따라서 항상 성립한다고 할 수 없는 것은 ④이다.

답 ④

24

$A \cup X = X$에서 $A \subset X$

$X \cap B^C = X - B = X$에서 $B \cap X = \varnothing$

즉, 집합 X는 전체집합 $U = \{1, 2, 3, 4, 5, 6, 7\}$의
부분집합 중 집합 A의 원소 1, 7을 반드시 원소로 갖
고 집합 B의 원소 4, 5, 6을 원소로 갖지 않는 부분집
합이다.

따라서 구하는 집합 X의 개수는

$2^{7-2-3} = 2^2 = 4$　　　　답 4

25

$x^3 - 3x^2 + 2x = 0$에서 $x(x-1)(x-2) = 0$

∴ $x = 0$ 또는 $x = 1$ 또는 $x = 2$

∴ $A = \{0, 1, 2\}$

이때 $A - B = \{0, 1\}$이므로 $2 \in B$

즉, $x^2 + x + a = 0$의 한 근이 2이므로

$4 + 2 + a = 0$　　∴ $a = -6$

$B = \{x \,|\, x^2 + x - 6 = 0\} = \{x \,|\, (x+3)(x-2) = 0\}$

　$= \{-3, 2\}$

∴ $B - A = \{-3\}$　　　　답 $\{-3\}$

26

집합 A는 원소의 개수가 4이고, 조건 (개)에서
$A \cap B = \{4, 6\}$이므로 $A = \{a, b, 4, 6\}$이라 하면
$B = \{a+k, b+k, 4+k, 6+k\}$
이때 집합 A의 모든 원소의 합이 21이므로
$a+b+4+6=21$ $\therefore a+b=11$
한편, 집합 $A \cup B$의 모든 원소의 합은 두 집합 A, B
각각의 모든 원소의 합에서 집합 $A \cap B$의 모든 원소
의 합을 뺀 것과 같으므로 조건 (내)에서
$40 = 21 + (21 + 4k) - 10$ $\therefore k=2$
$\therefore B = \{a+2, b+2, 6, 8\}$
$A \cap B = \{4, 6\}$에서 $4 \in B$이므로
$a+2=4$ 또는 $b+2=4$
$a+2=4$이면 $a=2$ $\therefore b=9$
$b+2=4$이면 $b=2$ $\therefore a=9$
따라서 $A = \{2, 4, 6, 9\}$이므로 집합 A의 모든 원소
의 곱은
$2 \times 4 \times 6 \times 9 = 432$ 답 **432**

27

$A \cup B = A$이므로 $B \subset A$
(i) $B = \varnothing$일 때,
　방정식 $mx+1=x$의 해가 존재하지 않아야 하므로
　$(m-1)x=-1$에서 $m-1=0$
　$\therefore m=1$
(ii) $B \neq \varnothing$일 때,
　$-1 \in B$ 또는 $2 \in B$이어야 하므로
　$-m+1=-1$ 또는 $2m+1=2$
　$\therefore m=2$ 또는 $m=\dfrac{1}{2}$
(i), (ii)에서 $m=\dfrac{1}{2}$ 또는 $m=1$ 또는 $m=2$
따라서 모든 실수 m의 값의 합은
$\dfrac{1}{2}+1+2=\dfrac{7}{2}$ 답 ⑤

28

$U = \{1, 2, 3, 4, 6, 8, 12, 24\}$, $A = \{1, 2, 3, 6\}$,
$B = \{2, 4, 6, 8\}$이므로 $A-B = \{1, 3\}$

$(A-B) \cap C = \{3\}$에서 집합 C는 3을 반드시 원소로
갖고 1을 원소로 갖지 않는다.
또, $B \cap C = B$에서 $B \subset C$이므로 집합 C는 집합 B의
원소 2, 4, 6, 8을 반드시 원소로 갖는다.
따라서 집합 C는 전체집합 U의 부분집합 중 2, 3, 4,
6, 8을 반드시 원소로 갖고 1을 원소로 갖지 않는 부분
집합이므로 구하는 집합 C의 개수는
$2^{8-5-1} = 2^2 = 4$ 답 **4**

29

조건 (개)에서 $A-B = \varnothing$이므로 $A \subset B$
이때 조건 (내)에서 집합 B의 모든 원소의 합에서 집합
A의 모든 원소의 합을 뺀 것은 집합 $B-A$의 모든 원
소의 합과 같으므로 전체집합 $U = \{2, 3, 5, 7, 11\}$의
부분집합 중
$S(B) - S(A) = S(B-A) = 10$
을 만족시키는 집합 $B-A$는
$\{2, 3, 5\}$ 또는 $\{3, 7\}$
(i) $B-A = \{2, 3, 5\}$일 때,
　오른쪽 벤다이어그램에서
　$A \neq \varnothing$이므로 $S(B) < S(B^C)$
　를 만족시키는 집합 B는 존재
　하지 않는다.

(ii) $B-A = \{3, 7\}$일 때,
　$S(B) < S(B^C)$를 만족시키
　려면 오른쪽 벤다이어그램과
　같아야 하므로
　$B = \{2, 3, 7\}$

(i), (ii)에서 $B = \{2, 3, 7\}$ 답 **{2, 3, 7}**

30

$(A \cup B) \cap (A^C \cup B^C) = (A \cup B) \cap (A \cap B)^C$
$\qquad\qquad\qquad\qquad = (A \cup B) - (A \cap B)$
$\qquad\qquad\qquad\qquad = \{2, 4, 6\}$
이고 $A = \{1, 2, 3\}$이므로 주
어진 조건을 만족시키는 집합
A, B는 오른쪽 그림과 같다.
$\therefore B = \{1, 3, 4, 6\}$

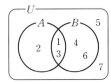

따라서 집합 B의 모든 원소의 합은
$1+3+4+6=14$ 답 **14**

31

ㄱ. $(A^C \cup B) \cap A = (A^C \cap A) \cup (B \cap A)$
$= \varnothing \cup (B \cap A) = B \cap A$
$= A \cap B$

ㄴ. $(A \cup B) \cap (A^C \cap B^C) = (A \cup B) \cap (A \cup B)^C$
$= \varnothing$

ㄷ. $(A-B) \cup (A-C) = (A \cap B^C) \cup (A \cap C^C)$
$= A \cap (B^C \cup C^C)$
$= A \cap (B \cap C)^C$
$= A - (B \cap C)$

ㄹ. $\{(A \cap B) \cup (A-B)\} \cap B$
$= \{(A \cap B) \cup (A \cap B^C)\} \cap B$
$= \{A \cap (B \cup B^C)\} \cap B$
$= (A \cap U) \cap B$
$= A \cap B$

따라서 항상 성립하는 것은 ㄱ, ㄴ, ㄷ이다.
    답 ㄱ, ㄴ, ㄷ

32

$\{(A \cap B) \cup (A \cap B^C)\} \cup \{(A^C \cup B) \cap (A^C \cup B^C)\}$
$= \{A \cap (B \cup B^C)\} \cup \{A^C \cup (B \cap B^C)\}$
$= (A \cap U) \cup (A^C \cup \varnothing)$
$= A \cup A^C$
$= U$ 답 ③

33

주어진 등식의 좌변을 간단히 하면
$(A-B)^C \cap B^C = (A \cap B^C)^C \cap B^C$
$= (A^C \cup B) \cap B^C$
$= (A^C \cap B^C) \cup (B \cap B^C)$
$= (A^C \cap B^C) \cup \varnothing$
$= A^C \cap B^C$
이므로 $A^C \cap B^C = A^C$에서 $A^C \subset B^C$
$\therefore B \subset A$ 답 ②

34

6의 배수는 모두 3의 배수이므로 $A_6 \subset A_3$
$\therefore A_5 \cap (A_3 \cup A_6) = A_5 \cap A_3$
이때 $A_5 \cap A_3$은 5와 3의 공배수의 집합, 즉 15의 배수의 집합이므로
$A_5 \cap (A_3 \cup A_6) = A_{15}$
따라서 전체집합 $U = \{1, 2, 3, \cdots, 200\}$의 원소 중 15의 배수는 15, 30, 45, $\cdots$, 195이므로
$n(A_5 \cap (A_3 \cup A_6)) = n(A_{15}) = 13$ 답 **13**

35

$A \odot B = (A-B) \cup (B-A)$
$= \{3, 4\} \cup \varnothing = \{3, 4\}$
이므로
$(A \odot B) \odot C$
$= \{(A \odot B) - C\} \cup \{C - (A \odot B)\}$
$= \{4\} \cup \{1, 5\}$
$= \{1, 4, 5\}$
따라서 구하는 모든 원소의 합은
$1+4+5=10$ 답 **10**

36

$n(A^C \cap B^C) = n((A \cup B)^C)$
$= n(U) - n(A \cup B)$
에서
$9 = 24 - n(A \cup B)$ $\therefore n(A \cup B) = 15$
$n(A \cup B) = n(A) + n(B) - n(A \cap B)$에서
$15 = 8 + 12 - n(A \cap B)$
$\therefore n(A \cap B) = 5$ 답 **5**

37

전체 학생의 집합을 U, a문제를 푼 학생의 집합을 A, b문제를 푼 학생의 집합을 B라 하면
$n(U) = 48$, $n(A) = 23$, $n(A \cap B) = 10$,
$n(A^C \cap B^C) = 5$

이때
$$n(A^C \cap B^C) = n((A \cup B)^C)$$
$$= n(U) - n(A \cup B)$$
에서
$$5 = 48 - n(A \cup B) \qquad \therefore n(A \cup B) = 43$$
$n(A \cup B) = n(A) + n(B) - n(A \cap B)$에서
$$43 = 23 + n(B) - 10 \qquad \therefore n(B) = 30$$
따라서 b문제를 푼 학생 수는 30이다. **답 30**

38

$A_m \subset (A_4 \cap A_6)$에서 $A_4 \cap A_6 = A_{12}$이므로
$$A_m \subset A_{12}$$
즉, m은 12의 배수이므로 m의 최솟값은 12이다.
또, $(A_8 \cup A_{12}) \subset A_n$에서
$$A_8 \subset A_n, \ A_{12} \subset A_n$$
즉, n은 8과 12의 공약수이므로 n의 최댓값은 8과 12의 최대공약수인 4이다.
따라서 m의 최솟값과 n의 최댓값의 합은
$$12 + 4 = 16 \qquad \text{답 16}$$

39

ㄱ. $A^C * B^C = (A^C - B^C) \cup (B^C - A^C)$
$$= (A^C \cap B) \cup (B^C \cap A)$$
$$= (B \cap A^C) \cup (A \cap B^C)$$
$$= (B - A) \cup (A - B)$$
$$= (A - B) \cup (B - A) = A * B$$

ㄴ. $(A * B) * C$

$A * (B * C)$

$$\therefore (A * B) * C = A * (B * C)$$

ㄷ. $A * (A * B) = (A * A) * B \ (\because \text{ㄴ})$
   이때
$$A * A = (A - A) \cup (A - A)$$
$$= \varnothing \cup \varnothing = \varnothing$$
   이므로
$$A * (A * B) = (A * A) * B = \varnothing * B$$
$$= (\varnothing - B) \cup (B - \varnothing)$$
$$= \varnothing \cup B = B$$
따라서 옳은 것은 ㄱ, ㄴ, ㄷ이다. **답 ㄱ, ㄴ, ㄷ**

40

조건 (나)에서
$$A \cap (A^C \cup B) = (A \cap A^C) \cup (A \cap B)$$
$$= \varnothing \cup (A \cap B)$$
$$= A \cap B \neq \varnothing$$
이므로 $n(A \cap B) \geq 1$
조건 (다)에서 $n(A - B) = 11$이므로
$n(A - B) = n(A) - n(A \cap B)$에서
$$n(A) = n(A - B) + n(A \cap B)$$
$$\geq 11 + 1 = 12$$
조건 (가)에서 $n(U) = 25$이므로
$n(A) + n(B - A) \leq n(U)$에서
$$n(B - A) \leq n(U) - n(A)$$
$$\leq 25 - 12 = 13 \ (\because n(A) \geq 12)$$
따라서 $n(B - A)$의 최댓값은 13이다. **답 13**

41

전체 학생의 집합을 U, 과학탐구, 프로그램언어, 영화 논평의 세 동아리에 가입한 학생의 집합을 각각 A, B, C라 하면
$$n(U) = 50, \ n(A) = 23, \ n(B) = 28, \ n(C) = 21,$$
$$n(A \cap B \cap C) = 7, \ n(A^C \cap B^C \cap C^C) = 4$$
이때
$$n(A^C \cap B^C \cap C^C) = n((A \cup B \cup C)^C)$$
$$= n(U) - n(A \cup B \cup C)$$
에서
$$4 = 50 - n(A \cup B \cup C) \qquad \therefore n(A \cup B \cup C) = 46$$

$n(A \cup B \cup C)$
$= n(A) + n(B) + n(C) - n(A \cap B)$
$\qquad - n(B \cap C) - n(C \cap A) + n(A \cap B \cap C)$
에서
$46 = 23 + 28 + 21$
$\qquad\qquad - n(A \cap B) - n(B \cap C) - n(C \cap A) + 7$
$\therefore n(A \cap B) + n(B \cap C) + n(C \cap A) = 33$
따라서 세 동아리 중 두 동아리에만 가입한 학생 수는
$n(A \cap B) + n(B \cap C) + n(C \cap A)$
$\qquad\qquad\qquad - 3 \times n(A \cap B \cap C)$
$= 33 - 3 \times 7 = 12$ **답 12**

참고 과학탐구, 프로그램언어, 영화
논평의 세 동아리에 가입한 학생의
집합을 각각 A, B, C라 하면 세 동
아리 중 두 동아리에만 가입한 학생
의 집합은 오른쪽 벤다이어그램의 색
칠한 부분과 같다.

$n(A \cap B) + n(B \cap C) + n(C \cap A)$에는 $n(A \cap B \cap C)$
가 세 번 더해지므로 두 동아리에만 가입한 학생 수는
$n(A \cap B) + n(B \cap C) + n(C \cap A) - 3 \times n(A \cap B \cap C)$

42

$A_n \cap A_2$는 n과 2의 공배수의 집합이고, A_{2n}은 $2n$의
배수의 집합이다.
$A_n \cap A_2 = A_{2n}$에서 n과 2의 공배수의 집합이 $2n$의
배수의 집합과 같으므로 n과 2는 서로소이다.
즉, n은 홀수이다. $\qquad\qquad$ …… ㉠
$90 \in (A_2 - A_n)$에서 $90 \in A_2$, $90 \notin A_n$이므로 90은
n의 배수가 아니다.
즉, n은 90의 약수가 아니다. $\qquad$ …… ㉡
㉠, ㉡에서 n은 90 이하의 홀수 중 90의 약수가 아닌
수이다.
따라서 90 이하의 홀수 45개 중 90의 약수는 1, 3, 5,
9, 15, 45의 6개이므로 구하는 n의 개수는
$45 - 6 = 39$ **답 39**

43

$A_3 \cap (A_4 \cup A_6) = (A_3 \cap A_4) \cup (A_3 \cap A_6)$
$x \in (A_3 \cap A_4)$이면 $x - 2$는 3과 4의 공배수, 즉 12의
배수이므로
$A_3 \cap A_4 = A_{12}$
$x \in (A_3 \cap A_6)$이면 $x - 2$는 3과 6의 공배수, 즉 6의
배수이므로
$A_3 \cap A_6 = A_6$
$\therefore (A_3 \cap A_4) \cup (A_3 \cap A_6) = A_{12} \cup A_6$
이때 $x \in (A_{12} \cup A_6)$이면 $x - 2$는 12의 배수 또는 6
의 배수이므로 $x - 2$는 6의 배수이다.
즉, $A_{12} \cup A_6 = A_6$
따라서 집합 $A_3 \cap (A_4 \cup A_6)$의 원소의 개수는
$n(A_3 \cap (A_4 \cup A_6)) = n((A_3 \cap A_4) \cup (A_3 \cap A_6))$
$\qquad\qquad = n(A_{12} \cup A_6)$
$\qquad\qquad = n(A_6)$
$\qquad\qquad = n(\{2,\ 8,\ 14,\ 20,\ \cdots,\ 50\})$
$\qquad\qquad = 9$ **답 9**

44

오른쪽 그림과 같이 벤다이어
그램의 각 부분에 속하는 원
소의 개수를 각각 a, b, c, d,
e, f, g라 하자.
주어진 조건에서
$n(A \cup B \cup C) = 75$,
$n(A \triangle B) = 45$, $n(B \triangle C) = 47$, $n(C \triangle A) = 42$이
므로
$a + b + c + d + e + f + g = 75$ $\quad$ …… ㉠
$a + f + b + e = 45$ $\qquad\qquad$ …… ㉡
$b + d + c + f = 47$ $\qquad\qquad$ …… ㉢
$a + d + c + e = 42$ $\qquad\qquad$ …… ㉣
㉡+㉢+㉣을 하면
$2(a + b + c + d + e + f) = 134$
$\therefore a + b + c + d + e + f = 67$ $\quad$ …… ㉤
㉠-㉤을 하면 $g = 8$
$\therefore n(A \cap B \cap C) = g = 8$ **답 8**

45

$n(A \cap B) = 10$, $n(A \cap B \cap C) = 5$에서

$n(A \cap B) - n(A \cap B \cap C) = 5$

이므로 각 부분에 속하는 집합
의 원소의 개수를 오른쪽 그림
과 같이 벤다이어그램에 나타
내면

$n(C - (A \cup B)) = c$

$n(C) = 19$에서

$c + d + e + 5 = 19$

$\therefore c = 14 - (d + e)$

즉, $d + e$가 최대일 때 c는 최소가 된다.

$n(A) = 14$에서

$a + e + 5 + 5 = 14$ $\therefore e = 4 - a$

이때 $a \geq 0$이므로 $0 \leq e \leq 4$ …… ㉠

$n(B) = 16$에서

$b + d + 5 + 5 = 16$ $\therefore d = 6 - b$

이때 $b \geq 0$이므로 $0 \leq d \leq 6$ …… ㉡

㉠, ㉡에서 $0 \leq d + e \leq 10$

$4 \leq 14 - (d + e) \leq 14$

$\therefore 4 \leq c \leq 14$

따라서 구하는 최솟값은 4이다.   **답** 4

46

학급 전체 학생의 집합을 U, 버스를 이용하는 학생의
집합을 A, 지하철을 이용하는 학생의 집합을 B라 하면

$n(U) = 36$, $n(A) = 22$, $n(B) = 9$

이때 버스와 지하철을 모두 이용하여 등교하는 학생의
집합은 $A \cap B$이므로

$n(A \cap B) \geq 5$ …… ㉠

버스와 지하철 중 적어도 어느 하나를 이용하는 학생
의 집합은 $A \cup B$이므로

$n(A \cup B) = n(A) + n(B) - n(A \cap B)$

$= 22 + 9 - n(A \cap B)$

$= 31 - n(A \cap B)$

(i) $n(A \cup B)$가 최대인 경우는 $n(A \cap B)$가 최소일
    때이므로 ㉠에서 $n(A \cap B) = 5$일 때이다.

$\therefore a = 31 - 5 = 26$

(ii) $n(A \cup B)$가 최소인 경우는 $n(A \cap B)$가 최대일
    때이므로 $B \subset A$일 때이다.

즉, $n(A \cap B) \leq n(B)$에서 $n(A \cap B) = 9$일 때
이다.

$\therefore b = 31 - 9 = 22$

(i), (ii)에서 $a + b = 26 + 22 = 48$ **답** 48

47

p : $x^2 - 4x = 0$에서 $x(x - 4) = 0$

$\therefore x = 0$ 또는 $x = 4$

q : $x^2 - 2x - 3 \leq 0$에서 $(x + 1)(x - 3) \leq 0$

$\therefore -1 \leq x \leq 3$

전체집합 $U = \{-4, -3, -2, \cdots, 4\}$에 대하여 두
조건 p, q의 진리집합을 각각 P, Q라 하면

$P = \{0, 4\}$, $Q = \{-1, 0, 1, 2, 3\}$

조건 'p 또는 $\sim q$'의 진리집합은 $P \cup Q^C$이므로

$P \cup Q^C = \{0, 4\} \cup \{-4, -3, -2, 4\}$

$= \{-4, -3, -2, 0, 4\}$

따라서 구하는 원소의 개수는 5이다.   **답** 5

48

ㄱ. p : x는 8의 양의 배수, q : x는 4의 양의 배수라 하
   고, 두 조건 p, q의 진리집합을 각각 P, Q라 하면

$P = \{8, 16, 24, \cdots\}$, $Q = \{4, 8, 12, \cdots\}$

따라서 $P \subset Q$이므로 주어진 명제는 참이다.

ㄴ. [반례] $x = 1$, $y = 0$이면 $xy = 0$이지만 $x^2 + y^2 = 1$
   이다.

따라서 주어진 명제는 거짓이다.

ㄷ. $x > 0$, $y > 0$이면 $xy > 0$이므로 $|xy| = xy$

따라서 주어진 명제는 참이다.

ㄹ. [반례] $\angle A = 40°$, $\angle B = \angle C = 70°$이면 삼각형
   ABC가 이등변삼각형이지만 $\angle A \neq \angle B$이다.

따라서 주어진 명제는 거짓이다.

따라서 참인 명제인 것은 ㄱ, ㄷ이다.   **답** ㄱ, ㄷ

49

명제 $p \longrightarrow \sim q$가 거짓임을 보이는 원소는 P에 속하고 Q^C에 속하지 않아야 하므로
$$P-Q^C=P\cap(Q^C)^C=P\cap Q$$

답 ①

50

① $R\subset P^C$이므로 명제 $r \longrightarrow \sim p$는 참이다.
② $P\subset R^C$이므로 명제 $p \longrightarrow \sim r$는 참이다.
③ $R\subset Q$이므로 명제 $r \longrightarrow q$는 참이다.
④ $Q^C\subset R^C$이므로 명제 $\sim q \longrightarrow \sim r$는 참이다.
⑤ $R\not\subset Q^C$이므로 명제 $r \longrightarrow \sim q$는 거짓이다.
따라서 항상 참이라고 할 수 없는 것은 ⑤이다.

답 ⑤

51

p: $|x-a|\le 1$에서 $-1\le x-a\le 1$
$$\therefore -1+a\le x\le 1+a$$
q: $x^2-2x-8>0$에서 $\sim q$: $x^2-2x-8\le 0$이므로
$(x+2)(x-4)\le 0$
$$\therefore -2\le x\le 4$$
두 조건 p, q의 진리집합을 각각 P, Q라 하면
$P=\{x|-1+a\le x\le 1+a\}$,
$Q^C=\{x|-2\le x\le 4\}$
명제 $p \longrightarrow \sim q$가 참이 되려면 $P\subset Q^C$이어야 하므로 오른쪽 그림에서

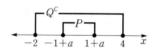

$-2\le -1+a$, $1+a\le 4$
$$\therefore -1\le a\le 3$$
따라서 구하는 실수 a의 최댓값은 3이다.

답 ③

52

① 명제 $\sim s \longrightarrow \sim q$가 참이므로 그 대우 $q \longrightarrow s$도 참이다.
② 두 명제 $p \longrightarrow q$, $q \longrightarrow s$가 참이므로 명제 $p \longrightarrow s$가 참이다.
③ 두 명제 $q \longrightarrow s$, $s \longrightarrow r$가 참이므로 명제 $q \longrightarrow r$가 참이다.

⑤ 두 명제 $p \longrightarrow q$, $q \longrightarrow r$가 참이므로 명제 $p \longrightarrow r$가 참이다. 따라서 명제 $p \longrightarrow r$가 참이므로 그 대우 $\sim r \longrightarrow \sim p$도 참이다.
따라서 항상 참이라고 할 수 없는 것은 ④이다.

답 ④

53

'$(x-y)^2+(y-z)^2+(z-x)^2=0$'의 부정은
'$(x-y)^2+(y-z)^2+(z-x)^2\ne 0$'
이때 x, y, z는 모두 실수이므로
$(x-y)^2\ne 0$ 또는 $(y-z)^2\ne 0$ 또는 $(z-x)^2\ne 0$에서
$x-y\ne 0$ 또는 $y-z\ne 0$ 또는 $z-x\ne 0$
$\therefore x\ne y$ 또는 $y\ne z$ 또는 $z\ne x$
즉, x, y, z 중 적어도 두 수는 서로 다르다.

답 ⑤

54

$P\subset(Q-R)$를 만족시키는 세 집합 P, Q, R를 벤다이어그램으로 나타내면 오른쪽 그림과 같다.

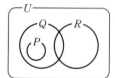

$P\subset R^C$이므로 명제 $p \longrightarrow \sim r$가 참이다.
또, $R\subset P^C$이므로 명제 $r \longrightarrow \sim p$가 참이다.

답 ①, ④

55

q: $4x-1=27$에서 $4x=28$ $\therefore x=7$
r: $x^2-3x-4=0$에서
$(x+1)(x-4)=0$ $\therefore x=-1$ 또는 $x=4$
세 조건 p, q, r의 진리집합을 각각 P, Q, R라 하면
$P=\{x|x<2a-5\}$, $Q=\{7\}$, $R=\{-1, 4\}$
명제 $q \longrightarrow p$는 거짓이고, 명제 $r \longrightarrow p$는 참이므로
$Q\not\subset P$, $R\subset P$
이를 만족시키는 집합 P는 오른쪽 그림과 같으므로 $4<2a-5\le 7$
$9<2a\le 12$ $\therefore \dfrac{9}{2}<a\le 6$
따라서 정수 a는 5, 6의 2개이다.

답 2

56

p: $|x+2| \geq k$에서 $x+2 \leq -k$ 또는 $x+2 \geq k$

$\therefore$ $x \leq -k-2$ 또는 $x \geq k-2$

q: $|x+3| < 4$에서 $\sim q$: $|x+3| \geq 4$이므로

$x+3 \leq -4$ 또는 $x+3 \geq 4$

$\therefore$ $x \leq -7$ 또는 $x \geq 1$

두 조건 p, q의 진리집합을 각각 P, Q라 하면

$P = \{x \mid x \leq -k-2$ 또는 $x \geq k-2\}$,

$Q^C = \{x \mid x \leq -7$ 또는 $x \geq 1\}$

명제 $p \longrightarrow \sim q$의 역, 즉 $\sim q \longrightarrow p$가 참이 되려면

$Q^C \subset P$가 성립해야 한다.

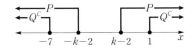

위의 그림에서 $-k-2 \geq -7$, $k-2 \leq 1$이므로

$k \leq 5$, $k \leq 3$ $\quad \therefore$ $0 < k \leq 3$ $(\because k > 0)$

따라서 구하는 실수 k의 최댓값은 3이다. **탑 3**

57

명제 $q \longrightarrow \sim p$가 참이므로 그 대우 $p \longrightarrow \sim q$도 참이다.

또, 명제 $\sim r \longrightarrow s$가 참이므로 그 대우 $\sim s \longrightarrow r$도 참이다.

두 명제 $p \longrightarrow \sim q$, $\sim s \longrightarrow r$가 참이므로 명제 $p \longrightarrow r$가 참이 되려면 명제 $\sim q \longrightarrow \sim s$가 참이어야 한다.

명제 $\sim q \longrightarrow \sim s$와 그 대우 $s \longrightarrow q$는 참, 거짓이 같으므로 명제 $\sim q \longrightarrow \sim s$가 참이면 $s \longrightarrow q$도 참이다.

따라서 명제 $p \longrightarrow r$가 참임을 보이기 위해서는 명제 $s \longrightarrow q$가 참이어야 한다. **탑 ④**

58

주어진 명제의 부정은

'모든 실수 x에 대하여 $x^2 - 2kx + k + 6 \geq 0$이다.'

즉, 모든 실수 x에 대하여 이차부등식

$x^2 - 2kx + k + 6 \geq 0$이 성립해야 하므로 이차방정식

$x^2 - 2kx + k + 6 = 0$의 판별식을 D라 하면

$\dfrac{D}{4} = (-k)^2 - (k+6) = k^2 - k - 6 \leq 0$

$(k+2)(k-3) \leq 0$ $\quad \therefore$ $-2 \leq k \leq 3$

따라서 주어진 명제의 부정이 참이 되도록 하는 정수 k의 최솟값은 -2이다. **탑 -2**

59

조건 (개)에서 어떤 $x \in P$에 대하여 $x \notin Q$이므로 집합 P에 속하는 어떤 원소가 집합 Q에는 속하지 않는다.

즉, $P \not\subset Q$

조건 (내)에서 모든 $x \in Q$에 대하여 $x \notin R$이므로

$Q \cap R = \varnothing$

조건 (개), (내)를 만족시키는 세 집합 P, Q, R를 벤다이어그램으로 나타내면 다음과 같은 경우가 있다.

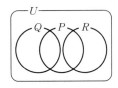

ㄱ. 명제 $q \longrightarrow p$가 참이려면 $Q \subset P$이어야 하므로 위의 벤다이어그램의 경우에 성립하지 않는다. (거짓)

ㄴ. 명제 $r \longrightarrow \sim q$가 참이려면 $R \subset Q^C$이어야 하므로 조건 (내)의 $Q \cap R = \varnothing$에 의해 성립한다. (참)

ㄷ. 명제 $\sim q \longrightarrow p$가 참이려면 $Q^C \subset P$이어야 하므로 위의 벤다이어그램의 경우에 성립하지 않는다. (거짓)

따라서 항상 참인 명제는 ㄴ뿐이다. **탑 ㄴ**

60

ㄱ. 두 명제 $p \longrightarrow q$, $q \longrightarrow r$가 참이므로 명제 $p \longrightarrow r$가 참이다.

즉, $P \subset Q$, $Q \subset R$이므로 $P \subset R$이다.

ㄴ. $P \subset R$이고 $Q \subset R$이므로

$(P \cup Q) \subset R$

ㄷ. 드모르간의 법칙에 의하여

$P^C \cap R^C = (P \cup R)^C = R^C$ $(\because P \subset R)$

그런데 $Q \subset R$이므로 $R^C \subset Q^C$

따라서 옳은 것은 ㄱ, ㄷ이다. **탑 ③**

61

명제 ⑺, ⑻에서

p: 잘 웃는 사람, q: 명랑한 사람

r: 인상이 좋은 사람, s: 호감을 주는 사람

이라 하면 명제 $\sim p \longrightarrow \sim q$가 참이고 명제 $r \longrightarrow s$ 가 참이다. 또한, 명제 $\sim p \longrightarrow \sim q$가 참이므로 그 대우 $q \longrightarrow p$도 참이다.

이때 명제 $q \longrightarrow s$가 참이 되는 경우는 다음과 같이 세 가지 경우가 있다.

(ⅰ) 명제 $p \longrightarrow s$가 참이거나

　　그 대우인 명제 $\sim s \longrightarrow \sim p$가 참

(ⅱ) 명제 $q \longrightarrow r$가 참이거나

　　그 대우인 명제 $\sim r \longrightarrow \sim q$가 참

(ⅲ) 명제 $p \longrightarrow r$가 참이거나

　　그 대우인 명제 $\sim r \longrightarrow \sim p$가 참

따라서 필요한 명제로 가능한 것은

③ 명랑한 사람은 인상이 좋은 사람이다.

⑤ 인상이 좋지 않은 사람은 잘 웃지 않는 사람이다.

답 ③, ⑤

62

두 조건 p, q의 진리집합을 각각 P, Q라 하면

ㄱ. p: $|x+3|=2$에서 $x+3=-2$ 또는 $x+3=2$

　　∴ $x=-5$ 또는 $x=-1$

　　즉, $P=\{-5, -1\}$, $Q=\{-1\}$

　　$P \not\subset Q$이고 $Q \subset P$이므로 $p \not\Longrightarrow q$, $q \Longrightarrow p$

　　따라서 p는 q이기 위한 필요조건이다.

ㄴ. p: $|x|<1$에서 $-1<x<1$

　　즉, $P=\{x|-1<x<1\}$, $Q=\{x|x<1\}$

　　$P \subset Q$이고 $Q \not\subset P$이므로 $p \Longrightarrow q$, $q \not\Longrightarrow p$

　　따라서 p는 q이기 위한 충분조건이다.

ㄷ. $p \not\Longrightarrow q$, $q \Longrightarrow p$이므로 p는 q이기 위한 필요조건이다.

　　[$p \longrightarrow q$의 반례] $x=-2$, $y=1$이면 $x^2>y^2$이지만 $x<0$이고 $y>0$이다.

따라서 조건 p가 조건 q이기 위한 필요조건이지만 충분조건이 아닌 것은 ㄱ, ㄷ이다.

답 ③

63

p: $x^3-4x^2-x+4=0$에서

$x^2(x-4)-(x-4)=0$, $(x^2-1)(x-4)=0$

$(x+1)(x-1)(x-4)=0$

∴ $x=-1$ 또는 $x=1$ 또는 $x=4$

q: $2x+a=0$에서 $x=-\dfrac{a}{2}$

두 조건 p, q의 진리집합을 각각 P, Q라 하면

$P=\{-1, 1, 4\}$, $Q=\left\{-\dfrac{a}{2}\right\}$

p가 q이기 위한 필요조건이려면 $q \Longrightarrow p$, 즉 $Q \subset P$이어야 하므로

$-\dfrac{a}{2}=-1$ 또는 $-\dfrac{a}{2}=1$ 또는 $-\dfrac{a}{2}=4$

∴ $a=2$ 또는 $a=-2$ 또는 $a=-8$

따라서 구하는 모든 실수 a의 값의 합은

$2+(-2)+(-8)=-8$

답 -8

64

p: $|x+1| \leq 3$에서 $-3 \leq x+1 \leq 3$

∴ $-4 \leq x \leq 2$

q: $x>a$에서 $\sim q$: $x \leq a$

두 조건 p, q의 진리집합을 각각 P, Q라 하면

$P=\{x|-4 \leq x \leq 2\}$, $Q^C=\{x|x \leq a\}$

$\sim q$가 p이기 위한 필요조건이므로 $p \Longrightarrow \sim q$, 즉 $P \subset Q^C$이고 이를 만족시키도록 두 집합 P, Q를 수직선 위에 나타내면 오른쪽 그림과 같다.

따라서 $a \geq 2$이므로 a의 최솟값은 2이다.

답 2

65

① $P \not\subset R$, $R \not\subset P$이므로 p는 r이기 위한 아무 조건도 아니다.

② $Q \subset P$이므로 p는 q이기 위한 필요조건이다.

③ $Q \subset R^C$이므로 q는 $\sim r$이기 위한 충분조건이다.

④ $R \subset Q^C$이므로 r는 $\sim q$이기 위한 충분조건이다.

⑤ $P^C \subset Q^C$이므로 $\sim q$는 $\sim p$이기 위한 필요조건이다.

따라서 옳은 것은 ⑤이다.

답 ⑤

66

p는 $\sim r$이기 위한 충분조건이므로

$p \Longrightarrow \sim r$

r는 q이기 위한 필요조건이므로

$q \Longrightarrow r$에서 $\sim r \Longrightarrow \sim q$

따라서 $p \Longrightarrow \sim r$, $\sim r \Longrightarrow \sim q$이므로

$p \Longrightarrow \sim q$　　　　　　　　　　　　　　　답 ③

67

$p \colon |x| > a$에서 $x < -a$ 또는 $x > a$

세 조건 p, q, r의 진리집합을 각각 P, Q, R라 하면

$P = \{x \mid x < -a \text{ 또는 } x > a\}$,

$Q = \{x \mid x > b\}$,

$R = \{x \mid -5 < x < -2 \text{ 또는 } x > 5\}$

p는 r이기 위한 필요조건이므로 $R \subset P$

q는 r이기 위한 충분조건이므로 $Q \subset R$

$\therefore Q \subset R \subset P$

이를 만족시키도록 세 집합 P, Q, R를 수직선 위에 나타내면 다음 그림과 같다.

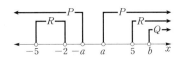

위의 그림에서 $-a \geq -2$, $a \leq 5$이고 $b \geq 5$이어야 하므로

$0 < a \leq 2$, $b \geq 5$

따라서 a의 최댓값은 2, b의 최솟값은 5이므로 구하는 합은

$2 + 5 = 7$　　　　　　　　　　　　　　　답 7

68

p는 $\sim r$이기 위한 필요조건이므로

$R^C \subset P$　　　　　　　　　　　　　　　…… ㉠

r는 q이기 위한 충분조건이므로

$R \subset Q$　　$\therefore Q^C \subset R^C$　　…… ㉡

㉠, ㉡에서 $Q^C \subset R^C \subset P$

ㄱ. $R \subset Q$

ㄴ. $Q^C \subset R^C \subset P$에서 $Q^C \subset P$이므로

$P - Q = P \cap Q^C = Q^C$

ㄷ. $R^C \subset P$이므로

$P - R = P \cap R^C = R^C$

따라서 항상 옳은 것은 ㄱ, ㄴ이다.　　　답 ㄱ, ㄴ

69

p는 q이기 위한 필요조건이므로 $q \Longrightarrow p$

q는 r이기 위한 필요조건이므로 $r \Longrightarrow q$

r는 s이기 위한 충분조건이므로 $r \Longrightarrow s$

$\sim r$는 $\sim t$이기 위한 충분조건이므로

$\sim r \Longrightarrow \sim t$에서 $t \Longrightarrow r$

t는 p이기 위한 필요조건이므로

$p \Longrightarrow t$

따라서 $p \Longleftrightarrow q \Longleftrightarrow r \Longleftrightarrow t$이므로 r이기 위한 필요충분조건인 것은 p, q, t의 3개이다.

답 3

70

p는 q이기 위한 충분조건이므로 $P \subset Q$

$\therefore a^2 = 4$ 또는 $b = 4$

r는 p이기 위한 필요조건이므로 $P \subset R$

(ⅰ) $a^2 = 4$일 때,

$a = \pm 2$이고 $P \subset R$이므로 $ab = 4$

따라서 $a = -2$, $b = -2$ 또는 $a = 2$, $b = 2$이므로

$a + b$의 값은 -4 또는 4이다.

(ⅱ) $b = 4$일 때,

$P \subset R$이므로 $a - 1 = 4$ 또는 $ab = 4$

$\therefore a = 5$ 또는 $a = 1$

따라서 $a + b$의 값은 9 또는 5이다.

(ⅰ), (ⅱ)에서 $a + b$의 최댓값은 9이다.　　答 9

71

$p \colon |a| + |b| = 0$에서 $a = 0$, $b = 0$

$q \colon a^2 - 2ab + b^2 = 0$에서 $(a - b)^2 = 0$

$\therefore a = b$

$r: |a+b|=|a-b|$에서

$a+b=a-b$ 또는 $a+b=-(a-b)$

$\therefore a=0$ 또는 $b=0$

ㄱ. $p \Longrightarrow q$, $q \nRightarrow p$이므로 p는 q이기 위한 충분조건이다.

ㄴ. $\sim p: a\neq 0$ 또는 $b\neq 0$, $\sim r: a\neq 0$, $b\neq 0$

따라서 $\sim p \nRightarrow \sim r$, $\sim r \Longrightarrow \sim p$이므로 $\sim p$는 $\sim r$이기 위한 필요조건이다.

ㄷ. q이고 r는 $a=b=0$

따라서 $(q$이고 $r) \Longleftrightarrow p$이므로 q이고 r는 p이기 위한 필요충분조건이다.

따라서 옳은 것은 ㄱ, ㄴ, ㄷ이다. **답 ⑤**

72

mn이 [가] 홀수 라 가정하면 m, n은 모두 [나] 홀수 이어야 하므로

$m=2k-1$, $n=2l-1$ (k, l은 자연수)

로 나타낼 수 있다. 이때

$$m^2+n^2=(2k-1)^2+(2l-1)^2$$
$$=2(2k^2-2k+2l^2-2l+1)$$

이므로 m^2+n^2은 [다] 짝수 이다.

그런데 이것은 m^2+n^2이 [라] 홀수 라는 가정에 모순이다.

따라서 자연수 m, n에 대하여 m^2+n^2이 홀수이면 mn은 짝수이다.

답 (가) 홀수 (나) 홀수 (다) 짝수 (라) 홀수

73

$$A-B=\frac{a}{1+2a}-\frac{b}{1+2b}$$
$$=\frac{a(1+2b)-b(1+2a)}{(1+2a)(1+2b)}$$
$$=\frac{a-b}{(1+2a)(1+2b)}$$

$a>b>0$에서 $a-b>0$, $1+2a>0$, $1+2b>0$이므로

$$\frac{a-b}{(1+2a)(1+2b)}>0$$

$\therefore A>B$ **답 $A>B$**

74

$2x>0$, $5y>0$이므로 산술평균과 기하평균의 관계에 의하여

$$2x+5y\geq 2\sqrt{2x\times 5y}=2\sqrt{10xy}$$

그런데 $2x+5y=10$이므로

$$10\geq 2\sqrt{10xy}, \; 5\geq\sqrt{10xy}$$

양변을 제곱하면

$$25\geq 10xy \qquad \therefore xy\leq\frac{5}{2}$$

여기서 등호는 $2x=5y$일 때 성립하므로 $2x=5y$를 $2x+5y=10$에 대입하면

$$2x+2x=10 \qquad \therefore x=\frac{5}{2}$$

$x=\frac{5}{2}$를 $2x=5y$에 대입하면 $y=1$

따라서 xy는 $x=\frac{5}{2}$, $y=1$일 때 최댓값 $\frac{5}{2}$를 가지므로

$a=\frac{5}{2}$, $b=\frac{5}{2}$, $c=1$

$\therefore a+b+c=6$ **답 6**

75

$$\left(4-\frac{9b}{a}\right)\left(1-\frac{a}{b}\right)=4-\frac{4a}{b}-\frac{9b}{a}+9$$
$$=13-\left(\frac{4a}{b}+\frac{9b}{a}\right)$$

이때 $\frac{4a}{b}>0$, $\frac{9b}{a}>0$이므로 산술평균과 기하평균의 관계에 의하여

$$\frac{4a}{b}+\frac{9b}{a}\geq 2\sqrt{\frac{4a}{b}\times\frac{9b}{a}}$$
$$=2\times 6=12$$

$$\left(\text{단, 등호는 } \frac{4a}{b}=\frac{9b}{a}, \text{ 즉 } 2a=3b\text{일 때 성립}\right)$$

$$\therefore \left(4-\frac{9b}{a}\right)\left(1-\frac{a}{b}\right)=13-\left(\frac{4a}{b}+\frac{9b}{a}\right)$$
$$\leq 13-12=1$$

따라서 부등식 $\left(4-\frac{9b}{a}\right)\left(1-\frac{a}{b}\right)\leq m$이 항상 성립하도록 하는 실수 m의 값의 범위는

$m\geq 1$ **답 $m\geq 1$**

76

$x^2 + \dfrac{49}{x^2-9} = x^2-9+\dfrac{49}{x^2-9}+9$

$x>3$에서 $x^2-9=(x+3)(x-3)>0$이므로 산술평균과 기하평균의 관계에 의하여

$x^2-9+\dfrac{49}{x^2-9}+9 \geq 2\sqrt{(x^2-9)\times\dfrac{49}{x^2-9}}+9$

$\qquad\qquad\qquad\qquad = 2\times 7+9=23$

$\left(\text{단, 등호는 } x^2-9=\dfrac{49}{x^2-9}, \text{ 즉 } x=4\text{일 때 성립}\right)$

따라서 구하는 최솟값은 23이다.   답 **23**

77

오른쪽 그림과 같이 $\overline{OC}=x$,
$\overline{CD}=y$라 하면 직각삼각형 OCD
에서

$x^2+y^2=(2\sqrt3)^2=12$

$x^2>0$, $y^2>0$이므로 산술평균과 기하평균의 관계에
의하여

$x^2+y^2 \geq 2\sqrt{x^2\times y^2}=2xy \ (\because x>0, y>0)$

그런데 $x^2+y^2=12$이므로 $12 \geq 2xy$

$\therefore xy \leq 6$

여기서 등호는 $x^2=y^2$, 즉 $x=y$일 때 성립하므로
$x^2+y^2=12$에 대입하면

$2x^2=12$, $x^2=6$

$\therefore x=\sqrt6, y=\sqrt6 \ (\because x>0, y>0)$

따라서 직사각형의 넓이가 최대일 때의 직사각형의 둘
레의 길이는

$4x+2y=4\sqrt6+2\sqrt6=6\sqrt6$ 답 **$6\sqrt6$**

78

ㄱ. $(\sqrt a-\sqrt b)^2-(\sqrt{a-b})^2$

$\quad = a-2\sqrt{ab}+b-(a-b)$

$\quad = 2(b-\sqrt{ab})$

$\quad = 2\sqrt b(\sqrt b-\sqrt a)$

그런데 $\sqrt b>0$, $\sqrt b-\sqrt a<0$이므로
$2\sqrt b(\sqrt b-\sqrt a)<0$

$\therefore (\sqrt a-\sqrt b)^2<(\sqrt{a-b})^2$

이때 $\sqrt a-\sqrt b>0$, $\sqrt{a-b}>0$이므로
$\sqrt a-\sqrt b<\sqrt{a-b}$

ㄴ. $a^3+b^3+c^3-3abc$

$\quad = (a+b+c)(a^2+b^2+c^2-ab-bc-ca)$

그런데 $a+b+c>0$이고
$a^2+b^2+c^2-ab-bc-ca$

$\quad = \dfrac{1}{2}\{(a-b)^2+(b-c)^2+(c-a)^2\} \geq 0$

이므로
$a^3+b^3+c^3-3abc \geq 0$

$\therefore a^3+b^3+c^3 \geq 3abc$

여기서 등호는 $a-b=0$, $b-c=0$, $c-a=0$, 즉
$a=b=c$일 때 성립한다.

ㄷ. $(|a|+|b|)^2-(|a-b|)^2$

$\quad = a^2+2|ab|+b^2-(a^2-2ab+b^2)$

$\quad = 2(|ab|+ab) \geq 0 \ (\because |ab| \geq -ab)$

$\therefore (|a|+|b|)^2 \geq (|a-b|)^2$

이때 $|a|+|b| \geq 0$, $|a-b| \geq 0$이므로
$|a|+|b| \geq |a-b|$

여기서 등호는 $|ab|=-ab$, 즉 $ab \leq 0$일 때 성립
한다.

따라서 옳은 것은 ㄴ, ㄷ이다.   답 **ㄴ, ㄷ**

79

$3x>0$, $2y>0$이므로 산술평균과 기하평균의 관계에
의하여

$3x+2y \geq 2\sqrt{3x\times 2y}=2\sqrt{6xy}$

그런데 $3x+2y=16$이므로

$2\sqrt{6xy} \leq 16$ (단, 등호는 $3x=2y$일 때 성립)

이때

$(\sqrt{3x}+\sqrt{2y})^2=3x+2y+2\sqrt{6xy}$

$\qquad\qquad\qquad = 16+2\sqrt{6xy}$

$\qquad\qquad\qquad \leq 16+16=32$

즉, $(\sqrt{3x}+\sqrt{2y})^2 \leq 32$이므로

$0<\sqrt{3x}+\sqrt{2y} \leq \sqrt{32}=4\sqrt2$

따라서 $\sqrt{3x}+\sqrt{2y}$의 최댓값은 $4\sqrt2$이다.   답 **$4\sqrt2$**

80

$a>0$, $b>0$, $c>0$이므로 산술평균과 기하평균의 관계에 의하여

$$\left(1+\frac{2b}{a}\right)\left(1+\frac{c}{b}\right)\left(1+\frac{a}{2c}\right)$$

$$=\left(1+\frac{c}{b}+\frac{2b}{a}+\frac{2c}{a}\right)\left(1+\frac{a}{2c}\right)$$

$$=1+\frac{c}{b}+\frac{2b}{a}+\frac{2c}{a}+\frac{a}{2c}+\frac{a}{2b}+\frac{b}{c}+1$$

$$=\left(\frac{c}{b}+\frac{b}{c}\right)+\left(\frac{2b}{a}+\frac{a}{2b}\right)+\left(\frac{2c}{a}+\frac{a}{2c}\right)+2$$

$$\geq 2\sqrt{\frac{c}{b}\times\frac{b}{c}}+2\sqrt{\frac{2b}{a}\times\frac{a}{2b}}+2\sqrt{\frac{2c}{a}\times\frac{a}{2c}}+2$$

$$=2\times 1+2\times 1+2\times 1+2=8$$

(단, 등호는 $a^2=4b^2=4c^2$, 즉 $a=2b=2c$일 때 성립)

따라서 구하는 최솟값은 8이다.   **답** 8

81

이차방정식 $x^2-2x+a=0$이 허근을 가지므로 이 이차방정식의 판별식을 D라 하면

$$\frac{D}{4}=(-1)^2-a<0 \qquad \therefore a>1$$

$a-1>0$이므로 산술평균과 기하평균의 관계에 의하여

$$a+\frac{4}{a-1}=(a-1)+\frac{4}{a-1}+1$$

$$\geq 2\sqrt{(a-1)\times\frac{4}{a-1}}+1$$

$$=2\times 2+1=5$$

여기서 등호는 $a-1=\dfrac{4}{a-1}$일 때 성립하므로

$$(a-1)^2=4,\ a-1=2\ (\because a-1>0)$$

$$\therefore a=3$$

따라서 $a+\dfrac{4}{a-1}$는 $a=3$일 때 최솟값 5를 가지므로

$$m=5,\ n=3 \qquad \therefore m+n=8$$ **답** 8

82

a, b, c가 실수이므로 코시−슈바르츠의 부등식에 의하여

$$(1^2+2^2+3^2)(a^2+b^2+c^2)\geq(a+2b+3c)^2$$

그런데 $a^2+b^2+c^2=2$이므로

$$14\times 2\geq(a+2b+3c)^2$$

$$\therefore -2\sqrt{7}\leq a+2b+3c\leq 2\sqrt{7}$$

$$\left(\text{단, 등호는 } a=\frac{b}{2}=\frac{c}{3}\text{일 때 성립}\right)$$

따라서 $a+2b+3c$의 최솟값은 $-2\sqrt{7}$이다.

  답 $-2\sqrt{7}$

83

이차함수 $f(x)=x^2-2ax$의 그래프와 직선 $g(x)=\dfrac{1}{a}x$의 교점의 x좌표는

$x^2-2ax=\dfrac{1}{a}x$에서

$$x^2-\left(2a+\frac{1}{a}\right)x=0,\ x\left\{x-\left(2a+\frac{1}{a}\right)\right\}=0$$

$$\therefore x=0 \text{ 또는 } x=2a+\frac{1}{a}$$

$$\therefore \text{A}\left(2a+\frac{1}{a},\ 2+\frac{1}{a^2}\right)$$

또, 이차함수 $f(x)=x^2-2ax=(x-a)^2-a^2$의 그래프의 꼭짓점 B의 좌표는

$$\text{B}(a,\ -a^2)$$

따라서 선분 AB의 중점 C의 좌표는

$$\text{C}\left(\frac{1}{2}\left(2a+\frac{1}{a}+a\right),\ \frac{1}{2}\left(2+\frac{1}{a^2}-a^2\right)\right)$$

$$\therefore \text{C}\left(\frac{3}{2}a+\frac{1}{2a},\ 1+\frac{1}{2a^2}-\frac{a^2}{2}\right)$$

오른쪽 그림에서 선분 CH의 길이는 점 C의 x좌표와 같으므로

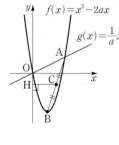

$$\overline{\text{CH}}=\frac{3}{2}a+\frac{1}{2a}$$

이때 $a>0$이므로 산술평균과 기하평균의 관계에 의하여

$$\frac{3}{2}a+\frac{1}{2a}\geq 2\sqrt{\frac{3}{2}a\times\frac{1}{2a}}=2\times\frac{\sqrt{3}}{2}=\sqrt{3}$$

$$\left(\text{단, 등호는 }\frac{3}{2}a=\frac{1}{2a}\text{, 즉 }a=\frac{\sqrt{3}}{3}\text{일 때 성립}\right)$$

따라서 구하는 최솟값은 $\sqrt{3}$이다.   **답** ①

84

주어진 집합 X에서 집합 Y로의 대응을 그림으로 나타낸 후, 집합 X의 각 원소에 집합 Y의 원소가 오직 하나씩 대응하지 않는 것을 찾는다.

① 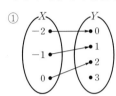 ②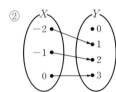

③ 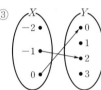 ④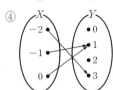

⑤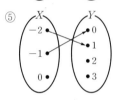

따라서 X에서 Y로의 함수가 아닌 것은 ③, ⑤이다.

답 ③, ⑤

85

2는 유리수이므로
$$f(2)=-2\times 2=-4$$
$\sqrt{3}+2$는 무리수이므로
$$f(\sqrt{3}+2)=(\sqrt{3}+2)-3=\sqrt{3}-1$$
$$\therefore f(2)+\sqrt{3}f(\sqrt{3}+2)=-4+\sqrt{3}(\sqrt{3}-1)$$
$$=-1-\sqrt{3} \quad \text{**답**} \ -1-\sqrt{3}$$

86

(i) 5의 양의 약수 1, 5 중 소수는 5이므로 $f(5)=1$

(ii) 6의 양의 약수 1, 2, 3, 6 중 소수는 2, 3이므로
$$f(6)=2$$

(iii) 7의 양의 약수 1, 7 중 소수는 7이므로
$$f(7)=1$$

(iv) 8의 양의 약수 1, 2, 4, 8 중 소수는 2이므로
$$f(8)=1$$

(v) 9의 양의 약수 1, 3, 9 중 소수는 3이므로
$$f(9)=1$$

(i)~(v)에서 구하는 함수 f의 치역은
$$\{1, 2\} \quad \text{**답**} \ \{1, 2\}$$

87

$f(1)=g(1)$에서
$$1+7a+2b=3a+b$$
$$\therefore 4a+b=-1 \quad \cdots\cdots \ \bigcirc$$
$f(3)=g(3)$에서
$$9+21a+2b=9a+b$$
$$\therefore 12a+b=-9 \quad \cdots\cdots \ \bigcirc$$
$\bigcirc$, $\bigcirc$을 연립하여 풀면 $a=-1$, $b=3$
$$\therefore f(x)=x^2-7x+6, \ g(x)=-3x+3$$
이때 $g(1)=0$, $g(3)=-6$이므로 함수 g의 치역은 $\{-6, 0\}$이고 치역의 모든 원소의 합은 -6이다.

답 -6

88

주어진 그래프에 정의역의 각 원소 a에 대하여 직선 $x=a$를 그려서 교점이 없거나 2개 이상인 것을 찾는다.

① 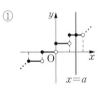 ②

③ 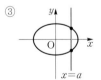 ④

⑤

따라서 함수의 그래프가 아닌 것은 ③이다. **답** ③

89

집합 X의 각 원소의 함숫값을 구하면

$f(-1)=a-(a+1)+2=1, f(0)=2$

$f(1)=a+(a+1)+2=2a+3$

이므로 $f(1)$의 값은 1, 2, 3 중 하나이다.

(ⅰ) $f(1)=1$일 때, $2a+3=1$ $\quad\therefore a=-1$

(ⅱ) $f(1)=2$일 때, $2a+3=2$ $\quad\therefore a=-\dfrac{1}{2}$

(ⅲ) $f(1)=3$일 때, $2a+3=3$ $\quad\therefore a=0$

(ⅰ)~(ⅲ)에서 모든 a의 값의 합은

$-1+\left(-\dfrac{1}{2}\right)+0=-\dfrac{3}{2}$ 　　　　　답 $-\dfrac{3}{2}$

90

집합 X의 각 원소의 함숫값을 구하면

$f(1)=2, f(2)=8, f(3)=8, f(4)=2, f(5)=0$

이므로 이 함수의 대응을 그림으로 나타내면 다음과 같다.

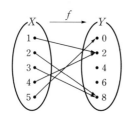

$f(a)=2$에서 함숫값이 2인 정의역 X의 원소는 1과 4 이므로

$a=1$ 또는 $a=4$

$f(b)=8$에서 함숫값이 8인 정의역 X의 원소는 2와 3 이므로

$b=2$ 또는 $b=3$

이때 a, b의 순서쌍 (a, b)로 가능한 것은

$(1, 2)$, $(1, 3)$, $(4, 2)$, $(4, 3)$이므로 $a+b$의 값은 3, 4, 6, 7

따라서 $a+b$의 최댓값은 7이다. 　　　　　답 ③

91

$f(a+b)=f(a)+f(b)+4$ 　　　　…… ㉠

㉠에 $a=0$, $b=0$을 대입하면

$f(0)=f(0)+f(0)+4$ $\quad\therefore f(0)=-4$

㉠에 $a=4$, $b=-4$를 대입하면

$f(0)=f(4)+f(-4)+4$

$\therefore f(4)+f(-4)=f(0)-4=-8$ 　　　　답 -8

92

$f(-2)=g(-2)=0, f(0)=g(0)=0$이므로

$f=g$이려면 $f(a)=g(a)$가 되어야 한다. 즉,

$a^2+2a=a^3-4a, a^3-a^2-6a=0$

$a(a^2-a-6)=0, a(a+2)(a-3)=0$

$\therefore a=0$ 또는 $a=-2$ 또는 $a=3$

그런데 $a\neq-2$, $a\neq0$이므로 $a=3$ 　　　　답 3

93

조건 ㈎에 의하여

$f(2019)=f\left(4\times\dfrac{2019}{4}\right)$

$\qquad=4f\left(\dfrac{2019}{4}\right)$

$\qquad=4^2f\left(\dfrac{2019}{4^2}\right)$

$\qquad\quad\vdots$

$\qquad=4^5f\left(\dfrac{2019}{4^5}\right)$

이때 $1<\dfrac{2019}{4^5}<2$이므로 조건 ㈏에 의하여

$f\left(\dfrac{2019}{4^5}\right)=\left|3-\dfrac{2019}{4^5}\right|-1=2-\dfrac{2019}{4^5}$

$\therefore f(2019)=4^5f\left(\dfrac{2019}{4^5}\right)=4^5\left(2-\dfrac{2019}{4^5}\right)$

$\qquad\qquad=4^5\times2-2019$

$\qquad\qquad=2048-2019=29$ 　　　　답 29

94

$f(x)=3$이려면 $x=4k+3$ (k는 음이 아닌 정수)이어야 한다.

따라서 함수 f의 정의역 X는

$\{x \mid x=4k+3, k=0, 1, 2, 3, \cdots, 6\}$, 즉

$\{3, 7, 11, 15, 19, 23, 27\}$의 부분집합 중 공집합이 아닌 것이어야 하므로 구하는 정의역 X의 개수는

$2^7-1=127$ 　　　　답 127

95

ㄱ. 치역의 각 원소 k에 대하여 주어진 그래프와 직선 $y=k$가 오직 한 점에서 만나고 (치역)=(공역)이므로 일대일대응이다.

ㄴ. 치역의 각 원소 k에 대하여 주어진 그래프와 직선 $y=k$가 오직 한 점에서 만나므로 일대일함수이다. 그러나 치역이 $\{y \mid y<0\}$이므로 일대일대응이 아니다.

ㄷ. 치역의 각 원소 k에 대하여 주어진 그래프와 직선 $y=k$가 오직 한 점에서 만나고 (치역)=(공역)이므로 일대일대응이다.

ㄹ. 치역의 각 원소 k에 대하여 주어진 그래프와 직선 $y=k$가 2개 이상의 점에서 만나기도 하므로 일대일함수가 아니다.

따라서 일대일함수이지만 일대일대응이 아닌 것은 ㄴ뿐이다. 답 ㄴ

96

함수 f가 항등함수이려면 $f(-1)=-1$, $f(0)=0$, $f(1)=1$이어야 한다.

④ $f(-1)=1$, $f(0)=0$, $f(1)=1$이므로 항등함수가 아니다. 답 ④

97

$f(2)-f(3)=3$에서

$f(2)=8$, $f(3)=5$

이때 $f(1)=7$이고 함수 f가 일대일대응이므로

$f(4)=6$

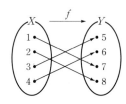

$\therefore f(3)+f(4)=5+6=11$ 답 ①

98

두 집합 $X=\{1, 2, 3\}$, $Y=\{4, 5, 6, 7, 8\}$에 대하여 함수 $f : X \longrightarrow Y$가 상수함수이므로

$f(1)=f(2)=f(3)=a$ $(a \in Y)$라 하면

$f(1)+f(2)+f(3)$의 최댓값은 $a=8$일 때이므로

$f(1)+f(2)+f(3)=8+8+8=24$

또, $f(1)+f(2)+f(3)$의 최솟값은 $a=4$일 때이므로

$f(1)+f(2)+f(3)=4+4+4=12$

따라서 최댓값과 최솟값의 합은

$24+12=36$ 답 36

99

함수 f는 $f(1)=a$, $f(2)=d$를 만족시키므로 집합 X의 원소 1, 2에 대응하는 집합 Y의 원소가 각각 a, d로 정해져 있다. 즉, 집합 X의 나머지 두 원소 3, 4의 경우에 대해서만 살펴보면 된다.

이때 3, 4에 대응할 수 있는 집합 Y의 원소는 각각 a, b, c, d의 4개씩이다.

따라서 주어진 조건을 만족시키는 함수 f의 개수는

$4 \times 4=16$ 답 16

100

함수 $f(x)=a|x+2|-4x$에서

(ⅰ) $x<-2$일 때,

$f(x)=a(-x-2)-4x=-(a+4)x-2a$

(ⅱ) $x \geq -2$일 때,

$f(x)=a(x+2)-4x=(a-4)x+2a$

$\therefore f(x)=\begin{cases} -(a+4)x-2a & (x<-2) \\ (a-4)x+2a & (x \geq -2) \end{cases}$

이때 함수 f가 일대일대응이 되려면 두 직선 $y=-(a+4)x-2a$와 $y=(a-4)x+2a$의 기울기의 부호가 서로 같아야 한다.

즉, $-(a+4)(a-4)>0$에서

$(a+4)(a-4)<0$ $\therefore -4<a<4$

따라서 정수 a는 -3, -2, -1, 0, 1, 2, 3의 7개이다. 답 7

101

$0 \le x < 2$에서 함수 $f(x) = \dfrac{1}{2}x$의 치역은

$\{y \mid 0 \le y < 1\}$

따라서 X에서 Y로의 함수 f가 일대일대응이 되려면

공역이 $Y = \{y \mid 0 \le y \le 4\}$이므로 $2 \le x \le 4$에서 함수

$f(x) = ax + b$의 치역이 $\{y \mid 1 \le y \le 4\}$이어야 한다.

그런데 $a < 0$이므로 $y = f(x)$의 그래프는 오른쪽 그림과 같아야 한다.

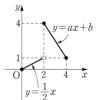

즉, $f(2) = 4$, $f(4) = 1$이므로

$2a + b = 4$, $4a + b = 1$

두 식을 연립하여 풀면

$a = -\dfrac{3}{2}$, $b = 7$

따라서 $2 \le x \le 4$에서 $f(x) = -\dfrac{3}{2}x + 7$이므로

$f(3) = -\dfrac{3}{2} \times 3 + 7 = \dfrac{5}{2}$ 　　　답 $\dfrac{5}{2}$

102

$f(x) = x^3 + x^2 - x$가 항등함수가 되려면 정의역의 각 원소 x에 대하여 $f(x) = x$를 만족시켜야 한다.

즉, $x^3 + x^2 - x = x$에서

$x^3 + x^2 - 2x = 0$, $x(x+2)(x-1) = 0$

$\therefore x = 0$ 또는 $x = -2$ 또는 $x = 1$

따라서 집합 X가 될 수 있는 것은 $\{-2, 0, 1\}$의 부분집합 중 공집합이 아닌 것이므로 구하는 집합 X의 개수는

$2^3 - 1 = 7$ 　　　답 7

103

집합 X의 각 원소에 대응할 수 있는 집합 Y의 원소는 d, e의 2개씩이므로 X에서 Y로의 함수의 개수는

$2 \times 2 \times 2 = 2^3 = 8$

한편, 치역이 $\{d\}$ 또는 $\{e\}$인 함수의 개수는 2이므로 치역과 공역이 같은 함수의 개수는

$8 - 2 = 6$ 　　　답 6

다른풀이 (i) Y의 원소 d에 X의 원소가 2개 대응할 때,

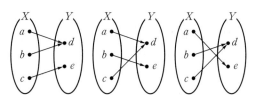

(ii) Y의 원소 e에 X의 원소가 2개 대응할 때,

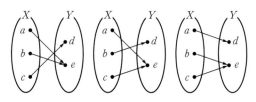

(i), (ii)에서 구하는 함수의 개수는

$3 + 3 = 6$

104

함수 f가 항등함수이므로 정의역의 각 원소 x에 대하여 $f(x) = x$이다.

(i) $x < -2$일 때,

$f(x) = -4$이므로 $x = -4$

(ii) $-2 \le x \le 1$일 때,

$f(x) = x$에서 $2x + 1 = x$ 　　$\therefore x = -1$

(iii) $x > 1$일 때,

$f(x) = 3$이므로 $x = 3$

(i)~(iii)에서 $X = \{-4, -1, 3\}$

$\therefore a + b + c = -4 + (-1) + 3$

$\qquad = -2$ 　　　답 -2

105

함수 f가 집합 $X = \{-3, -1, 0, 1, 3\}$에 대하여 $f(x) = f(-x)$이므로 $f(-3) = f(3)$,

$f(-1) = f(1)$이어야 한다.

$f(-3)$의 값이 될 수 있는 것은 $-3, -1, 0, 1, 3$ 중 하나이므로 5개

$f(-3) = f(3)$이므로 $f(3)$의 값이 될 수 있는 것은 $f(-3)$의 값과 같은 1개

$f(-1)$의 값이 될 수 있는 것은 -3, -1, 0, 1, 3 중 하나이므로 5개

$f(-1)=f(1)$이므로 $f(1)$의 값이 될 수 있는 것은 $f(-1)$의 값과 같은 1개

$f(0)$의 값이 될 수 있는 것은 -3, -1, 0, 1, 3 중 하나이므로 5개

따라서 구하는 함수 f의 개수는

$5 \times 1 \times 5 \times 1 \times 5 = 125$ 답 **125**

106

$(g \circ f)(a) + (g \circ f)(b) = g(f(a)) + g(f(b))$
$= g(y) + g(x)$
$= 4 + 6 = 10$ 답 **10**

107

$(f \circ f \circ g \circ g)(\sqrt{2})$
$= f(f(g(g(\sqrt{2}))))$
$= f(f(g(-\sqrt{2}))) \leftarrow g(\sqrt{2}) = -\sqrt{2}$
$= f(f(\sqrt{2})) \qquad \leftarrow g(-\sqrt{2}) = \sqrt{2}$
$= f(-2) \qquad \leftarrow f(\sqrt{2}) = -(\sqrt{2})^2 = -2$
$= (-2)^2 = 4$ 답 **4**

108

$(f \circ (g \circ h))(x) = ((f \circ g) \circ h)(x)$
$= (f \circ g)(h(x))$
$= (f \circ g)(x-1)$
$= (x-1)^2 + 4$

$(f \circ (g \circ h))(x) = 20$에서

$(x-1)^2 + 4 = 20$, $(x-1)^2 = 16$

$x-1 = 4$ 또는 $x-1 = -4$

$\therefore x = 5$ 또는 $x = -3$

따라서 구하는 x의 값의 합은 $5 + (-3) = 2$ 답 **2**

109

$(f \circ g)(x) = f(g(x)) = f(3x+4)$
$= -a(3x+4) + b$
$= -3ax - 4a + b$

$(g \circ f)(x) = g(f(x)) = g(-ax+b)$
$= 3(-ax+b) + 4$
$= -3ax + 3b + 4$

$f \circ g = g \circ f$이므로

$-3ax - 4a + b = -3ax + 3b + 4$

$-4a + b = 3b + 4$, $-2b = 4a + 4$

$\therefore b = -2a - 2$

$f(x) = -ax + b$에 $b = -2a - 2$를 대입하면

$f(x) = -ax - 2a - 2$
$= (-x-2)a - 2$

따라서 함수 $y = f(x)$의 그래프는 a의 값에 관계없이 점 $(-2, -2)$를 지나므로

$m = -2$, $n = -2$

$\therefore m + n = -4$ 답 **-4**

110

$(f \circ h)(x) = f(h(x)) = g(x)$에서

$f(h(3)) = g(3)$

$h(3) = k$라 하면 $f(k) = g(3)$

이때 $g(3) = -3^2 + 5 = -4$이므로 $f(k) = -4$

$\dfrac{1}{2}k + 1 = -4$, $\dfrac{1}{2}k = -5$

$\therefore k = -10$

$\therefore h(3) = -10$ 답 **①**

다른풀이 $(f \circ h)(x) = f(h(x)) = \dfrac{1}{2}h(x) + 1$이고,

$(f \circ h)(x) = g(x)$이므로

$\dfrac{1}{2}h(x) + 1 = -x^2 + 5$ $\therefore h(x) = -2x^2 + 8$

$\therefore h(3) = -2 \times 3^2 + 8 = -10$

111

$(f \circ g)(0) = f(g(0)) = f(-2) = -2 + a$

$(g \circ f)(0) = g(f(0)) = g(a)$

(i) $a < 2$일 때,

    $g(a) = a - 2$이므로

    $(f \circ g)(0) + (g \circ f)(0) = (-2+a) + (a-2)$

    즉, $2a - 4 = 10$ $\therefore a = 7$

    그런데 $a < 2$이므로 a의 값은 존재하지 않는다.

(ii) $a \geq 2$일 때,

$g(a) = a^2$이므로

$(f \circ g)(0) + (g \circ f)(0) = (-2+a) + a^2$

즉, $a^2 + a - 2 = 10$

$a^2 + a - 12 = 0$, $(a+4)(a-3) = 0$

$\therefore a = 3$ $(\because a \geq 2)$

(i), (ii)에서 $a = 3$　　　　　　　　　답 **3**

112

$h(x) = ax + b$ $(a, b$는 상수, $a \neq 0)$라 하면

$$
\begin{aligned}
(h \circ g \circ f)(x) &= h(g(f(x))) \\
&= h(g(-x)) \\
&= h(-2x-1) \\
&= a(-2x-1) + b \\
&= -2ax - a + b
\end{aligned}
$$

$h \circ g \circ f = f$이므로

$-2ax - a + b = -x$

즉, $-2a = -1$, $-a + b = 0$이므로

$a = \dfrac{1}{2}$, $b = \dfrac{1}{2}$

$\therefore h(x) = \dfrac{1}{2}x + \dfrac{1}{2}$

따라서 $h(k) = 4$에서

$\dfrac{1}{2}k + \dfrac{1}{2} = 4$　　$\therefore k = 7$　　　　답 **7**

다른풀이 $(h \circ g \circ f)(x) = f(x)$에서

$h(-2x-1) = -x$　　　　　　　…… ㉠

㉠의 양변에 $x = -4$를 대입하면

$h(7) = 4$

$\therefore k = 7$

113

$f^1(3) = f(3) = 2$

$f^2(3) = f(f(3)) = f(2) = 1$

$f^3(3) = f(f^2(3)) = f(1) = 5$

$f^4(3) = f(f^3(3)) = f(5) = 4$

$f^5(3) = f(f^4(3)) = f(4) = 3$

$f^6(3) = f(f^5(3)) = f(3) = 2$

$\vdots$

즉, $n = 1, 2, 3, \cdots$일 때, $f^n(3)$의 값은 2, 1, 5, 4, 3이 이 순서대로 반복된다.

이때 $2022 = 5 \times 404 + 2$이므로

$f^{2022}(3) = f^2(3) = 1$　　　　　　　답 **1**

114

$f(x) = \begin{cases} -2x+4 & (0 \leq x < 2) \\ x-2 & (2 \leq x \leq 4) \end{cases}$ 이므로

$f^1(1) = f(1) = 2$

$f^2(1) = f(f(1)) = f(2) = 0$

$f^3(1) = f(f^2(1)) = f(0) = 4$

$f^4(1) = f(f^3(1)) = f(4) = 2$

$\vdots$

즉, $n = 1, 2, 3, \cdots$일 때, $f^n(1)$의 값은 2, 0, 4가 이 순서대로 반복된다.

이때 $100 = 3 \times 33 + 1$이므로

$f^{100}(1) = f^1(1) = 2$　　　　　　　답 **2**

115

$f(x) = \begin{cases} 2x & \left(0 \leq x \leq \dfrac{1}{2}\right) \\ 2-2x & \left(\dfrac{1}{2} \leq x \leq 1\right) \end{cases}$ 이므로

$(f \circ f)(x) = \begin{cases} 2f(x) & \left(0 \leq f(x) \leq \dfrac{1}{2}\right) \\ 2-2f(x) & \left(\dfrac{1}{2} \leq f(x) \leq 1\right) \end{cases}$

(i) $0 \leq x \leq \dfrac{1}{4}$일 때, $0 \leq f(x) \leq \dfrac{1}{2}$이므로

$(f \circ f)(x) = 2f(x) = 2 \times 2x = 4x$

(ii) $\dfrac{1}{4} \leq x \leq \dfrac{1}{2}$일 때, $\dfrac{1}{2} \leq f(x) \leq 1$이므로

$(f \circ f)(x) = 2 - 2f(x) = 2 - 2 \times 2x$

$= 2 - 4x$

(iii) $\dfrac{1}{2} \leq x \leq \dfrac{3}{4}$일 때, $\dfrac{1}{2} \leq f(x) \leq 1$이므로

$(f \circ f)(x) = 2 - 2f(x) = 2 - 2(2-2x)$

$= 4x - 2$

(iv) $\dfrac{3}{4} \leq x \leq 1$일 때, $0 \leq f(x) \leq \dfrac{1}{2}$이므로

$(f \circ f)(x) = 2f(x) = 2(2-2x)$

$= 4 - 4x$

(i)~(iv)에서 함수
$y=(f \circ f)(x)$의 그래프는 오른쪽 그림과 같다.

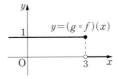

답 풀이 참조

116

$(f \circ g)(x)=f(g(x))=\begin{cases} -x+3 & (x<0) \\ 2x^2-4ax+3 & (x\geq0) \end{cases}$

그런데 $a\leq0$이면 함수
$y=2x^2-4ax+3=2(x-a)^2-2a^2+3$
의 그래프의 꼭짓점의 x좌표가 0 또는 음수이므로 합성함수 $f \circ g$의 치역이 $\{y|y\geq3\}$이 되어 조건을 만족시키지 않는다.
$\therefore a>0$
이때 함수 $f \circ g$의 치역이 $\{y|y\geq1\}$이려면 오른쪽 그림과 같이 함수 $y=2(x-a)^2-2a^2+3$의 그래프의 꼭짓점의 y좌표가 1이어야 한다.
따라서 $-2a^2+3=1$이므로
$a^2=1$　　$\therefore a=1 \ (\because a>0)$　　**답** 1

117

(i) $x\leq3$일 때, $f(x)=1$이므로
　$y=(g \circ f)(x)=g(f(x))=g(1)=1$
(ii) $x>3$일 때, $f(x)=4$이므로
　$y=(g \circ f)(x)=g(f(x))=g(4)=0$
(i), (ii)에서 함수
$y=(g \circ f)(x)$의 그래프는 오른쪽 그림과 같다.

답 풀이 참조

118

$(f \circ f)(3)=f(f(3))=f(9)=27$
한편, $f^{-1}(-6)=a$라 하면 $f(a)=-6$

(i) $a\geq2$일 때,
　$f(a)=3a$이므로
　$3a=-6$　　$\therefore a=-2$
　그런데 $a\geq2$이므로 a의 값은 존재하지 않는다.
(ii) $a<2$일 때,
　$f(a)=-a^2+5a$이므로
　$-a^2+5a=-6$, $a^2-5a-6=0$
　$(a+1)(a-6)=0$　　$\therefore a=-1 \ (\because a<2)$
(i), (ii)에서 $a=-1$이므로 $f^{-1}(-6)=-1$
$\therefore (f \circ f)(3)+f^{-1}(-6)=27+(-1)=26$

답 26

119

$g^{-1}(1)=3$이므로 $g(3)=1$
$(g \circ f)(2)=g(f(2))=2$이고 $f(2)=1$이므로
$g(1)=2$
또한, 함수 g의 역함수가 존재하므로 함수 g는 일대일대응이다.
$\therefore g(4)=4$
$g(4)=4$이므로 $g^{-1}(4)=4$
$\therefore g^{-1}(4)+(f \circ g)(2)=4+f(g(2))=4+f(3)$
　　　　　　　　　$=4+3=7$　　**답** 7

120

$f=f^{-1}$이므로 $(f \circ f)(x)=x$
$f(x)=ax+1$에서
$(f \circ f)(x)=f(f(x))=f(ax+1)$
　　　　　　$=a(ax+1)+1$
　　　　　　$=a^2x+a+1$
따라서 $a^2x+a+1=x$이므로
$a^2=1$, $a+1=0$
$\therefore a=-1$　　**답** -1

121

$((f^{-1} \circ g)^{-1} \circ f)(-2)$
$=(g^{-1} \circ f \circ f)(-2)$
$=g^{-1}(f(f(-2)))$
$=g^{-1}(f(-1))$　　← $f(-2)=-1$
$=g^{-1}(0)$　　　　← $f(-1)=0$

이때 $g^{-1}(0)=k$라 하면 $g(k)=0$이므로

$k+1=0 \qquad \therefore k=-1$

$\therefore g^{-1}(0)=-1$

$\therefore ((f^{-1} \circ g)^{-1} \circ f)(-2)=g^{-1}(0)=-1$ 답 **-1**

122

직선 $y=x$를 이용하여 y축과 점선이 만나는 점의 y좌표를 구하면 오른쪽 그림과 같다.

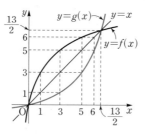

$f^{-1}(6)=k$라 하면

$f(k)=6$이므로 $k=5$

$\therefore f^{-1}(6)=5$

$\therefore (g \circ f^{-1})(6)=g(f^{-1}(6))=g(5)=3$

또, $f^{-1}(3)=l$이라 하면 $f(l)=3$이므로 $l=1$

$\therefore f^{-1}(3)=1$

$\therefore (f^{-1} \circ g)(5)=f^{-1}(g(5))=f^{-1}(3)=1$

$\therefore (g \circ f^{-1})(6)+(f^{-1} \circ g)(5)=3+1$

$\qquad\qquad\qquad\qquad\qquad = 4$ 답 **4**

123

함수 $y=f(x)$의 그래프와 그 역함수 $y=f^{-1}(x)$의 그래프는 직선 $y=x$에 대하여 대칭이므로 오른쪽 그림과 같다.

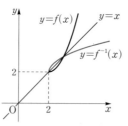

이때 함수 $y=f(x)$의 그래프와 그 역함수의 그래프가 서로 다른 두 점에서 만나고, 그 교점이 직선 $y=x$ 위에 있으므로 함수 $y=f(x)$의 그래프와 그 역함수 $y=f^{-1}(x)$의 그래프의 교점은 함수 $y=f(x)$의 그래프와 직선 $y=x$의 교점과 같다.

$x^2-4x+6=x$에서 $x^2-5x+6=0$

$(x-2)(x-3)=0 \qquad \therefore x=2 \ \text{또는} \ x=3$

따라서 두 교점의 좌표는 $(2, 2)$, $(3, 3)$이므로 두 점 사이의 거리는

$\sqrt{(3-2)^2+(3-2)^2}=\sqrt{2}$ 답 $\sqrt{2}$

124

$g^{-1}(40)=k$라 하면 $g(k)=40$

(i) $k<25$일 때, $g(k)=2k$이므로

$\quad 2k=40 \qquad \therefore k=20$

(ii) $k \geq 25$일 때, $g(k)=k+25$이므로

$\quad k+25=40 \qquad \therefore k=15$

  그런데 $k \geq 25$이므로 k의 값은 존재하지 않는다.

(i), (ii)에서 $k=20$, 즉 $g^{-1}(40)=20$이므로

$f(g^{-1}(40))=f(20)=5 \times 20+20=120$

또, $f^{-1}(65)=l$이라 하면 $f(l)=65$이므로

$5l+20=65 \qquad \therefore l=9$

$\therefore f^{-1}(65)=9$

$\therefore f^{-1}(g(40))=f^{-1}(65)=9$

$\therefore f(g^{-1}(40))+f^{-1}(g(40))=120+9$

$\qquad\qquad\qquad\qquad\qquad\qquad =129$ 답 **129**

125

함수 $f(x)$의 역함수가 존재하려면 $f(x)$가 일대일대응이어야 하므로 $y=f(x)$의 그래프는 오른쪽 그림과 같아야 한다.

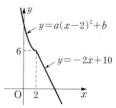

즉, 곡선 $y=a(x-2)^2+b$가 점 $(2, 6)$을 지나야 하므로 $b=6$

또, $x \geq 2$일 때 직선 $y=-2x+10$의 기울기가 음수이므로 $x<2$일 때 곡선 $y=a(x-2)^2+b$의 모양이 아래로 볼록이어야 한다.

$\therefore a>0$

따라서 정수 a의 최솟값은 1이므로 $a+b$의 최솟값은 7이다.   답 ④

126

$(h^{-1} \circ g^{-1} \circ f^{-1})(1)=(h^{-1} \circ (f \circ g)^{-1})(1)$

$\qquad\qquad\qquad\qquad\quad =h^{-1}((f \circ g)^{-1}(1))$

$(f \circ g)^{-1}(1)=k$라 하면 $(f \circ g)(k)=1$이므로

$2k-3=1 \qquad \therefore k=2$

$\therefore (f \circ g)^{-1}(1)=2$

$h^{-1}(2)=l$이라 하면 $h(l)=2$이므로
$l+1=2$ $\quad \therefore l=1$
$\therefore (h^{-1} \circ g^{-1} \circ f^{-1})(1)=h^{-1}((f \circ g)^{-1}(1))$
$\qquad\qquad\qquad\qquad =h^{-1}(2)=1$ **답 1**

다른풀이 $h^{-1} \circ g^{-1} \circ f^{-1}=(f \circ g \circ h)^{-1}$이고
$(f \circ g)(x)=2x-3$, $h(x)=x+1$이므로
$(f \circ g \circ h)(x)=(f \circ g)(h(x))=(f \circ g)(x+1)$
$\qquad\qquad\qquad\qquad =2(x+1)-3=2x-1$
이때 $(f \circ g \circ h)^{-1}(1)=k$라 하면 $(f \circ g \circ h)(k)=1$
이므로 $2k-1=1$ $\quad \therefore k=1$
$\therefore (f \circ g \circ h)^{-1}(1)=1$
$\therefore (h^{-1} \circ g^{-1} \circ f^{-1})(1)=(f \circ g \circ h)^{-1}(1)=1$

127

$f^{-1}(3)=-1$에서 $f(-1)=3$이므로
$-a+b=3$ $\qquad\qquad\qquad$ …… ㉠
$(f \circ g)^{-1}(2x+1)=x$에서 $(f \circ g)(x)=2x+1$이
므로
$f(g(x))=f(x+c)=a(x+c)+b$
$\qquad\qquad =ax+ac+b$
따라서 $ax+ac+b=2x+1$이므로
$a=2$, $ac+b=1$ $\qquad\qquad$ …… ㉡
㉠, ㉡에서 $a=2$, $b=5$, $c=-2$
$\therefore a+b+c=5$ **답 5**

128

직선 $y=x$를 이용하여 x
축과 점선이 만나는 점의
x좌표를 구하면 오른쪽
그림과 같다.

$g\left(\dfrac{1}{2}\right)=f^{-1}\left(\dfrac{1}{2}\right)=k$라

하면 $f(k)=\dfrac{1}{2}$이므로

$k=b$ $\quad \therefore g\left(\dfrac{1}{2}\right)=b$

$g(b)=f^{-1}(b)=l$이라 하면 $f(l)=b$이므로
$l=a$ $\quad \therefore g(b)=a$

$\therefore (g \circ g)\left(\dfrac{1}{2}\right)=g\left(g\left(\dfrac{1}{2}\right)\right)=g(b)=a$ **답 a**

129

함수 $y=f(x)$의 그래프와 그 역함수 $y=g(x)$의 그래
프는 직선 $y=x$에 대하여 대칭이므로 방정식
$f(x)=g(x)$가 실근을 가지면 방정식 $f(x)=x$도 실
근을 갖는다.

$\dfrac{1}{2}x^2+a=x$에서 $x^2-2x+2a=0$

이 이차방정식의 판별식을 D라 할 때, 실근을 가지려
면

$\dfrac{D}{4}=1-2a \geq 0$ $\quad \therefore a \leq \dfrac{1}{2}$ **답 $a \leq \dfrac{1}{2}$**

130

$S=\{n \mid 1 \leq n \leq 100,\ n$은 9의 배수$\}$
$=\{9,\ 18,\ 27,\ \cdots,\ 90,\ 99\}$
이므로
$f(9)=f(72)=2$
$f(18)=f(81)=4$
$f(27)=f(90)=6$
$f(36)=f(99)=1$
$f(45)=3, f(54)=5, f(63)=0$
함수 $f(n)$의 역함수가 존재하려면 $f(n)$이 일대일대
응이어야 하므로
$f^{-1}(0)=63$, $f^{-1}(3)=45$, $f^{-1}(5)=54$이고
$f^{-1}(1)=36$ 또는 $f^{-1}(1)=99$
$f^{-1}(2)=9$ 또는 $f^{-1}(2)=72$
$f^{-1}(4)=18$ 또는 $f^{-1}(4)=81$
$f^{-1}(6)=27$ 또는 $f^{-1}(6)=90$
따라서 구하는 집합 X의 개수는
$2 \times 2 \times 2 \times 2=16$ **답 16**

131

$f^{-1}(2)=1$에서 $f(1)=2$이므로
$-1+k=2$ $\quad \therefore k=3$
$\therefore f(x)=-x|x|+3$
$(g^{-1} \circ f)^{-1}(2)=(f^{-1} \circ g)(2)=f^{-1}(g(2))$
$\qquad\qquad\qquad\quad =f^{-1}(5)$ ← $g(2)=2 \times 2+1=5$

이때 $f^{-1}(5)=a$라 하면 $f(a)=5$이므로

$-a|a|+3=5$

(ⅰ) $a \geq 0$일 때,

　　$-a^2+3=5$, $a^2=-2$이므로 $a \geq 0$인 a의 값은 존재하지 않는다.

(ⅱ) $a < 0$일 때,

　　$a^2+3=5$, $a^2=2$

　　$\therefore a=-\sqrt{2}$ ($\because a<0$)

(ⅰ), (ⅱ)에서 $a=-\sqrt{2}$, 즉 $f^{-1}(5)=-\sqrt{2}$

$\therefore (g^{-1} \circ f)^{-1}(2)=f^{-1}(5)=-\sqrt{2}$ 　　답 $-\sqrt{2}$

132

함수 $y=f(x)$의 그래프와 그 역함수 $y=f^{-1}(x)$의 그래프는 직선 $y=x$에 대하여 대칭이므로 오른쪽 그림과 같다.

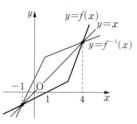

$\{f(x)\}^2=f(x)f^{-1}(x)$에서

$\{f(x)\}^2-f(x)f^{-1}(x)=0$, $f(x)\{f(x)-f^{-1}(x)\}=0$

$\therefore f(x)=0$ 또는 $f(x)=f^{-1}(x)$

(ⅰ) $f(x)=0$을 만족시키는 실수 x의 값은 $y=f(x)$의 그래프와 x축이 만나는 점의 x좌표이므로

　　$x=1$

(ⅱ) $f(x)=f^{-1}(x)$를 만족시키는 실수 x의 값은 함수 $y=f(x)$의 그래프와 그 역함수 $y=f^{-1}(x)$의 그래프의 교점의 x좌표이므로

　　$x=-1$ 또는 $x=4$

(ⅰ), (ⅱ)에서 모든 실수 x의 값의 합은

$1+(-1)+4=4$ 　　답 ④

133

함수 $y=f(x)$의 그래프와 그 역함수 $y=f^{-1}(x)$의 그래프는 직선 $y=x$에 대하여 대칭이므로 오른쪽 그림과 같다.

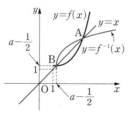

이때 함수 $y=f(x)$의 그래프와 그 역함수 $y=f^{-1}(x)$의 그래프의 교점은 함수 $y=f(x)$의 그래프와 직선 $y=x$의 교점과 같으므로

$\dfrac{1}{2}x^2-x+a=x$에서 $\dfrac{1}{2}x^2-2x+a=0$

$\therefore x^2-4x+2a=0$ 　　　　$\cdots\cdots$ ㉠

이차방정식 ㉠의 두 근을 α, β ($\alpha>\beta$)라 하면 두 교점은 $A(\alpha, \alpha)$, $B(\beta, \beta)$이고 두 점 A, B 사이의 거리가 2이므로

$\overline{AB}=\sqrt{(\alpha-\beta)^2+(\alpha-\beta)^2}$

　　　$=\sqrt{2(\alpha-\beta)^2}=2$

$\therefore (\alpha-\beta)^2=2$

이차방정식 ㉠에서 근과 계수의 관계에 의하여

$\alpha+\beta=4$, $\alpha\beta=2a$

$(\alpha-\beta)^2=(\alpha+\beta)^2-4\alpha\beta$이므로

$2=16-8a$

$\therefore a=\dfrac{7}{4}$ 　　답 $\dfrac{7}{4}$

134

함수 $y=f(x)$의 그래프와 그 역함수 $y=f^{-1}(x)$의 그래프는 직선 $y=x$에 대하여 대칭이므로 오른쪽 그림과 같다.

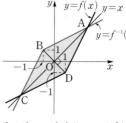

이때 함수 $y=f(x)$의 그래프와 그 역함수 $y=f^{-1}(x)$의 그래프의 교점은 함수 $y=f(x)$의 그래프와 직선 $y=x$의 교점과 같다.

이 교점을 각각 A, C라 하면

(ⅰ) $x \geq 1$일 때,

　　$2x-3=x$에서 $x=3$ 　　$\therefore A(3, 3)$

(ⅱ) $x < 1$일 때,

　　$\dfrac{1}{2}x-\dfrac{3}{2}=x$에서 $x=-3$ 　　$\therefore C(-3, -3)$

$\therefore \overline{AC}=\sqrt{(3+3)^2+(3+3)^2}=6\sqrt{2}$

또한, 위의 그림에서 $B(-1, 1)$, $D(1, -1)$이므로

$\overline{BD}=\sqrt{(1+1)^2+(-1-1)^2}=2\sqrt{2}$

따라서 두 함수 $y=f(x)$, $y=f^{-1}(x)$의 그래프로 둘러싸인 도형은 마름모이므로 그 넓이는

$$\frac{1}{2}\times\overline{\text{AC}}\times\overline{\text{BD}}=\frac{1}{2}\times 6\sqrt{2}\times 2\sqrt{2}=12$$ 답 **12**

135

(주어진 식)

$$=\frac{2+x+2-x}{(2-x)(2+x)}+\frac{4}{4+x^2}+\frac{32}{16+x^4}$$

$$=\frac{4}{4-x^2}+\frac{4}{4+x^2}+\frac{32}{16+x^4}$$

$$=\frac{4(4+x^2)+4(4-x^2)}{(4-x^2)(4+x^2)}+\frac{32}{16+x^4}$$

$$=\frac{32}{16-x^4}+\frac{32}{16+x^4}$$

$$=\frac{32(16+x^4)+32(16-x^4)}{(16-x^4)(16+x^4)}$$

$$=\frac{1024}{256-x^8}$$ 답 $\dfrac{\mathbf{1024}}{\mathbf{256}-x^8}$

136

주어진 식의 좌변을 정리하면

$$\frac{2x+3}{x+1}-\frac{3x+7}{x+2}+\frac{3x+10}{x+3}-\frac{2x+9}{x+4}$$

$$=\frac{2(x+1)+1}{x+1}-\frac{3(x+2)+1}{x+2}+\frac{3(x+3)+1}{x+3}$$
$$\qquad\qquad -\frac{2(x+4)+1}{x+4}$$

$$=\left(2+\frac{1}{x+1}\right)-\left(3+\frac{1}{x+2}\right)+\left(3+\frac{1}{x+3}\right)$$
$$\qquad\qquad -\left(2+\frac{1}{x+4}\right)$$

$$=\left(\frac{1}{x+1}-\frac{1}{x+2}\right)+\left(\frac{1}{x+3}-\frac{1}{x+4}\right)$$

$$=\frac{x+2-(x+1)}{(x+1)(x+2)}+\frac{x+4-(x+3)}{(x+3)(x+4)}$$

$$=\frac{1}{(x+1)(x+2)}+\frac{1}{(x+3)(x+4)}$$

$$=\frac{(x+3)(x+4)+(x+1)(x+2)}{(x+1)(x+2)(x+3)(x+4)}$$

$$=\frac{2x^2+10x+14}{(x+1)(x+2)(x+3)(x+4)}$$

따라서 $a=2$, $b=10$, $c=14$이므로
$$ab+c=34$$ 답 **34**

137

$$f(x)=\frac{4x^2-1}{3}$$
$$\quad\;=\frac{(2x-1)(2x+1)}{3}$$

이므로

$$\frac{1}{f(x)}=\frac{3}{(2x-1)(2x+1)}$$

$$\qquad\;=\frac{3}{2}\left(\frac{1}{2x-1}-\frac{1}{2x+1}\right)$$

$$\therefore\;\frac{1}{f(1)}+\frac{1}{f(2)}+\frac{1}{f(3)}+\cdots+\frac{1}{f(20)}$$

$$=\frac{3}{2}\left\{\left(1-\frac{1}{3}\right)+\left(\frac{1}{3}-\frac{1}{5}\right)+\left(\frac{1}{5}-\frac{1}{7}\right)\right.$$
$$\left.\qquad\qquad+\cdots+\left(\frac{1}{39}-\frac{1}{41}\right)\right\}$$

$$=\frac{3}{2}\left(1-\frac{1}{41}\right)$$

$$=\frac{3}{2}\times\frac{40}{41}=\frac{60}{41}$$ 답 $\dfrac{\mathbf{60}}{\mathbf{41}}$

138

$<A,\,B>=\dfrac{A-B}{AB}=\dfrac{1}{B}-\dfrac{1}{A}$이므로 주어진 식의 좌변을 정리하면

$$<x+2,\,x>+<x+4,\,x+2>+<x+6,\,x+4>$$

$$=\left(\frac{1}{x}-\frac{1}{x+2}\right)+\left(\frac{1}{x+2}-\frac{1}{x+4}\right)$$
$$\qquad\qquad+\left(\frac{1}{x+4}-\frac{1}{x+6}\right)$$

$$=\frac{1}{x}-\frac{1}{x+6}$$

주어진 식의 우변은

$$<x+a,\,x>=\frac{1}{x}-\frac{1}{x+a}$$

따라서 $\dfrac{1}{x}-\dfrac{1}{x+6}=\dfrac{1}{x}-\dfrac{1}{x+a}$이므로

$$a=6$$ 답 ⑤

139

$$\cfrac{\dfrac{1}{x-2}-\dfrac{1}{x+3}}{\dfrac{1}{x-2}+\dfrac{1}{x+3}}+\cfrac{\dfrac{1}{x+2}-\dfrac{1}{x-3}}{\dfrac{1}{x+2}+\dfrac{1}{x-3}}$$

$$=\cfrac{\dfrac{x+3-(x-2)}{(x-2)(x+3)}}{\dfrac{x+3+x-2}{(x-2)(x+3)}}+\cfrac{\dfrac{x-3-(x+2)}{(x+2)(x-3)}}{\dfrac{x-3+x+2}{(x+2)(x-3)}}$$

$$=\dfrac{5}{2x+1}+\dfrac{-5}{2x-1}$$

$$=\dfrac{5(2x-1)-5(2x+1)}{(2x+1)(2x-1)}$$

$$=\dfrac{-10}{(2x+1)(2x-1)}$$

답 $\dfrac{-10}{(2x+1)(2x-1)}$

140

$\dfrac{1}{a}+\dfrac{1}{b}+\dfrac{1}{c}=0$에서 $\dfrac{ab+bc+ca}{abc}=0$

$\therefore ab+bc+ca=0$

$$\dfrac{a^2}{(a+b)(a+c)}+\dfrac{b^2}{(b+a)(b+c)}+\dfrac{c^2}{(c+b)(c+a)}$$
$$+\dfrac{3abc}{(a+b)(b+c)(c+a)}$$

$$=\dfrac{a^2(b+c)}{(a+b)(a+c)(b+c)}+\dfrac{b^2(c+a)}{(b+a)(b+c)(c+a)}$$
$$+\dfrac{c^2(a+b)}{(c+b)(c+a)(a+b)}+\dfrac{3abc}{(a+b)(b+c)(c+a)}$$

$$=\dfrac{a^2(b+c)+b^2(c+a)+c^2(a+b)+3abc}{(a+b)(b+c)(c+a)}$$

(분자)
$$=a^2(b+c)+b^2(c+a)+c^2(a+b)+3abc$$
$$=a^2b+a^2c+b^2c+b^2a+c^2a+c^2b+3abc$$
$$=(a^2b+b^2a+abc)+(b^2c+c^2b+abc)$$
$$\qquad\qquad +(a^2c+c^2a+abc)$$
$$=ab(a+b+c)+bc(a+b+c)+ca(a+b+c)$$
$$=(a+b+c)(ab+bc+ca)$$

$\therefore$ (주어진 식)$=\dfrac{(a+b+c)(ab+bc+ca)}{(a+b)(b+c)(c+a)}$

$$=0$$

답 **0**

141

$$y=\dfrac{x+1}{2x-4}=\dfrac{\frac{1}{2}(2x-4)+3}{2x-4}=\dfrac{3}{2x-4}+\dfrac{1}{2}$$

이므로 $y=\dfrac{x+1}{2x-4}$의 그래프는 $y=\dfrac{3}{2x}$의 그래프를 x

축의 방향으로 2만큼, y축의 방향으로 $\dfrac{1}{2}$만큼 평행이

동한 것이다.

이때 점근선의 방정식은

$x=2$, $y=\dfrac{1}{2}$이고, 정의역

은 $\{x\,|\,x\neq 2$인 실수$\}$, 치역

은 $\left\{y\,\middle|\,y\neq\dfrac{1}{2}$인 실수$\right\}$이다.

④ 주어진 함수의 그래프는 두 점근선의 교점 $\left(2,\dfrac{1}{2}\right)$

을 지나고 기울기가 ±1인 직선에 대하여 대칭이다.

점 $\left(2,\dfrac{1}{2}\right)$을 지나고 기울기가 ±1인 직선의 방정식

은 $y-\dfrac{1}{2}=\pm(x-2)$

즉, 두 직선 $y=x-\dfrac{3}{2}$, $y=-x+\dfrac{5}{2}$에 대하여 대

칭이다.

따라서 옳지 않은 것은 ④이다.

답 ④

142

$$y=\dfrac{ax+3}{2x+1}=\dfrac{\frac{a}{2}(2x+1)-\frac{a}{2}+3}{2x+1}$$

$$=\dfrac{-\frac{a}{2}+3}{2x+1}+\dfrac{a}{2}$$

이므로 점근선의 방정식은 $x=-\dfrac{1}{2}$, $y=\dfrac{a}{2}$

$$y=\dfrac{x-2}{3x+b}=\dfrac{\frac{1}{3}(3x+b)-\frac{1}{3}b-2}{3x+b}$$

$$=\dfrac{-\frac{1}{3}b+2}{3x+b}+\dfrac{1}{3}$$

이므로 점근선의 방정식은 $x=-\dfrac{b}{3}$, $y=\dfrac{1}{3}$

따라서 $-\dfrac{1}{2}=-\dfrac{b}{3}$, $\dfrac{a}{2}=\dfrac{1}{3}$이므로

$a=\dfrac{2}{3}$, $b=\dfrac{3}{2}$ $\therefore ab=1$ **답 1**

143

$y=\dfrac{-3-4x}{2x+1}=\dfrac{-2(2x+1)-1}{2x+1}=-\dfrac{1}{2x+1}-2$

이므로 $y=\dfrac{-3-4x}{2x+1}$의 그래프는 $y=-\dfrac{1}{2x}$의 그래프

를 x축의 방향으로 $-\dfrac{1}{2}$만큼, y축의 방향으로 -2만

큼 평행이동한 것이다.

따라서 $1 \leq x \leq \dfrac{5}{2}$에서

$y=\dfrac{-3-4x}{2x+1}$의 그래프는

오른쪽 그림과 같으므로

$x=\dfrac{5}{2}$일 때 최댓값

$\dfrac{-3-10}{5+1}=-\dfrac{13}{6}$,

$x=1$일 때 최솟값 $\dfrac{-3-4}{2+1}=-\dfrac{7}{3}$을 갖는다.

따라서 $a=-\dfrac{13}{6}$, $b=-\dfrac{7}{3}$이므로

$a+b=-\dfrac{9}{2}$ **답 $-\dfrac{9}{2}$**

144

$y=\dfrac{-2x+5}{x-1}=\dfrac{-2(x-1)+3}{x-1}=\dfrac{3}{x-1}-2$

이므로 점근선의 방정식은 $x=1$, $y=-2$

이때 주어진 유리함수의 그래프는 두 점근선의 교점
$(1, -2)$를 지나고 기울기가 1 또는 -1인 직선에 대

하여 대칭이므로

$a=1$, $c=-1$ $(\because a>c)$

즉, 두 직선 $y=x+b$, $y=-x+d$가 각각 점
$(1, -2)$를 지나므로

$-2=1+b$, $-2=-1+d$

$\therefore b=-3$, $d=-1$

$\therefore a+2b+c+3d=1-6-1-3=-9$ **답 -9**

145

직선 $x=2$가 유리함수 $f(x)=\dfrac{x+b}{x-a}$의 그래프의 한

점근선이므로 $a=2$

$\therefore f(x)=\dfrac{x+b}{x-2}$

또한, 유리함수 $f(x)=\dfrac{x+b}{x-2}$의 그래프가 점 $(3, 7)$

을 지나므로

$7=\dfrac{3+b}{3-2}$ $\therefore b=4$

$\therefore a+b=2+4=6$ **답 ①**

146

$(g^{-1}\circ f)^{-1}(2)=(f^{-1}\circ g)(2)=f^{-1}(g(2))=k$

이때 $g(2)=\dfrac{3\times 2-1}{2}=\dfrac{5}{2}$이므로

$f^{-1}(g(2))=f^{-1}\left(\dfrac{5}{2}\right)=k$

즉, $f(k)=\dfrac{5}{2}$이므로

$\dfrac{2k}{k+1}=\dfrac{5}{2}$, $4k=5k+5$

$\therefore k=-5$ **답 -5**

147

$y=\dfrac{3x+k-10}{x+1}=\dfrac{3(x+1)+k-13}{x+1}=\dfrac{k-13}{x+1}+3$

이므로 $y=\dfrac{3x+k-10}{x+1}$의 그래프는 $y=\dfrac{k-13}{x}$의 그

래프를 x축의 방향으로 -1만큼, y축의 방향으로 3만

큼 평행이동한 것이다.

이 함수의 그래프가 제 4 사분면을 지나기 위해서는 다

음 그림과 같아야 한다.

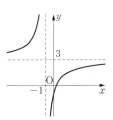

(ⅰ) $k-13<0$이어야 하므로

$\quad k<13$

(ⅱ) $x=0$일 때 y의 값이 0보다 작아야 하므로

$\quad k-10<0 \qquad \therefore k<10$

(ⅰ), (ⅱ)에서 $k<10$

따라서 자연수 k는 $1, 2, 3, \cdots, 9$의 9개이다.　답 ③

148

$y=\dfrac{bx+c}{ax-1}=\dfrac{\dfrac{b}{a}(ax-1)+\dfrac{b}{a}+c}{ax-1}$

$\quad =\dfrac{\dfrac{b}{a}+c}{ax-1}+\dfrac{b}{a}$

이므로 점근선의 방정식은

$x=\dfrac{1}{a}, \; y=\dfrac{b}{a}$

주어진 그래프에서 $\dfrac{1}{a}>0, \; \dfrac{b}{a}>0$이므로

$a>0, \; b>0$

또, $x=0$일 때 y의 값이 0보다 크므로

$-c>0 \qquad \therefore c<0$

따라서 옳은 것은 ㄱ, ㄷ이다.　답 ㄱ, ㄷ

149

$A\cap B=\varnothing$이므로 $y=\dfrac{2x-4}{x-1}$의 그래프와 직선

$y=kx+1$은 만나지 않는다.

$y=\dfrac{2x-4}{x-1}=\dfrac{2(x-1)-2}{x-1}=-\dfrac{2}{x-1}+2$ …… ㉠

이므로 $y=\dfrac{2x-4}{x-1}$의 그래프는 $y=-\dfrac{2}{x}$의 그래프를

x축의 방향으로 1만큼, y축의 방향으로 2만큼 평행이

동한 것이다.

또, 직선 $y=kx+1$은 k의 값에 관계없이 항상 점

$(0, 1)$을 지난다.

이때 ㉠의 그래프와 직선 $y=kx+1$이 만나지 않으려면 다음 그림과 같아야 한다.

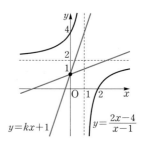

(ⅰ) $k=0$일 때,

　㉠의 그래프와 직선 $y=1$은 한 점에서 만나므로 조건을 만족시키지 않는다.

(ⅱ) $k\ne0$일 때,

　함수 $y=\dfrac{2x-4}{x-1}$의 그래프와 직선 $y=kx+1$이

　만나지 않으려면 $\dfrac{2x-4}{x-1}=kx+1$에서

　$kx^2-(k+1)x+3=0$

　이 이차방정식의 실근이 존재하지 않아야 하므로 판별식을 D라 하면

　$D=(k+1)^2-4\times k\times 3<0$

　$k^2-10k+1<0$

　$\therefore 5-2\sqrt{6}<k<5+2\sqrt{6}$

(ⅰ), (ⅱ)에서 구하는 k의 값의 범위는

$5-2\sqrt{6}<k<5+2\sqrt{6}$

답 $5-2\sqrt{6}<k<5+2\sqrt{6}$

150

유리함수 $y=\dfrac{2x+13}{x-1}$의 그래프와 직선 $y=x-1$이

만나는 점의 x좌표는 $\dfrac{2x+13}{x-1}=x-1$에서

$(x-1)^2=2x+13$

$x^2-4x-12=0, \; (x+2)(x-6)=0$

$\therefore x=-2$ 또는 $x=6$

따라서 두 교점의 좌표는 $(-2, -3), (6, 5)$이므로

두 점 사이의 거리는

$\sqrt{\{6-(-2)\}^2+\{5-(-3)\}^2}=8\sqrt{2}$　답 $8\sqrt{2}$

151

$(f \circ f)(x) = f(f(x))$

$$= \frac{\dfrac{x+2}{x-1}+2}{\dfrac{x+2}{x-1}-1} = \frac{\dfrac{3x}{x-1}}{\dfrac{3}{x-1}} = \frac{3x}{3} = x$$

즉, $(f \circ f)(x)$가 항등함수이므로

$(f \circ f \circ f)(x) = f((f \circ f)(x)) = f(x)$

$$= \frac{x+2}{x-1} = \frac{(x-1)+3}{x-1}$$

$$= \frac{3}{x-1}+1$$

따라서 함수 $y = (f \circ f \circ f)(x)$의 그래프는 두 점근선 $x=1$, $y=1$의 교점 $(1, 1)$에 대하여 대칭이므로

$a=1$, $b=1$

$\therefore a+b=2$ 답 **2**

152

$y = \dfrac{4x+1}{x-1}$로 놓고 x에 대하여 풀면

$y(x-1) = 4x+1$, $(y-4)x = y+1$

$\therefore x = \dfrac{y+1}{y-4}$

x와 y를 서로 바꾸면 $y = \dfrac{x+1}{x-4}$

$\therefore g(x) = \dfrac{x+1}{x-4} = \dfrac{(x-4)+5}{x-4} = \dfrac{5}{x-4}+1$

이때 $y = g(x)$의 그래프를 x축의 방향으로 m만큼, y축의 방향으로 n만큼 평행이동하면

$y = \dfrac{5}{x-m-4}+n+1$

이 그래프가 $y = f(x)$의 그래프와 겹쳐지므로

$f(x) = \dfrac{4x+1}{x-1} = \dfrac{4(x-1)+5}{x-1} = \dfrac{5}{x-1}+4$에서

$-m-4 = -1$, $n+1 = 4$

$\therefore m = -3$, $n = 3$

$\therefore n-m = 6$ 답 **6**

153

$y = \dfrac{2x-3}{x-a} = \dfrac{2(x-a)+2a-3}{x-a} = \dfrac{2a-3}{x-a}+2$

의 그래프의 점근선의 방정식은 $x=a$, $y=2$

$y = \dfrac{-ax+2}{x-2} = \dfrac{-a(x-2)-2a+2}{x-2} = \dfrac{-2a+2}{x-2}-a$

의 그래프의 점근선의 방정식은 $x=2$, $y=-a$

양수 a의 값의 범위에 따라 점근선으로 둘러싸인 부분의 넓이가 달라진다.

(i) $0 < a < 2$일 때,

점근선으로 둘러싸인 직사각형의 넓이는

$(2-a)(2+a) = 3$

$4-a^2 = 3$, $a^2 = 1$

$\therefore a = 1 \ (\because 0 < a < 2)$

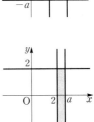

(ii) $a > 2$일 때,

점근선으로 둘러싸인 직사각형의 넓이는

$(a-2)(2+a) = 3$

$a^2 - 4 = 3$, $a^2 = 7$

$\therefore a = \sqrt{7} \ (\because a > 2)$

(i), (ii)에서 $a = 1$ 또는 $a = \sqrt{7}$

따라서 모든 a의 값의 곱은 $1 \times \sqrt{7} = \sqrt{7}$ 답 $\sqrt{7}$

154

제 1 사분면에 있는 유리함수 $y = \dfrac{1}{x}$의 그래프 위의 점 A의 좌표를 $\left(a, \dfrac{1}{a}\right) \ (a > 0)$이라 하면 $\text{B}\left(ak, \dfrac{1}{a}\right)$, $\text{C}\left(a, \dfrac{k}{a}\right)$이고 $k > 1$이므로

$\overline{\text{AB}} = ak - a = a(k-1)$, $\overline{\text{AC}} = \dfrac{k}{a} - \dfrac{1}{a} = \dfrac{k-1}{a}$

$\therefore \triangle \text{ABC} = \dfrac{1}{2} \times \overline{\text{AB}} \times \overline{\text{AC}}$

$$= \dfrac{1}{2} \times a(k-1) \times \dfrac{k-1}{a}$$

$$= \dfrac{1}{2}(k-1)^2$$

즉, $\dfrac{1}{2}(k-1)^2 = 50$이므로

$(k-1)^2 = 100$, $k-1 = \pm 10$

$\therefore k = 11 \ (\because k > 1)$ 답 **11**

155

$f(x)=\dfrac{2x+b}{x-a}=\dfrac{2(x-a)+2a+b}{x-a}=\dfrac{2a+b}{x-a}+2$

이므로 $f(x)=\dfrac{2x+b}{x-a}$의 그래프는 $y=\dfrac{2a+b}{x}$의 그래프를 x축의 방향으로 a만큼, y축의 방향으로 2만큼 평행이동한 것이다.

즉, 조건 (나)에서

$2a+b=3$ $\qquad\qquad$ ...... ㉠

이때 함수 $y=f(x)$의 그래프의 점근선의 방정식은 $x=a$, $y=2$이고 두 점근선의 교점은 점 $(a, 2)$이다.

또한, $y=f^{-1}(x)$의 그래프의 두 점근선의 교점은 점 $(a, 2)$를 직선 $y=x$에 대하여 대칭이동한 점과 일치하므로 점 $(2, a)$이다.

조건 (가)에서 함수 $y=f(x-4)-4$의 그래프는 함수 $y=f(x)$의 그래프를 x축의 방향으로 4만큼, y축의 방향으로 -4만큼 평행이동한 그래프와 일치하므로 $y=f(x-4)-4$의 그래프의 두 점근선의 교점은 점 $(a+4, -2)$이다.

점 $(2, a)$와 점 $(a+4, -2)$가 같으므로

$a=-2$

$a=-2$를 ㉠에 대입하면

$-4+b=3$ $\quad\therefore b=7$

$\therefore a+b=(-2)+7=5$ $\qquad$ 답 ⑤

다른풀이 $y=\dfrac{2x+b}{x-a}$로 놓고 x에 대하여 풀면

$y(x-a)=2x+b$, $(y-2)x=ay+b$

$\therefore x=\dfrac{ay+b}{y-2}$

x와 y를 서로 바꾸면 $y=\dfrac{ax+b}{x-2}$

$\therefore f^{-1}(x)=\dfrac{ax+b}{x-2}$

조건 (가)에서 함수 $y=f(x-4)-4$의 그래프는 함수 $y=f(x)$의 그래프를 x축의 방향으로 4만큼, y축의 방향으로 -4만큼 평행이동한 그래프이므로

$y=\dfrac{2(x-4)+b}{x-4-a}-4=\dfrac{-2x+8+4a+b}{x-4-a}$

이 식이 $f^{-1}(x)=\dfrac{ax+b}{x-2}$와 같아야 하므로

$a=-2$

따라서 $f(x)=\dfrac{2x+b}{x+2}=\dfrac{b-4}{x+2}+2$이므로

조건 (나)에서 $b-4=3$ $\quad\therefore b=7$

$\therefore a+b=(-2)+7=5$

156

$f(x)=\dfrac{3x+k}{x+4}=\dfrac{3(x+4)+k-12}{x+4}=\dfrac{k-12}{x+4}+3$

이므로 유리함수 $y=f(x)$의 그래프를 x축의 방향으로 -2만큼, y축의 방향으로 3만큼 평행이동하면

$y-3=\dfrac{k-12}{(x+2)+4}+3$

$\therefore g(x)=\dfrac{k-12}{x+6}+6$

곡선 $y=g(x)$의 점근선의 방정식은 $x=-6$, $y=6$이므로 두 점근선의 교점은 점 $(-6, 6)$이다.

점 $(-6, 6)$이 곡선 $y=f(x)$ 위의 점이므로

$\dfrac{3\times(-6)+k}{-6+4}=6$

$-18+k=-12$

$\therefore k=6$ $\qquad$ 답 ⑤

다른풀이 $f(x)=\dfrac{3x+k}{x+4}=\dfrac{k-12}{x+4}+3$

이므로 점근선의 방정식은 $x=-4$, $y=3$이고 두 점근선의 교점은 점 $(-4, 3)$이다.

곡선 $y=g(x)$는 곡선 $y=f(x)$를 x축의 방향으로 -2만큼, y축의 방향으로 3만큼 평행이동한 것이므로 곡선 $y=g(x)$의 두 점근선의 교점은 점 $(-4, 3)$을 x축의 방향으로 -2만큼, y축의 방향으로 3만큼 평행이동한 점 $(-6, 6)$과 같다.

점 $(-6, 6)$이 곡선 $y=f(x)$ 위의 점이므로

$\dfrac{3\times(-6)+k}{-6+4}=6$

$-18+k=-12$ $\quad\therefore k=6$

157

유리함수 $f(x)=\dfrac{2x-3}{x-2}$의 그래프 위의 임의의 한 점 P의 좌표를 $\left(a, \dfrac{2a-3}{a-2}\right)$ $(a>2)$이라 하면

$\overline{PA}=\dfrac{2a-3}{a-2}$, $\overline{PB}=a$

$$\therefore \overline{\text{PA}}+\overline{\text{PB}}=\frac{2a-3}{a-2}+a=\frac{2(a-2)+1}{a-2}+a$$

$$=\frac{1}{a-2}+a+2$$

$a>2$이므로 $a-2>0$

따라서 산술평균과 기하평균의 관계에 의하여

$$\frac{1}{a-2}+a+2=\frac{1}{a-2}+a-2+4$$

$$\geq 2\sqrt{\frac{1}{a-2}\times(a-2)}+4$$

$$=2+4=6$$

$\therefore m=6$

이때 등호는 $\dfrac{1}{a-2}=a-2$일 때 성립하므로

$(a-2)^2=1$, $a-2=\pm 1$

$\therefore a=3$ $(\because a>2)$

$\therefore p=3$

$\therefore m+p=6+3=9$ 　　　　　　　📋 **9**

158

주어진 무리식의 값이 실수가 되려면

(근호 안의 식의 값)≥0, (분모)≠0

이어야 하므로

$6-2x\geq 0$, $x+3\geq 0$, $4-x\neq 0$

$\therefore -3\leq x\leq 3$

따라서 x의 최댓값 $M=3$, 최솟값 $m=-3$이므로

$M+m=0$ 　　　　　　　　　📋 **0**

159

$f(x)=\sqrt{2x+1}+\sqrt{2x-1}$에서

$$\frac{1}{f(x)}=\frac{1}{\sqrt{2x+1}+\sqrt{2x-1}}$$

$$=\frac{\sqrt{2x+1}-\sqrt{2x-1}}{(\sqrt{2x+1}+\sqrt{2x-1})(\sqrt{2x+1}-\sqrt{2x-1})}$$

$$=\frac{\sqrt{2x+1}-\sqrt{2x-1}}{(2x+1)-(2x-1)}$$

$$=\frac{1}{2}(\sqrt{2x+1}-\sqrt{2x-1})$$

$$\therefore \frac{1}{f(1)}+\frac{1}{f(2)}+\frac{1}{f(3)}+\cdots+\frac{1}{f(24)}$$

$$=\frac{1}{2}\{(\sqrt{3}-\sqrt{1})+(\sqrt{5}-\sqrt{3})+(\sqrt{7}-\sqrt{5})$$

$$+\cdots+(\sqrt{49}-\sqrt{47})\}$$

$$=\frac{1}{2}(-\sqrt{1}+\sqrt{49})$$

$$=\frac{1}{2}(-1+7)=3$$ 　　　　📋 **3**

160

ㄱ. $y=-\sqrt{4-4x}+5=-\sqrt{-4(x-1)}+5$이므로

이 함수의 그래프를 x축의 방향으로 -1만큼, y축

의 방향으로 -5만큼 평행이동하면 $y=-\sqrt{-4x}$

의 그래프와 일치한다.

ㄴ. $4-4x\geq 0$에서 $x\leq 1$이므로 주어진 함수의 정의역

은 $\{x\,|\,x\leq 1\}$이다. 또한, $-\sqrt{4-4x}\leq 0$에서

$y=-\sqrt{4-4x}+5\leq 5$이므로 치역은 $\{y\,|\,y\leq 5\}$이다.

ㄷ. $y=-\sqrt{4-4x}+5$의

그래프는 오른쪽 그림

과 같으므로 제4 사분

면을 지나지 않는다.

따라서 옳은 것은 ㄱ, ㄴ이다. 　　📋 **ㄱ, ㄴ**

161

$$y=\sqrt{ax+b}+1=\sqrt{a\left(x+\frac{b}{a}\right)}+1$$

이고 $a<0$이므로 $-6\leq x\leq 0$

에서 이 함수의 그래프는 오

른쪽 그림과 같다.

즉, $x=-6$일 때 최댓값 5,

$x=0$일 때 최솟값 3을 가지

므로

$\sqrt{-6a+b}+1=5$ 　　　……㉠

$\sqrt{b}+1=3$ 　　　　　……㉡

㉡에서 $\sqrt{b}=2$ 　$\therefore b=4$

$b=4$를 ㉠에 대입하면

$\sqrt{-6a+4}+1=5$, $\sqrt{-6a+4}=4$

$-6a+4=16$ 　$\therefore a=-2$

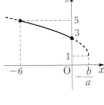

따라서 $a=-2$, $b=4$이므로
$ab=-8$ 답 -8

162

주어진 함수의 그래프는 $y=\sqrt{x}$의 그래프를 x축의 방향으로 -2만큼, y축의 방향으로 -1만큼 평행이동한 것이므로
$a=2$, $b=-1$
$\therefore f(x)=\sqrt{x+2}-1$
$\therefore f(7)=\sqrt{9}-1=2$ 답 ②

163

$f^{-1}(4)=a$에서 $f(a)=4$이므로
$\dfrac{a+2}{a-1}=4$, $a+2=4a-4$ $\therefore a=2$
$(f\circ(g\circ f)^{-1})(2)=(f\circ f^{-1}\circ g^{-1})(2)$
$\qquad\qquad\qquad\qquad=g^{-1}(2)=b$
에서 $g(b)=2$이므로
$\sqrt{2b-1}=2$, $2b-1=4$ $\therefore b=\dfrac{5}{2}$

$\therefore ab=2\times\dfrac{5}{2}=5$ 답 5

164

$x=\dfrac{\sqrt{5}-1}{2}$에서 $2x+1=\sqrt{5}$

양변을 제곱하면 $4x^2+4x+1=5$
$\therefore x^2+x-1=0$ ······ ㉠
$x^4+x^3-2x^2+x+3$을 x^2+x-1로 나누었을 때의 몫과 나머지를 구하면

$$
\begin{array}{r}
x^2-1 \\
x^2+x-1\overline{)x^4+x^3-2x^2+x+3} \\
\underline{x^4+x^3-x^2} \\
-x^2+x+3 \\
\underline{-x^2-x+1} \\
2x+2
\end{array}
$$

$\therefore x^4+x^3-2x^2+x+3$
$\quad=(x^2+x-1)(x^2-1)+2x+2$
$\quad=2x+2$ $(\because$ ㉠$)$

x^3-x+1을 x^2+x-1로 나누었을 때의 몫과 나머지를 구하면

$$
\begin{array}{r}
x-1 \\
x^2+x-1\overline{)x^3-x+1} \\
\underline{x^3+x^2-x} \\
-x^2+1 \\
\underline{-x^2-x+1} \\
x
\end{array}
$$

$\therefore x^3-x+1=(x^2+x-1)(x-1)+x=x$ $(\because$ ㉠$)$
$\therefore \dfrac{x^4+x^3-2x^2+x+3}{x^3-x+1}$
$=\dfrac{2x+2}{x}=2+\dfrac{2}{x}$
$=2+\dfrac{2}{\dfrac{\sqrt{5}-1}{2}}$ ←$x=\dfrac{\sqrt{5}-1}{2}$을 대입
$=2+\dfrac{4}{\sqrt{5}-1}$
$=2+\dfrac{4(\sqrt{5}+1)}{(\sqrt{5}-1)(\sqrt{5}+1)}$
$=2+\sqrt{5}+1$
$=3+\sqrt{5}$ 답 $3+\sqrt{5}$

다른풀이 $x^2+x-1=0$에서
$x^2=1-x$, $x^3=x\times x^2=x(1-x)=x-x^2=2x-1$
$x^4=(x^2)^2=(1-x)^2=x^2-2x+1=-3x+2$
$\therefore$ (주어진 식)$=\dfrac{2x+2}{x}=2+\dfrac{2}{x}$

165

$y=\sqrt{-x+2}+a=\sqrt{-(x-2)}+a$
이므로 주어진 함수의 그래프는 $y=\sqrt{-x}$의 그래프를 x축의 방향으로 2만큼, y축의 방향으로 a만큼 평행이동한 것이다.
이때 이 함수의 그래프가 제4사분면은 지나고 제3사분면은 지나지 않으려면 다음 그림과 같아야 한다.

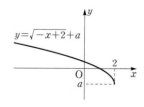

(i) $a < 0$

(ii) $x = 0$일 때, $y \geq 0$이어야 하므로

$\sqrt{2} + a \geq 0$ $\therefore a \geq -\sqrt{2}$

(i), (ii)에서 $-\sqrt{2} \leq a < 0$

따라서 구하는 정수 a의 값은 -1이다.   답 -1

166

$y = \sqrt{x-2} + 3$의 그래프는 $y = \sqrt{x}$의 그래프를 x축의 방향으로 2만큼, y축의 방향으로 3만큼 평행이동한 것이고, $y = ax - 3a + 1 = a(x-3) + 1$은 a의 값에 관계없이 점 $(3, 1)$을 지나는 직선이다.

이때 $A \cap B \neq \varnothing$이므로 $y = \sqrt{x-2} + 3$의 그래프와 직선 $y = ax - 3a + 1$이 만나야 한다.

따라서 오른쪽 그림에서 무리함수의 그래프와 직선이 만나려면 직선의 기울기 a가 0보다 크거나 점 $(2, 3)$을 지날 때보다 작거나 같아야 한다.

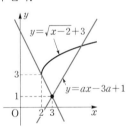

직선 $y = ax - 3a + 1$이 점 $(2, 3)$을 지날 때,

$3 = 2a - 3a + 1$ $\therefore a = -2$

$\therefore a \leq -2$ 또는 $a > 0$ 답 $a \leq -2$ 또는 $a > 0$

167

$x \geq 3$에서 $f(x) = \sqrt{2x-6} + 1$ ...... ㉠

$x < 3$에서 $f(x) = -\sqrt{-x+3} + 1$ ...... ㉡

이므로 $y = f(x)$의 그래프는 오른쪽 그림과 같다.

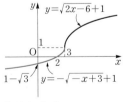

$f^{-1}(3) = a$라 하면

$f(a) = 3$

오른쪽 그림에서

$f(a) = 3$을 만족시키는 함수의 식은 ㉠이므로

$\sqrt{2a-6} + 1 = 3$, $\sqrt{2a-6} = 2$

$2a - 6 = 4$ $\therefore a = 5$

$\therefore f^{-1}(3) = 5$

$f^{-1}(-2) = b$라 하면 $f(b) = -2$

앞의 그림에서 $f(b) = -2$를 만족시키는 함수의 식은 ㉡이므로

$-\sqrt{-b+3} + 1 = -2$, $\sqrt{-b+3} = 3$

$-b + 3 = 9$ $\therefore b = -6$

$\therefore f^{-1}(-2) = -6$

$\therefore f^{-1}(3) + f^{-1}(-2) = 5 + (-6) = -1$ 답 -1

168

이차함수 $y = f(x)$의 그래프의 꼭짓점의 좌표가 $(2, 3)$이므로 함수의 식을

$f(x) = a(x-2)^2 + 3 \ (a > 0)$으로 놓을 수 있다.

$y = f(x)$의 그래프가 점 $(3, 4)$를 지나므로

$a + 3 = 4$ $\therefore a = 1$

$\therefore f(x) = (x-2)^2 + 3 \ (x \geq 2)$

$y = (x-2)^2 + 3$으로 놓고 x에 대하여 풀면

$(x-2)^2 = y - 3$

$x - 2 = \sqrt{y-3} \ (\because x \geq 2)$

$\therefore x = \sqrt{y-3} + 2$

x와 y를 서로 바꾸면 $y = \sqrt{x-3} + 2$

따라서 $f^{-1}(x) = \sqrt{x-3} + 2$이고 $6 \leq x \leq 12$에서 $y = f^{-1}(x)$의 그래프는 오른쪽 그림과 같으므로

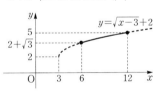

$x = 12$일 때 최댓값 $\sqrt{12-3} + 2 = 5$를 갖는다.   답 5

169

곡선 $y = f(x)$와 곡선 $y = g(x)$가 점 $(1, 3)$에서 만나므로

$f(1) = 3$, $g(1) = 3$

이때 함수 $g(x)$는 함수 $f(x)$의 역함수이므로

$g(1) = 3$, 즉 $f^{-1}(1) = 3$에서 $f(3) = 1$

$f(1)=3$에서 $\sqrt{a+b}+1=3$

$\therefore a+b=4$ $\qquad\qquad$ ...... ㉠

$f(3)=1$에서 $\sqrt{3a+b}+1=1$

$\therefore 3a+b=0$ $\qquad\qquad$ ...... ㉡

㉠, ㉡을 연립하여 풀면

$a=-2,\ b=6$

$\therefore f(x)=\sqrt{-2x+6}+1$

$g(5)=k$, 즉 $f^{-1}(5)=k$라 하면 $f(k)=5$이므로

$\sqrt{-2k+6}+1=5$

$\sqrt{-2k+6}=4,\ -2k+6=16$

$\therefore k=-5$

$\therefore g(5)=-5$ $\qquad\qquad$ 답 ①

170

주어진 유리함수의 그래프의 모양에서

$b<0$

유리함수 $y=\dfrac{b}{x+a}+c$의 그래프의 점근선의 방정식

은 $x=-a,\ y=c$이므로

$-a>0,\ c>0$

$\therefore a<0,\ c>0$

$y=\sqrt{ax+b}+c=\sqrt{a\left(x+\dfrac{b}{a}\right)}+c$이므로 함수

$y=\sqrt{ax+b}+c$의 그래프는 $y=\sqrt{ax}$의 그래프를 x축

의 방향으로 $-\dfrac{b}{a}$만큼, y축의 방향으로 c만큼 평행이

동한 것이다.

이때 $a<0,\ -\dfrac{b}{a}<0,\ c>0$이므로 함수

$y=\sqrt{ax+b}+c$의 그래프의 개형으로 알맞은 것은 ④

이다. $\qquad\qquad$ 답 ④

171

$f(x)=\dfrac{1}{5}x^2+\dfrac{1}{5}k$는 $x\geq0$에서 일대일대응이므로 역

함수가 존재한다.

$y=\dfrac{1}{5}x^2+\dfrac{1}{5}k$로 놓고 x에 대하여 풀면

$\dfrac{1}{5}x^2=y-\dfrac{1}{5}k,\ x^2=5y-k$

$\therefore x=\sqrt{5y-k}\ (\because x\geq0)$

x와 y를 서로 바꾸면

$y=\sqrt{5x-k}$

즉, 함수 $y=g(x)$는 함수 $y=f(x)$의 역함수이다.

따라서 함수 $y=f(x)$의
그래프와 그 역함수
$y=g(x)$의 그래프는 오
른쪽 그림과 같이 직선
$y=x$에 대하여 대칭이
므로 두 함수 $y=f(x)$,

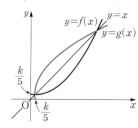

$y=g(x)$의 그래프의 교점은 함수 $y=f(x)$의 그래프
와 직선 $y=x$의 교점과 같다.

$\dfrac{1}{5}x^2+\dfrac{1}{5}k=x$에서 $x^2-5x+k=0$ $\qquad$ ...... ㉠

두 함수 $y=f(x),\ y=g(x)$의 그래프가 서로 다른 두
점에서 만나려면 이차방정식 ㉠이 서로 다른 두 실근을
가져야 하므로 이차방정식 ㉠의 판별식을 D라 하면

$D=(-5)^2-4k>0$

$-4k>-25$

$\therefore k<\dfrac{25}{4}$ $\qquad\qquad$ ...... ㉡

또한, 이차방정식 ㉠은 음이 아닌 실근을 가져야 하므

로

$k\geq0$ $\qquad\qquad$ ...... ㉢

㉡, ㉢의 공통부분을 구하면

$0\leq k<\dfrac{25}{4}$

따라서 정수 k는 $0,\ 1,\ 2,\ \cdots,\ 6$의 7개이다. $\quad$ 답 ②

172

$y=\sqrt{|x-1|}$에서

$x\geq1$일 때, $y=\sqrt{x-1}$

$x<1$일 때, $y=\sqrt{-(x-1)}$

이므로 주어진 함수의 그래프는 다음 그림과 같다.

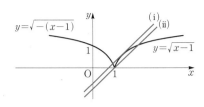

$(\alpha-\beta)^2=(\alpha+\beta)^2-4\alpha\beta$이므로

$4=36-4(4+a)$

$-4a+20=4$ $\therefore a=4$ 🔲 **4**

(i) $y=\sqrt{x-1}$의 그래프와 직선 $y=x+k$가 접할 때,

$\sqrt{x-1}=x+k$의 양변을 제곱하여 정리하면

$x^2+(2k-1)x+k^2+1=0$

이 이차방정식의 판별식을 D라 하면

$D=(2k-1)^2-4(k^2+1)=0$

$-4k-3=0$ $\therefore k=-\dfrac{3}{4}$

(ii) 직선 $y=x+k$가 점 $(1, 0)$을 지날 때,

$0=1+k$ $\therefore k=-1$

따라서 함수 $y=\sqrt{|x-1|}$의 그래프와 직선 $y=x+k$가 서로 다른 세 점에서 만나려면 직선이 (i)과 (ii) 사이에 있어야 하므로

$-1<k<-\dfrac{3}{4}$ 🔲 $-1<k<-\dfrac{3}{4}$

173

함수 $y=f(x)$의 그래프와 그 역함수 $y=f^{-1}(x)$의 그래프는 오른쪽 그림과 같이 직선 $y=x$에 대하여 대칭이므로 두 함수 $y=f(x)$, $y=f^{-1}(x)$의 그래프의 교점은 함수

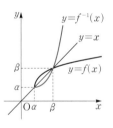

$y=f(x)$의 그래프와 직선 $y=x$의 교점과 같다.

$\sqrt{2x-a}+2=x$에서 $\sqrt{2x-a}=x-2$

양변을 제곱하여 정리하면

$x^2-6x+4+a=0$ ······ ㉠

이차방정식 ㉠의 두 근을 α, β $(\alpha<\beta)$라 하면 두 교점의 좌표는 (α, α), (β, β)이고 두 교점 사이의 거리가 $2\sqrt{2}$이므로

$\sqrt{(\alpha-\beta)^2+(\alpha-\beta)^2}=2\sqrt{2}$

$2(\alpha-\beta)^2=8$ $\therefore (\alpha-\beta)^2=4$

이차방정식 ㉠에서 근과 계수의 관계에 의하여

$\alpha+\beta=6, \alpha\beta=4+a$

174

x, y가 음이 아닌 정수이므로 $x \geq 0$, $y \geq 0$

$2x+3y \leq 9$에서 $3y \leq 9$, 즉 $y \leq 3$이므로

$y=0$ 또는 $y=1$ 또는 $y=2$ 또는 $y=3$

(i) $y=0$일 때,

$\quad 2x \leq 9$, 즉 $x \leq \dfrac{9}{2}$이므로 순서쌍 (x, y)는

$\quad (0, 0)$, $(1, 0)$, $(2, 0)$, $(3, 0)$, $(4, 0)$의 5개

(ii) $y=1$일 때,

$\quad 2x \leq 6$, 즉 $x \leq 3$이므로 순서쌍 (x, y)는

$\quad (0, 1)$, $(1, 1)$, $(2, 1)$, $(3, 1)$의 4개

(iii) $y=2$일 때,

$\quad 2x \leq 3$, 즉 $x \leq \dfrac{3}{2}$이므로 순서쌍 (x, y)는

$\quad (0, 2)$, $(1, 2)$의 2개

(iv) $y=3$일 때,

$\quad 2x \leq 0$, 즉 $x \leq 0$이므로 순서쌍 (x, y)는

$\quad (0, 3)$의 1개

(i)~(iv)에서 구하는 순서쌍의 개수는

$5+4+2+1=12$ **답 12**

175

$(a+b+c)^2(x+y)$

$=(a^2+b^2+c^2+2ab+2bc+2ca)(x+y)$

위의 식에서 a^2, b^2, c^2, $2ab$, $2bc$, $2ca$에 x, y를 각각 곱하여 항이 만들어지므로 구하는 항의 개수는

$6 \times 2=12$ **답 12**

176

300과 420의 최대공약수는 60이므로 300과 420의 양의 공약수 중에서 5의 배수의 개수는 60의 양의 약수 중에서 5의 배수의 개수와 같다.

$60=2^2 \times 3 \times 5$의 양의 약수 중 5의 배수는 5를 소인수로 가지므로 60의 양의 약수 중 5의 배수의 개수는 $2^2 \times 3$의 양의 약수의 개수와 같다.

2^2의 양의 약수는 1, 2, 2^2의 3개

3의 양의 약수는 1, 3의 2개

따라서 구하는 약수의 개수는

$3 \times 2=6$ **답 ①**

177

(i) 강남 → 시청 → 청량리로 가는 경우의 수는

$\quad 3 \times 3=9$

(ii) 강남 → 잠실 → 청량리로 가는 경우의 수는

$\quad 2 \times 2=4$

(iii) 강남 → 시청 → 잠실 → 청량리로 가는 경우의 수는

$\quad 3 \times 2 \times 2=12$

(iv) 강남 → 잠실 → 시청 → 청량리로 가는 경우의 수는

$\quad 2 \times 2 \times 3=12$

(i)~(iv)에서 구하는 경우의 수는

$9+4+12+12=37$ **답 37**

178

(i) B와 C에 같은 색을 칠하는 경우

$\quad$ B에 칠할 수 있는 색은 4가지

$\quad$ A에 칠할 수 있는 색은 B에 칠한 색을 제외한 3가지

$\quad$ C에 칠할 수 있는 색은 B에 칠한 색과 같은 색이므로 1가지

$\quad$ D에 칠할 수 있는 색은 B와 C에 칠한 색을 제외한 3가지

$\quad$ 따라서 칠하는 방법의 수는

$\quad 4 \times 3 \times 1 \times 3=36$

(ii) B와 C에 다른 색을 칠하는 경우

$\quad$ B에 칠할 수 있는 색은 4가지

$\quad$ A에 칠할 수 있는 색은 B에 칠한 색을 제외한 3가지

$\quad$ C에 칠할 수 있는 색은 A와 B에 칠한 색을 제외한 2가지

$\quad$ D에 칠할 수 있는 색은 B와 C에 칠한 색을 제외한 2가지

$\quad$ 따라서 칠하는 방법의 수는

$\quad 4 \times 3 \times 2 \times 2=48$

(i), (ii)에서 구하는 방법의 수는

$36+48=84$ **답 84**

참고 두 영역 A와 D, 두 영역 B와 C는 각각 서로 인접한 영역이 아니므로 두 영역 B와 C에 같은 색을 칠하는 경우와 다른 색을 칠하는 경우에 두 영역 A와 D에 칠할 수 있는 색의 가짓수가 달라진다. 따라서 두 영역 B와 C에 같은 색을 칠하는 경우와 다른 색을 칠하는 경우로 나누어 생각해야 한다.

179

(i) 지불할 수 있는 방법의 수

10000원짜리 지폐로 지불할 수 있는 방법은
0장, 1장, 2장의 3가지

5000원짜리 지폐로 지불할 수 있는 방법은
0장, 1장, 2장, 3장의 4가지

1000원짜리 지폐로 지불할 수 있는 방법은
0장, 1장, 2장, 3장, 4장의 5가지

이때 0원을 지불하는 것은 제외해야 하므로 지불할 수 있는 방법의 수는

$3 \times 4 \times 5 - 1 = 59$　　$\therefore a = 59$

(ii) 지불할 수 있는 금액의 수

5000원짜리 지폐 2장으로 지불할 수 있는 금액과 10000원짜리 지폐 1장으로 지불할 수 있는 금액이 같으므로 10000원짜리 지폐 2장을 5000원짜리 지폐 4장으로 바꾸어 생각하면 지불할 수 있는 금액의 수는 5000원짜리 지폐 7장, 1000원짜리 지폐 4장으로 지불할 수 있는 금액의 수와 같다.

5000원짜리 지폐로 지불할 수 있는 금액은
0원, 5000원, 10000원, ⋯, 35000원의 8가지

1000원짜리 지폐로 지불할 수 있는 금액은
0원, 1000원, 2000원, 3000원, 4000원의 5가지

이때 0원을 지불하는 것은 제외해야 하므로 지불할 수 있는 금액의 수는

$8 \times 5 - 1 = 39$　　$\therefore b = 39$

$\therefore a - b = 59 - 39 = 20$　　　　**답 20**

180

(i) 3으로 나누어떨어지는 수, 즉 3의 배수는
3, 6, 9, ⋯, 99의 33개

(ii) 5로 나누어떨어지는 수, 즉 5의 배수는
5, 10, 15, ⋯, 100의 20개

(iii) 3과 5로 나누어떨어지는 수, 즉 15의 배수는
15, 30, 45, ⋯, 90의 6개

따라서 3 또는 5로 나누어떨어지는 자연수의 개수는

$33 + 20 - 6 = 47$

이므로 3과 5로 모두 나누어떨어지지 않는 자연수의 개수는

$100 - 47 = 53$　　　　**답 53**

181

이차방정식 $x^2 + 2ax + b = 0$의 판별식을 D라 하면 이 이차방정식이 실근을 가져야 하므로

$\dfrac{D}{4} = a^2 - b \geq 0$, 즉 $a^2 \geq b$

(i) $a = 1$일 때,
$b \leq 1$이므로 순서쌍 (a, b)는
$(1, 1)$의 1개

(ii) $a = 2$일 때,
$b \leq 4$이므로 순서쌍 (a, b)는
$(2, 1), (2, 2), (2, 3), (2, 4)$의 4개

(iii) $a = 3$일 때,
$b \leq 9$이므로 순서쌍 (a, b)는
$(3, 1), (3, 2), (3, 3), \cdots, (3, 6)$의 6개

(iv) $a = 4$일 때,
$b \leq 16$이므로 순서쌍 (a, b)는
$(4, 1), (4, 2), (4, 3), \cdots, (4, 6)$의 6개

(v) $a = 5$일 때,
$b \leq 25$이므로 순서쌍 (a, b)는
$(5, 1), (5, 2), (5, 3), \cdots, (5, 6)$의 6개

(vi) $a = 6$일 때,
$b \leq 36$이므로 순서쌍 (a, b)는
$(6, 1), (6, 2), (6, 3), \cdots, (6, 6)$의 6개

(i)~(vi)에서 구하는 순서쌍의 개수는

$1 + 4 + 6 + 6 + 6 + 6 = 29$　　　　**답 29**

182

A, B, C, D, E의 영역의 넓이는 각각
π, $4\pi - \pi = 3\pi$, $9\pi - 4\pi = 5\pi$, $16\pi - 9\pi = 7\pi$,
$25\pi - 16\pi = 9\pi$이다.

이때 물감 1통으로 색칠할 수 있는 영역의 넓이는 π이고 각 물감은 10통 이하만 사용할 수 있으므로 영역 A, B, C, D, E를 색칠하는 데 필요한 물감의 양은 각각 1통, 3통, 5통, 7통, 9통이다.

3가지 색을 각각 a, b, c라 하고 넓이가 넓은 순서대로 색칠할 색을 수형도로 나타내면 다음과 같다.

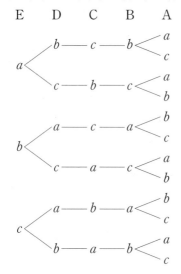

따라서 구하는 문양의 개수는 12이다.   **답** ②

다른풀이 이웃한 영역은 다른 색을 칠해야 하므로 같은 색을 칠할 수 있는 두 영역은 A와 C, A와 D, A와 E, B와 D, B와 E, C와 E이다.

그런데 영역 A, B, C, D, E의 넓이는 각각 π, 3π, 5π, 7π, 9π이고 물감은 종류별로 10통 이하로 사용할 수 있으므로 이 중에서 같은 색을 칠할 수 있는 두 영역은 A와 C, A와 D, A와 E, B와 D이다.

또한, 영역 E에 칠하는 물감은 단독으로 사용하거나 두 영역 A, E에 같은 색을 칠하는 경우만 가능하므로 다음과 같이 경우를 나누어 생각할 수 있다.

(i) A와 E, B와 D에 각각 같은 색을 칠하는 경우
A와 E에 칠할 수 있는 색은 3가지
B와 D에 칠할 수 있는 색은 A와 E에 칠한 색을 제외한 2가지
C에 칠할 수 있는 색은 A와 E, B와 D에 칠한 색을 제외한 1가지
따라서 칠하는 방법의 수는
$3 \times 2 \times 1 = 6$

(ii) A와 C, B와 D에 각각 같은 색을 칠하는 경우
A와 C에 칠할 수 있는 색은 3가지
B와 D에 칠할 수 있는 색은 A와 C에 칠한 색을 제외한 2가지
E에 칠할 수 있는 색은 A와 C, B와 D에 칠한 색을 제외한 1가지
따라서 칠하는 방법의 수는
$3 \times 2 \times 1 = 6$

(i), (ii)에서 서로 다르게 색칠된 문양의 수는
$6 + 6 = 12$

183

A지점과 C지점을 연결하는 도로를 x개 추가한다고 하면 한 번 지나간 지점은 다시 지나지 않고 A지점에서 출발하여 D지점으로 가는 방법은 다음과 같다.

(i) A → B → D로 가는 방법의 수는
$3 \times 3 = 9$

(ii) A → C → D로 가는 방법의 수는
$x \times 2 = 2x$

(iii) A → B → C → D로 가는 방법의 수는
$3 \times 2 \times 2 = 12$

(iv) A → C → B → D로 가는 방법의 수는
$x \times 2 \times 3 = 6x$

(i)~(iv)에서 A지점에서 D지점으로 가는 방법의 수는
$9 + 2x + 12 + 6x = 53$
$8x = 32$ $\therefore x = 4$
따라서 추가해야 하는 도로의 개수는 4이다.   **답** 4

184

주어진 정육면체의 꼭짓점 A에서 출발하여 꼭짓점 B로 움직인 후 꼭짓점 G에 도착하는 경우를 수형도를 그려서 구해 보면 다음과 같이 6가지가 있다.

같은 방법으로 꼭짓점 A에서 출발하여 꼭짓점 D 또는 E로 움직인 후 꼭짓점 G에 도착하는 경우도 각각 6가 지씩이다.

따라서 구하는 경우의 수는

$6 \times 3 = 18$

답 **18**

185

$_6P_{2r+1} \leq 4 \cdot {_6}P_{2r}$ 에서

$$\frac{6!}{\{6-(2r+1)\}!} \leq 4 \times \frac{6!}{(6-2r)!}$$

$$\frac{6!}{(5-2r)!} \leq 4 \times \frac{6!}{(6-2r)!}$$

$(6-2r)! \leq 4 \times (5-2r)!$

$6-2r \leq 4$ ← $(6-2r)! = (6-2r) \times (5-2r)!$

$-2r \leq -2$ ∴ $r \geq 1$

그런데 $6 \geq 2r+1$ 에서 $r \leq \dfrac{5}{2}$ 이므로 $1 \leq r \leq \dfrac{5}{2}$

따라서 구하는 자연수 r는 1, 2의 2개이다.

답 **2**

186

서로 다른 셔츠 3개 중 2개를 택하여 두 인형 A, B에게 입히는 경우의 수는 $_3P_2 = 6$

서로 다른 바지 3개 중 2개를 택하여 두 인형 A, B에게 입히는 경우의 수는 $_3P_2 = 6$

A 인형의 셔츠와 바지의 색이 서로 다르므로 색을 정하는 경우는 (빨강, 초록), (초록, 빨강)의 2가지

B 인형의 셔츠와 바지의 색도 서로 다르므로 색을 정하는 경우는 (빨강, 초록), (초록, 빨강)의 2가지

따라서 구하는 경우의 수는

$6 \times 6 \times 2 \times 2 = 144$

답 ④

187

남학생 3명을 한 사람, 여학생 5명을 한 사람으로 생각하여 4명을 일렬로 세우는 방법의 수는 $4! = 24$

남학생 3명이 자리를 바꾸는 방법의 수는 $3! = 6$

여학생 5명이 자리를 바꾸는 방법의 수는 $5! = 120$

따라서 구하는 방법의 수는

$24 \times 6 \times 120 = 17280$

답 **17280**

188

rainbow의 7개의 문자 중 모음은 a, i, o로 3개이고 자음은 r, n, b, w로 4개이다.

모음 3개 중 2개를 택하여 양 끝에 나열하는 경우의 수는 $_3P_2 = 6$

나머지 5개의 문자를 일렬로 나열하는 경우의 수는

$5! = 120$

따라서 구하는 경우의 수는

$6 \times 120 = 720$

답 **720**

189

6개의 문자를 일렬로 나열하는 경우의 수는

$6! = 720$

이때 b와 e를 한 묶음으로 생각하여 5개의 문자를 일렬로 나열하는 경우의 수는

$5! = 120$

그 각각에 대하여 b와 e가 자리를 바꾸는 경우의 수는

$2! = 2$

즉, b와 e가 서로 이웃하도록 나열하는 경우의 수는

$120 \times 2 = 240$

따라서 b와 e 사이에 적어도 1개의 문자가 들어가는 경우의 수는

$720 - 240 = 480$

답 **480**

190

A□□□□의 꼴의 문자열의 개수는 $4! = 24$

B□□□□의 꼴의 문자열의 개수는 $4! = 24$

C□□□□의 꼴의 문자열의 개수는 $4! = 24$

DA□□□의 꼴의 문자열의 개수는 $3! = 6$

DB□□□의 꼴의 문자열의 개수는 $3! = 6$

이때 $24 + 24 + 24 + 6 + 6 = 84$이고, DC로 시작하는 문자열은 순서대로 DCABE, DCAEB, …이므로 86번째에 오는 문자열은 DCAEB이다.

따라서 구하는 문자는 B이다.

답 **B**

191

오른쪽 그림과 같이 6개 지역을 각각 A, B, C, D, E, F라 하면 서로 이웃한 2개 지역을 택하는 경우의 수는

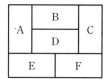

(A, B), (A, D), (A, E), (B, C), (B, D), (C, D), (C, F), (D, E), (D, F), (E, F)

의 10이다.

서로 이웃한 2개 지역을 담당하는 조사원을 정하는 경우의 수는 $_5P_1=5$

남은 4개 지역을 담당하는 조사원을 정하는 경우의 수는 $4!=24$

따라서 구하는 경우의 수는

$10 \times 5 \times 24 = 1200$ **달 ⑤**

192

A, B, C, D, E, F의 6명을 일렬로 세울 때, A를 맨 앞에 세우고 B는 A와 이웃하지 않게 세우는 경우는 다음과 같다.

A□B□□□인 경우: $4!=24$

A□□B□□인 경우: $4!=24$

A□□□B□인 경우: $4!=24$

A□□□□B인 경우: $4!=24$

따라서 구하는 방법의 수는

$4 \times 24 = 96$ **달 96**

다른풀이 A를 맨 앞에 세우고 나머지 5명을 일렬로 세우는 방법의 수는 $5!=120$

A를 맨 앞에 세우고 B와 A를 이웃하게 세우는 방법의 수는 $4!=24$ ← AB□□□□

따라서 구하는 방법의 수는

$120-24=96$

193

(i) (짝, 홀, 짝, 홀, 짝)인 경우

3개의 짝수를 일렬로 나열하는 방법의 수는 $3!=6$

짝수 사이사이에 4개의 홀수 중 2개의 홀수를 택하여 나열하는 방법의 수는 $_4P_2=12$

∴ $6 \times 12 = 72$

(ii) (홀, 짝, 홀, 짝, 홀)인 경우

4개의 홀수 중 3개의 홀수를 택하여 일렬로 나열하는 방법의 수는 $_4P_3=24$

홀수 사이사이에 3개의 짝수 중 2개의 짝수를 택하여 나열하는 방법의 수는 $_3P_2=6$

∴ $24 \times 6 = 144$

(i), (ii)에서 구하는 방법의 수는

$72+144=216$ **달 216**

194

6개의 숫자를 일렬로 나열하는 경우의 수는 $6!=720$

이때 서로 다른 한 자리 자연수 6개 중에서 짝수의 개수를 n이라 하면 양 끝에 짝수가 오는 경우의 수는 $_nP_2 \times 4!$

따라서 적어도 한쪽 끝에 홀수가 오는 경우의 수는

$720 - _nP_2 \times 4! = 432$

$_nP_2 \times 4! = 288$, $_nP_2=12$

$n(n-1)=4\times3$

∴ $n=4$

따라서 홀수의 개수는

$6-4=2$ **달 2**

195

(i) 2□□□□의 꼴의 자연수 중 짝수의 개수

일의 자리의 숫자는 4 또는 6이고 그 각각에 대하여 천의 자리, 백의 자리, 십의 자리에는 나머지 3개의 숫자를 일렬로 나열하면 되므로

$2 \times 3! = 12$

(ii) 3□□□□의 꼴의 자연수 중 짝수의 개수

일의 자리의 숫자는 2 또는 4 또는 6이고 그 각각에 대하여 천의 자리, 백의 자리, 십의 자리에는 나머지 3개의 숫자를 일렬로 나열하면 되므로

$3 \times 3! = 18$

(iii) 4□□□□의 꼴의 자연수 중 짝수의 개수

일의 자리의 숫자는 2 또는 6이고 그 각각에 대하여 천의 자리, 백의 자리, 십의 자리에는 나머지 3개의 숫자를 일렬로 나열하면 되므로

$2 \times 3! = 12$

(iv) 52□□□의 꼴의 자연수 중 짝수의 개수

일의 자리의 숫자는 4 또는 6이고 그 각각에 대하여 백의 자리, 십의 자리에는 나머지 2개의 숫자를 일렬로 나열하면 되므로

$2 \times 2! = 4$

(v) 53□□□의 꼴의 자연수 중 짝수의 개수

일의 자리의 숫자는 2 또는 4 또는 6이고 그 각각에 대하여 백의 자리, 십의 자리에는 나머지 2개의 숫자를 일렬로 나열하면 되므로

$3 \times 2! = 6$

(i)~(v)에서 54000보다 작은 짝수의 개수는

$12 + 18 + 12 + 4 + 6 = 52$ 　　📋 **52**

196

GYRNMEA는 G□□□□□□의 꼴의 문자열 중 마지막 문자열이고 NGEAMRY는 NGE□□□□의 꼴의 문자열 중 첫 번째 문자열이다.

M□□□□□□의 꼴의 문자열의 개수는 $6! = 720$

NA□□□□□의 꼴의 문자열의 개수는 $5! = 120$

NE□□□□□의 꼴의 문자열의 개수는 $5! = 120$

NGA□□□□의 꼴의 문자열의 개수는 $4! = 24$

따라서 GYRNMEA와 NGEAMRY 사이에 있는 문자열의 개수는

$720 + 120 + 120 + 24 = 984$ 　📋 **984**

197

(i) ㄴ과 ㄹ이 서로 이웃하는 경우

ㄴ과 ㄹ을 한 묶음으로 생각하여 4개의 문자를 일렬로 나열하는 경우의 수는 $4! = 24$

그 각각에 대하여 ㄴ과 ㄹ이 자리를 바꾸는 경우의 수는 $2! = 2$

$\therefore 24 \times 2 = 48$

(ii) ㄹ과 ㅁ이 서로 이웃하는 경우

ㄹ과 ㅁ을 한 묶음으로 생각하여 4개의 문자를 일렬로 나열하는 경우의 수는 $4! = 24$

그 각각에 대하여 ㄹ과 ㅁ이 자리를 바꾸는 경우의 수는 $2! = 2$

$\therefore 24 \times 2 = 48$

(iii) ㄴ과 ㄹ, ㄹ과 ㅁ이 모두 서로 이웃하는 경우

ㄴㄹㅁ의 순서로 이웃하는 경우의 수는 ㄴㄹㅁ을 한 묶음으로 생각하여 3개의 문자를 일렬로 나열하는 경우의 수이므로 $3! = 6$

ㅁㄹㄴ의 순서로 이웃하는 경우의 수도 $3! = 6$

$\therefore 6 + 6 = 12$

(i)~(iii)에서 구하는 경우의 수는

$48 + 48 - 12 = 84$ 　　📋 **84**

198

(i) A와 B가 2인용 소파에 앉는 경우

A와 B가 앉는 방법의 수는 $2! = 2$

C, D, E가 3인용 소파에 앉는 방법의 수는 $3! = 6$

$\therefore 2 \times 6 = 12$

(ii) A와 B가 3인용 소파에 앉는 경우

A와 B를 묶어서 한 사람으로 보고 2명이 자리에 앉는 방법의 수는 $2! = 2$

A와 B 두 사람이 자리를 바꾸는 방법의 수는 $2! = 2$

나머지 자리에 C, D, E가 앉는 방법의 수는 $3! = 6$

$\therefore 2 \times 2 \times 6 = 24$

따라서 구하는 방법의 수는

$12 + 24 = 36$ 　　📋 **36**

199

8개의 자연수 1, 3, 5, 7, 8, 10, 12, 14를 네 개씩 합이 같은 두 묶음으로 나누려면 한 묶음의 합이 총합 60의 절반인 30이 되어야 한다.

이렇게 두 묶음으로 나누는 경우를 따져 보면

1, 3, 12, 14와 5, 7, 8, 10 또는

1, 5, 10, 14와 3, 7, 8, 12 또는

1, 7, 8, 14와 3, 5, 10, 12 또는

1, 7, 10, 12와 3, 5, 8, 14의 4가지이다.

각 경우에 대하여 앞쪽 묶음의 4개의 자연수는 왼쪽 세로줄에, 뒤쪽 묶음의 4개의 자연수는 오른쪽 세로줄에 각각 일렬로 배열하는 경우의 수는 $4! \times 4! = 576$

왼쪽 줄과 오른쪽 줄을 서로 바꾸는 경우의 수는 $2! = 2$

따라서 구하는 경우의 수는

$4 \times (576 \times 2) = 4608$ 　📋 **4608**

200

세 자리의 자연수 중 각 자리의 수의 곱이 10의 배수가 되려면 세 자리 중 한 자리에는 반드시 5가 들어가야 하고, 나머지 두 자리 중 적어도 한 자리에는 2의 배수, 즉 2, 4, 6, 8 중 하나가 들어가야 한다.

(i) 5□□의 꼴의 경우

십의 자리에 2, 4, 6, 8 중 하나, 일의 자리에 1, 3, 7, 9 중 하나가 들어가는 경우의 수는

$$_4P_1 \times _4P_1 = 16$$

십의 자리에 1, 3, 7, 9 중 하나, 일의 자리에 2, 4, 6, 8 중 하나가 들어가는 경우의 수는

$$_4P_1 \times _4P_1 = 16$$

십의 자리와 일의 자리에 2, 4, 6, 8 중 두 개의 숫자가 들어가는 경우의 수는

$$_4P_2 = 12$$

$$\therefore 16 + 16 + 12 = 44$$

(ii) □5□, □□5의 꼴의 경우

(i)과 같은 방법으로 구할 수 있으므로 각 경우의 자연수의 개수는 44이다.

(i), (ii)에서 구하는 자연수의 개수는

$$44 + 44 + 44 = 132$$

답 ④

201

(i) 네 자리 자연수 중 같은 숫자가 없는 경우

1, 2, 3, 4, 5 중 서로 다른 4개를 택하여 나열하면 되므로

$$_5P_4 = 120$$

(ii) 네 자리 자연수 중 같은 숫자가 두 쌍 있는 경우

2323, 3232의 2개

(iii) 네 자리 자연수 중 같은 숫자가 한 쌍 있는 경우

㉠ 같은 숫자가 2인 경우

2□2□, □2□2, 2□□2의 꼴의 3가지 경우가 있고 각각에 대하여 □의 자리에 1, 3, 4, 5 중 서로 다른 2개를 택하여 나열하면 되므로

$$3 \times _4P_2 = 36$$

㉡ 같은 숫자가 3인 경우

㉠과 같은 방법으로 구하면 네 자리 자연수의 개수는

$$3 \times _4P_2 = 36$$

(i)~(iii)에서 구하는 자연수의 개수는

$$120 + 2 + 36 + 36 = 194$$

답 194

202

$$_nC_3 + _nP_2 = 5_{n-1}C_2$$ 에서

$$\frac{n(n-1)(n-2)}{3 \times 2 \times 1} + n(n-1)$$

$$= 5 \times \frac{(n-1)(n-2)}{2 \times 1}$$

양변에 6을 곱하면

$$n(n-1)(n-2) + 6n(n-1) = 15(n-1)(n-2)$$

이때 $n \geq 3$이므로 양변을 $n-1$로 나누면

$$n(n-2) + 6n = 15(n-2)$$

$$n^2 - 2n + 6n = 15n - 30, \quad n^2 - 11n + 30 = 0$$

$$(n-5)(n-6) = 0 \qquad \therefore n = 5 \text{ 또는 } n = 6$$

따라서 모든 자연수 n의 값의 합은

$$5 + 6 = 11$$

답 11

203

1학년 6명 중에서 4명을 뽑는 경우의 수는

$$_6C_4 = _6C_2 = \frac{6 \times 5}{2 \times 1} = 15$$

2학년 4명 중에서 3명을 뽑는 경우의 수는

$$_4C_3 = _4C_1 = 4$$

따라서 구하는 경우의 수는

$$15 \times 4 = 60$$

답 60

204

세 수의 합이 홀수가 되는 경우는

(홀수)+(홀수)+(홀수) 또는 (홀수)+(짝수)+(짝수)

일 때이다.

1부터 15까지의 자연수 중 홀수는 8개, 짝수는 7개이므로

(i) (홀수)+(홀수)+(홀수)인 경우

　홀수 8개 중 3개를 뽑는 경우의 수와 같으므로

$$_8C_3 = \frac{8 \times 7 \times 6}{3 \times 2 \times 1} = 56$$

(ii) (홀수)+(짝수)+(짝수)인 경우

　홀수 8개 중 1개를 뽑고, 짝수 7개 중 2개를 뽑는
　경우의 수와 같으므로

$$_8C_1 \times _7C_2 = 8 \times \frac{7 \times 6}{2 \times 1} = 168$$

(i), (ii)에서 구하는 경우의 수는

$56 + 168 = 224$ 　　　　　　　　　　답 **224**

205

구하는 방법의 수는 10명 중 4명을 뽑는 방법의 수에
서 남자만 4명을 뽑는 방법의 수와 여자만 4명을 뽑는
방법의 수를 뺀 것과 같다.

전체 10명 중에서 4명을 뽑는 방법의 수는

$$_{10}C_4 = \frac{10 \times 9 \times 8 \times 7}{4 \times 3 \times 2 \times 1} = 210$$

남자만 4명을 뽑는 방법의 수는

$$_6C_4 = _6C_2 = \frac{6 \times 5}{2 \times 1} = 15$$

여자만 4명을 뽑는 방법의 수는

$$_4C_4 = 1$$

따라서 구하는 방법의 수는

$210 - (15 + 1) = 194$ 　　　　　　　답 **194**

206

5를 이미 택했다고 생각하고 나머지 7개의 자연수 중
에서 2개를 택하는 방법의 수는

$$_7C_2 = \frac{7 \times 6}{2 \times 1} = 21$$

택한 3개의 자연수를 일렬로 나열하는 방법의 수는

$$3! = 6$$

따라서 구하는 자연수의 개수는

$21 \times 6 = 126$ 　　　　　　　　　답 **126**

207

(i) 직각삼각형의 개수

　지름에 대한 원주각의 크기는 $90°$이므로 직각삼각
　형을 만들려면 삼각형의 한 변이 원의 지름이어야
　한다.

　원 위의 6개의 점 중 두 점을 이어 만들 수 있는 지
　름은 3개이고 나머지 4개의 점 중에서 1개를 택하
　는 방법의 수는 $_4C_1$이므로 구하는 직각삼각형의 개
　수 a는

$$a = 3 \times _4C_1 = 12$$

(ii) 정삼각형의 개수

　정삼각형은 오른쪽 그림과 같이
　2개 만들 수 있으므로

$$b = 2$$

(i), (ii)에서 $a - b = 12 - 2 = 10$ 　　　　답 **10**

208

이차방정식 $_nC_4 x^2 - _nC_5 x + _nC_3 = 0$에서 근과 계수의
관계에 의하여

$$\alpha + \beta = \frac{_nC_5}{_nC_4}, \quad \alpha\beta = \frac{_nC_3}{_nC_4}$$

이때 $\alpha\beta = 1$이므로

$$\frac{_nC_3}{_nC_4} = 1 \qquad \therefore _nC_3 = _nC_4$$

$_nC_3 = _nC_{n-3}$이므로 $_nC_{n-3} = _nC_4$에서

$n - 3 = 4 \qquad \therefore n = 7$

$$\therefore \alpha + \beta = \frac{_7C_5}{_7C_4} = \frac{_7C_2}{_7C_3} = \frac{\dfrac{7 \times 6}{2 \times 1}}{\dfrac{7 \times 6 \times 5}{3 \times 2 \times 1}} = \frac{3}{5} \qquad 답 \ \frac{3}{5}$$

209

여학생이 적어도 한 명 포함되도록 뽑는 방법의 수는
전체 방법의 수에서 남학생만 뽑는 방법의 수를 빼면
된다.

전체 15명 중에서 3명을 뽑는 방법의 수는

$$_{15}C_3 = \frac{15 \times 14 \times 13}{3 \times 2 \times 1} = 455$$

남학생을 x $(x \geq 3)$명이라 하면 남학생만 3명을 뽑는
방법의 수는 $_xC_3$

이때 여학생이 적어도 한 명 포함되도록 뽑는 방법의
수가 445이므로

$455 - _xC_3 = 445$, $_xC_3 = 10$

$\dfrac{x(x-1)(x-2)}{3 \times 2 \times 1} = 10$

$x(x-1)(x-2) = 60 = 5 \times 4 \times 3$ $\therefore x = 5$

따라서 남학생 수는 5이다.   답 **5**

210

26명 중에서 악수할 2명을 뽑는 방법의 수는

$_{26}C_2 = \dfrac{26 \times 25}{2 \times 1} = 325$

남편들이 자신의 부인과 악수하는 방법의 수는 13

부인 13명 중에서 악수할 2명을 뽑는 방법의 수는

$_{13}C_2 = \dfrac{13 \times 12}{2 \times 1} = 78$

따라서 악수한 총 횟수는

$325 - (13 + 78) = 234$(회)   답 **234회**

211

$f(1) < f(2) < f(3) < f(4) = 6 < f(5)$에서

$f(1) < f(2) < f(3) < 6$이므로 집합 Y의 원소 1, 2,
3, 4, 5 중 3개를 택한 후 작은 수부터 차례대로 집합
X의 원소 1, 2, 3에 대응시키면 된다.

$\therefore _5C_3 = _5C_2 = \dfrac{5 \times 4}{2 \times 1} = 10$

또한, $6 < f(5)$이므로 집합 Y의 원소 7, 8 중 하나를
택한 후 집합 X의 원소 5에 대응시키면 된다.

$\therefore _2C_1 = 2$

따라서 구하는 함수 f의 개수는

$10 \times 2 = 20$ 답 **20**

KEY Point

두 집합 X, Y의 원소의 개수가 각각 m, n $(m \leq n)$이고,
X에서 Y로의 함수 f가 $x_1 < x_2$이면 $f(x_1) < f(x_2)$를 만
족시킬 때, 함수 f의 개수는

⇨ 서로 다른 n개에서 m개를 택하는 조합의 수

⇨ $_nC_m$

212

(i) 서로 다른 직선의 개수

　　10개의 점 중에서 2개를 택하는 방법의 수는

$$_{10}C_2 = \dfrac{10 \times 9}{2 \times 1} = 45$$

　　일직선 위에 있는 4개의 점 중에서 2개를 택하는
　　방법의 수는

$$_4C_2 = \dfrac{4 \times 3}{2 \times 1} = 6$$

　　이고, 일직선 위에 4개의 점이 있는 직선이 5개이다.
　　그런데 일직선 위에 있는 점으로 만들 수 있는 직선
　　은 1개이므로 구하는 직선의 개수 m은

　　$m = 45 - 6 \times 5 + 5 = 20$

(ii) 서로 다른 삼각형의 개수

　　10개의 점 중에서 3개를 택하는 방법의 수는

$$_{10}C_3 = \dfrac{10 \times 9 \times 8}{3 \times 2 \times 1} = 120$$

　　일직선 위에 있는 4개의 점 중에서 3개를 택하는
　　방법의 수는

$$_4C_3 = _4C_1 = 4$$

　　이고, 일직선 위에 4개의 점이 있는 직선이 5개이다.
　　그런데 일직선 위에 있는 점으로는 삼각형을 만들
　　수 없으므로 구하는 삼각형의 개수 n은

　　$n = 120 - 4 \times 5 = 100$

(i), (ii)에서 $m + n = 120$ 답 **120**

213

2층, 3층, 4층, 5층의 4개의 층 중 사람이 내리는 2개
의 층을 택하는 방법의 수는

$_4C_2 = \dfrac{4 \times 3}{2 \times 1} = 6$

5명을 2명, 3명씩 2개의 조로 나누는 방법의 수는

$_5C_2 \times _3C_3 = \dfrac{5 \times 4}{2 \times 1} \times 1 = 10$

2개의 조를 2개의 층에 배열하는 방법의 수는

$2! = 2$

따라서 구하는 방법의 수는

$6 \times 10 \times 2 = 120$ 답 **120**

214

서로 다른 5개의 바구니 중 3개에 빨간색 공을 1개씩 넣는 방법의 수는

$$_5C_3 = {}_5C_2 = \frac{5 \times 4}{2 \times 1} = 10$$

모든 바구니에 공이 적어도 하나씩 들어가야 하므로 빨간색 공을 넣지 않은 빈 바구니에 파란색 공을 각각 1개씩 넣는다.

남은 4개의 파란색 공을 서로 다른 5개의 바구니에 각각 2개 이하로 넣는 방법의 수는 다음과 같다.

(ⅰ) 파란색 공을 2개, 2개로 넣는 방법의 수
5개의 바구니 중 파란색 공을 넣을 2개의 바구니를 택하면 되므로

$$_5C_2 = 10$$

(ⅱ) 파란색 공을 2개, 1개, 1개로 넣는 방법의 수
5개의 바구니 중 파란색 공을 넣을 3개의 바구니를 택한 후 3개의 바구니 중 파란색 공을 2개 넣을 바구니를 택하면 되므로

$$_5C_3 \times {}_3C_1 = 10 \times 3 = 30$$

(ⅲ) 파란색 공을 1개, 1개, 1개, 1개로 넣는 방법의 수
5개의 바구니 중 파란색 공을 넣을 4개의 바구니를 택하면 되므로

$$_5C_4 = {}_5C_1 = 5$$

따라서 구하는 경우의 수는

$$10 \times (10 + 30 + 5) = 450$$ 🔲 **450**

215

12개의 점 중에서 2개를 택하는 방법의 수는

$$_{12}C_2 = \frac{12 \times 11}{2 \times 1} = 66$$

(ⅰ) 일직선 위에 4개의 점이 있는 경우

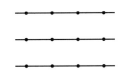

4개의 점 중에서 2개를 택하는 방법의 수는

$$_4C_2 = 6$$

일직선 위에 4개의 점이 있는 경우는 3가지이므로 이 경우 만들 수 있는 직선은 3개이다.

(ⅱ) 일직선 위에 3개의 점이 있는 경우

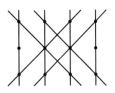

3개의 점 중에서 2개를 택하는 방법의 수는

$$_3C_2 = {}_3C_1 = 3$$

일직선 위에 3개의 점이 있는 경우는 8가지이므로 이 경우 만들 수 있는 직선은 8개이다.

따라서 구하는 직선의 개수는

$$66 - 6 \times 3 - 3 \times 8 + 3 + 8 = 35$$ 🔲 **35**

216

오른쪽 그림과 같이 평행한 직선들의 집합을 각각 A, B, C라 하면 평행사변형이 아닌 사다리꼴이 만들어지는 경우는 다음과 같다.

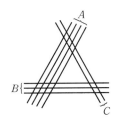

(ⅰ) A에서 2개, B에서 1개, C에서 1개의 직선을 택하는 경우

$$_4C_2 \times {}_3C_1 \times {}_2C_1 = 6 \times 3 \times 2 = 36$$

(ⅱ) B에서 2개, A에서 1개, C에서 1개의 직선을 택하는 경우

$$_3C_2 \times {}_4C_1 \times {}_2C_1 = 3 \times 4 \times 2 = 24$$

(ⅲ) C에서 2개, A에서 1개, B에서 1개의 직선을 택하는 경우

$$_2C_2 \times {}_4C_1 \times {}_3C_1 = 1 \times 4 \times 3 = 12$$

(ⅰ)~(ⅲ)에서 평행사변형이 아닌 사다리꼴의 개수는

$$36 + 24 + 12 = 72$$ 🔲 **72**

217

주어진 삼각형을 포함하는 사각형은 네 꼭짓점을 다음과 같이 택하여 만들 수 있다.

(ⅰ) 원점 $(0, 0)$

(ⅱ) x축 위의 점 $(4, 0)$, $(8, 0)$ 중 한 점

(ⅲ) y축 위의 점 $(0, 4)$, $(0, 8)$ 중 한 점

(ⅳ) 제1사분면 위의 점 $(4, 4)$, $(4, 8)$, $(8, 4)$, $(8, 8)$ 중 한 점

(i)~(iv)에서 조건을 만족시키는 사각형의 꼭짓점이 될 4개의 점을 택하는 방법의 수는

$1 \times {}_2C_1 \times {}_2C_1 \times {}_4C_1 = 1 \times 2 \times 2 \times 4 = 16$

그런데 네 점 $(0, 0)$, $(8, 0)$, $(4, 4)$, $(0, 8)$을 택하는 경우는 사각형을 만들 수 없으므로 구하는 사각형의 개수는

$16 - 1 = 15$ **답** ②

218

치역과 공역이 같으려면 집합 B의 원소 1, 2, 3은 각각 집합 A의 한 개 이상의 원소에 대응시켜야 한다.

따라서 집합 A의 원소 1, 2, 3, 4, 5, 6을 3개의 조로 나누어 각 조를 집합 B의 원소에 하나씩 대응시키면 된다.

집합 A의 원소 6개를 3개의 조로 나누는 방법은

(4개, 1개, 1개), (3개, 2개, 1개), (2개, 2개, 2개)

의 3가지가 있다.

(i) (4개, 1개, 1개)로 나누는 경우

$${}_6C_4 \times {}_2C_1 \times {}_1C_1 \times \frac{1}{2!} = 15 \times 2 \times 1 \times \frac{1}{2} = 15$$

(ii) (3개, 2개, 1개)로 나누는 경우

$${}_6C_3 \times {}_3C_2 \times {}_1C_1 = 20 \times 3 \times 1 = 60$$

(iii) (2개, 2개, 2개)로 나누는 경우

$${}_6C_2 \times {}_4C_2 \times {}_2C_2 \times \frac{1}{3!} = 15 \times 6 \times 1 \times \frac{1}{6} = 15$$

(i)~(iii)에서 나누는 방법의 수는

$15 + 60 + 15 = 90$

이때 3개의 조를 집합 B의 세 원소에 하나씩 대응시키는 방법의 수는

$3! = 6$

따라서 구하는 함수의 개수는

$90 \times 6 = 540$ **답** **540**

참고 치역과 공역이 같은 함수 중 하나는 집합 A의 원소를 3개의 조 $(1, 2, 3)$, $(4, 5)$, (6)으로 나눈 후

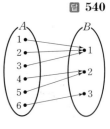

$(1, 2, 3) \rightarrow 1$

$(4, 5) \rightarrow 2$

$(6) \rightarrow 3$

으로 대응시킨 것과 같다.